RECLAM-BIBLIOTHEK

Peter Böthig (geb. 1958) und Klaus Michael (geb. 1959), beide Literaturwissenschaftler und als Herausgeber verschiedener nichtoffizieller Zeitschriften in den achtziger Jahren der »Prenzlauer-Berg-Szene« eng verbunden, versammeln in diesem Band Aufsätze von betroffenen Schriftstellern, Kritikern und Journalisten, Auszüge aus Akten, Interviews. Ein Prozeß vertieften Nachdenkens über das Verhältnis von Literatur und Staatssicherheit soll dokumentiert und weiter befördert werden. Von besonderem Interesse dürfte sein, daß viele Autoren aus der »Szene« selbst an diesem Nachdenken teilnehmen und nach differenzierten Antworten suchen. Außer zahlreichen Beiträgen, die speziell für diesen Band geschrieben wurden, werden im Teil IV wichtige Stimmen der Feuilletondebatte dokumentiert; eine umfangreiche Bibliographie zum Thema im Anhang komplettiert dieses Handbuch.

MachtSpiele

Literatur und Staatssicherheit im Fokus Prenzlauer Berg

Herausgegeben von
Peter Böthig und Klaus Michael

RECLAM VERLAG LEIPZIG

Mit 5 Grafiken und 7 Faksimiles

Dieses Buch wurde gefördert von der Bundeszentrale für politische Bildung

ISBN 3-379-01460-5

Reclam-Bibliothek Band 1460
1. Auflage, 1993
Reihengestaltung: Hans Peter Willberg
Umschlaggestaltung: Matthias Gubig
Printed in Germany
Satz: Mitterweger Werksatz GmbH, Limbach-Oberfrohna
Reproduktionen: Grafische Kunstanstalt Helmut Schneider,
Leipzig
Druck und Binden: Ebner Ulm
Gesetzt aus Meridien

6003786290

Inhalt

III. AKTENDÄMMERUNG

IV. DEBATTE IM FEUILLETON

Der »Zweite Text«

1

Neben dem erneut entbrannten Literaturstreit um Christa Wolf war die Stasi-Debatte um die Dichter des Prenzlauer Bergs die zweite literaturgeschichtliche Fußnote zum Prozeß der deutschen Vereinigung. Als Wolf Biermann sie im Herbst 1991 eröffnete, zeigten sich Autoren, Leser, Kritiker und Inoffizielle Mitarbeiter gleichermaßen schockiert. Die Emotionalität der Debatte ließ darauf schließen, daß es sich um mehr als einen Dichterstreit handelte.

Es ging – und es geht – um das Erbe der zu Bruch gegangenen zweiten deutschen Diktatur. Hintergrund und Material der Debatte ist der Zusammenbruch der osteuropäischen Staatswesen. Die Auseinandersetzung um Literatur und Staatsmacht ist auch ein Reflex der epochalen Zeitenwende. Im Rückblick sind die achtziger Jahre geprägt von einem Verlust an Utopien, von der Auflösung der Blöcke, dem Zerbröckeln der Ideologien und einer Hinwendung zum politischen Pragmatismus. Viele intellektuelle Strategien im geteilten Deutschland waren diesem Pragmatismus wenig gewachsen, ihre öffentliche Rolle steht nun einer neuen kritischen Prüfung anheim.

Die Erkenntnis, von Inoffiziellen Mitarbeitern durchsetzt zu sein, traf alle oppositionellen Gruppierungen der Ex-DDR. In ganz besonderer Weise wurde das Selbstverständnis der Prenzlauer-Berg-Kultur durch die inoffizielle Mitarbeit einiger Autoren erschüttert. Bestand doch ihr Konzept weniger in konfrontativem Widerstand, als – grob gesagt – in Verweigerung und Entgrenzung. Der tragischen Verklammerung mit dem Projekt des Sozialismus in der Christa-Wolf-Generation hatte sie das autonome Konzept eines Nicht-Einstiegs entgegengesetzt. Der offizielle Literaturbetrieb sollte jenseits von ideologischen Dogmen und Kommerz unterlaufen werden. In diesem Zusammenhang war der »Prenzlauer Berg« für Ost und West zu einer Chiffre geworden für eine scheinbar intakte kritische Identität. Es zeigt sich heute, daß dieser Raum zwar jenseits der Staatskultur, nicht jedoch außerhalb der Reichweite des Staates lag. Das Stasi-Unterlagen-Gesetz, das mit dieser Debatte durchgesetzt wurde, eröffnet heute den Zugang zu den Intentionen der Macht. Unser Buch beschäftigt sich mit diesem »Zweiten Text« der Literatur.

2

»Ohne PID keine PUT« – mit dieser Formel begegnete die Staatssicherheit den kritischen Stimmen aus Opposition, Kirche und Literatur. Das hieß soviel wie: »Ohne politisch-ideologische Diversion – keine politische Untergrundtätigkeit«. Ihr Konzept folgte einem klaren Freund-Feind-Schema.

Die Stasi war kein Staat im Staate, sondern »Schild und Schwert der Partei«. Das MfS war in seinen Handlungen von den Weisungen aus den Parteietagen abhängig, vom ZK der SED und vom Politbüro. Veranschaulicht man sich das Zusammenspiel von Zentralkomitee, Kulturministerium und Staatssicherheit, entsteht ein Dreieck, an dessen oberer Spitze die Abteilung Kultur beim ZK der SED steht. Weisungen gingen von dort an das Ministerium für Kultur und an das Ministerium für Staatssicherheit, die sich an den beiden unteren Ekken des Dreiecks befinden. Umgekehrt flossen Informationen vom MfS direkt an das ZK oder das Kulturministerium; in einigen Fällen initiierte das MfS sogar Gesetzesvorschläge, wie das 1981 nicht zustande gekommene »Gesetz zum Schutz der Berufsbezeichnung Schriftsteller«.

12

Die Stasi-Arbeit auf kulturellem Gebiet war in den letzten fünfzehn Jahren vor allem durch die Erfahrungen der Biermann-Affäre von 1976 geprägt. Um eine Wiederholung dieser Überraschungen zu vermeiden, änderte die Stasi ihre Strategie. Im Arbeitsplan der Hauptabteilung XX für das Jahr 1978 wurden die ersten Konsequenzen gezogen: Erweiterung des *qualitativen* IM-Bestandes und Besetzung von *Schlüsselpositionen* in der Bekämpfung des politischen Untergrundes. Diese Strategie trug Anfang der achtziger Jahre erste Früchte. Beispiele sind unter anderem auch der IM-Einsatz von Sascha Anderson alias »David Menzer« bzw. »Fritz Müller« und Rainer Schedlinski alias »Gerhard«. Diese Spitzen-IM beschränkten sich nicht mehr auf bloße Kontrolle, sondern entfalteten selber Aktivitäten in den Zentren der Literatur- und Oppositionsszene. Von der Stasi geschickt und/oder aus eigener Überzeugung – man wird sich das Verhältnis zwischen Führungsoffizier und IM als ein zutiefst kompliziertes und widersprüchliches vorzustellen haben. Was auch immer die Inoffiziellen Mitarbeiter mit ihrer Tätigkeit bezwecken wollten, übrig blieben ihre Berichte. Der Stasi ging es bis zuletzt darum, Feinde zu erkennen. Und das tat sie gründlich. Daran änderten auch die Illusionen nichts, denen sich einige Autoren scheinbar in ihrer Zusammenarbeit mit der Stasi hingaben. Die Dokumente zeigen, daß sich die Stasi letztlich nicht für Reformvorschläge interessierte, sondern ihren aus den dreißiger Jahren gewonnenen stalinistischen Prinzipien folgte.

Ihre Instrumente waren die Operative Personenkontrolle (OPK) und der Operative Vorgang (OV). Wer auffiel – durch Teilnahme an privaten Lesungen oder selbstverlegten Zeitschriften – konnte einer Operativen Personenkontrolle unterzogen werden. Dabei ging es um die Registrierung von Kontakten und um das Erkennen von »feindlich-negativen Einstellungen«. Ergab sich der Verdacht auf einen größeren Aktionsradius, wurde die Operative Personenkontrolle in einen Operativen Vorgang umgewandelt. Durch »Operative Maßnahmen« sollten Beweise für strafbare Handlungen beschafft und die entsprechende Person »bearbeitet« und »zersetzt« werden. Dies konnte auf der persönlichen Ebene als Verunsicherung und Organisierung beruflichen Mißerfolgs einsetzen und bis zur »Erarbeitung« von Straftatbeständen reichen, für die u. U. mehrjährige Freiheitsstrafen vorgesehen waren.

Bei der Bewertung der Dokumente darf bei aller darin enthaltenen Detailfülle nie vergessen werden, für wen diese Akten angelegt wurden und welchem Zweck sie dienen sollten. Viele Fragen bleiben offen, da sich die vielfach beschworene »Wahrheit der Akten« letztlich als selektive Realitätssicht der Stasi erweist. Die Stasi war alles andere als eine neutrale Informationsbehörde. Ihr ging es im Umgang mit den Künstlern und Oppositionellen nie um Objektivität, auch wenn sie daran interessiert war, daß die Fakten stimmten. Ihr Ziel war letztlich die Beschaffung von strafrechtlich relevantem Material. Und so kam es mitunter vor, daß sich die Stasi selbst auf den Füßen stand. Die Szenarien wurden im Bewußtsein der Allmacht entworfen, dennoch geschahen auch Pannen: Am 28. Mai 1986 trafen zum Beispiel die IM »Fritz Müller« und »Gerhard«, die von ihrer Stasi-Arbeit wechselseitig nichts wußten, durch einen Koordinationsfehler auf einem konspirativen Parkplatz aufeinander. Wie das Problem gelöst wurde, zeigt ein Dokument, das im Teil III abgedruckt ist.

Mitte der achtziger Jahre veränderte sich das Verhältnis der Staatssicherheit zur alternativen Literatur. Die Literatur verschwand zwar nicht ganz aus dem operativen Blick, wichtiger wurden aber die Oppositions- und Bürgerrechtsgruppen, an denen die Autoren des Prenzlauer Bergs nur noch am Rande beteiligt waren. Auch war die Stasi so gut über die künstlerischen Aktivitäten informiert, daß sie ihren Einfluß gesichert glaubte. Hat sich nun die unabhängige Literaturszene durch die Enttarnung einiger ihrer Protagonisten als Simulationsprodukt der Staatssicherheit entpuppt? Für die Stasi ganz gewiß nicht. Im Gegenteil: Für sie war diese Literatur immer ein Simulationsprodukt des Westens. Noch stets wurden die Autoren mit dem Prädikat

»feindlich-negativ« belegt, wie eine gewiß noch unvollständige Liste der Vorgänge und Personenkontrollen zeigt:

Peter Böthig	OPK »Schaden«
Gabriele Dietze	OPK »Eule«
Stefan Döring	OPK »Ring«
Elke Erb	OV »Hydra«
Jan Faktor	OV »Doppelzüngler«
Thomas Günther	OV »Trio«
Henryk Gericke	OPK »Progreß«
Egmont Hesse	OPK »Schaden«
Gabriele Kachold	OV »Toxin«, OPK »Medium«
Uwe Kolbe	OV »Poet«
Leonhard Lorek	OPK »Feder« (BV Berlin)
Eckehard Maaß	OV »Keller«
Frank-Wolf Matthies	OV »Wolf«
Fritz-Hendrik Melle	OV »Feder« (BV Karl-Marx-Stadt)
Detlef Opitz	OV »Otter«
Bert Papenfuß-Gorek	OPK »Fuß«
Gerd Poppe	OV »Zirkel«
Lutz Rathenow	OV »Pegasus«, OV »Assistent«
Ralf Kerbach	OV »Grund«
Helge Leiberg	OV »Grund«
C. M. P. Schleime	OV »Grund«
Dieter Schulze	OV »Bummelant«

Eine Bemerkung zum Entstehen dieses Buches: Nachdem die ersten Beweise für die IM-Tätigkeit von Autoren auf dem Tisch lagen, hatte der Berliner Verlag Druckhaus Galrev, der sich in der Nachfolge der Literatur vom Prenzlauer Berg versteht, im Januar 1992 zu einer Autorenversammlung geladen. Es wurde u. a. der Beschluß des Verlages angenommen, das Thema aufzunehmen und mit einem Buch an die Öffentlichkeit zu gehen. Damals wollten auch wir, die Herausgeber, das Buch dort machen, wo es hingehört hätte, am Ort, wo sein Thema entstanden war. Es sollte eine Auseinandersetzung ermöglichen und zugleich bezeugen, daß Verlag und Szene in der Lage sind, sich der Problematik zu stellen. Allerdings wurde dieser Konsens durch die nahezu einhellige Ablehnung, die das Projekt bei Galrev bis zum Sommer 1992 erfuhr, in nachhaltiger Weise zerstört. Dies führte uns dazu, das Buch einem Verlag anzuvertrauen, der uns Spielraum für Kontroversen bot. Wir arbeiteten an diesem Buch auch als Betroffene.

Wenn sich verschiedene Beiträge mit der Rolle Inoffizieller Mitarbeiter befassen, dann ist dies nicht nur ein Nachdenken über Enttäuschungen und individuellen Verrat, sondern vor allem auch eine Auseinandersetzung mit deren Rolle als verlängerter Arm der Kulturpolitik. Die Widersprüche zwischen einzelnen Beiträgen konnten und sollten von uns nicht geglättet werden, im Gegenteil. Der vorliegende Band dokumentiert einen Prozeß und ist zugleich Resultat der Selbstaufklärung. Seine Konzeption folgt der Idee eines Lesebuchs: Welchen Wert können die künstlerischen Oppositionskonzepte vom Prenzlauer Berg beanspruchen? Welche Kriterien der Bewertung gelten noch? Muß die Geschichte dieser Literatur umgeschrieben werden? Die von Jürgen Fuchs postulierte, bislang aber kaum vorangebrachte »humane Vergewisserung« über ein Stück gemeinsam erlebter Geschichte sollte exemplarisch ermöglicht werden.

Die Debatte hat vertraute Vorstellungen durcheinandergebracht. Ein neues Nachdenken über Opposition und kulturellen Widerstand ist geboten. Wir fragten nach bei Kritikern, Autoren und schließlich bei der Stasi selbst. Bei vielen der angesprochenen Autoren begegnete uns zunächst Skepsis, ob es nicht noch zu früh für ein Resümee sei und ob man nicht mehr Aktenkenntnis brauche. Andere wollten sich nicht beteiligen, aus vielfältigen Gründen, sei es Ekel und Überdruß an der Thematik, der Wunsch nach Distanz oder das Gefühl, den Problemen nicht gewachsen zu sein.

Die öffentliche Debatte ist nicht zu Ende geführt worden. Die Gründe dafür sind vielfältig. Zum einen liegen bis heute nicht alle Akten auf dem Tisch, zum anderen verweigern die alten »Täter« nach wie vor den Zugang zu ihrem

Herrschaftswissen. Unser Anliegen war es, weiterzuden-
ken, wichtige Fakten und Ansätze nachzureichen, ohne
einen Abschluß des Nachdenkens anzustreben. Die alternative Literatur und Kunst der achtziger Jahre entstand auf
keinem fremden Planeten. Sie war Teil der DDR und Spiegelbild, Zerrbild und Alternative zugleich. Sie war so unabhängig, wie es die Mechanismen der Macht zuließen, und
sie war so autonom, wie sich die einzelnen Künstler verhielten.

Januar 1993   *Klaus Michael / Peter Böthig*

SPRECHEN IN DEUTSCHLAND

Helge Leiberg: o. T., Zinkographie, 1992

Kontext

Über die Rolle der Kunst
im Zeitalter antagonistischer Diktaturen

Eine Ästhetik des Widerstandes gibt es nicht. Wohl aber gibt es einen Widerstand der Kunst, die sich zur vollen Autonomie emanzipiert hat, gegen alles, was sie in den Dienst außerkünstlerischer Zwecke zu stellen versucht. Dieser Widerstand wird immer ein Politikum sein und darum unter Diktaturbedingungen politische Repression auslösen, auch wenn es esoterischste Lyrik, abstrakteste Musik und Malerei sein kann, gegen die sich die Diskriminierungs- und Unterdrückungsmaßnahmen richten.

Aber Bulgakows berühmte Sentenz über Manuskripte, die nicht brennen, und die Parteiunabhängigkeit von Pasternaks »Shiwago« bezeugen unmißverständlich: Der Widerstand, der von einer gegen Diktaturen resistenten Kunst geleistet wird, kämpft und leidet an einer Front, die ganz anders verläuft als die, die von den Ideologen aller Lager besetzt und affirmiert wird. Und in diesem Sinne ist die Ästhetik von Hammer und Sichel, Hammer und Zirkel, die des Bitterfelder Weges, sofern sie künstlerisches Niveau erreicht, gewiß nicht besser als die der Stahlgewitter. Die Kunst als Waffe – daran ist etwas Falsches im Prinzip, auch wenn ein Majakowski sich zu dieser Losung bekennt.

Denn was soll die Kunst im Waffenarsenal, wo das fortgeschrittenste gesellschaftliche Bewußtsein schon vor dem Ausbruch des zweiteiligen Weltkrieges in den Ruf ausgebrochen war: »Die Waffen nieder!«, und eines der paradigmatischsten Bilder der Epoche, Picassos »Guernica«, nichts anderes war als ein Aufschrei gegen alle Waffen der technisierten Vernichtung? Was sollte eine zur Waffe instrumentalisierte Kunst anderes zustande bringen als jene von Karl Kraus in seinen »Letzten Tagen der Menschheit« durch un-

widerlegliche Szenen moralisch destruierte Kriegsbericht-
erstattung?

Vermutlich hat eine berühmte Sentenz von Walter Benjamin nicht wenig dazu beigetragen, offenkundige Fehleinschätzungen zu stabilisieren. In seinem Aufsatz »Über das
Kunstwerk im Zeitalter seiner technischen Reproduzierbar-
keit« proklamiert er als Ergebnis einer eindrucksvollen
Analyse der Ästhetisierung der Politik durch die Kriegsver-
herrlichung des Faschismus, der Kommunismus müsse
hierauf antworten durch die Politisierung der Kunst. Aber
kann das im Ernst heißen, so zu verfahren, wie es Peter
Weiss' »Ästhetik des Widerstandes« beschreibt: »Zumeist
prüften wir Text oder Bild, worauf wir in einer Zeitschrift,
in einem Museum gestoßen waren, ob es sich im politischen Kampf verwenden ließ, und akzeptierten es, wenn
es von offener Parteilichkeit war.«

Aber unterschied sich denn ein solches Verfahren grundsätzlich von der Ästhetik derer, gegen die auf solchem Weg
Widerstand geleistet werden sollte? Es erklärt freilich
schlagartig, warum der Marktwert der im Westen als
oppositionell eingestuften und publizistisch ausgenutz-
ten Produktionen in ehemals kommunistischen Ländern
schlagartig sank, als die dortigen Regime zusammengebrochen waren. Auf einmal war nur noch die Frage interessant, welche Zugeständnisse an die seinerzeit Mächtigen
auch von einstmals als Widerständler oder Dissidenten
Eingestuften und sogar mit Literaturpreisen Honorierten
doch noch gemacht worden waren.

Freilich liegen die Probleme tiefer und können darum
nicht auf die Pragmatik der Trend- und Konjunkturab-
hängigkeiten reduziert werden. Der um 1935 in Frankreich ausgetragene Streit zwischen Kommunisten und
Surrealisten ist das schlagendste Beispiel für die prinzi-
pielle Inkongruenz auch der politisch engagiertesten
Kunst gegenüber den Strategien der nationalen und internationalen Tagespolitik. Konnte man denn die Politisierung der Kunst ungestümer und rückhaltloser betreiben
als die Surrealisten, die im Juni 1935 auf dem Pariser

Kongreß zur Verteidigung der Kultur ihre Programme proklamieren wollten?

Daß sie schließlich doch noch zu Worte kamen, änderte nichts mehr an der Tragödie von René Crevels Selbstmord im Bewußtsein unüberbrückbarer Differenzen. Heutzutage läge es nahe, diese Differenzen damit in Verbindung zu bringen, daß jener Pariser Kulturkongreß nichts anderes war als eine flankierende Maßnahme der viel zu spät begonnenen Volksfrontpolitik der Kommunisten gegen die gesellschaftlichen und politischen Terraingewinne der Nazis. Und in der Tat: Liest man die Memoiren von Anna Larina-Bucharina als Kommentar zu den Diskussionen in Paris – das Bild, was sich auftut, stellt Becketts und Ionescos absurdeste Szenarien ein für allemal in den Schatten. Die Sowjetunion der Stalinschen Säuberungen als Garantin kultureller Freiheit – das war eine so finstere Groteske, daß sie selbst noch im weltmännischen Geplauder von Ilja Ehrenburgs 2. Memoirenband ihre Spuren hinterließ, wenn dort in obszöner Naivität erzählt wird, der Verfasser habe von Freunden – natürlich können es nur Prominenzen wie Klaus Mann und Moussinac gewesen sein! – gehört, daß er, ohne es zu vermuten, in der tragischen Geschichte von Crevels Selbstmord eine »kleine« Rolle gespielt habe!

Natürlich – aus diesem Knäuel von geplanten und unbeabsichtigten Mißverhältnissen konnte nicht viel Gutes entstehen. Und auch wenn die Surrealisten zwischen André Breton und Georges Bataille keineswegs einig waren darüber, was sie unter der Revolution verstehen wollten, derentwegen die Kommunisten als Bundesgenossen in Betracht kommen sollten – hätte nicht gerade dieses Bündnis eine Klärung herbeiführen können?

In gewisser Weise geschah das ja auch – freilich im Sinne der Inkompatibilität. Was die Surrealisten unter Revolution verstanden, war etwas anderes als die revolutionäre Ideologie von Ehrenburg, Becher oder Bredel. Die Surrealisten hatten den Schock des Weltkrieges so tief empfunden, daß für sie Freiheit nur noch im Automatismus des

22

Traumes realisierbar erschien. Es war gerade der Anteil des Realismus am Surrealismus, der ihn für die Instrumentalisierung im Sinne der Volksfrontpolitik untauglich machte.

In zugleich charakteristischer und höchst eigentümlicher Weise hat sich dieser Sachverhalt in der Kunstpolitik der DDR und den Reaktionen auf sie wiederholt. Jedesmal geht es darum, daß der Realismus der Kunst sich entweder resistent erweist gegen alle Versuche der propagandistischen Indienstnahme oder daß umgekehrt der Verlust dieses Realismus auch noch die esoterischste Kunst politisch assimilationsfähig werden läßt.

Für den ersten Fall kann kaum ein schlagenderes Beispiel gefunden werden als die Art und Weise, wie im Jahre 1962 der bekannte Lyriker Peter Huchel genötigt wurde, die Redaktion der in ganz Deutschland geachteten und gelesenen Kulturzeitschrift »Sinn und Form« niederzulegen. Hans Mayer hat im 2. Band seiner Memoiren den Vorfall als eine persönliche Intrige von Kurt Hager gegen Huchel dargestellt, der es gewagt hatte, Hager bei Ausdrucksunrichtigkeiten zu ertappen. Das mag ein Teil der Wahrheit sein, aber keinesfalls mehr. Viel wichtiger ist, daß Huchels Ablösung im Jahr nach dem Mauerbau geschah. Die im September-/Oktober-Heft 1992 – also erst dreißig Jahre später! – gedruckte Dokumentation des Ablaufes zwischen Akademie der Künste, Kulturkommission der SED und Redaktion von »Sinn und Form« erlaubt es nicht nur, sich ein Bild von der unrühmlichen Rolle des Akademiepräsidenten Bredel zu machen (einer der Pariser Kulturretter von 1935!), sondern durch alle administrativen Schäbigkeiten hindurch die wahren Motive des Vorgehens gegen Huchel zu erkennen. Der Hauptvorwurf gegen die renommierte Zeitschrift war gerade ihr Ansehen in beiden deutschen Staaten. Es genügte, wenn eine westdeutsche Zeitschrift »Sinn und Form« als eine »Oase des Liberalismus« lobte, um in der Kulturkommission der SED die Meinung herrschend werden zu lassen, »Sinn und Form« spiegele die Sonderrealität der mauergeschützten DDR nur ungenügend wider. Ein typisches Beispiel für die notorische

Abhängigkeit der SED von der im Westen veröffentlichten Meinung, die in diesem Fall nicht einmal unzutreffend war. Denn »Sinn und Form« hatte mit dem ersten Heft aus dem Jahr 1949, das mit Majakowski als rabiatem Futuristen und Kasacks Parabel »Der Webstuhl« ein faszinierendes Bild des Zusammenhangs von Bürokratie und Ideologie bot, von allem Anfang sich grundsätzlich dem Ansinnen widersetzt, den Horizont seiner Texte durch den eisernen Vorhang begrenzen zu lassen – mit dem Effekt, daß ein Chefredakteur, der sich den Blick auf die gesellschaftliche Gesamtwirklichkeit auch nach dem 13. August 1961 nicht verstellen lassen und darum sich nicht hindern lassen wollte, den Westberliner Fontanepreis anzunehmen, einer DDR-zentrierten Kulturpolitik im Wege stand.

In einem äußerst merkwürdigen Kontrast zu dieser klaren Unvereinbarkeit von unbegrenzter Wahrnehmungsbereitschaft der Kunst und der sich abgrenzenden Selbsteinmauerung der DDR steht ein Dokument aus der Endphase der berühmten Kunstszene des Prenzlauer Berges. Ich spreche von dem im Herbst 1989, in ungeplanter Gleichzeitigkeit mit dem Zusammenbruch der SED-Herrschaft erschienenen Heft 5/89 des 4. Jahrgangs der »ariadnefabrik«, herausgegeben von Andreas Koziol und Rainer Schedlinski. In nicht weniger als drei Beiträgen wird von so bekannten Autoren wie Gert Neumann (»Die Ethik der Sätze«), Rainer Schedlinski (»gibt es die ddr überhaupt?« »zwischen nostalgie und utopie«) und Sascha Anderson (»Das T-Syndrom«) der Rolle des künstlerischen Ausdrucks unter den Sprachbedingungen der DDR nachgegangen. Beim heutigen Wiederlesen stellt man höchst überrascht fest, wie stark diese dem Milieu der Opposition zugeordneten Texte Literatur der inneren Emigration sind. In einer erstaunlichen Rückhaltlosigkeit spricht der Herausgeber Schedlinski dies in seinen zwischen September und November 1989 entstandenen drei Texten aus, die mit einer gewissen Unvermeidlichkeit zum Epilog der ganzen Szene geraten.

Schedlinski sieht das Dilemma nichtangepaßten Schreibens in der DDR darin, daß jede abweichende Sprache durch ihre westdeutsche Vermarktung und Vermarktbarkeit als Oppositionsdokument letzten Endes zur schweigenden Verweigerung habe tendieren müssen, wenn sie weder der Instrumentalisierung durch die DDR noch der durch die BRD sich habe ausliefern wollen. Wer schrieb, der schrieb dann also gewissermaßen um der Abstände, des zwischen den Zeilen zu Lesenden oder, wie Neumann sagt, um »der schweigenden Intelligenz des schweigenden Urteils über die Ethik der Sätze« willen.

Von bestürzender Folgerichtigkeit ist es denn auch, wenn Schedlinski dem deutschen Vereinigungsprozeß mit ratloser DDR-Nostalgie gegenübersteht. Bestürzend ist hier nicht die Tatsache der Nostalgie. Wie sollte es nicht schmerzen, wenn vertraute und somit auch lebensrelevante Umstände sich auf so schmähliche Weise auflösen, wie es der DDR widerfuhr? Aber bestürzend ist die Unempfindlichkeit, mit der der Nostalgiker der Frage der Selbstbestimmung, der Freiheit zur offenen Kommunikation mit allen Verschiedenheiten deutscher Geschichte in ihren Ländern gegenübersteht, gefesselt an die binären Patterns der beiden genau gegeneinander abgegrenzten Deutschländer. Kein Wunder, daß jemand wie Sascha Anderson beim Leipziger Symposion Oktober 1991 nur verlegen stammeln kann, wenn er sagen soll, was »Poetik des Widerstandes« in bezug auf Sprache denn eigentlich sein solle. Die Esoterik der Aussparungen – wieso ist das Widerstand und nicht Assimilation oder Mimikry?

Die Stasi täuschte sich rundum, wenn sie meinte, über so prominente Informanten wie Anderson und Schedlinski die Literaturszene des Prenzlauer Berges manipulieren zu können. Sie verstand nicht von ferne, daß es dort, wo es den Dualismus der ost-westlichen Literaturvermarktung gab, gar keiner zusätzlichen Aktionen bedurfte, um die Wirklichkeit möglichst propagandawirksam zu verkleiden. Denn gab es eine wirksamere Verdrängung der Einheit der Nachkriegsgesellschaft als ihre Aufteilung auf zwei Systeme der gleichen Technologie und Industrie? In Uwe Johnsons »Mutmaßungen um Jakob« sind bereits Ende der fünfziger Jahre die lähmenden Unwirklichkeiten der Stasi-Perspektive vollkommen zutreffend erfaßt. Wenn Stasi-Spitzel in Gerd Poppes Wohnung an Lesungen von Adolf Endler teilnahmen, geriet der von ihnen verfaßte Bericht zu einer unfreiwilligen Meta-Satire über Endlers DDR-Satiren. An einem Spitzel-Bericht über einen Vortrag, den ich im Herbst 1977 vor der Leipziger Evangelischen Studentengemeinde gehalten habe, konnte ich ablesen: Der nicht unintelligente IM war nicht einmal in der Lage, die Gliederung dieses Vortrages korrekt zu erfassen. So behinderten ihn die weltfremden Klischees seiner Auftraggeber!

Einen ganz anderen Weg ging darum die kurzlebige, aber weitverbreitete Untergrundzeitschrift »Kontext«, die nach den Verhaftungen im Zusammenhang mit der berühmten Liebknecht-Luxemburg-Demonstration im Januar 1988 entstand und bis 1990 erschien. Das Programm stand im Namen: Im Kontext von Kirche (ab 1990 ersetzt durch »Politik«!), Gesellschaft, Kultur sollten Diskurse organisiert und dokumentiert werden, die quer zu den Schematismen im geteilten Deutschland lagen. Die Leninsche Wer-Wen-Perspektive wurde ersetzt durch die Einladung »Wer mit wem?«. Das Vorhaben gelang unterschiedlich gut, hatte aber einmal einen durchschlagenden Erfolg, als im März-heft 1989 des »Kontext« mit Konrad Weiß' Aufsatz über den Neonazismus in der DDR »Die neue alte Gefahr« der wahrscheinlich verbreitetste Text der gesamten DDR-Opposition erschien, der in wie außerhalb der DDR das lebhafteste Echo auslöste. Eines der eindrucksvollsten Zeugnisse dafür, daß ähnlich wie Tschernobyl 1986 block- und systemübergreifende Probleme die politische und gesellschaftliche Landschaft radikal zu verändern begannen.

Der Name »Kontext« erinnert übrigens an eine in der Sowjetunion der siebziger Jahre erscheinende gleichnamige Publikation, die, 1977 auszugsweise in deutscher Übersetzung in der DDR publiziert, eine dem Berliner »Kontext« gegenüber genau gegenläufige Tendenz verfolgte. Der Moskauer »Kontext« verstand sich als Gegengewicht gegen den von ihm als Formalismus kritisierten Strukturalismus der

Schule von Tartu, die unter Führung Lotmans in ihren Ab-
handlungen »Über Zeichensysteme« dem französischen
einen ganz andersgearteten, an Sprache und Geschichte
orientierten Strukturalismus entgegenstellte.

Lotman und seine Mitarbeiter wurden zu ihrem Konzept
angeregt durch den großen russischen Mathematiker Pa-
wel Florenski (1882 – 1937), dessen kunst- und sprach-
theoretische Arbeiten schon seit den zwanziger Jahren
unermüdlich darauf hinwiesen, daß die neue Physik und
Mathematik eine neue Stufe im Verständnis der Ideenlehre
Platons eröffne, und dies dadurch, daß sie auf nicht mehr
systematisierbare Diskontinuitäten stoße, so daß der Zugang zum Ganzen der Wirklichkeit nicht mehr über De-
duktion und Systematik, sondern allein in der Sprache
einer universalen Symbolik gewonnen werden kann. Es ist
der Kontext von Leibniz, in den wir auf einer neuen Ebene
eintreten.

Dieser Kontext ist in mehr als einer Hinsicht genau der
Realismus, der berufen ist, die Irrationalitäten des Surrealismus abzulösen, weil er ihnen nicht nur gewachsen, sondern überlegen ist. Seine Überlegenheit bezieht er daher,
daß er Kunst weder für sich selbst – l'art pour l'art – noch
Kunst für das Volk als Inhalt seines Programms festlegt,
sondern Kunst als Stimme gewordene Geschichte hör- und
sichtbar werden läßt, eben damit aber den weitestmögli-
chen Kontext anspricht. Kandinsky sagt es im ersten Satz
seines Traktates »Über das Geistige in der Kunst« und eröffnet so einen der wichtigsten Programmtexte der künstlerischen Neuzeit: »Jedes Kunstwerk ist ein Kind seiner Zeit,
oft ist es Mutter unser Gefühle.«

November 1993

GABRIELE DIETZE

Die hilflose Wiedervereinigung
Systematische Mißverständnisse west- und ostdeutscher
Intelligenz im Fokus der Dichter-Spitzel-Anderson-Debatte

Als Lektorin des Rotbuch Verlages habe ich Sascha Anderson über kleine handgemachte Samisdat-Kunsteditionen,
die in der Ostberliner Szene kursierten, wie man so sagt,
»entdeckt«. 1982 wurde sein erster Gedichtband »Jeder Satellit hat einen Killersatelliten« aus sowohl politischen wie
literarischen Motiven veröffentlicht. Als undogmatisch lin-
ker Verlag interessierte uns besonders die Mischung von
Dissens und ästhetischer Avantgarde, zumal hier die
Avantgarde anders als ihr apolitisches Gegenstück im
Westen durch die sprachliche Zertrümmerung offiziell vor-
gegebener Sinne sinnstiftend oder, wenn man so will, politisch wirkte. Dem Formalismus selbst wohnte eine gewisse
Moralität inne. Die Zusammenarbeit mit Anderson und
seiner Factory – der Betrieb um ihn läßt sich in seiner
Multifunktionalität mit Warhols Factory vergleichen –
war in der Folge sehr fruchtbar und führte neben vier
Büchern von ihm und seinen Freunden zu zahlreichen An-
regungen, z. B. einem Kunstband mit Heiner Müller und
A. R. Penck »Wolokolamsker Chaussee« oder zur Empfehlung des verlagstechnisch heimatlosen Adolf Endler an
unser Haus.

Nachzutragen ist, daß die Zusammenarbeit mit Anderson, als er noch im Osten lebte, auf das heftigste und auf-
fälligste von der Staatssicherheit behindert wurde. Was
meine Person betrifft: Obligatorische Leibesvisitation an
der Grenze, zwei Kurzzeitverhaftungen (eine, als ich den
amerikanischen Lyriker Allen Ginsberg in die Factory
brachte), sogenannte offene Manndeckung zu Fuß und im
Auto und physische Blockierung von Wohnungstüren etc.
Zeittypisch aber, darauf sollte hingewiesen werden, versuchten die Ost- wie die Westpartner dergleichen herunter-

zuspielen, um Unbeeindrucktheit, Souveränität und anti-
autoritäres Unterlaufen des herrschenden Machtdiskurses
zu demonstrieren. Das unterschied z. B. die ästhetische
Subversion von der sich politisch verstehenden Opposition, die sich in einer – so schien es damals – ritualisier-
ten Beschäftigung mit der Stasi ihrer eigenen Bedeutung
versicherte. Die Stasi war im Prenzlauer Berg ein selten an-
geschnittenes Thema. Ich wußte z. B., daß Anderson gelegentlich verhört wurde, fragte aber nie genauer nach, denn
es war ja bekannt, daß Autoren regelmäßig durch Vorladungen »Zur Klärung eines Sachverhalts« eingeschüchtert
werden sollten.

Die Kombination von Elementen ästhetischer Avantgarde (im Gegensatz zum offiziellen Realismus), Dissens
(nicht unbedingt in antagonistischer Konfrontation mit der
Staatsmacht, sondern in der scheinbar desinteressierten
Verweigerung) und sichtbarer Verfolgung ließen die Spit-
zelvorwürfe gegen Anderson absurd erscheinen. Wie viele
andere habe ich Anderson öffentlich in Fernsehtalkshows
und in der Zeitung verteidigt und Wolf Biermann und Jürgen Fuchs als Vorverurteiler angegriffen, mit dem speziellen Schwerpunkt, daß die Prozedur eines Rufmordes ohne
hard facts über fast drei Monate einen Niedergang der
demokratischen Gepflogenheiten markiert und die Wiedervereinigung uns in eine neue Denunziationskultur
stürzt. Bei letzterem habe ich nichts zurückzunehmen, weil
ich eine »Der-Zweck-heiligt-die Mittel-Position« nach wie
vor für demokratiefeindlich halte. Bei ersterem hatte ich
unrecht. Inzwischen gibt es Aktenbeweise dafür, daß
Sascha Anderson über Freunde, Kollegen und auch über
mich selbst Fakten gesammelt und der Stasi rapportiert
hat. Wie 700 000 Landsleute warte ich auf Akteneinsicht
bei der Gauck-Behörde.

Abstrakt logisch hätte man spätestens nach dem Nachweis
des Verrats eine klare Abgrenzung von Anderson erwarten
können. Diese erfolgte aber nur in zwei sehr antagonisti-
schen geistigen Provinzen: erstens in der neukonservativen

Provinz bestimmter Fraktionen westlicher Literaturkritik, die schon ein Jahr zuvor mit dem Begriff »Gesinnungsästhetik« die sogenannte »Christa-Wolf-Debatte« in der »Zeit« und der »FAZ« eröffnet hatte, und zweitens in der geistigen Provinz der politisch und literarisch fundamentalistischen DDR-Opposition. Die Motive beider Gruppierungen sind unterschiedlich.

Der neukonservativen Literaturkritik geht es um eine Re-Valuierung der Nachkriegsliteratur zugunsten eines »reinen« Kunstbegriffs und zuungunsten jeder Form von politisch-moralisch inspirierter Literatur (wobei die Gruppe 47 und ihr erzieherisch antifaschistischer Impetus einbezogen und politischer Literatur jede formale Innovation abgesprochen wird). Sie möchte in der spezifischen Debatte »Anderson und die Folgen« eine formal avantgardistische Literatur vom Vorwurf moralischer Korruption frei halten (die politische Korrumpierbarkeit von realistischer Dichtung war ja gerade das Ziel ihrer Polemik gewesen) und opfert lieber die ganze Prenzlauer-Berg-Szene, als die Frage von Ästhetizismus und Amoralität zu diskutieren.

Das eher politisch motivierte literarische DDR-Exil in der Bundesrepublik (Biermann, Fuchs) bekämpft in Anderson den ästhetischen Avantgardismus als apolitisch und literarisch wertlos, um einerseits ihr eigenes, eher an Heine und Brecht orientiertes literarisches Konzept zu verteidigen und um andererseits auf ihre Widerstandsmeriten und Opferschmerzen (die ich hierbei nicht entwerten will) hinzuweisen. Darin treffen sie sich mit den Revolutionären von 1989. So fand z. B. Bärbel Bohley harte Worte: »Wer nicht verzweifelt, daß friedliche Familienväter für Auschwitz verantwortlich waren und daß Dichter Spitzel werden, der verzweifelt gar nicht.« Eine Politik der Konfrontation und des Antagonismus verwahrt sich hier gegen eine apolitische Verweigerungsstrategie. Es stehen die Leichtfüßigkeit des Prenzlauer Berges und seine Postmodernität in Frage, der Versuch, den Herrschaftsdiskurs durch die Nichtanerkennung zu untergraben, der Versuch, die Stasi zur Simulation zu erklären, zu einer wildgewordenen leerlaufenden Maschine, die unfreiwilligen Surrealismus produziert.

Die Prenzlauer-Berg-Szene selbst verhält sich gespalten: Ungläubige Loyalität zu Anderson wie bei Papenfuß-Gorek mischt sich mit scharfen Distanzierungen etwa von Drawert, Grünbein oder Jan Faktor. Einig ist man sich nur darin, Authentizität und Echtheit des damaligen eigenen künstlerischen Schaffens und der persönlichen Lebensstilrevolte zu verteidigen. Zu einer interessanten Radikalität in der Frage von Kunst und Moral bringt es der junge, sehr postmodern inspirierte Durs Grünbein: »Die feine Trennungslinie von Machtopportunismus und Kunstautonomie herauszufinden ist die Hausaufgabe jedes künstlerischen Eigensinns in unendlich vielen Zwangslagen [...]. Haltung ist zu bewahren, auch wenn es ironischerweise die falsche ist, wie bei Ezra Pound und Celine.« Sicherlich ist die bisher kühnste Volte in der ganzen Debatte, die Autonomie und Unschuld der Kunst mit der politischen Amoralität einiger ihrer Protagonisten retten zu wollen.

Zusammengefaßt kann man sagen, daß die klaren Abgrenzungshaltungen zum »Verrat« der Dichter entweder aus einer politischen Konfrontationspolitik kommen, die auf die Lemuren des untergegangenen Realsozialismus fixiert bleibt, oder aus einem neukonservativen Bemühen zur Reästhetisierung der Literatur.

Das etablierte linksintellektuelle Spektrum in Ost und West hingegen nimmt eine eher zögerliche Haltung in der Sache ein, aber eine scharfe Haltung in der Beurteilung der Debatte. Eigentlich bisher Inhaber eines Monopols auf moralische Argumentationen, möchte man es jetzt eher nicht so genau wissen und hält die Öffnung der Stasi-Akten für die Gefahr eines »Bürgerkriegs« (Christoph Hein) oder befürchtet, wie Günter Grass, daß mit der Stasi-Debatte »die nicht bewältigte Nazi-Vergangenheit auf dem Rücken der DDR-Bürger ausgetragen wird«.

Und so stehen wir vor der paradoxen Lage, daß sich ein Teil der etablierten linken Intelligenz einer Aufarbeitung des sozialistischen Erbes sowenig stellen mag wie nach

1945 das deutsche Bürgertum dem faschistischen Erbe. Um diese seltsamen Fronten zu verstehen, muß man sich klarmachen, daß die Auseinandersetzung von dem unausgesprochenen Grundparadigma eines richtigen oder falschen Antifaschismus überlagert oder überschattet wird. Es soll die Generalfrage beantwortet werden: Hätten wir es besser gemacht als unsere Väter und Großväter, hätten wir eine neue Diktatur verhindert, oder sind wir ein Volk, das unfähig zur Zivilcourage ist? Der Westen kann diese Frage nicht beantworten, weil als historischer Glücksfall die Demokratie mit Care-Paketen und dem Marshall-Plan mitgeliefert wurde. Die einzigen, die diese Frage für sich positiv beantworten können, sind die DDR-Exilanten in der BRD und die Revolutionäre vom Herbst 1989. Der Tonfall der Inquisition speist sich aus diesem Bewußtsein und die hochgegriffenen Vergleiche mit dem Faschismus wie »Auschwitz der Seelen« (Jürgen Fuchs) ebenfalls.

Aber auch alle anderen Kombattanten der angesprochenen geistigen Provinzen ziehen Beispiele, Sprachbilder und Bezüge aus dem Faschismus heran. An der Stasi-Debatte wird versucht, historische Defizite einzuklagen, aufzuheben und nachzuholen. Jürgen Fuchs spricht es aus: »Das ist ein großartiger Anschauungsunterricht für uns alle, noch einmal eine Wiederholung, ein Wiederholungszwang, weil die Wahrheit fehlt [...] somit die Erlösung und die Chance des Verzeihens.« Und dann der bittere Schluß: »Die Täter, so scheint es, haben sich längst vergeben.« Die Fehler der unvollendeten Entnazifizierung in der BRD sollen vermieden werden, die Entstalinisierung soll vollständig sein, Täter und Opfer sorgfältig geschieden.

Die ungenügende Aufarbeitung des Faschismus in der BRD und die falsche Aufarbeitung in der DDR (Mißbrauch des Antifaschismus als Legitimationsideologie einer sozialistischen Diktatur) sollen über das Symbol der Stasi-Akten geregelt werden. In ihnen hat man die Vergangenheit fein säuberlich aufgeschrieben (der Westen wollte die Nazi-Archive der Alliierten nie haben). Gnädigerweise für die Westler betrifft diese Vergangenheit ausschließlich den

Osten, und diese Wahrheit wird sie nicht schmerzen. Der Ersatz für eigene Aufarbeitungsdefizite ist billig zu haben.

Für den Osten hat das Stasi-Archiv eine ganz andere Bedeutung: 1. Je größer und gigantischer die Manipulationsmaschine sich im nachhinein herausstellt, desto mehr sind die Ex-DDR-Bürger von der Last des nicht stattgefundenen Widerstandes und dem Ruch der Unmündigkeit befreit. Sie wurden nachweislich manipuliert und sind deshalb nicht verantwortlich (ein Phänomen, das Hannah Arendt in ihrer ersten Deutschlandreise nach dem Krieg bemerkt hat: das Bemühen der Deutschen, sich selbst als Handelnde zum Verschwinden zu bringen). 2. Je größer die Anzahl der bespitzelten Personen war, desto größer wird der imaginäre Widerstand, und damit ist die ersehnte Subjektivität rückwirkend über die Dokumentation in den Akten zu erlangen. Jeder beobachtete Bürger wird so zum Widerständler, auch wenn es ihm selbst nie eingefallen wäre.

Die Enttarnung von Spitzeln in diesem Zusammenhang ist eher eine unangenehme Begleiterscheinung, die dem einstmals unterdrückten Volk noch im nachhinein den Stempel des Verräter-Volks aufdrückt. Das spaltet die Rezeption dieses Prozesses in den Medien. Die Ost-Medien neigen eher zum Schulterschluß und zum Verständnis der Spitzel-Psychologie, während die West-Medien ersatzweise gnadenlos sind. Dafür läßt sich – natürlich rein spekulativ – neben dem Generalparadigma des richtigen oder falschen Antifaschismus – auch das Unbehagen des Westbürgers an der im Prinzip nicht gewollten und viel zu kostspieligen Wiedervereinigung verantwortlich machen. Die Stasi-Debatte wird zum psychologischen Verschiebebahnhof: Die »Ossis« als Spitzelvolk lassen sich leichter ablehnen als der arme kleine Bruder mit dem großen Nachholbedarf.

Der »Dichter als Spitzel« hat in der Debatte eine besondere Bedeutung. Der geistige Fluchtpunkt beider deutscher Nachkriegsliteraturen war eine Widerstandsidentität. Im Westen radikal, wegen der fehlenden Legitimität des postfaschistischen Staates, aber auch im Osten habituell, eine

33

Verteidigung des Einzelmenschen gegen die Obrigkeit, selbst wenn sich das in vergleichsweise kleinen Gesten äußerte wie bei Christa Wolf. Diese Widerstandsidentität war durch die historische Entwicklung zur Wiedervereinigung bedroht oder abhanden gekommen, den Westlern fehlte der Sozialismus als Fernziel, der dem Widerstand Transzendenz verlieh. Den Ostlern fehlte der realexistierende Gegner. Die ästhetische Subversion der jungen Dichter vom Prenzlauer Berg hatte sozusagen die Fackel nachwachsender Generationen beider Intelligenzen weitergetragen: Die Kraft von Wort und Kunst zersetzt die Macht.

Mit der moralischen Diskreditierung des Prenzlauer Berges wurde der Kern dieser Widerstandsidentität getroffen, und der Dissens war unter den Verdacht der Steuerbarkeit geraten. Das erklärt nach der Enthüllung der unabweisbaren Tatsachen Trotz und Hilflosigkeit, Nichtwahrnehmenwollen aus Korpsgeist (das sind doch welche von uns), überraschenden Langmut und das Verständnis weiter Teile der Intelligenz – alles Haltungen, die ich an mir selbst beobachtet habe.

Für die Verzögerung einer angemessenen Reaktion ist auch Andersons beharrliches Bestreiten verantwortlich, das als Selbstverteidigung eines Unschuldigen mißdeutet wurde und nicht als konsequentes Verhalten innerhalb eines ästhetischen Konzepts. Sozialisiert in einer quasi vormodernen Gesellschaft, wo noch ein historisch verspätetes Mal versucht wurde, einen einzigen Diskurs zu etablieren, hatten die Prenzlauer auf den Anti-Diskurs, die Sprach- und Sinnzertrümmerung gesetzt. Die Verweigerung von Moralität oder die Setzung von Amoralität war in diesem Kontext eher sinnstiftend. Folglich hat sich Anderson auch auf keinen moralischen Standpunkt, der seine eigentlichen Absichten beleuchtet hätte, zurückgezogen. Er hat die Intentionen seiner Handlungen nicht erklärt. Er verharrte und verharrt bis heute in dem Paradox, einerseits kein willentlicher Spitzel gewesen sein zu wollen, sich andererseits aber universell als schuldig zu bekennen. Es wäre eine Vielzahl von Argumenten möglich gewesen wie: Amoralität der Postmoderne (»Die Stasi war uns sowieso egal, dann konnte man auch mit ihr reden«) oder erpreßtes Opfer (»Sie haben mich irgendwann mal am Arsch gehabt, und ich konnte nicht mehr raus«) oder souveräner Spieler um künstlerische Autonomie (»Ich wollte die Produktivität der Szene von Staatseingriffen frei halten, deshalb habe ich in eigener Machtvollkommenheit gedealt«) oder selbst Überzeugungstäterschaft (»Ihr werdet lachen, aber ich war eingeschriebenes Parteimitglied«). Durch die Verweigerung einer plausiblen Erklärung ist Anderson Projektionsfläche geworden. Innerhalb der laufenden Debatte wird ein Kampf ausgetragen über die Definitionsmacht in einem neuen Kanon gesamtdeutscher Nachkriegsliteratur. Wer jetzt Geschichte schreibt, der bleibt. Den anderen droht historische Verurteilung oder das Vergessen. Das erklärt die von außen möglicherweise unverständliche Dauer und Leidenschaft der Debatte, die an der Oberfläche über Kunst und Moral geführt wird.

So wie diese Debatte zur Zeit geführt wird, wird nicht zu beantworten sein, ob im fraglichen Fall schlechte Moral schlechte Literatur zur Folge hatte, es wird auf die oben dargelegte Weise nicht geklärt werden können, ob der Dienst am Schönen irgendeine Verbindung zum Wahren und Guten hat und ob sich die reine Kunst oder die politische Kunst besser zur Korruption eignen. Die Frage, ob Anderson und seine Prenzlauer Freunde schlechte Poeten sind, beweist sich nach meiner Meinung am literarischen Text und nicht an der Häufigkeit und Genauigkeit der Spitzel-Berichte. Kanonisierende Federstriche, die ganze Literaturrichtungen mit moralischen Argumenten als ästhetisch diskreditiert auslöschen wollen, scheinen unangebracht und ein typisch deutsches Schwarzweißdenken. Die Texte der »Spitzel-Dichter« werden danach beurteilt werden müssen, ob sie sich der »Lebenswahrheit« ihrer Autoren gestellt haben, d. h. ob sich die Metaphorik der Dissidenz auch als eine Metaphorik des Verrats entziffern läßt oder ob sie genauso »falsch« sind wie das Verhalten ihrer Autoren. Sascha Anderson hat seine Freunde verraten. Ob er seine Literatur verraten hat, ist damit noch nicht entschieden.

Zuletzt noch eine Anmerkung zum Prenzlauer Berg als »Stasi-Simulation«: Die Vorstellung einer Staatssicherheit als literarischer Produzent erscheint mir absurd. Wenn etwas gesteuert war, dann nicht der ästhetische Selbstausdruck, sondern bestenfalls die Tatsache der massenhaften Produktion von staatsabgewandter Kunst an sich. Das Biotop der Avantgarde. Eine Staatssicherheit als Gewährleister einer apolitischen Systemaufweichung (oder in ihren Augen ungefährlicher Nischenbastler) scheint mir denkbar, entweder aus dem Motiv, die Aufmerksamkeit von konfrontativ politischer Opposition zugunsten »unschädlicher« Nur-Künstler abzulenken, oder aus dem Motiv, bewußt ein Ventil zu öffnen, um Überdruck zu kontrollieren und zu kanalisieren und/oder innere Verkrustungen aufzuweichen. Anderson ist in diesem Zusammenhang als Agent einer Gewährleistungsstrategie denkbar, der als unehrlicher Makler mit kulturellem Aktionismus Räume öffnete und in eigner Optik damit kompensierte, was er auf der moralischen Seite verfehlte. Es mag sein, daß sich bei voller Akteneinsicht in die Affäre auch diese Interpretation als noch zu freundlich erweist.

Mai 1992

MANFRED JÄGER

Schriftstellers Unsicherheit und Staates Sicherheit

Bemerkungen über eine Mesalliance zwischen Geist und Macht

Schriftsteller und Intellektuelle, die sich politisch und ideologisch mit SED und DDR identifizierten, hatten kaum
innere Vorbehalte, sich dem neuen Staat bedingungslos zur
Verfügung zu stellen. Das gilt zumindest für die Anfangs-
jahre, als sie sich dem Neuaufbau einer auf marxistisch-
leninistischer Grundlage entstehenden antikapitalistischen
Gesellschaftsordnung mit enthusiastischer Gesinnung und
Tatkraft zuwandten.

Die Mitglieder der KPD unter ihnen, die während der Na-
zijahre in der Sowjetunion Zuflucht suchten, erlebten und
verinnerlichten die stalinistische Partei- und Staatsord-
nung. Sie waren Zeugen und potentielle Opfer des Terrors
und übernahmen in aller Regel die Feindbilder, die gleichsam den nächsten Genossen zum besonders raffiniert getarnten Agenten des Klassenfeinds werden ließen. Die Unterwerfung war eine Bedingung dafür, dem Kreis der Auser-
wählten weiter angehören zu dürfen. Als sie in der DDR kul-
turpolitischen Einfluß gewannen, fehlte ihnen entweder
der Wille oder die Kraft, auf Distanz zu gehen. Sie identifizierten sich mit der Macht. Es hing wenig davon ab, ob sie
dies als gebrochene Charaktere oder als bewußt diszipliner-
te, militante Verfechter »der Sache« taten, wie das partei-
kommunistische Engagement verkürzt genannt wurde. Wer
sich der Diktatur zur Verfügung stellte, durfte keine Vorbehalte gegenüber der Partei haben, die nach Louis Fürnbergs
Hymnentext immer recht hatte. Der Staatssicherheit zu helfen und zu dienen, die sich poetisch als »Schild und Schwert
der Partei« stilisierte, mußte Herzens- und Ehrensache
sein. Gerade auf diesem Gebiet hatte der Intellektuelle,
der »zur Arbeiterklasse übergetreten« war, sich zu bewäh-
ren.

Wer, wenn es ernst und konspirativ wurde, »schwankte«, mußte von bürgerlicher Ideologie erfüllt sein. Seine Reservatio mentalis beruhte auf Moralvorstellungen, die aus anderen Zeiten und Welten stammten. Die Vernichtung der Sozialdemokratie durch deren Einschmelzung in eine kommunistische Einheitspartei verschärfte die Bespitzelung innerhalb der SED, die nur durch die Bekämpfung des »Sozialdemokratismus« zu einer Kampfgruppe »neuen Typs« werden konnte. Das Mißtrauen der Herrschenden gegenüber den reformsozialistischen Autoren mit ihren utopischen Demokratisierungswünschen bewahrte wohl die meisten von ihnen, auf die selbstmörderische Probe ihrer Parteilichkeit gestellt zu werden. Auch war der Sicherheitsapparat in den frühen Jahren noch nicht so aufgebläht, so daß die Versuchung oder der Druck zur Mitarbeit geringer war als in den letzten beiden Jahrzehnten der DDR.

Das ändert aber nichts daran, daß die Traditionslinien zur leninistischen, verschwörerischen, berufsrevolutionären, illegal arbeitenden »Elite« gehalten wurden und deren stalinistische Perfektionierung wirksam blieb. Die nachwachsenden Kader wurden in diesem Sinne erzogen, teils als junge Kriegsgefangene in den Lagern, teils später an den kommunistisch umgestalteten Universitäten und Hochschulen einschließlich der Arbeiter-und-Bauern-Fakultäten. Die »IM«-Vergangenheit so prominenter Autoren wie Paul Wiens oder Hermann Kant sollte daher niemanden überraschen. Wer sich dem herrschenden System verschrieb, stützte, so gut er konnte, alle seine Pfeiler. Die einen berichteten als Kundschafter an der inneren Front, die anderen lieferten literaturwissenschaftliche Gutachten für das MfS, um die Verfasser nachgewiesen oder vermeintlich staatsfeindlicher Texte zu verunglimpfen und »sachverständig« den Boden zu bereiten für Verfolgung oder Ausbürgerung.

Ein »Parteisoldat« kann wohl nichts Ehrenrühriges darin sehen, seinem Staat und seiner Partei auf jede verlangte Weise gedient zu haben. Die »IM«-Passagen seines Lebens ärgern Kant heute wohl vor allem deswegen, weil sie mit seiner Erfolgsstory »vom Elektriker zum auflagenstarken Autor und zum Verbandspräsidenten« lästig kontrastieren. Irgendwann mochte er nicht mehr als Botenjunge geführt werden, er war schließlich auf einer höheren Sprosse der Karriereleiter angelangt; und zeigte er sich nicht stets bereit, als Verbandsfunktionär jede gewünschte Auskunft zu geben, ohne heimliche Treffs, die ihm doch längst nicht mehr zuzumuten waren?

Die wohlfeilen Klischees von der Verantwortung der Intellektuellen, die Beanspruchung eines Wächteramts und die suggestive staatsnahe Ideologie, einmal müßte doch die utopische Versöhnung zwischen Geist und Macht gelingen, haben die Fähigkeit geschwächt, die eigenen Positionen zu relativieren, die durch moralisch hochtönende Rhetorik allzuoft unangreifbar erscheinen sollen.

Die Intellektuellen unter den Spitzeln verhielten sich nach dem Zusammenbruch der DDR in aller Regel »durchschnittlich«, d. h., sie zeichneten sich keineswegs als Aufklärer aus, die Licht in die dunkle Angelegenheit bringen wollten. Keiner war dazu bereit, die sogenannte Verstrikkung aus freien Stücken aufzudröseln. Erst nach der Enttarnung begannen sie mehr oder weniger bedrückt Rechtfertigungstexte zu verfassen.

Mir scheint die Verführbarkeit der Intellektuellen, sich von allmächtigen Instanzen in Dienst nehmen zu lassen, sogar größer zu sein als bei den unscheinbaren Leuten ohne Rang und Namen. Der sogenannte »kleine Mann« verhält sich mißtrauischer gegenüber den Amtsautoritäten. Es liegt mir fern, seinen Mut hervorzuheben und ihn gar zum Widerständler zu ernennen. Vielmehr bot ihm die kleinbürgerliche Angst einen gewissen Schutz. Er fürchtete, er könnte in irgend etwas Dubioses hineingezogen werden, dem er schließlich doch nicht gewachsen gewesen wäre.

Die Staatssicherheit, die sich mit einigem Aufwand Psychogramme der prospektiven Mitarbeiter hergestellt hatte, verstand es hingegen gut, die Eitelkeit und die zur Selbstüberschätzung neigende Profilneurose der intellektuellen Helfer für die eigenen Zwecke zu nutzen. Der infantile Glaube, der einzelne Dichter A. oder S. könne die Stasi hinters Licht führen, den staatlichen Apparat für eigene Zwecke benutzen und heimlich triumphieren, mag nicht nur eine späte Rechtfertigungsstrategie der Betroffenen sein. Die geheimen Minderwertigkeitskomplexe von Schriftstellern sind oft Ursache von Allmachtsphantasien, deren rauschhafte und verstiegene Verblendung leicht in Katerstimmung endet. Die Furcht, Kreativität und Schreibfähigkeit könnten versiegen, mag eine Triebfeder dafür gewesen sein, sich eine zweite Wichtigkeit außerhalb der literarisch-publizistischen Bedeutung zuzulegen. »Ach, wie gut, daß niemand weiß, daß ich Rumpelstilzchen heiß«, schrie der fröhlich böse Kobold im Märchen. Unter der staatlich geschützten Tarnkappe ließ sich gefahrlos ein Doppelleben führen. Denn Ost- und Westpolitiker bescheinigten sich gegenseitig die langwährende Koexistenz. Was die fernere Geschichte auch bringen mochte, zu »unseren Lebzeiten« war mit einem Ende des Realsozialismus, gar mit einer deutschen Wiedervereinigung, nicht zu rechnen. Hatte die utopische Zukunftshoffnung blind gemacht, erlaubte das Denken in den Kategorien der Realpolitik, sich dem (un-)moralischen Leichtsinn zu überlassen.

Die Verdrängungsmechanismen traten in unterschiedlichen Formen auf, generationsspezifisch verfremdet. Bei den Anhängern des künftigen humanistischen Paradieses, das sie sich imaginierten, wie unattraktiv die lang andauernde »Übergangsperiode« auch aussehen mochte, ließe sich wortspielerisch von einem »Verdrängungsmessianismus« sprechen. Um des künftigen Heils willen opferten sich in ihrem larmoyanten Selbstverständnis die Täter. Dafür scheint mir sehr charakteristisch, daß der von Peter Tille, dem IM »Karl Heinz«, bespitzelte Ulrich Schacht in einer Aphorismensammlung Tilles den Satz fand: »Xanthippe, Judas, Mephisto – wer dankt schon denen, die Dreckarbeit verrichten?«

Die Stasi-Zuträger vom Prenzlauer Berg haben als Spätgeborene die Verbundenheit mit den mittel- und langfristigen Zielsetzungen von Staat und Partei geleugnet. In ihren Biographien fehlen sowohl die gläubige Zuwendung wie die spätere Desillusionierung. Damit begründen sie, frei für den Verrat gewesen zu sein, der für sie ein Verrat an nichts ist. Da sie weder für noch gegen den Staat gewesen seien, hätten sie weder oppositionell noch regimetreu gewirkt. Die Zusammenarbeit mit der Staatssicherheit wird so zu einem unverbindlichen Spaziergang im neutralen Niemandsland. Die Freunde und Bekannten, über die man berichtete, werden zu belanglosen Figuren in einem harmlosen Puzzlespiel. In Wahrheit erscheint mir dieses Verhalten wesentlich fragwürdiger als das gewiß ebenfalls zwielichtige Treiben der durch Staatsnähe und Parteitreue ausgewiesenen Informanten. Vor ihnen konnten die Mitmenschen sich schützen. Wer hätte sich schon Anneliese Löffler oder Werner Neubert als Vertraute für staatsfeindliche Gedankengänge ausgesucht! Die Stasi-Zusammenarbeit von Personen, die in der Organisation eines selbstbestimmten Literaturbetriebs und als Herausgeber nicht genehmigter Zeitschriften tätig waren, stellt einen Vertrauensbruch dar, der durch die wortreichsten Erklärungen nicht zu kitten ist.

Fühlten sich A. und S. wirklich als die Genies, denen alles erlaubt sei? In einer Diskussion mit Greifswalder Studenten hat Brecht den des Formalismus bezichtigten Picasso mit dem schönen Satz verteidigt: »Dem Genie werden natürlich überhaupt keine Vorschriften gemacht.« Es versteht sich, daß er sich selbst ebenfalls meinte, obwohl ihm Vorschriften gemacht wurden und er sie ernster nahm, als seinem Werk und seinem Nachruhm guttat. Im übrigen ging es in den fünfziger Jahren eher um Ästhetik als um Moral. Aber die fehlgeleiteten nachgeborenen Kinder der realsozialistischen Republik haben nicht den geringsten Grund, einen Dispens zu erwirken, weil sie ach so genial und asozial und anarchistisch und schöpferisch gewesen seien. Hat nur einer der Stasi-Helfer einen großen zynischen amoralischen Text zustande gebracht, der jen-

41

seits der Konventionen und Erwartungen den Horizont erweiterte und den schmählichen Aspekt des menschlichen Versagens abschwächte? In den erklärenden Texten Sascha Andersons und Rainer Schedlinskis vergegenständlicht sich noch einmal die mickrige, spießige, kleinkarierte DDR – durchaus im Kontrast zu der Weltoffenheit, die manche aus ihrer Generation sich schon erobert hatten.

Auf dieser mittleren Ebene bewegen sich leisetreterisch auch die Beobachter, die großzügig gestikulierend mit der Gebärde allumfassender Verzeihung Opfer und Täter in dasselbe Holzboot zwingen wollen, in dem weiter ein nicht gelöschter Brand schwelt. Die macht- und einflußlosen Schriftsteller, die sich mit der Stasi einließen und dabei noch glaubten, den längeren Arm zu haben, können sich nicht einmal auf eine Institution berufen, in deren Namen sie agierten. Sie sind nicht Politiker, die wie Manfred Stolpe mit einem Mandat etwa der Kirche verhandelten, wie doppelgesichtig er und wie düster die Grauzone heute auch erscheinen mögen. Sie waren Wichtigtuer mit schwacher Widerstandskraft. Vielleicht müssen Betroffene und Beobachter schon damit zufrieden sein, wenn sich einer nicht kryptisch wie Anderson, sondern im Klartext äußert, wie Schedlinski es mehrfach getan hat. Sein weitschweifiges Reden erinnert allerdings an einen Menschen, der einen ausgeliehenen, aber mittlerweile beschädigten Topf zurückbringt und dem Besitzer zu erklären versucht, das Loch sei schon vorher drin gewesen und er habe den Topf überhaupt nicht benutzt, ja nicht einmal geborgt, er wisse eigentlich gar nicht, wie er in seine Hände geraten sei. Schedlinski kann sich nicht entscheiden, wie er den Stasi-Apparat letztlich bewerten soll. Seine Illusionen stehen im Konflikt mit seinen Erfahrungen. Auf der einen Seite will er zeigen, daß der verlogene Staat eine zweite pervertierte Ebene der Information über die Verhältnisse brauchte, weil sonst überall im Einklang mit der propagandistischen Selbstdarstellung gefälscht und geschönt wurde. In solchem Zusammenhang lobt er die Stasi ihrer relativ pragmatischen, offenen und realistischen Sicht wegen. Wenig später nennt er sie so banal und bürokratisch, wie alle Behörden im Lande gewesen seien, ja er hält für die Funktionäre des Mielke-Ministeriums die Attribute engstirnig, zwanghaft, realitätsblind, unglaublich dumm und vernagelt bereit.

Hat er sie einmal mit allen Behörden gleichgestellt, wenn auch mit negativem Vorzeichen, erscheint es ihm gleichgültig, ob man als Künstler oder Literat mit dem Kulturministerium, mit dem Zoll, dem Büro für Urheberrechte oder eben direkt mit der Stasi gesprochen oder verhandelt hat. Er verwischt die unterschiedlichen Funktionen, die Ämter auch in einer Diktatur ausüben. Indem er konspirative Kontakte mit anderen Vorladungen bei Ämtern in ein Knäuel zusammenspinnt, will Schedlinski das moralische Problem des verräterischen, heimlichen Mittuns relativieren. Seine Beschönigungen können nicht vergessen machen, daß für Intellektuelle wie für jedermann eine moralische Wahl möglich war. Gerade wer sich damit entschuldigen möchte, daß die Gefahr, die von der Stasi ausging, in den achtziger Jahren nicht mehr lebensbedrohend war, erinnert an einfache Wege, die zu begehen keinem verwehrt war. Man konnte rechtzeitig und definitiv nein sagen. Wer das nicht über sich brachte, wird auch mit weitschweifigen Beschreibungen der »Unzuständigkeit der Macht« nicht glaubwürdig. Für einen Essay reicht das Eingeständnis, man sei einfach feige und ängstlich gewesen, gewiß nicht; und Schriftstellern fließt eben von Berufs wegen der Mund über.

Oktober 1992

MICHAEL BRAUN

Die Sache mit der Stasi
Acht Fußnoten zu einer auslaufenden Debatte

1

Einladung zum Weghören. »Ich kann es niemandem
verdenken, daß er nichts mehr hören, sehen, riechen will
von den Dreckgeschäften des DDR-Staatssicherheitsdienstes. Ich kann den Impuls, Ohren, Augen und Nase zu verschließen, nicht leugnen. Sogar befallen mich Fluchtgedan-
ken. Nur fort, über Ozeane hinweg, an einen Ort, wohin
keine Nachricht gelangt.« (Hans Joachim Schädlich)

2

Ist die Wahrheit »aktenkundig«? »In den Akten«,
sagt der Schriftsteller Reiner Kunze, »steht die Wahrheit.«
IM-Berichte seien »meist relativ exakt mit Ausnahme dort,
wo mit Lust denunziert und gelogen wurde«. Der Teufel
steckt hier im Detail, in der seltsamen Wortbildung »relativ
exakt«. Genauigkeit kann sich kein Ungefähr leisten. Wer
stellt fest, wo die Exaktheit endet und die Lüge beginnt?
Der Aktenauszug, den Kunze auf Seite 46 seiner Dokumentation »Deckname Lyrik« präsentiert, bedarf jedenfalls
eines Kommentars. Dies ergibt sich z. B. aus einem Brief
der Schriftstellerin Margarete Hannsmann (nachzulesen in
NDL, Heft 11/1991). Aktenprotokolle und IM-Berichte,
dies zumindest zeigt der Hannsmann-Brief, sind nicht in
jedem Fall Dokumente von objektiver Beweiskraft.

3

Ermüdungen. »Die Geschichte der DDR-Literatur muß
neu geschrieben werden!«: So protzig kommentierte der
»Spiegel« vor Jahresfrist die Endlosenthüllungsstory zum

Fall des Lyrikers und Stasi-Informanten Sascha Anderson. Nach der Aufarbeitung der Stasi-Verstrickung von DDR-Schriftstellern, so sekundierte Frank Schirrmacher in der »FAZ«, werde die literarische Kultur der DDR nicht mehr wiederzuerkennen sein. Große Worte, pathetische Ankündigungen, großmäulige Prophezeiungen, die sich nicht erfüllt haben. Gerade mal vier Monate lang tobte die sogenannte Stasi-Debatte, überbot man sich in enthüllungsehrgeizigen Statements und ultimativen Schuldzuweisungen. Kaum waren Sascha Anderson und Rainer Schedlinski der Lüge überführt, erlahmte das Interesse merklich. Mittlerweile, ein Jahr nach Wolf Biermanns berühmtem Fluch auf den »unbegabten Schwätzer Sascha Arschloch«, sieht es nicht mehr danach aus, als herrsche in Sachen Literatur und Staatssicherheit vermehrter Aufklärungsbedarf. Das klammheimliche Comeback von Anderson und Schedlinski bei Galrev entlockt den Platzhirschen des Feuilletons nur noch ein müdes Gähnen. Schlimmer noch: Wer noch immer hartnäckig eine öffentliche Debatte über den Einfluß der Staatssicherheit auf die Literatur der DDR anmahnt, wer die Stasi-Literatur-Geschichte am Prenzlauer Berg rekonstruieren will, wird von feinsinnigen Kritikern der Provinzialität und hoffnungslosen Rückständigkeit geziehen. Die ehemalige DDR, so spottet Michael Rutschky in einem »Merkur«-Essay (Heft 6/1992), habe sich nach der Vereinigung in ein kulturelles Entwicklungsland verwandelt, dessen Thema bei der westdeutschen Intelligenz zunehmend Langeweile hervorriefen: »Die Stoffe, mit denen die Neubundesländer die öffentliche Aufmerksamkeit zu beschäftigen wünschen, haben samt und sonders das Odium des Abgestandenen und Unzeitgemäßen ... der Schriftsteller Ih. war erbittert, als ich mich an der Debatte über den enttarnten Avantgardisten Sascha Anderson nur matt beteiligen mochte und von Asew zu erzählen begann, einem russischen Chefterroristen, der gleichzeitig Agent der zaristischen Geheimpolizei war. ›So weit hätte es auch euer Anderson bringen müssen, um mir zu imponieren.‹«

4

Das Leben geht weiter. Im Mai 1992 liest Sascha Anderson in der Volkshochschule Köln: sein erster literarischer Auftritt nach der Enttarnung als Inoffizieller Mitarbeiter der Staatssicherheit. Er liest etwa dreißig Minuten,
einen Essay, einige Gedichte. Das Publikum ist höflich,
bemüht sich um Verständnis, bestaunt den umstrittenen
Dichter. Eine offenbar geglückte Premiere: IM »David
Menzer« kehrt heim ins Reich der Literatur.

5

Briefe an einen Kritiker.
Heidelberg, 1.12.1991. Lieber Hajo, ... jetzt rächt sich,
daß Adolf Endler die liebevolle Bezeichnung »Prenzlauer-
Berg-Connection« in Umlauf gebracht hat – eine Formel,
die von den Szene-Hassern dankbar aufgegriffen wird, um
alle Autoren, von Sascha Anderson bis Ulrich Zieger, in
Sippenhaft zu nehmen. Es geht offenbar schon längst nicht
mehr darum, herauszufinden, ob Sascha Anderson zu den
»armen Schweinen« oder den »Schweinehunden« gerechnet werden muß. Nein, es geht den groben Moralisten um
die Trockenlegung eines ihnen lästigen literarischen
Sumpfgeländes, um die Stigmatisierung, wenn nicht gar
Kriminalisierung von Schriftstellern, die das Realismus-
Konzept eines Biermann für obsolet halten ... All die un-
geklärten Fragen steigern meine Verwirrung – und meine
Befürchtung, daß die Dichter nur noch den Täter- oder
Opferpart in einer Kriminalgeschichte der Stasi spielen
werden, daß aber von ihrer Literatur nichts mehr wahrgenommen wird. Oder trauere ich nur einem Prenzlauer-
Berg-Mythos hinterher, der eh schon längst demontiert ist?
Heidelberg, 29.12.1991. Lieber Hajo, ... eine Bemerkung
zum Stasi-Komplex sei noch erlaubt. »Die Staatssicherheit
war ein Phänomen, kein Gegner«, schreibt Stefan Richter,
der ehemalige Leiter des Leipziger Reclam Verlags, in der
»FR« und formuliert damit das Credo aller Anderson-Vertei-
diger. »Eine Dämonisierung des Apparates«, so Richter, die

zur fatalen, weil verheerend falschen Gleichsetzung der Stasi mit der Gestapo führe, sei kontraproduktiv. Was ist damit gewonnen, wenn S. Anderson zahlreicher Stasi-Kontakte oder gar der freiwilligen Zusammenarbeit mit dem »Phänomen« überführt ist? Die Wahrheit über gewisse Literaten der DDR, über die »spätdadaistischen Gartenzwerge« im »Schrebergarten der Stasi«? Die Möglichkeit, zwischen Freund und Feind zu unterscheiden? Die »humane Vergewisserung« über die DDR-Vergangenheit, die Jürgen Fuchs meint: Kann sie durch Auswertung von Akten erfolgen? Meine Befürchtung ist: Die Praxis der Schuldzuweisungen wird wie bisher über die »humane Vergewisserung« triumphieren. Das Fahnden nach Verrätern und Spitzeln auf der einen, der Rückzug in den Schmollwinkel auf der andern Seite wird die Debatte über die DDR-Literatur ad absurdum führen.

6

Die Sache mit der Stasi. Sascha Anderson hat seine Freunde verraten, hat mit Unmengen von Spitzelberichten die Akten seiner Führungsoffiziere gefüllt. Dennoch beharrt er bis heute auf seiner Opferidentität. »Das ist mir ein völliges Rätsel«: Mit diesem Satz, der Standardformel der Täter, hat er seine Verstrickung kommentiert. Was aber sagen seine Opfer? Einer von vielen, der Maler A. R. Penck, zeigt sich von der Stasi-Komplizenschaft seines Freundes wenig beeindruckt: »Für mich war die Stasi nicht nur negativ«, erklärt Penck gegenüber der Zürcher »Weltwoche«. Was, so fragt sich verwirrt der westdeutsche, geheimdienstlich unbehandelte Kritiker, was war dann die Stasi? Der monströse Überwachungsapparat eines Polizeistaates? Oder doch nur ein »Phänomen«, ein »Papiertiger« (Klaus Schlesinger), eine »Institution wie jede andre« (Rainer Schedlinski)?

7

Kollaboration oder Subversion? Der einzige systematische Beitrag zur Diskussion über den Einfluß der Staatssicherheit auf die Literaturszene am Prenzlauer Berg

– stammt von einem Täter. Im Januar 1992 hat Rainer Schedlinski öffentlich Rechenschaft über seine IM-Tätigkeit abgelegt. Schedlinski berichtet in seinem FAZ-Artikel detailliert von den stasi-eigenen Techniken des Verbrechens: von Erpressung, psychischer Zermürbung, von der subtilen Zersetzung menschlicher Willenskraft und Identität. Dem Druck, immer mehr sagen zu sollen, resümiert Schedlinski, habe er nicht standgehalten; aber er habe niemanden in Gefahr gebracht, habe nie über Westhonorare, Geldumtausch oder illegale Veröffentlichungen geplaudert. Ein Mißverständnis, diesen »FAZ«-Artikel als Schuldbekenntnis zu lesen. Dank Lutz Rathenows Aktenlektüre weiß man, daß sich die konspirative Tätigkeit des »IM Gerhard« keineswegs auf die Weitergabe banaler Informationen beschränkte. Auch mit Berichten über szene-interne Vorgänge, über Westhonorare, illegale Texttransfers o. ä. hat sich Schedlinski gegenüber seinen Führungsoffizieren offenbar nicht zurückgehalten. Auch wenn Zweifel bleiben an der Beweiskraft der Spitzelprotokolle: Für Rainer Schedlinski, das zeigen seine Essays über sein Verhältnis zur »Firma«, ist die Stasi zur zweiten Natur geworden. Schon im »FAZ«-Artikel verweist Schedlinski auf seine »ziemlich lockere Haltung gegenüber der Stasi« und auf seinen Versuch, diese »Institution« für seine Zwecke zu instrumentalisieren. In seinem ausführlichen Rechtfertigungsaufsatz »Die Unzuständigkeit der Macht« (in: NDL, Heft 6/1992) geht er dann endgültig in die Offensive. Die gespielte Zerknirschung aus dem »FAZ«-Artikel ist darin einem neu erwachten Selbstbewußtsein gewichen. Das Provozierende dieses Textes liegt nicht so sehr in der objektiven Verharmlosung des DDR-Geheimdienstes als vielmehr in der schamlosen Selbstbeweihräucherung, die sein Autor betreibt. Frei von allem Geständniszwang, frei von Schuldgefühl und moralischer Büßerpose, will Schedlinski die Zerrbilder vom »Phänomen« Stasi korrigieren. Die Stasi, so seine zentrale These, habe nicht nur als »Schnüffeldienst« fungiert, sondern vor allem als gesellschaftliche Informationszentrale, als das entscheidende »Medium« zwischen

der offiziellen und inoffiziellen Wirklichkeit der DDR. Diese
»Überinstitution« habe nicht nur Zensur, Verbot und Verfolgung entschieden, sondern eben auch über Erlaubnis,
Nichtzensur und Tolerierung. Als geheimer Knotenpunkt
für alles Irreguläre und Inoffizielle in der DDR sei die Stasi
zwangsläufig auch die wichtigste Anlaufadresse für unbot-
mäßige Schriftsteller gewesen. Sich auf Stasi-Kontakte einzulassen, so Schedlinskis kühne Schlußfolgerung, sei mit-
nichten ein Schritt in die Kollaboration gewesen, sondern
der einzig gangbare Weg zur Systemveränderung. So stilisiert sich der brave Stasi-Informant zum taktisch klugen
Helden der Subversion, zum Protagonisten einer literarischen Spaßguerilla, die mit den Greisen im Politbüro ihr
anarchisches Spiel trieb: »In den achtziger Jahren erschien
die Macht nicht mehr als jener stalinistische Übervater, es
waren verkalkte Greise, die man betrügen, belügen, ausnutzen, hintergehen und verlachen konnte; eine debile
Macht, mit der zu kungeln nicht mal mehr ehrenrührig
und für manchen gar amüsant war ...« Den Gipfel der Verharmlosung erreicht Schedlinski am Ende seines Essays,
wenn er die DDR zum »Schildbürgerstaat« erklärt, der sich
wesentlich durch Lächerlichkeit und Dummheit auszeich-
nete, keinesfalls aber durch Terror oder Brutalität. Zwischen Bagatellisierung und trotziger Selbstheroisierung hin
und her schwankend, erteilt sich Schedlinski selbst die
Absolution vom Vorwurf des Verrats.

8

Ethik des Sprechens. Wie läßt sich in der Stasi-Debatte
eine »Ethik des Sprechens« finden, die nicht in die Falle der
herrschenden Sprachgewalt geht, die auch frei ist von der
unsäglichen Selbstgerechtigkeit der »Sascha Arschloch«-
Rufer? Eine Antwort auf Gert Neumanns Frage ist in
Deutschland bislang ausgeblieben.

September 1992

PATRICIA ANNE SIMPSON

Entropie, Ästhetik und Ethik
im Prenzlauer Berg

>»wenn es die DDR nicht nur als eine art westen
mit anderen mitteln geben soll, wenn sie eigen-
schaften haben soll, deren maßstäbe ihr selbst
entwachsen, wird sie sich auf andere werte be-
sinnen müssen. sie bedarf des moralischen vor-
teils, um neben der bundesrepublik existieren zu
können. das ist ihre einzige legitimation und die
einzige chance, der westlichen eingemeindung,
die zuerst in den vom fernsehen ausgehöhlten
köpfen stattfindet, zu entgehen.«

Rainer Schedlinski,
»gibt es die DDR überhaupt?«
(August/September 1989)

> lettern schwarz auf weissem grund
> solang die nationen ihre rolle spielen
> (schwarz als reaktion auf weiss
> weiss als reaktion auf schwarz)
> vielleicht sollte man die wahrheiten
> die durch die literatur verbreitet
> werden grau auf grauem grund
> drucken. ich weiß keine weltanschauung
> keine fernfahrkarte oder
> weiteres ding worauf mehr
> als der preis geschrieben steht
> ich habe ausser meiner sprache keine
> mittel meine sprache zu verlassen

Sascha Anderson,
Jeder Satellit hat einen Killersatelliten

Seit der Wende erleben auch Germanisten im amerikanischen Ausland eine Art Nachholbedarf: das »Unikat-Syndrom« (Michael Thulin) der selbstverlegten Literatur der
achtziger Jahre in der DDR verwandelte sich in die erhältli-

50

chen Abrisse (der »ariadnefabrik«, z. B) und Sammelbände »Kontexte«, »Vogel oder Käfig sein« u. a.), die wir »Literaturwissenschaftler« im Ausland begrüßten. Der Text, der ganze Text und nichts als der Text wurde die neue Version unserer Wahrheit. Die Relativierung der Wahrheit im poststrukturalistischen Diskurs, die z. B. sprachlichen Verrat rechtfertigen sollte, weist auf die graue moralische Zone hin, in der wir uns alle als Leser befinden. Warum liest man überhaupt? Wegen der moralischen Exemplarität des Autors oder wegen der ästhetischen Wirkung eines Textes? Bis zu welchem Grad ist ein Text abhängig vom Kontext? Interessiert uns der politische Kontext dringender als der Text? Solche Fragen sind nicht von der Ethik des Lesens zu trennen.

Seit der Wende geht es anscheinend um die Wahrheit im außermoralischen Sinne, um einen Begriff Nietzsches zu borgen. Einst sorgfältig und mühsam getippte und vervielfältigte Texte werden jetzt für die Ewigkeit gedruckt: Absender: »Hineingeborene« (ich denke an das Gedicht von Uwe Kolbe); Empfänger: Nachgeborene. Diejenigen, die sich mit der französischen und anglo-amerikanischen Literaturtheorie bekannt machten, freuen sich im nachhinein über die sprachspielerischen und theoretischen Tendenzen dieser Poetik. Auf der anderen Seite und zur gleichen Zeit jedoch waren viele linksorientierte Intellektuelle von dieser asozial bzw. anti-sozialistisch wertvollen Lyrik enttäuscht. Wo steckt die Politik oder die politische Kritik dieser Lyrik und deren Theorie, eine Kritik, die wir zu Recht oder zu Unrecht mit der im Ausland publizierten Literatur der DDR immer in Verbindung zu bringen pflegten? Zum Teil fällt eine sprach- und ideologiekritische Literatur zusammen mit einer machtkritischen, da eine unverständliche Sprache zugleich eine unkontrollierbare ist. Die Aufgabe der Literaturkritik (ich rede jetzt aus einer amerikanischen Perspektive) muß sein, die Umstände dieser sprachlichen Unverständlichkeit miteinzubeziehen.

Wir müssen (sollen) der Versuchung, alle »bebes« (siehe unten) wegen Mangel an Moral mit dem Badewasser auszuschütten, aus dem Weg gehen. Da wir zu Unrecht eine Szene aus Fragmenten totalisierten, müssen wir jetzt *lesen*, um die Vielfalt der DDR-Kultur – egal ob sie abhängig oder unabhängig ist/war – wahrnehmen zu können. Die theoretischen Lyriker und lyrischen Theoretiker sind aber durch Spitzeltätigkeit schon verrufen, ehe sie berühmt wurden, und dies wegen der Totalisierung der Szene. Die besten Lyriker sind nicht immer die besten Menschen. Durch die Offenbarungen über die Zusammenarbeit mit der Stasi werden bestimmte Vorurteile über »schwierige« Literatur bestätigt. Man erwartet eine Moralität von lebendigen Literaten. (Für Verstorbene machen wir Ausnahmen.) Außerdem sei die Sprache, auf die alle Menschen angewiesen sind, ein Werkzeug unserer Gedanken, ein Merkmal unserer Menschlichkeit. Wozu lesen ohne Sinn oder ohne Bedeutung? Will diese Literatur überhaupt an die Öffentlichkeit? Oder ist sie eher eine Art private Sprache, die nicht einmal Wittgenstein begreifen würde? Leser wollen Literatur verstehen; sie erwarten, daß ein Text irgendwem irgend etwas zu sagen hat. Zugegebenermaßen verschwindet nichts so schnell wie die materiellen Zeichen einer Sprache, nachdem ein Text gelesen und verstanden wird. Die Sprache aber der jüngeren DDR-Lyrik (und ich verallgemeinere hier grob) ist dadurch gekennzeichnet, daß die materiellen Zeichen der Sprache nicht – oder zumindest langsamer – verschwinden. In der utopischen Ideologie der Aufbau-Literatur verschwanden die Zeichen hinter der Ideologie des sozialistischen Experiments auf deutschem Boden. Das grammatikalische Subjekt war immer »WIR«. In der offiziellen Entropie der erstarrten Literaturproduktion neuen Lebens und endlosen Aufbaus wurde die Sprache noch unsichtbarer und schweigsamer, dafür aber die Ideologie lauter und sichtbarer. Das »WIR« zerfiel in ungefähr 16 Millionen Ich-Fragmente. Diese äußerlichen gesellschaftlichen Hintergründe sind nicht unbedingt die Ursachen einer sprach- und machtkritischen Philosophie, aber sie sind doch die Voraussetzungen einer neuen Aufmerksamkeit für die Materie der Sprache und deren grundlegende Beziehung zur äußeren Machtstruktur. Diese Vorgänge führen zu einer der wichtigsten Fragen des Lesens: Können die geschichtlich-historischen bzw. ökonomischen Umstände, unter denen ein Text zustande kommt, ausführlich die Bedeutung eines Textes – aus Buchstaben, Farben, Tonband, egal aus welcher Materie – erklären? Anders formuliert: Was ist wichtiger – die Produktionsmittel, die die Herstellung von Gedichten und Aufsätzen beeinflussen, oder die rhetorischen und sprachspezifischen Elemente des Textes selbst?

Will man diese Frage im Kontext des Prenzlauer Bergs beantworten, ergibt sich eine weitere Frage, und zwar: Worin besteht der Wert der sogenannten Prenzlauer-Berg-Szene? Die Zeit der abgeschlossenen »Szene« ist vorbei, wenn sie überhaupt jemals existierte. Einmal waren die selbstverlegten Gedichte von den dort wohnenden Dichtern ein Geheimtip. Geheimnisse haben auch sehr viel mit Macht zu tun. Geheimnisse sind verbotene Früchte. Geheimnisse konnten die Diskussion von innen beherrschen wegen der Stasi, und von außen wegen der Lust, innen zu sein, oder zumindest die Literatur als Außenseiter verstehen zu können. Jetzt dürfen wir alle alles lesen: Vor-(ur)teile der Lektüre.

Die Kunst ist lang, dafür aber das Leben kurz: Wir denken in Abkürzungen: Weimarer Klassik, Wiener Klassik, Jenaer Romantik – Prenzlauer-Berg-Postmoderne – warum nicht? Zu einer Zeit, in der Lyrik in der Bundesrepublik nicht mehr gefragt ist und die theoretische Diskussion über Kunst sich längst institutionalisiert hat, braucht die literarische Öffentlichkeit des deutschsprachigen Publikums dringend einen Impuls von unten oder vom damaligen »Drüben«, der die Lesegewohnheiten auf den Kopf stellt. Ob man in der Lage ist, ohne Vorurteile zu lesen, hat sich noch nicht entschieden. Seit der »Wende« schreibt sich Geschichte groß: Lyriker, Künstler, Graphiker und Musiker müssen nun etwas Politisches beitragen, auch wenn sie sich auf dem Gebiet der Politikwissenschaft nicht auskennen. Intellektuelle sind auf einmal beispielhafte Bürger eines verlorenen exotischen Landes, für das sich die Menschen quasi als Anthropologen interessieren. Als ob es nun ein Schild gäbe, wo einmal Checkpoint Charlie war: »Welcome to the Former East Germany: We Are Closed For Renovation – Please Pardon Our Appearance During Remodelling.« Was bleibt von der unrenovierten Lyrik der Achtziger? Was hat die Renovierung der Geschichte mit Gedichten zu tun? Liest man überhaupt Lyrik?

Ich möchte in diesem Zusammenhang auf eine Rezension von Fritz J. Raddatz eingehen, in der er sich mit der Anthologie »Vogel oder Käfig sein« sowie mit unterschiedlichen Texten von Jan Faktor, Flanzendörfer und Bert Papenfuß-Gorek, befaßt (»Die Zeit« 8. 5. 1992). Ihm zufolge bieten diese Bände ». . . die Chance, in größerem Zusammenhang nachzulesen, was die alternative Literaturszene in der DDR hervorgebracht hat. Das ist bestürzend, in der Qualität beeindruckend und manchmal im Versuch, eine untergegangene Moderne neu zu erfinden, lächerlich.« Während er die sprachspezifische Problematik dieser Texte erkennt, liest er aber letztendlich, um auf einen Realitätsbezug (z. B. ein Gedicht von Flanzendörfer) mit implizierter Gesellschaftskritik zu deuten. »Ein Kanon sollte zerbrochen werden, der nicht nur ästhetische Vereinbarungen fixierte, sondern zugleich politisch-moralische einbezog.« Dies ist kein DDR-Spezifikum. Texte, die ihre Kommunikationsmöglichkeiten in Frage stellen, destabilisieren gleichzeitig den Begriff von einem Kanon, eine Etikette, die ein genauso falsches Einheitsbild ist wie »Szene«. Auf jeden Fall kann man vielleicht nachlesen, aber bestimmt nicht nachleben. Die Leser werden die Erfahrungen der Dichter nicht nachholen können. Das, was bleibt, ist keine leichte Lektüre. Die Frage muß jetzt anders formuliert werden. Nicht: Aus was für einer politisch-gesellschaftlichen Realität entstand diese Lyrik, sondern: Was für eine Literatur (oder »Kunst« hier allgemein gefaßt) thematisiert die Sprache, die ihre Beziehung zur Wirklichkeit problematisiert?

Die drei Vorurteile, die Michael Thulin in seinem Aufsatz »Das Unikat-Syndrom« skizziert, sind in diesem Kontext einleuchtend. Er schreibt von den Vorurteilen dieser Literatur gegenüber: sie sei unverständlich, apolitisch – darüber hinaus sei sie weder zu haben noch zu kaufen. Erst nach der Veröffentlichung etlicher Zeitungsartikel zur Spitzel-Tätigkeit Sascha Andersons u. a. fühlte man sich in den Vorurteilen wohl und gerechtfertigt. Da hatte man im nachhinein recht. Mich erinnert diese Art des nachgeholten Bessergewußthabens an die Dekonstruktions-Debatte in der amerikanischen Presse. (Ich möchte hier die Moralität der Kritiker nicht beurteilen, nur auf die Gemeinsamkeiten – insbesondere die schwierige Sprache und den damit verbundenen Nihilismus-Vorwurf betreffend – der Reaktion hindeuten.) Man wußte immer schon, daß Dekonstruktion, wie sie hierzulande genannt wird, ganz sicher etwas Faschistisches an sich hatte. Aufgrund der bekannten Kontroversen zur Biographie Paul de Mans braucht man die Theorie nicht erst verstehen zu müssen. Man konnte die Aufsätze ohnehin schon nicht verstehen. Die waren sowieso ahistorisch, apersönlich, schwer.

Die vielen Veröffentlichungen der unterschiedlichsten Texte stellen ein differenziertes Bild dieser literarischen Stadtlandschaft vor. Auch wenn die Lyrik an sich »dekonstruktiv« sein sollte, d. h. die Beziehung zwischen Werk und Wirklichkeit problematisiert, stellt sich die Frage, warum der Leser bzw. der Literaturhistoriker der Sehnsucht nach Rekonstruktion der Bedeutung im politischen, sozialen und moralischen Sinne nicht widerstehen kann. Das Dilemma der ästhetischen Wertung – das jede Gegenwartsliteratur betrifft – schneidet solche Themen an. Wenn die Lyrik nur im Kontext einer DDR-Nicht-Öffentlichkeit zu verstehen ist, wenn das Verständnis immer schon ein Mißverständnis ist und wenn die Texte ausschließlich im Rahmen der ergänzenden Produktionsmittel zu lesen sind, dann kommt man unumgänglich auf die dringendsten Fragen der Lektüre. Erst nachdem sich die Produktionsmittel geändert haben, wurden die Texte in höherer Auflage publiziert, aber nicht, um ein verlorenes und vermißtes Ganzes darzustellen, sondern um an eine öffentliche Diskussion über eine diskursive Öffentlichkeit anzuknüpfen. Aus dieser zeitlichen Perspektive fragt man nicht unbedingt, was bleibt, sondern was verloren und unwiederbringlich ist.

Bezeichnet die Lyrik eine Neu-Romantik, in der das Verhältnis zwischen Denken, Sprechen und Handeln am wichtigsten ist? Oder ist sie eher eine Art innere Emigration, eine Selbsttäuschung, daß man staatliche Institutionen umgehen konnte, ohne von ihnen beeinflußt zu werden? Bis zu welchem Grad kann man sich definieren und vom Staat abgrenzen, ohne aus Versehen das Spiegelbild desselben zu werden? Das dialektische Dilemma beherrscht die oppositionelle Situation. Daß die Macht der Dialektik alles, was sich selbst nicht ähnelt, überrollt oder aufhebt, ist nur mit Stil zu überwinden oder einfach nur zu stoppen. Dieses Denkmodell der Gegensätze bleibt eine Voraussetzung für die Entstehung von sprachlicher Bedeutung. Wer den Staat definiert, hat Macht. In diesem Sinne ist die politische Bedeutung des Staates eine Frage der literarischen Interpretation. Der Staat beruht auf einer linguistischen Definition der Macht. Die utopische Ideologie der herrschenden, öffentlichen und offiziellen Literatur der DDR war ein funktionierender Teil des Machtapparates ebenso wie die Volkskammer. Es ist die Tendenz des souveränen Systems, sich Kritik einzuverleiben oder zu marginalisieren, was aber in der Prenzlauer-Berg-Lyrik weder/noch der Fall ist. Viel wichtiger ist die sprachliche Selbstverständlichkeit der Lyrik selbst. Die lose damit verbundene Kritik der politischen Umstände ist nur ein Nebenprodukt der Lektüre. Wie immer in der Literaturkritik herrschen die Prinzipien der äußerlichen Rechtfertigung der Texte. Dieses Vorurteil schadet genausoviel wie die Auffassung des Textes als ausschließlich didaktisches Element im sozialistischen Realismus (oder meinetwegen in amerikanischer Werbung). In der Lyrik und Theorie der Achtziger geht es um die Innen-Außen-Problematik eines Textes. Darüber hinaus ist dies eine Problematik der Grenzen. Metaphorisch gemeint?

Was hat die Sprache mit Grenzen zu tun? Wenn Sprach-
künstler von Literatur bzw. Lyrik als Freiräumen sprechen,
dann werden beide Zeichen: »frei« und »raum« in Frage gestellt: beide sind wortwörtlich sowie figürlich zu verstehen. Durch die Sprache erarbeitet man einen Einblick in
die Machtstrukturen der Gesellschaft. Gert Neumann, dessen Beschreibung einer politisch-solidarisch zu verstehenden Klandestinität der Sprache (»Die Klandestinität der
Kesselreiniger. Ein Versuch des Sprechens«) bestimmte
Probleme der Unverständlichkeit löst, weist auf die Problematik der privaten und öffentlichen Sprache. Häufig (bei
Elke Erb, Gabriele Kachold, Rainer Schedlinski u. a.) liest
man vom Schweigen, von einer Sprache des Schweigens.
Man muß aber die Zusammenhänge kennen, um die Sprache des Schweigens zu verstehen. Wenn Neumann von
dieser erwähnten »Klandestinität« als einer politisierten Solidarität unter Arbeitern schreibt, verstehen jene die Sprache, die in der Situation leben. Die Syntax des Schweigens
ist lesbar, wenn auch nicht laut: d. h., die Voraussetzungen eines Verstehens in einem geschlossenen Sprachsy-
stem sind anders, äußerlich bedingt. Neumann begründet
dieses Schweigen in der Machtstruktur. Die Sprache der
Herrschaft kann die Sprache der Beherrschten nicht verstehen: sie sind aber »zweisprachig«. Dies ist vielleicht wieder
die Hegelsche Herrschaft/Knechtschaft-Dialektik. In einer
hierarchischen Gesellschaft oder in einer Diktatur ist unsy-
stematisches Denken eine Art Bedrohung. Wenn die Sprache von der Macht besetzt ist, muß man eine neue Sprache
oder eine alternative Kommunikationsmöglichkeit erfinden.

Diese Thematik hängt mit einer Materialität der Gegenstände zusammen, die ein weiteres Motiv konstituiert: die
Dinge sprechen zu lassen (Rainer Schedlinski). Die Materialität der Gegenstände wird mit der einer Sprache verbunden. Dem liegt eine Art Sprachmaterialismus zugrunde.
Wenn man die Texte von Thulin, Neumann, Kachold, Pa-

penfuß-Gorek, Kolbe, Erb und Faktor – um nur einige Namen zu nennen – liest, stößt man unvermeidlich auf eine intensive Auseinandersetzung mit der *Materialität der Sprache*. Buchstaben tragen auch die Bedeutung der Bedeutungslosigkeit, d. h., die Bedeutung entsteht aus dem Spiel mit den Buchstaben selbst. Nur mit Stil oder mit dieser Insistenz auf dem Buchstaben kann man aus den binären Denkmodellen ausbrechen. Beispiele dafür sind überall zu finden, z. B. in Schedlinskis Gedicht »etmal«: »die ration zigaretten zum beispiel / die rationen des ja und des nein«. Hier assoziiert der Dichter die Sprache der Dinge mit der des Denkens (*ratio*), d. h. bringt zwei Bereiche der menschlichen Existenz zusammen. Dies hört sich vielleicht marxistisch-materialistisch an, und möglicherweise könnte man marxistische Literaturtheorie (mit Hilfe vom Post-Strukturalismus) am Beispiel dieser Texte neu konzipieren. Assoziationen mit den Zeichen der Sprache. Die Logik des Zufalls.

Letztendlich komme ich auf die Frage der Identität und des DDR-Spezifischen: Was hat die Sprache bzw. die Literatur mit der menschlichen Identität zu tun? Wie kann man mit der Sprache die Sprache verlassen, um auf Anderson anzuspielen? Was bleibt noch von dem moralischen Vorteil übrig, den Schedlinski 1989 bevorzugte? Man redet dialektisch von Identität und Differenz. Man liest auch von Zusammenarbeit, echter Kollektivarbeit und von Schreibenden, die frei von schriftstellerischem Egoismus sind. In der Literatur der DDR – Tatort: Prenzlauer Berg – sieht man die Equivalenz zwischen Schreiben und Arbeiten. Daß die Lyriker u. a. kollektiv arbeiteten, führt nicht unbedingt dazu, daß wir kollektiv lesen sollen. Lesen ist auch Arbeit. Am Beispiel der Literatur, die im Prenzlauer Berg zu Hause war (wenn nicht in Leipzig, Dresden, Halle oder Hamburg ...), könnte man eine Theorie der literarischen und gesellschaftlichen Produktion entwickeln, die eng mit dem grammatikalischen und menschlichen Subjekt verbunden wäre. Dafür brauchen wir die theoretischen Einsichten, welche diese Texte enthalten und entfalten.

Liest man Lyrik, weil der Dichter ein guter Mensch war?

Wonach beurteilen wir die Schriftsteller, die Sprecher ihrer Zeit geworden sind? Die Hellhörigkeit für die Sprache; die Offenheit und Bereitschaft, etwas, was nicht leicht zugänglich ist, zu lesen, ohne unbedingt und gleich auf eine Schubladenerklärung kommen zu können, gestaltet den Ariadnefaden durch die Labyrinthe der sprachlichen Hinterhöfe des verschwundenen imaginären »Prenzlauer Berges«. Wir müssen beim Lesen unsere Gedankenprozesse jetzt renovieren und vielleicht meine Formulierung umschreiben: »Readers: Open for Renovation?«

Oktober 1992

PETER BÖTHIG

Spiele der Revolte

»Es ist die Würde des Menschen, Informationen zu erzeugen«, hat der Philosoph Villem Flusser in seinem letzten Interview gesagt. Nicht nur seine Würde, möchte man ergänzen, sondern auch sein Verhängnis.

Es scheint das Abenteuer der Mächtigen zu sein, wenn sie ihre Gegner, die sie erzeugen, nicht vernichten können, wenigstens an deren struktureller Formierung mitzuarbeiten. Um dies zu erreichen, müssen sie sich eine Art schweigende Anwesenheit in ihrem Gegenüber verschaffen. Diese schweigende, und zugleich beredte, Anwesenheit waren die IM – wie auch immer bewußt oder unbewußt sie diese Funktion erfüllten. So kommt es zu dem Paradoxon, daß gerade einige der Aktivisten, und nicht etwa Randfiguren, in den verschiedenen Oppositionsbewegungen der DDR dieselbe Macht mit Informationen belieferten, die sie in Frage stellten oder gar bekämpften. Die Motive der Spaltung dürften auf beiden Seiten zu finden sein.

Eine Beschäftigung mit unserer Vergangenheit muß den Spaltungen und Rissen, den Widersprüchen und Zerstörungen nachgehen, die die unabhängige künstlerische und intellektuelle Produktion des letzten Jahrzehnts durchzogen. Ihren letzten Grund haben diese Risse vielleicht in der prinzipiellen Ambivalenz fast aller Oppositionsbewegungen in der DDR gegenüber einer Macht, die ihre schlichte Diktatur in eine Rhetorik der historischen Alternative gekleidet hatte. Sozialismus in Europa war nun einmal nicht nur der Spleen einiger machtversessener Leute, sondern – große Worte – eine Epochenillusion.

Dennoch war der totalitäre Zentralismus in der DDR politisch wie sprachlich manifest. Die diskursive Struktur der Macht war deutlicher noch als in pluralistischen Gesellschaften erlebbar. Macht war zu großen Teilen Rhetorik. Das heißt nicht, daß sie nicht auch ganz plump und bedrohlich gewesen wäre; aber auch ihre physische Ornamentik schien einem rhetorischen Prinzip zu folgen: der Behauptung einer – historischen – Bedeutsamkeit. Widerspruch war hier also vor allem als sprachkritische Subversion praktikabel. Sprachkritik aber muß von der rhetorischen Struktur des Subjekts ausgehen, dessen Sozialisation und Integration über diskursive Muster erfolgt. Wir glaubten, damit radikaler, als es eine direkte Konfrontation vermocht hätte, an den Wurzeln der zunehmend pervertierten Macht der Politbürokraten zu arbeiten. Um dem Dilemma der Dialektik, der positiven wie der negativ auspendelnden, zu entgehen, wurden die Schleichwege einer dekonstruktiven Schreib- und Lebenshaltung entworfen. Feiger Selbstbetrug oder gar Stasi-Fernsteuerung? Nein. Die Dichter vom »Prenzlauer Berg« knüpften mit diesem Konzept selbstverständlich an die Traditionen europäischer Avantgardekunst und deren Politisierung über eine Autonomie-Konstruktion an. Die Arbeit an den selbstgefertigten Zeitschriften und an einem vom Staat unabhängigen Netzwerk künstlerischer und kultureller Aktivitäten war die praktische Seite dieses Konzepts. Auch das sogenannte Entspannungsjahrzehnt sah in autonomer Kunst (wie auch in autonomen Bürgerrechtlern) in der DDR einen Stö.. tor. In der Status-quo-Ideologie des Westens und de. Ostens durften wir schlicht nicht vorkommen. Es gab daher einen Konsens unter allen Oppositionellen, den man das »Pathos der Distanz« nennen könnte. Es war fast alles erlaubt, außer: Auslieferung an die Stasi. Daß auch dieser Konsens unterlaufen worden ist, stellt einen gewaltigen Triumph der realen Verrücktheit dar. Soviel die beschuldigten IM auch beteuern, es sei um den Text gegangen und nicht um Widerstand – es ging um Alternativen zur Verstaatlichung des Lebens durch die Ideologie und die Institutionen der Macht. Nach Foucault ist Macht nicht als bloße Verhinderung, Unterdrückung, Ausschluß, Verhüllung oder Ideologie aufzufassen. Macht heißt immer auch Integration und Transformation. Sie ist nie in der Hand einiger Agenten, auch nicht der Stasi, sondern sie ist eine Funktionale, eine Strategie, ein Verhältnis. In diesem ›Verhältnis‹ haben, wie unendlich viele Zeitgenossen, auch Schriftsteller und Intellektuelle mit der Macht kollaboriert. Und zwar, soweit das bislang an den Akten sichtbar ist, in deprimierender Ausführlichkeit. Dies wäre fast normal und entspricht dem Muster der Diktatur, die Kompromisse verlangt, um ein Minimum an ungesteuerter Produktivität zuzulassen. Wenn es sich nicht auch um Autoren handelte, die ihren Lebensstil und ihre Poetiken ganz bewußt und erklärtermaßen als widerständig gegen die Ordnungsdiskurse der Macht entwickelten. Hier liegt der eigentliche Widerspruch. Anderson hat diese Macht zugleich heftig attackiert, ihm ging es scheinbar um eine Produktivierung seiner Egomanie und Zerrissenheit (die ihn ironischerweise an Biermanns Gewährsmann Heine zurückbindet). Schedlinski arbeitete an einer Konzeptualisierung, die die eigene intellektuelle Ohnmacht zur Voraussetzung eines Diskurses machen sollte. Er wurde hierbei, das nur nebenbei, von der gerade von ihm heftig kritisierten Aufklärung, in Form ihrer bekannten Dialektik, wieder eingeholt.

Die Stasi hat sich, tendenziell, das Gesamtwissen der Gesellschaft angeeignet und damit eine totale Handlungskom-

er ihr Konzept war positivistisch und nicht-
Die Stasi wußte fast alles, aber sie wußte nicht,
te. Sie hat ihr Wissen einem zwanghaften ideo-
aster geopfert: »feindlich-negativ« und »gegne-
ert«. Die »Wahrheit« der Stasi stellt sich als eine
chobene‹ Wahrheit heraus. Daher auch das –
gelegentliche – laute Auflachen beim Lesen der Akten:
im Wanzenbericht wird aus Rimbaud: »Rambo?«; und der
Führungsoffizier hat den stolzen Einfall, »der IM schreibt
ein weiteres Gedicht, um das Vertrauensverhältnis zu R. zu
festigen«. Wir werden also weder die Geschichte der DDR
noch die der unabhängigen Kultur aus der Lektüre allein
der Stasi-Berichte begreifen. Sind doch die Strategien und
Denkmuster der Offiziere von erschreckender Einfalt. Was
freilich auch heißt, daß sie um so roher in die widersprüch-
lichen Realitäten des Lebens eingreifen konnten. Es scheint
mir daher unerläßlich, die Stasi in Kontexte zu stellen: bio-
graphische (man wird nicht umhinkommen, will man Sta-
si-Verstrickungen klären, die ganze Biographie zu erklären), strukturelle (welche Erkenntnis-*Form* produzierte die
militärische und ideologisch überdeterminierte Struktur
dieses Geheimdienstes), moralische (die Logik der System-
konfrontation produzierte und legitimierte amoralische
Verhaltensnormen), politische (die schizoide Pragmatik
des Klassenkampf-Syndroms), sozialgeschichtliche (Spiel-
räume in einer Diktatur), kulturelle (Konzepte der Opposition). Sogar semiotische: Die Zeichenwelt des Konspirativen ist tief in *alle* Biographien unter Diktaturen eingeschrie-
ben. Leben in einer Diktatur, so könnte die Quintessenz
lauten, ist weniger durch permanente Unterdrückung (Ge-
fängnishof-Bild) gekennzeichnet als durch die unablässige
Einübung in Verrat.

Das wichtigste Ergebnis der bisherigen Studien über die
Stasi ist aber nicht ohne Ironie: Ihre Konzepte sind nicht
aufgegangen. Die größten Zerstörungen des Humanen hat
sie sich selbst, ihren Offiziellen wie Inoffiziellen Mitarbeitern, angetan. Ihre Funktionen: Verhinderung, Blockierung, Verwaltung eines inhumanen Wissens, sind auf sie

selbst zurückgeschlagen. Sich diesem System ausgeliefert zu haben, hatte genau die Schändlichkeit, die man schon immer dort vermutete.

Was bleibt – ? Das Konzept politischer und ästhetischer Autonomie ist durch die Arbeit der IM genauso lächerlich zusammengebrochen wie die ganze Realität des Landes. Ohne den Akten eine ultimative Wahrheit zuzutrauen – natürlich sind sie gebrochen durch den primitiven Blick der Stasi –, so ist doch eindeutig: Autonomes Handeln, das man sich von der Stasi genehmigen ließ, ist absurd. Handlungsfreiheiten mit der Denunziation anderer zu erkaufen, bleibt Verrat. Dennoch sind die Biographien und die Arbeiten der Bespitzelten authentisch. Es sind Spiele der Revolte, und ihre Ergebnisse bleiben einer kritischen Lektüre offen. Spiele der Revolte: Ihr politischer Sinn mag angezweifelt werden – wer dies unternimmt, möge bitte auch seine eigene Konformität überprüfen –, ihre quertriebige, anstiftende, destabilisierende Energie steht für mich außer Zweifel. Nicht die Literatur, die kulturelle Identität des »Prenzlauer Bergs« ist eingestürzt. Der Verrat von Freunden betrifft die Substanz des Selbstverständnisses. Der konkrete Kontext »Prenzlauer Berg« wird verblassen, die Metapher ist entleert. Ästhetische Relevanz als Gruppe wird die Szene nicht beanspruchen können. Um von einer »Prenzlauer Ästhetik« zu sprechen, fehlt die Berechtigung: Zu groß ist die Kluft zwischen Konzeptionen und tatsächlicher Beschränkung. Entwurf und Mißbrauch liegen zu nah beieinander. Das Gespräch, eine lange favorisierte Metapher, hat nicht stattgefunden. Und ich kenne Autoren, die nicht die Stasi, aber der Verrat stumm gemacht hat.

Was bleibt – ? Auch das: Einige Texte der IM-Autoren werden erst jetzt lesbar. Sascha Anderson hat seinen Verrat seinen Gedichten verraten – nicht ohne poetische Intensität. Gewiß gab es einen Zusammenhang zwischen Stasi-Zu- oder -Mitarbeit und literarischen Konzeptionen, auch bei Schedlinski. Als konzeptionsbildende Sprecher des »Prenzlauer Bergs« haben sie »ausgespielt«, nicht aber als Dichter. Gelesen als literarische Zeugnisse aus der DDR, werden ihre Texte sich mit dem Wissen über die moralische Zerrissenheit des Landes anreichern. Der Verlust der stets beschworenen humanen Perspektive verbindet die DDR-Gesellschaft mit Teilen ihrer Literatur, auch mit der ihrer scheinbaren ästhetischen Widersacher.

Die Idee eines »kreativen Netzwerks« abseits der politischen Pragmatik ist gescheitert, sie ist genau von ihr eingeholt worden. Warum dies so ist, und was beim Scheitern trotzdem geleistet wurde, muß nachdenklich erwogen werden. Zu leisten ist jetzt die Arbeit der Erinnerung. Sie sollte einem Begriff von diskursiver Aufklärung verpflichtet sein, der das Moment der Selbstaufklärung einbezieht. Im Zentrum werden dabei die MachtSpiele stehen müssen, MachtSpiele im Sinne Foucaults, als »Vielfalt von Kräfteverhältnissen, die ein Gebiet bevölkern und organisieren«.

Oktober 1992

STEFAN ROSINSKI

Der Fall Schedlinski
oder Konjekturen des Unglücks

Biermann meint, was er sagt. Schedlinski meint nicht, was er sagt. Biermann ist ein guter, Schedlinski ein schlechter ... Dichter!

Wer dies als den lautstarken Refrain einer öffentlichen Debatte wiedererkennt, der hat die Lektion begriffen. Die simple Formel pointiert treffend eine Auseinandersetzung, in der seit Sascha Andersons Enttarnung als Stasispitzel vorgeblich um die Aufarbeitung von Opfer-Täter-Verstrickungen gestritten wird – und die seit Rainer Schedlinskis Schuldeingeständnis die fragwürdige Quali-

64

tät einer moralisch urteilenden Ästhetikdiskussion angenommen hat.

Vorgeblich und fragwürdig deshalb, weil man sich nicht
enthält, die Camouflage des persönlich verstrickten Künstlers im Namen eines sich normativ gebenden Moralismus
zu verurteilen, um diese Verurteilung in ihrer eigentlichen
Intention wiederum selbst zu camouflieren. Anders gesagt:
Die deutsche Öffentlichkeit paßt sich mit einer Stellvertre-
terdebatte selbst dem »Modus Schedlinski« an, wie er oben
zugespitzt formuliert wurde. Etwa: Biermann meint auch,
was er sagt. Aber er sagt nicht, was er meint.

Diesmal will uns mancher offenbar die (moralische) Niederlage einer Ästhetik vorführen, die man im allgemeinen
und wenig pointiert als »französische« oder – genauso
gern und unscharf – »postmoderne« bezeichnet. Da genügt es, daß der Essayist Schedlinski als Trompeter vom
Prenzlauer Berg eine Tonart vorgegeben hat, die mit seiner
persönlichen Tragödie von nun an als »entartet« gelten soll.
Seine angeblich »widerständige« »dunkle Lyrik«, vormals
mit großem Theorieaufwand fundiert und noch mit dem
Prädikat einer westdeutschen Edierung ausgezeichnet, ent-
puppe sich plötzlich – so die nicht ganz widerspruchsfreie
Phrase – im besten hermeneutischen Sinne als weder dunkel noch widerständig: Ihr »Un-Sinn«, ihre »Sinnfreiheit«
sei verborgener Sinn – und als solcher enttarnt wie die
Stasi.

Kurz, was als wertfrei auftrat, sei niemals ohne Verstrikkung gewesen: Gleich mit dem poetischen Werk wird –
ob nun »sinnfrei« oder »sinnhaft« – die dazugehörige Poetik, die solchen Verrat erst möglich gemacht haben soll, in
den Orkus des ewig Verdammten herabgewünscht. Die
stringente Ablehnung »fragwürdiger« Diskurstheorien in
der westdeutschen intellektuellen Öffentlichkeit, ihre konsequente Verballhornung und Diskriminierung im Namen
eines aufgeklärten Humanismus, der das andere als »An-
tihumanismus« in den Feuilletons kolportiert, findet hier
nun endlich ihre hochwillkommene Verifizierung: daß
Kunst und eine saubere Weste zusammengehören wie das

deutsche Vaterland. Das Beben vom Prenzlauer Berg hat, so scheint's, das Quartier Latin zum Zittern gebracht.

Oder geht es gar um die Kunst selbst, unsere liebe, gute Kunst an und für sich, die sich verdächtig gemacht hat? Was feiert da unverhofft Urständ? – Man mag argwöhnen, daß hinter solcher durchschlagenden »Gesinnungs-ästhetik« (die eigentlich schon als verabschiedet galt) in letzter Instanz noch immer als kleinbürgerliche, ubiquitäre Ressentiment gegen alle Kunst und deren Künstler stecken mag, denen ein angeblicher Lebensstil, die vermeintliche »Boheme«, ganz nie nachgesehen wird. Und deren für die Praxis einer von gesellschaftlichem Sinn durchdrungenen Mitwelt fragwürdige Schatten stets auch das künstlerische Werk anzuschwärzen helfen. Vom armen Irren zum Faschisten, vom Syphilitiker zum Epileptiker, vom Lustmolch zum Inoffiziellen Mitarbeiter: der Stigmatisierungen sind genug, und keine verfehlt ihre Wirkung.

Wie auch immer, doch scheint die allzu defensive Argumentation derjenigen, die die Kunst vor dem Künstler retten wollen, wenig aussichtsreich: Statt der (natürlich unmöglichen) moralischen Rehabilitierung der Täter sollten sie sich lieber und aussichtsreicher den Tätertexten zuwenden. Statt seitenlanger Erörterungen über den Stil öffentlicher Debatten wäre ein Blick in die schmalen Bändchen der Betroffenen substantieller und vor allem ehrlicher.

»Hier entstehen«, hatte Schedlinski einst über seine Arbeit geschrieben, »textuale formen, die den blick von der sache auf das zeichen wenden, die nicht ermitteln, sondern vermitteln, die keine wahrheit nahelegen, sondern mit wahrheitsgefügen brechen, die den blick verstellen, die nicht die dinge besprechen, sondern mit den dingen sprechen, und wo die kombination der eigentliche stil wird.« Nur diese neue Sprache, so der Essayist und Lyriker, schädige »die diskursive wahrnehmung, die uns schädigt«.

Dieser Vorgang sei frappierend, hatte DDR-Kenner Wolfgang Emmerich noch vor der Wende festgestellt. Die anerkannten (?) Leistungen einer »post-strukturalistischen Diskurskritik« im kapitalistischen System hätten fürs eigene, sozialistische dienstbar gemacht werden sollen. Damals habe man die herrschaftsträchtige Hermetik der offiziellen Sprache, die Kolonisierung der Erfahrungswelt auch im eigenen Land entdeckt und ihr – ganz im Sinne dieser Theorie – eine nichtdiskursive Sprache entgegengestellt. Eine Sprache, »die weder vollendet noch Herr ihrer selbst ist, obwohl sie uns souverän übersteigt« (M. Foucault).

Der Prenzlauer-Berg-Essayist Peter Böthig hat versichert, daß vor allen anderen Michel Foucault (illegal) rezipiert wurde, der Mitte der sechziger Jahre begonnen hatte, mit seinem »archäologischen Blick« die Verfügung des (wissenschaftlichen) Diskurses über das Individuum offenzulegen. Nur die in einem bestimmten Modus sich artikulierende Sprache, so Foucaults Hoffnung, könne den Menschen vom Dilemma aller wissenschaftlichen Erkenntnisverwicklung befreien: »Die Literatur wird zur reinen und einfachen Offenbarung einer Sprache, die zum Gesetz nur die Affirmation – gegen alle anderen Diskurse – ihrer schroffen Existenz hat. Sie braucht also nur noch in einer ständigen Wiederkehr sich auf sich selbst zurückzukrümmen, so als könnte ihr Diskurs nur zum Inhalt haben, seine eigene Form auszusagen.« – Die Berührungspunkte mit den Ausführungen Schedlinskis liegen offen.

Für den westdeutschen Kritiker Karl Corino sind die künstlerischen Produkte, die solche Theorie generiert hat, durch die Entlarvung ihrer »Stasi«-Autoren nur noch »Dokumente einer Sozialpathologie«. Damit steht er nicht allein. Bei einer öffentlichen Diskussion in Hamburg, die eine mögliche politische Instrumentalisierbarkeit von Kunst zum Thema hatte, trug der Leipziger Lyriker Heinz Czechowski ein Gedicht von Schedlinski vor, das die Verstrickung des Autors in Stasi-Machenschaften besonders drastisch belegen sollte. Und mit dem dessen Interpret gleichzeitig das mysthische Gemurmel des Textes auf seinen banalen Sinn hin auflösen wollte. Nach dem Motto: Wo sich ein fauler Kern zeigt, kann auch die Frucht nichts wert sein.

Die immerhin bedenkenswerte Frage des Kölners Hajo

Steinert, ob »wir denn alle vorher nicht hätten lesen können«, wurde an diesem Abend überhört. Aber in einer sug-
gestiven Philippika ergriff der in der DDR zu einigen Jahren
Zuchthaus verurteilte Schriftsteller Ulrich Schacht die Gelegenheit, den entlarvten Autoren mitsamt ihrer entlarvten
Texte jede Legitimation, moralischer wie ästhetischer Art,
abzusprechen. Die kritische Bemerkung aus dem Publikum, ob denn der Anlaß von Kunst oder der Kontext ihrer
Entstehung kongruent mit ihrem Inhalt sei, wurde als eine
»naive Frage« zurückgewiesen, die »man auch nur im
Westen stellen« könne.

Vielleicht ist aber die Frage nicht naiv, sondern nur, daß
man sie laut stellt. Und so allgemein formuliert, läßt sie
sich wohl nicht beantworten, wie allenthalben vorgeführt:
von der »Zeit« bis zum »Spiegel«, von Biermann bis Lutz
Rathenow. Ein Blick auf die inkriminierten Texte selbst
sollte weiterhelfen und Aufschluß geben über eine mögliche Textpraxis und den möglichen Eigenwert ästhetischer Formen.

Heinz Czechowski hatte sich ein Gedicht aus dem Band
»die rationen des ja und des nein« herausgesucht, das aufgrund der Tatsache, daß es von Rainer Schedlinski an den
Schluß gestellt wurde, in der Tat ein gewisses Maß an Pro-
grammatik zu versprechen scheint:

> als redeten wir nur mit der sprache
> wie verbitterte diplomaten
> über den hunger der welt
> über die revolutionäre geduld und die zeit
>
> scheint ein fressendes versmass zu sein.
> die politiker sind heiser und alt
> und wir werden mit ihnen sterben, wir werden
> sterben in ihren jugendlichen träumen.
>
> ich aber kann mich nicht beklagen
> dass die dinge so sind wie sie sind
> ist keine erfindung
> in diesem unwiderstehlichen zustand

ist man ein wenig ein ding
mit dem aus dem kopf gezogenen los
am handgelenk die fessel der zeit
die uns hält an gottes stelle

wie ein engel ohne argumente immer
schweigend um sich nicht selbst zu begegnen
als der nachricht von einem anderen stern
der längst erloschen ist wo man ihn sieht

Der gewissenhafte Interpret dürfte hier berechtigterweise
in den Konflikt kommen, mit welcher Elle der Text gemessen werden soll, sprich: welchen textwissenschaftlichen
Reim man sich zu machen gedenkt. Gerade die Diskurs-
analyse – auf die der Autor sich ja beruft – will Texte her-
meneutisch nicht vereindeutigen; sie nicht auf ein imagi-
näres Sinnzentrum hin beziehen, dem sie wie ein Quell
reinsten Wassers entsprungen sein sollen.

Wir werden sehen, wie in diesem Fall die diskurstheore-
tischen Vorstellungen vom einzelnen Subjekt, vom Autor-
Ich als Schnittpunkt differenter Diskurse mit der Diskurs-
praxis in der DDR auf verblüffende Art isomorph ist: Ironischerweise wird uns diese Symbolik von einer Lesart auf-
geschlossen, die auf den traditionellen, dualen Repräsentationszusammenhang von Bezeichnendem und Bezeich-
netem nicht verzichtet. So bleibt auch unsere Interpretation – zumindest diskurstheoretisch – zweifelhaft.

Danach ergäbe sich als ein mögliches »Sinnzentrum« die
Abbildfunktion des Gedichtes auf eine persönliche, schizoide Leiderfahrung. Ein Textzentrum mithin, das sich mi-
metisch die Schizophrenie strukturell aneignet, um sie als
Realitätserfahrung zu suggerieren. Trivial gesagt: der Text
ist eindeutig gebrochen.

Ich möchte betonen, daß der Interpret mit seiner Interpretation bewußt die »Bewegung der Signifikantenketten«
unterbricht, um *eine* der möglichen Zentrumszuweisungen
aufzugreifen, bevor sie wieder im Geratter der zu keinem
Ende kommenden Substitution von nichtprivilegierten Re-

ferenzen verschwindet (aber »Privilegierung« dürfte unserer Gesellschaft genausowenig fremd sein wie der der ehemaligen DDR ...).

Im Metapherngestrüpp des vorliegenden Gedichtes scheint sich jedenfalls auf den ersten Eindruck eine existentialistische Ausdeutungsmöglichkeit mit der einer historisch-politischen zu vermischen. Der Ton, weit davon entfernt, im strahlenden C-Dur den sozialistischen Sieg zu verkünden, erscheint wehklagend, resignativ und schwer in der Anmutung; das fallende Metrum des Trochäus spricht hier eine eigene Sprache. Um so stärker moduliert sich kontrastiv die Zeile »ich aber kann mich nicht beklagen«. Von Czechowski wurde dies als Beweis eines ideologischen Mitläufertums diagnostiziert. Doch scheint es mir eher ein deutliches Indiz für die Schizophrenie des Autor-Ichs: Im Ton des Lamento negiert er einen jeden Grund dazu. Ein erster (performativer) Widerspruch zwischen Sprechen und Handeln tut sich auf.

Bei genauerem Blick ergibt sich noch ein anderer Sinn dieser scheinbar dekouvrierenden Zeilen: Durch die aus dem Schema brechenden zwei Senkungen auf »aber« erlangt das »kann« einen besonderen Akzent. Es wäre dem lyrischen Ich, sinngemäß, also gar *unmöglich*, sich zu beklagen. Eine der folgenden Zeilen könnte Aufschluß geben, warum: »in diesem unwiderstehlichen zustand« – Widerstand, in welcher Form auch, würde nach Dafürhalten des sprechenden Individuums erstickt.

Diese Botschaft ist beileibe nicht der semantische Schlußpunkt des Textes. In seinem Fortgang deutet er vielmehr metaphorisch auf die Ursachen und Figuren einer Knebelung des Subjekts hin. Ohne sich ausdrücklich auf die DDR zu kaprizieren, ist er auch als Paradigma eines generellen Autonomieverlustes vor dem Hintergrund »utopischen« Denkens lesbar (»wir werden sterben in ihren jugendlichen träumen«). Hier könnte man mit Foucault anschließen, daß das Projekt der Befreiung des Menschen stets noch ungewollt ins Desaster seiner Unterdrückung führte.

Überhaupt sind gerade die Zeilen: »dass die dinge so sind

wie sie sind / ist keine erfindung / in diesem unwiderstehlichen zustand / ist man ein wenig ein ding« in verblüffen-
der Weise auf Foucault beziehbar. Die Dinge, die so sind
wie sie sind, in einer »Ordnung der Dinge« also, sind in der
Tat keine Erfindung. Für Foucault macht diese Ordnung
(»Systeme von Regelmäßigkeiten«) einen wissenschaftlichen Fortschritt erst möglich: Sie gibt die Bedingungen, die
ihn »kohärent und im Allgemeinen wahr« machen, die
ihm »Wert und praktische Anwendung« zusprechen. Diese
»epistemologischen Felder« oder »archäologischen Ebenen« stellen die »historischen Aprioris« dar, an denen niemand vorbei kann: Sie zumindest sind (historisch) unhin-
tergehbar.

Von diesem Punkt aus gewinnt die Stellung des rational
reflektierenden Ichs eine Einschränkung: »Man entdeckt,
daß das, was den Menschen möglich macht, ein Ensemble
von Strukturen ist, die er zwar denken und beschreiben
kann, deren Subjekt, deren souveränes Bewußtsein er jedoch nicht ist« (Foucault) – »ist man ein wenig ein ding«
(Schedlinski).

Die allgemeine diskursive Erstickungsgefahr wird im
weiteren Verlauf auf die persönliche Situation spezifiziert:
die ersten beiden Strophen in deutlicher Anspielung auf
das greise Politbüro und schließlich die letzte Strophe, die
allerdings auf den ersten Anschein hermetisch anmutet.

Legen wir die Stasi-Beziehungen des Verfassers als Folie
an, dann liest sich das »immer schweigend um sich nicht
selbst zu begegnen« wie als Hinweis auf die verdeckte
Tätigkeit und eine dadurch hervorgerufene Identitätskrise.
Das lyrische »Ich« verortet sich selbst als gebrochen
in einem gleichermaßen aber andersartig gebrochenen
Diskurs.

Foucault definiert den »discours« als »le déja dit«, das
Schon-Gesagte – in diesem Fall wäre es das nicht ausge-
sprochene Schon-Gesagte. Von hier aus können wir den
Diskurs der DDR als einen »schizophrenen« bestimmen.
Seine für ihn konstitutiven Ausschließungsfaktoren selbst
waren es (wie auch seine Teilnehmer). Durch sie stützte

sich der Diskurs, rechtfertigte sich und wies jede (in diesem Fall für politisch Andersdenkende »gesunde«) Abweichung zurück. Er setzt sich selbst als »vernünftig«, und zwar vernünftig in seiner *Schizophrenie*, weil diese eine äußerliche Beherrschung und dadurch »Befriedung« der Gesellschaftsmitglieder gewährleistete. Die von allen gewußte, ubiquitäre Anwesenheit der Staatssicherheit wurde totgeschwiegen, gehörte aber denoch zur conditio sine qua non der Systemkommunikation. Die *Inoffiziellen Mitarbeiter* bildeten ein Verbindungsglied, das die dichotomen Teilmengen der Gesellschaft – Überwachende und Überwachte – in Personalunion zusammenführte. Die Stasi ist wesentlich Teil des Phänotyps DDR, weil ohne sie – nach Anschauung ihrer Ideologen – kein »vernünftiger Diskurs« möglich gewesen wäre: Die Existenz der Staatssicherheit in diesem Verständnis *ist* vernünftig; erst recht ist es die der Inoffiziellen Mitarbeiter.

Bei Rainer Schedlinski wird der IM zum »engel ohne argumente«. Als Rache- oder Rettungsengel, wie auch immer, rational ist das für das verführte Subjekt nicht mehr auszumachen. Ein Ideologe ohne Ideologie, eine »nachricht von einem anderen stern / der längst erloschen ist wo man ihn sieht«. Das wäre dann der Abgesang auf die DDR, die zum Zeitpunkt des Gedichtes zwar noch bestand, aber im Hinblick auf ihre staatliche Legitimität nur noch Fiktion mit Realitätsbehauptung war.

Zugleich darf diese letzte Strophe als Metapher für jede aporetische Selbstthematisierung des Menschen überhaupt gelesen werden, die ihn sich entschwinden läßt.

Diese doppelte Optik auf eine vollziehbare historisch konkrete Situierung einerseits und jene – überlagerte – auf die abstrakte, existentielle Grundierung des Menschen andererseits gibt dem Text selbst wieder jene versteckte Sprache, die dem »historischen Apriori« der systemeigenen Kommunikation Rechnung trägt.

Vordergründig vieldeutig in seiner Metaphorik, verengt sich bei Anlegen des biographischen Kontextes das Gedicht auf einen Brennpunkt, der konkret und kommentierend einen Sachverhalt der real existierenden Wirklichkeit bezeichnet. Weil das »Bezeichnete« selbst heterogen war, mußte das »Bezeichnende« es ebenfalls sein – nichts ändert das an ihrem dualen Repräsentationszusammenhang, wie er oben erwähnt wurde: Sinn wird zu Bedeutung.

Und tatsächlich dürfte hier der massivste und tragendste performative Widerspruch – selbst als Teil eines »Sinns« lesbar – liegen: zwischen der Rede vom »nichtdiskursiven Sprechen« des Essayisten Schedlinski und dem symbolischen Sprachverhalten des Poeten gleichen Namens. Dieser Widerspruch wäre auszudeuten für eine ästhetische und ethische Diskussion der Problematik, die unsere Feuilletons so schlicht durchhallt.

Stichwort dazu wäre etwa die Frage, ob der Dichter Schedlinski sich nicht doch zum sprachlichen Medium seiner Situation gemacht hat, wie es künstlerische Authentizität (um diesen ungenauen Begriff zu verwenden) wohl verlangt. Gerade Vieldeutigkeit statt Beliebigkeit in der Textmetaphorik würde einen möglichen intentionalen Anspruch erfüllen, Nahtstelle schizophren aufeinander bezogener Diskursarten sein zu wollen.

Eine äußerste Mutmaßung wäre, daß Schedlinski seine Lyrik vielleicht nur deshalb als »dunkel« im Sinne des (letztendlich normativen) Anspruchs von Foucaults nichtdiskursivem Sprechen apostrophierte, um ihren politischen Anspruch zu *tarnen*. Denn seine Lyrik ist nicht dunkel, sie ist interpretierbar im Sinne des gescholtenen Repräsentationsmodells, im Sinne einer erkenntnis-konstituierenden Bedeutungsrelation. Die Texte scheinen intentional als politische im klassischen Sinne gefaßt. Dann allerdings wäre Rainer Schedlinski ein *zweifacher* Camoufleur gewesen. Seine Dichtung verbarg der Stasi, was er den Freunden offenbaren wollte. Er log doppelt und verriet zweifach: die Prenzlauer und das Regime.

Der Vorschlag des Leipzigers Kurt Drawert jedenfalls, daß jetzt nur noch Skepsis die Texte begleiten könne, deren bestes Ende die Ignoranz wäre, ist ein schlechter Rat. Denn er unterstellt der Kunst eine Schwäche, die in Wahrheit ihre Stärke ist: der wirklichere Wirklichkeitsbezug.

Moralisch freilich ist Schedlinski in keinem Falle zu exkulpieren.

Februar 1992

KURT DRAWERT

Sie schweigen. Oder sie lügen
Von der Beschaffenheit einer gescheiterten Elite

[...]
Es gibt eine Kunst, die darin besteht, rechtzeitig die Diskurse zu wechseln und einander ausschließende Argumente auf rhetorischer Ebene zusammenzubringen. Es geht dann wie in dem Witz von dem Fahrradfahrer zu, der, weil er des Nachts ohne Licht fährt, angehalten wird und dem überrumpelten Polizisten erklärt, daß er ja deshalb auch auf dem Bürgersteig fahre. Oder es geht zu wie in den derzeitigen Diskussionen um die Aufarbeitung der Geschichte der DDR, die sich vom oben genannten Prinzip der paradoxen Gesprächsführung nicht unterscheiden. Permanent werden die Realitätsbezüge derart vertauscht, daß sich Entschuldigungsmaterial wie von selbst produziert und alle Mitverantwortung an einem auf Sand gesetzten System unterbrochen werden kann. Allein die Machteinbuße, die eine ehemals privilegierte Intelligenz im Osten als einziges wirklich bedauert, gibt noch die Legitimation für Klagen und Forderungen her.

Zur Meisterleistung des systematischen Lügens gebracht hat es Rainer Schedlinski, der Dichter-IM und verlorene Freund. Einst belieferte er die Avantgarde, heute die gekippten Bonzen mit Theorie. Im Juni-Heft der »Neuen

Deutschen Literatur« wurde ihm die zweifelhafte Gelegenheit gegeben, seine Schieberideologie auszubreiten und zu behaupten, daß mit dem Staat und der Macht zu kungeln nichts von vornherein Schlechtes bedeutet habe und daß die Stasi bei Lichte betrachtet eine ganz patente Mannschaft gewesen sei, mit der man auch schon mal Pferde stehlen konnte. Geschenkt, daß die Memoiren eines Gefängniswärters naturgemäß anders ausfallen als die eines Inhaftierten, selbst wenn letztendlich beide im Knast gewesen sind. Geschenkt auch, daß sich der Verfasser wie ein Objekt seiner selbst behandelt und aus der Perspektive scheinbarer Überlegenheit auf die eigene agierende Person schaut, als hätte diese mit jenem, der über sie redet, rein gar nichts zu tun. Nicht geschenkt indes, daß die Darlegungen, nach der 4 Äpfel weniger 4 Äpfel 8 Birnen ergeben, kommentar- und erwiderungslos der Öffentlichkeit als eine Tatsache vorgeführt werden, flankiert noch von Gedichten des MfS-Kollegen Knud Wollenberger. Hinter dieser Flucht in Paradoxien und Rhetorik sind unschwer jene Widerstände auszumachen, die einer Aufarbeitung entgegenstehen und einen Verdrängungsvorgang in Gang setzen. In solche billigen Strukturen gespannt findet man nun die geistesschaffende Intelligenz vor, die Bewußtseinselite des Ostens, die, läßt man einmal jene vielleicht zwei Dutzend in Dreistigkeit frei herumlaufenden Politfunktionäre beiseite, am ehesten die Pflicht zur Aufklärung hätte.

Freilich mag ein von außen auf die eigene Geschichte lastender kritischer Blick auch die Rolle spielen, den in Bewegung geratenen Abwehrprozeß eher mit Gründen zu beliefern, als ihn zu bremsen. Zumal das angehäufte Wissen über die Architektur des DDR-Systems heute von einer Umfassenheit ist, wie sie sich jedem einzelnen seinerzeit nicht dargestellt hat und wie ihr somit eine Spur Irrealität unterlegt ist. Aber das alles kann keine Entschuldigung sein. Einem halb ohnmächtig in den Krieg getriebenen Schreiner könnte man psychische Schutzmechanismen in der Weise falscher Erinnerungsleistungen eher noch nachsehen. Bei einem Sachwalter der Sprache und der Erkennt-

nisgewinnung, der sich einmal in ganzer Bedeutungsarro-
ganz seiner Gedankenprodukte rühmte, als diese noch Blü-
ten der Anerkennung trieben, kommen sie einer Zumutung
gleich. Nun soll plötzlich der Rückzug in die Unwissenheit
gelten, der atavistische Trick mit Gehörsturz und blockier-
tem Gedächtnis, wie es auch Sascha Anderson seinerzeit
ereilte. So einfach könnte das gehen. So schnell möchte
man einer zu verantwortenden Tragödie entkommen. Und
die der praktizierten Wissensverweigerung im Wege stehen, weil sie den Geburtsfehler haben, schlecht verdrängen und lügen zu können, wie etwa der Leipziger Dichter
Heinz Czechowski in seiner Polemik gegen den Schriftstellerverband und das Literaturinstitut, setzen sich in alle ostdeutschen Nesseln. So jedenfalls, quasi mit einem Finger-
schnipsen, soll die Vergangenheit ausgelöscht werden, die
sich gerade dadurch in eine künftige Gegenwart trägt und
als symbolische Wiederholung schon erwartet werden
kann. Anstatt in nötiger Selbstkritik und Diskretion die
Fakten zur Kenntnis zu nehmen, die sich von Tag zu Tag
mehr der Öffentlichkeit zeigen, um sie in eine nützliche
Analyse zu bringen, eskamotieren Redner wie Gysi oder
ehemals Modrow diese mit dem Argument, man wolle sie
als Person oder Partei diffamieren und verfolge in Wahrheit eigene machtpolitische Interessen. Angeblich ginge es
nur einmal mehr um die generelle Auslöschung alles dessen, was an die DDR erinnert oder von ihr erhalten geblieben sei. Dabei sehen sie nicht, daß sich die DDR, dank
auch der Geistesarbeit ihrer Intelligenz, die Denken und
Realität in kein taugliches Verhältnis zu bringen imstande
war, selbst ausgelöscht hat und daß auf sie nichts anderes
hinweist als in die Seitenstraßen abgeschobene Autos aus
Pappe – zerstoßen wie das Leben Ihrer Besitzer. Wer hier
die Realität der Kapitulation übersieht, versteht auch die
Spielregeln nicht, die sich daraus ergeben, und klagt Forderungen ein, deren Anspruch auf nichts gestellt ist. Gerade
in den Reihen der PDS, die ihre Läuterungszeit annähernd
nutzlos abgesessen hat, gehen die nostalgischen Verklärun-
gen so weit, eine in Wahrheit niemals vorhandene Identi-

tät der Menschen mit dem Staat DDR heraufzurufen, die zu zerstören ein Okkupant sich zum Ziel gesetzt habe. Das ist eine völlige Verkennung jenes Potentials ostdeutscher Trauer, das durch die jeweils eigene verlorene Zeit bestimmt wird und durch das Verlangen, etwas davon für sich zu retten. Diese Trauer ist ohne Hymne und hat mit jener einmal angeordneten SED-Wirklichkeit nicht das geringste zu tun. Sie ist ein Empfindungszustand, den jeder andernorts ebenso erleben würde, müßte er sein Lebenswerk wie eine in Bruch gegangene Keramik in den Händen halten. Sie ideologisch zu funktionalisieren ist nur eine Schamlosigkeit mehr, wie sie einem im Umgang mit vierzig Jahren begegnet. Mit jener ostdeutschen Sammlungsbewegung des Namens »Komitee für Gerechtigkeit« und Vorsprecher Diestel als Robin Hood einer politischen Moderne – das alles hätte es einmal in der DDR geben sollen, wo eine Gesinnung zu haben teurer war als heute – hat sie dieser Tage ihren vorläufigen Gipfel erreicht. Gerade die Identitätslosigkeit war ja ein Symptom der verfehlten Politik, das mit üppigen Arrangements überdeckt werden mußte. So ist es schon als Zynismus zu empfinden, wenn die labile Gefühlslage der Ostdeutschen heute dafür benutzt wird, um alte Herrschaftsansprüche weiterzutreiben und mit dem krummen Finger der Genugtuung auf die Kompliziertheit jetziger Verhältnisse zu zeigen. »Sie haben es ja so gewollt«, kann man die Funktionäre von gestern gelegentlich sagen hören im Sinnes eines Kommentars zur herrschenden Depression der Menschen. Selbstherrlichkeit und Impertinenz übertreffen sich wechselweise – ganz abgesehen davon, daß das um Zeit und Kraft geprellte Volk weniger das wollte, was es nun vorzufinden und mit dem es zurechtzukommen hat, als eines vor allem nicht mehr: sie und ihre Verhältnisse.

Daß es keine Alternative zur Marktwirtschaft gibt, heiligt diese noch nicht, zeigt aber an, wie leer die Schreibtische waren, an denen die linke Intelligenz jahrzehntelang nachgedacht hat. Außer einem politisch unbrauchbaren Begriff von Utopie, der, wie später einzusehen war, auch einer Gewissensberuhigung entsprach, haben sie nichts hervorgebracht. Nichts, was die aufrührig gewordene Masse in der grellen Stunde der Selbstbesinnung als intelligibles Konzept, als Instrument hätte gebrauchen können. Zwar diskutierten sie noch etwas über einen sogenannten dritten Weg, von dem keiner so recht wußte, wo er hinführen sollte, vertrösteten sie die zornige Arbeiterschaft mit Idealen, die ein literarisiertes Übermorgen markierten und keinen Tag lang durchzuhalten gewesen wären, allein ihr privilegierter Hintergrund trennte sie von jenen, die lange schon verurteilt waren, in einem Boot ohne Steuer und Segel durch die dunkle Nacht der Ereignisse zu treiben. Der Moment eines generellen Bankrotts war gekommen, unwiderruflich und vielleicht schon seit langem verschleppt und jetzt erst sichtbar geworden. Zu sehr waren die Intellektuellen in die Macht involviert, waren die Verbundenheitsgesten und kalten Umarmungen mit der Arbeiterklasse einer Ideologie geschuldete Inszenierungen und war das Denken im Interesse der Herrschaftsausübung ein zweckbestimmtes, korrumpiertes Denken gewesen. Es steht ihnen heute nicht zu, den blinden und kopflosen Weg der Massen zu beklagen, den in andere Richtung zu lenken sie einmal Gelegenheit hatten. Um so lächerlicher mutet es an, wenn sie jetzt der Geschichte ihren Mut nachreichen und in einer dem Realsozialismus entlehnten Unentbehrlichkeitsfigur Veranstaltungen wie »Dichter lesen Texte zur Wende« oder »Poetik im Widerstand« betreiben, für die sich keiner außer sie selbst interessiert. Sie stellen Forderungskataloge und Klagebriefe auf, wo sie sich einmal ernsthaft Fragen zu stellen und mit sich selber zu beschäftigen hätten. Mehr noch streiten sie darum, in die Annalen der Opposition zu gelangen, und rechnen ihre seichten Disziplinverstöße im Parteiverband oder ihre Druckablehnungen vor. Auf dem Hintergrund zahlloser Existenzen, denen das Rückgrat gebrochen ist, heben sie den eigenen verstauchten kleinen Finger als Beweis dafür, auch widersprochen zu haben. Das schließlich gibt einmal mehr Auskunft über die moralische Beschaffenheit der Dichter und Denker mit einstigem Behördenvertrag. Und hätte es eine Opposition tatsächlich gegeben, sie wären die letzten, die ihr angehört hätten. Doch eine Diktatur ist vollkommen untauglich, eine Opposition hervorzubringen. Sie kann nichts anderes hervorbringen als sich selbst. Zum einen als Institution und formulierter Anspruch, zum anderen als Realität, die sich negativ dazu verhält. Da diese negative Realität durch die Macht selbst hervorgebracht wird, gewissermaßen in derem Zentrum entsteht, kann sie auf lange Sicht nicht ausgegrenzt oder verschwiegen werden. Die Macht aber ist nur lebensfähig, solange sie ausgrenzen oder verschweigen kann, was sie unbestätigt läßt. So scheitert sie an ihrem doppelten Charakter und geht an sich selber zugrunde. Was einige tapfere Leute nun gern als Revolution sehen würden, war letztendlich nichts anderes als ein gesellschaftsimmanenter Verfall. So etwa wie Rom nicht an einem Aufstand der Sklaven zugrunde ging, sondern an seiner politischen Konstitution. Der einzelne Widerstand, der dabei nebenher geleistet worden war, gibt den eine organisierte Breite meinenden Begriff von Opposition noch nicht her – was den Widerstand freilich nur um so wertvoller macht. Alles, was entstanden war, war einem Organismus entsprungen und konnte, selbst wenn es sich von ihm abstoßen wollte, nur in diesen abermals eingehen, um verwertet zu werden. Allein dadurch erscheint alles auch von seinem Gegenteil durchdrungen, kommen einem bisweilen die einen wie die anderen und die anderen wie die einen vor, scheint es kein oben und kein unten, kein Anfang und kein Ende zu geben an Versagen, Verstrickung und Schuld. Dieses Ineinandergreifen einander ausschließender Handlungen und Motive ist das Resultat eines gespaltenen, oder besser, eines verdoppelten Systems, in dem eine zweifache Buchführung herrscht und nebeneinander verschiedene Spiele durchgespielt werden. Eine ausgereifte Gesellschafts-Paranoia, in der die Individuen beliebig die Seiten wechseln, wie es gerade gebraucht wird. Nichts anderes verbirgt sich hinter der Formulierung »Wende«, die schon deshalb unausstehlich ist, weil sie falsche Erwartungen freisetzt. Und nichts anderes erklärt, daß die straffen Genossen von gestern die dynamischen Jungunternehmer von heute sind, die nur eben noch mit ihren neuen Karstadtanzügen sicherer laufen lernen müssen.

Aber dennoch ist nicht jeder von dem Riß auch gespalten worden, der die Gesellschaft durchzog. Es gibt einige sehr klare Linien dagegen, die das eine vom anderen scheiden und die es verbieten, daß alle Zivilcourage in Indifferenz mündet. Eine dieser Linien trennt jene, die als MfS-Zuträger zu gewinnen waren von denen, die dafür nicht zu gewinnen waren, eindeutig und ohne Kommentar. Unterscheidungen zu treffen, kann erst eine spätere Angelegenheit sein, und nebenberufliche Denunziation kommt nun einmal besonders schäbig an, da sie auf der Basis von Vertrauen tiefer noch in die Privatsphäre eingreift, als ein Betriebskiller es könnte. Der zweite Maßstab wird von denen gesetzt, die sich verweigerten, die auf Karrieren verzichtet und Vereinnahmungen entsagt haben. In der Dunkelheit der Fabriken und in den Finsternissen der Geschichte sind sie zu finden, für die es niemals eine Gelegenheit gab, das Licht der Öffentlichkeit zu sehen, in dem die Intellektuellen sich selbstgerecht spiegeln. Allein so wird deutlich, wer durch eine Zersetzung der Kriterien und Auflösung der Grenzen gewinnt. Schon jetzt hat sich das Bild des Kollaborateurs und Opportunisten, wenn es uns in der feinen Freundlichkeit eines Herrn Fink erreicht, mit so vielen charmanten Zügen angereichert, daß einer gestehen möchte in Reue, keine Rolle im Herrschaftsbetrieb gespielt zu haben. Vielleicht kommen wir noch tatsächlich dahin. Dann hätten einige sich zu überlegen, wofür sie ihren Reisepaß nutzen. Die in Herablassung mündende Pose des Vergebers im Westen, der in gesicherter Entfernung zum Tatort die Absolution herüberruft, ist nur eine weitere Facette im Abwehrreflex einer Schuld. Gerade die westeuropäische Linke hätte guten Grund, heute mit sich ins Gericht zu gehen und ihr Schweigen zu den Menschenrechtsverletzungen im Osten zu klären sowie ihre Idealisierungsbeihilfe zu bedauern, mit der sie dem Realsozialismus projektiv beigewohnt hat. Selbst ins Rutschen gekommen, streut sie sich Asche auf die Bahn mit Argumenten der Art, man wolle nur von den Problemen der Bundesrepublik ablenken, wenn man die Probleme der ehemaligen DDR überscharf ins Bild setzt. Doch das lenkt nur von den Problemen der ehemaligen DDR ab. Es lenkt davon ab, an einer wenn auch nicht stabilen, so doch existenzfähigen DDR interessiert gewesen zu sein, deren desolater Zustand gerade noch gut genug war, das bundesdeutsche Gefühl der Omnipotenz aufrechtzuerhalten. Und zweitens ließen sich schadlos alle jene politischen Imaginationen hinüberschleusen, die in eigenen Grenzen umzusetzen das Zeug nicht reichte und deren Erfolg zu kontrollieren gottlob so schwierig war. Die westliche Demokratie, die sich immer aus der Existenz einer Diktatur im Osten heraus definiert hat, wird künftig einiges mehr tun müssen, um als Demokratie im Bewußtsein zu bleiben. Diese Projektionsmechanismen, die durch die Mauer ermöglicht und durch deren Sturz beendet worden sind, treffen also, wie zu sehen ist, nicht nur auf die bekannte eine Richtung zu. Tatsächlich hingefahren und angeschaut hat sich das Gesellschaftsbild östlich der Elbe kaum jemand. Wohlweislich, denn dann hätte die gehätschelte Utopie einen Riß bekommen und den Abgrund hindurchscheinen lassen, der ihr beigegeben war. Das läßt die Nachsichtigkeit gegenüber den einstigen Claqueuren der Macht durchsichtig werden und als das verstehen, was sie ist: eine Nachsichtigkeit im Umgang mit den eigenen Irritationen und eine Abweisung aller zu tragender Mitschuld. Der Osten ist ein vollkommen kaputtes Gebiet voller Menschen mit ruinierten oder halbruinierten Lebensläufen, und denen, die es dahin haben kommen lassen, geht es weithin wieder unverdient gut, äußerlich und innerlich bei Abwesenheit einer Seele. Nichts anderes kann jetzt das öffentliche Gespräch bestimmen, als dafür die Ursachen, die Folgen und die Verantwortlichkeiten festzustellen. Nichts weniger ist man den Menschen gerade im Osten schuldig. Und nichts weniger sind vor allem die Intellektuellen ihnen schuldig, die sich daran beteiligen sollten, die Berge von materialisiertem Gedankenausschuß wegzuräumen, die sie mit angerichtet haben. Das könnte ein Anfang sein, sie wieder ernst zu nehmen. Aber sie mauern und klüngeln, sie führen einen Grabenkrieg gegen den Überbringer der schlechten Nachricht und üben sich in der Strategie, das Wissen zu verweigern, das negativ auf ihnen lastet. Selbst jene, von denen man einmal kritisches Bewußtsein gewohnt war, schweigen sich heute aus oder sitzen moderat in Talk-Shows herum, um ihre Widersacher von einst als Duzfreund zu begrüßen wie unlängst der Autor Heiduczek den SED-Zensor Höpcke. »Feiern möcht' ich, aber wofür ...«, könnte man mit Hölderlin fragen und die eigenen Haare ergrauen sehen, weil man sich die Pirouetten der Verlogenheit, in denen die meisten sich winden, schon zu lange anschauen mußte. Die fehlende Einsicht in die zu übernehmende Verantwortung ist nicht nur die zweite Schuld, wie Giordano es sagt, sondern vielleicht schon der eigentliche Skandal. Eher aber noch wird die Scham darüber, schuldig geworden zu sein, in die zynische Form des Genießens daran umgelenkt, als daß sie geklärt werden würde. In dem zähen Versuch, die Mechanismen der Macht zu verschweigen, liegt bereits ein neuer Anspruch darauf, und mitunter scheint es, als wäre die DDR gerade erst geboren. Nur eben nicht als Utopia, sondern als eine Ruine, aus der niemand mehr auferstehen wird. Denn der Körper ist tot, den der Geist noch verteidigt.

Juli 1992

Anmerkung, Februar 1993:
Nun, wo die DDR, durch ihre Auslöschung hindurch, *real* geworden ist, da sie sich als ein *Bewußtsein* von DDR hervorgebracht hat ..., nun kann man wohl sagen: alles sinkt tiefer noch, als wir jetzt wissen ..., und ist schon gesunken.

LITERATUR UND MACHT

Ralf Kerbach: Aus der Serie »IM positiv«, Radierung, 1992

UWE KOLBE

Auf meine Art naiv
Literaturbegriff und Moral

Die Akte trug den schönen Namen eines OV *(Operativer Vorgang)* »Poet«. Und tatsächlich wurde mein Beruf etwa so angegeben: »tätig als: freischaffender Lyriker (nicht Mitglied des Schriftstellerverbandes der DDR)«. Es ist auch wahrhaftig immer wieder von Gedichten, sogar von veröffentlichten Gedichtbänden die Rede. Um so befremdender allerdings, wenn es später in demselben »Sachstandsbericht« der Staatssicherheit vom Januar 1983 heißt: »Kolbe hatte sich ... noch stärker feindlich-negativen *sogenannten Nachwuchsschriftstellern* wie z.B. den operativ bekannten Matthies, Frank-Wolf [...], Rathenow, Lutz (OV »Assistent«, HA XX/9), Papenfuß, Bert (OPK »Fuß«, HA 1) angeschlossen ...« Schließlich war schon damals abzusehen, daß es sich bei den *sogenannten* um wirkliche »Nachwuchsschriftsteller«, wenn nicht sogar schlichtweg um Schriftsteller oder Dichter handelte.

Ein Versehen war das nicht, es hatte Methode. Noch ein Beispiel für dieses penetrante und absichtlich pejorative *Sogenannt*: »Kolbe war 1981 gemeinsam mit dem operativ bekannten Anderson, Alexander maßgeblich an der Zusammenstellung der von Franz Fühmann initiierten *Anthologie sogenannter Nachwuchsautoren* beteiligt, die in den Arbeitsheften der Akademie der Künste veröffentlicht werden sollte. Die von Kolbe und Anderson zusammengestellten Arbeiten der *sogenannten Nachwuchsautoren* werden in der vorliegenden Einschätzung bis auf wenige Ausnahmen als von einer aggressiven, konterrevolutionären Position gegenüber dem realen Sozialismus und seinen Organen geprägt charakterisiert.«

Diese Häufung gibt zu denken. Schon bei dem Wort »konterrevolutionär« kommt der ganze absurde Streit um den Begriff der Revolution selbst hoch. Dabei blieb souverän dahingestellt, wer denn überhaupt jene Autorinnen und Autoren zu solchen des Nachwuchses stempelte. Immerhin lagen für jene Anthologie auch Texte von Gert Neumann oder Bettina Wegner und Wolfgang Hilbig vor, jedenfalls nicht mehr ganz jungen Leuten, die damals alle noch in der DDR lebten.

Offenbar hatten die Stasi-Offiziere eine spezielle Vorstellung davon, was ein wirklicher Schriftsteller war und welcher Art seine Literatur zu sein hätte. Der Versuch, sie nachzuvollziehen, bereitet mir allerdings Übelkeit, seit mir dieses Thema dauernd in der Zeitung begegnet. Zum Beispiel lese ich von Andreas Kühne in der »Süddeutschen Zeitung« am 21.4.92 zu einer Ausstellung autonomer Zeitschriften der DDR: »Der erfolgreichste und zugleich konsequenteste Künstler der gewesenen Subkultur ist zweifellos Sascha Anderson. Sein kleiner Verrat – sofern er denn überhaupt einer war – wiegt nicht schwer gegenüber der Leistung, die Maximen der Postmoderne tatsächlich verinnerlicht zu haben.« So etwas stößt mir auf, immerhin gibt es über die Arbeit an jener Anthologie auch einen Bericht meines damaligen Compagnons Sascha Anderson alias »David Menzer« vom 8.9.1981.

Aber man muß ja nicht allzu tief tauchen, um auf den grundlegenden Literaturbegriff zu kommen, der allen realsozialistischen Staatsorganen zum Leitfaden durch die Literaturproduktion diente. Lenins Artikel »Über Parteiorganisation und Parteiliteratur« von 1905 war schließlich Schullektüre in der DDR. Er wurde als grundlegende Quelle zum Sozialistischen Realismus behandelt und so auch in praxi verstanden. Er gründete den Kanon dessen, was die Zensur, also Herr Höpcke im Kulturministerium, also Frau Ragwitz und die Abteilung Kultur beim ZK der SED, also letztlich Herr Prof. h. c. Kurt Hager und das Politbüro, also auch – im Kreise zurück – dessen miesestes Instrument, die Stasi, von einem Schriftsteller forderte.

Was forderten die Genossen mit Lenin? Natürlich das Ende des »bürgerlich-anarchistischen Individualismus«. Zwar hatte Lenin in seinem Artikel geschrieben, daß er sich nur auf die eigentliche Parteiliteratur beziehe und daß ansonsten sehr wohl jeder die Freiheit hätte »zu schreiben und zu reden, was ihm behagt, ohne die geringste Einschränkung«. Aber das verstanden die »zuständigen Organe« der DDR mit gewisser Berechtigung anders. War denn nicht nach dem »sogenannten« Sieg der »sogenannten« sozialistischen Revolution im »ersten Arbeiter-und-Bauern-Staat auf deutschem Boden« die »sogenannte« Partei der Arbeiterklasse, Vorhut, Avantgarde des Proletariats nach ihrem bis zur Lästigkeit ausposaunten Selbstverständnis, war sie nicht allzu berechtigt, alle in *ihrem Staat* geschriebene Literatur als Parteiliteratur aufzufassen? (Entschuldigen Sie den Aufwand an »Sogenanntem« und an Anführungsstrichen. Ich verfahre bewußt so, um auf Analogien in Victor Klemperers »LTI – Lingua Tertii Imperii« hinzuweisen.) Und war sie, die Literatur im Sozialismus, nicht sozialistische oder Parteiliteratur, waren ihre Verfasserinnen und Verfasser nicht ebensolche, so mußten sie sich wenigstens gefallen lassen, so verstanden, gemessen und behandelt zu werden.

Dazu allerdings mußte Lenin noch mit Stalin potenziert werden. Heute wissen wir, was im Moskau der dreißiger Jahre im Hotel Lux vorging, dem Quartier der deutschen kommunistischen Emigration. Mit grauerem Haar lesen wir das, was wir wohl wußten, so vielleicht aber doch nicht für möglich gehalten hatten. So viel geistiges Elend von Intellektuellen wollten wir lieber gar nicht denken oder wenigstens weit von uns schieben. Warum? Um bestimmte Namen wenigstens doch noch in ernsten Zusammenhängen nennen zu dürfen? Um am Schluß doch wieder von uns selbst als einer Elite zu denken, die sich wenigstens heraushalten kann, wo sie sich handelnd nur beschmutzte?

Nein, das wäre zu schön, zu erhaben, dieses Bild vom Intellektuellen. Immer her mit dem Dreck, in dem wir bis heute nur immer weiter gewatet sind! Schlagen Sie unser Stichwort nach in dem Buch »Die Säuberung«, herausgegeben von Reinhard Müller (Rowohlt Verlag 1991), wo es in

einer Fußnote zur Einleitung heißt: »Lenins Aufsatz ›Parteiorganisation und Parteiliteratur‹ ... wurde 1924 der Zeitschrift ›Arbeiterliteratur‹ programmatisch vorangestellt
und bestimmte weitgehend das Verhältnis von Literatur
und kommunistischer Partei, von KPD und BPRS (Bund
proletarisch-revolutionärer Schriftsteller Deutschlands)
und ebenso von Komintern, KPdSU und Internationaler
Vereinigung revolutionärer Schriftsteller. Die vorsätzliche
Unterwerfung unter die Kontrolle der ›Partei-Maschine‹,
die individuelle Akzeptanz, als ›Rädchen und Schräub-
chen‹ zu funktionieren, disponieren nicht nur die ›Inge-
nieure der Seele‹, sondern bereiten zugleich die offizielle
Durchsetzung der stalinistischen Kulturpolitik vor.«

Das galt – Namen wie Becher, Bredel und Kurella bür-
gen für Kontinuität – für KPD und BPRS wie später für
SED und Schriftstellerverband der DDR. Reinhard Müller
verweist selbst darauf, daß die »unverblümt auftretende
Literaturexekution« Pate gestanden habe z. B. für die internen Abrechnungen nach der Ausbürgerung Wolf Biermanns 1976. Die Munition, die damals wieder scharf gemacht wurde, hatte in Moskau schon Georg Lukács geliefert; seine Auslassungen zur Dekadenz der Moderne, die er
zuerst gegen James Joyce richtete, haben auch die Waffen-
kammer von Stasi-Offizieren wie Hauptmann Scholz oder
Major Heimann auf der Jagd nach *sogenannten Nachwuchsautoren* bereichert. Major Heimann war schließlich zeitweise Führungsoffizier unseres Freundes »Fritz Müller«.
Ich bleibe also am Thema, auch auf die Gefahr hin, für
naiv gehalten zu werden. (Wie »Fritz Müller« für das laufende Band des Genossen Major formuliert hat, ist Kolbe
»auf seine Art, vom Wesen her, naiv«.)

Major Heimann und Hauptmann Scholz standen zeit
ihres Einsatzes in der härtesten *Klassenauseinandersetzung*,
wo nicht im Klassenkampf als Revolutionäre an vorderster
Front. Ihr bestes Pferd im Stall hatte sogar direkte Berührung mit dem *Feind*, wie der Ehrentitel »IMB« ausweist. Ich
schreibe das so naiv, denn als Zyniker hat sich bisher noch
kein Stasioffizier im Interview exponiert; diese Rolle spie-

len bislang nur die subtileren Verräter am Geist. Die Genossen Offiziere haben sich vermutlich (wenn sie denn außerdienstlich lasen) bei der Lektüre von Literatur entspannt, die parteilich und volksverbunden war, kurzum realistische Widerspiegelung der realsozialistischen Verhältnisse. Im Dienst war es damit nichts, denn der von ihnen geführte »alias alias« konnte damit nicht aufwarten. Oder habe ich seine Gedichte, z. B. in »Jeder Satellit hat einen Killersatelliten« so gründlich mißverstanden? War ich von ihnen etwa beeindruckt, weil sie einer vormodernen, der sozialistischen Ästhetik sich angedient hätten?

Weit entfernt. Dafür konnte der Verfasser um so realistischer, in erstaunlich flüssiger Prosa plaudern, bis ins Detail, ins verfluchte Detail realistisch. Etwa wie die kleine Zeitschrift »Mikado« hergestellt wurde, die in den Ausstellungen des Sascha-Anderson-Kreises nie eine allzu große Rolle spielte und spielt, obwohl sie die auflagenstärkste inoffizielle Literaturzeitschrift vom Prenzlauer Berg war; das konnte er ganz genau daherspekulieren am 29. 3. 1984. Da konnte Major Heimann noch ein Messerchen scharf machen, auch wenn es der Trottel Hager nie hat benutzen wollen: »Es steht eindeutig fest, daß die beiden letzten Nummern dieser Zeitschrift abgezogen wurden, ich glaube in einer Art Offsetverfahren. Sie haben jetzt wieder die Absicht, die Auflage auf fünfzig zu reduzieren usw.« Das hätte unseren Freund Thomas, den Drucker, durchaus mehr als die Arbeitsstelle kosten können, wenn es denen über der Stasi in den Kram gepaßt hätte.

Ja, Sascha A., du warst so genau wie keiner. Du standest über uns allen und über allen anderen Spitzeln (mit Ausnahme von denen aus dem Hause Markus Wolf vielleicht). Vor dir waren wir wahrlich alle naiv. Du hast nicht nur das Westgeld abgezockt und uns mit Spielgeld entlohnt (zum Glück hatte ich nur selten pesönlich mit deinen Geschäften zu tun). Nein, du hast auch noch das allergrößte Spiel der sozialistischen Demiurgen mitgespielt. Sicher hast du sogar den Eindruck, besser als die zu sein. Und ich weiß, du wirst mit deiner Biographie so viel Geld zu machen versuchen, wie alle anderen schreibkundigen Kriminellen es auch versucht und geschafft haben.

Verzeihen Sie die Emotion. Ich wollte nicht irgendeinem persönlichen Ärger Luft machen, aber ganz ohne Emotionen geht es nicht ab. Diese Emotionen mögen atavistisch sein, unmodern, schon gar nicht post- oder ex-postmodern. Sie haben ihre Ursache *vermutlich* in einem sehr, sehr tief sitzenden moralischen Kodex. Ich kann nur zu bedenken geben, daß er dreißig Jahre lang in der DDR gewachsen ist. Er hat meine moralischen Maßstäbe geprägt und also auch die, mit denen ich Sascha Anderson, Rainer Schedlinski und alle anderen Inoffiziellen Mitarbeiter beurteile, besonders die meines Alters und eines ähnlichen Werdegangs. Auch die Täter sind mit diesem Kodex groß geworden. Gewiß sind Biographien verschieden, aber seit Beginn der achtziger Jahre hatte sich unter uns in den drei Städten Dresden, Leipzig und speziell Berlin eine Dichte des Gesprächs herausgebildet, die gemeinsame Maßstäbe für bestimmte Bereiche einschloß. Besonders das verbreitete »wissende Schweigen« gründete darauf, unser Umgang mit der allgegenwärtigen Sicherheitsmaschinerie nicht weniger. In der Ebene, in der sich Leute wie Knud Wollenberger, Ibrahim Böhme, Jutta Braband oder eben die spitzelnden Dichter bewegten – unter der jüngeren systemkritischen und/oder dissidentischen Intelligenz also – , gab es kein größeres Tabu. Seine Verletzung durch Autoren, deren Texte ich schätze, weckt bei jeder neuen Verdeutlichung neue Emotionen.

Eine andere als eine moralische Antwort auf die Frage nach der Verantwortung von Intellektuellen kann ich in diesem Kontext nicht geben. Sie resultiert aus der Erfahrung einer im Wortsinne abgeschlossenen Welt und einer nun untergegangenen gesellschaftlichen Situation. Und weil ich aus Gesprächen mit Freunden, Kolleginnen und Kollegen aus früher sozialistischen Staaten weiß, wie verblüffend sich noch die geringsten Phänomene glichen, deshalb taugen unsere Fälle durchaus zum Beispiel. Wie ich allerdings einer dpa-Meldung vom Februar und einem Gespräch im Magazin der »Süddeutschen Zeitung« vom

16.4.92 entnehme, halten sowohl der frühere IM Sascha Anderson wie der frühere IM Rainer Schedlinski die zur Zeit herrschende Art des Gesprächs über dieses Thema für Hysterie. Für mich weise ich das entschieden zurück.

Galgenvögel waren wir alle, das Ministerium für Staatssicherheit war schließlich Hoflieferant für Galgenvögel. Aber von zweierlei Art: solche, für die immer am Strick gearbeitet wurde, über deren weiteres Sein jedoch immer wieder neu in Kategorien von Gnade und Billigkeit, niemals von Recht, entschieden wurde. Dazu gehörten etwa Mitglieder der »Kirche von unten« oder der »Initiative Frieden und Menschenrechte« wie auch kritische oder unkonventionelle Künstler, Autorinnen und Autoren; ebenso einfach Ausreisewillige oder solche, die sich mit der verordneten Arbeitspflicht nicht abfinden konnten.

Die anderen, die eigentlichen Galgenvögel waren die Inoffiziellen Mitarbeiter. Die brachten das Rohmaterial wie auch sich selbst zum Hoflieferanten Stasi, der auf diese Art demiurgische Fingerübungen auf menschlicher Klaviatur einstudierte. Manche von denen waren Erpreßte vielleicht, Bemitleidenswerte womöglich, Ohnmächtige. Die, die denken konnten und wußten, was sie taten, die hatten schlichtweg den Punkt überschritten, wo sie noch in den Spiegel schauen konnten und wollten.

Franz Fühmann, ein von Sascha Anderson bei jener Anthologie 1980/81 persönlich hintergangener Autor, hat aus anderen Gründen zumindest seine letzten zehn Lebensjahre mit der Übung verbracht, endlich wieder das eigene Gesicht zu ertragen. Er hat nach der Erfahrung mit zwei jeweils verinnerlichten Diktaturen auf seinen Grabstein einen Satz für uns schreiben lassen: »Ich grüße alle jungen Kollegen, die sich als obersten Wert ihres Schreibens die Wahrheit erwählt haben.«

Hier ist nicht irgendein lächerliches Abbild gemeint. Der Begriff zielt auf subjektive Wahrhaftigkeit. Wenn wir überhaupt eine Verantwortung haben, dann ist es sie.

April 1992

JAN FAKTOR

Sechzehn Punkte zur Prenzlauer-Berg-Szene

Vorab: Der Begriff »Szene« ist natürlich problematisch (»eine Fiktion«; »von außen angewandt ...«), ich habe aber keinen besseren. Außerdem: Jeder würde sich eine eventuelle Namensliste der »Szene-Mitglieder« sehr genau daraufhin ansehen, ob er nicht vergessen wurde.

Daß dieses »Ding« schwer definierbar ist, hat aber zum Glück eine ganz reale Grundlage: Die Szene war nicht homogen, viele hatten mit den großen Organisatoren nichts zu tun oder wollten es, wie z. B. die Spieler vom Theater »Zinnober«, ganz bewußt nicht. Die Musiker hatten ihre »Gruppen«. Die Szene wurde in späteren Jahren sowieso immer größer und unübersichtlicher. Und der Schreiber-Kern verlor, was die »Wucht« der Leistungen angeht, immer mehr an Gewicht. Nur durch Anthologien und andere Publikationsmöglichkeiten blieben wir Schreiber im Vordergrund; und nach außen wurde auf diese Weise indirekt Zusammenhalt demonstriert, der in der Realität so nicht stimmte. Alle anderen – Maler, Fotografen usw., die selbstverständlich auch ihre Kreise hatten – mußten den Außenstehenden die ganze Zeit leider nur als Einzelgänger am Rande der Szenerie erscheinen.

Noch vorab: Auch wenn man damals nicht wußte, was ein IM ist, gab es ein paar ganz klare und allgemein bekannte Regeln: Man redet mit *denen* nur zum »Sachverhalt« und in dem Zusammenhang grundsätzlich nicht über andere; also – nur über sich selbst. Und man erzählt sofort anderen von diesen Gesprächen – schon zum eigenen Schutz. Und ich hatte damals noch eine Regel: Man redet z. B. über die »relative Vernünftigkeit« oder »Harmlosigkeit« der Stasi nur leise unter Freunden, denen auch nie viel passiert ist, weil allgemein bekannt war, wie mit anderen, die nicht geschützt waren, umgegangen wurde; weil bekannt war, wie die freundlichen Genossen sonst noch funktionieren konnten, wenn eine andere Taktik angesagt war. Man wußte, wie viele Menschen total entgegengesetzte Dinge als wir erlebt hatten und körperlich und psychisch zerstört wurden. Und angesichts dessen ist es vollkommen egal, ob die (auch in diesem Text verwendete) Bezeichnung »Spitzel« allen IM oder irgendwelchen (auf Ewigkeit gültigen?) Definitionen gerecht wird oder nicht.

Noch vorab für diejenigen, die mir versuchen sollten vorzuwerfen, daß ich – wenn ich über die psychischen Hintergründe der Stasi-Mitarbeiter oder überhaupt darüber, »wie es damals war«, spreche – nichts wirklich Authentisches wissen kann: Ich habe über die wichtigsten Thesen dieses Textes auch mit denen gesprochen, die nicht ganz meiner Meinung waren, und auch mit denen, die genau wissen mußten, wie es damals war. Und ich bin Leonhard Lorek und Andreas Sinakowski für ihre Kritik an manchen Passagen des Textes dankbar; Andreas noch für ein Rollenspiel, in dem ich wenigstens ansatzweise etwas von der Dynamik der Beziehung zwischen Offizier und IM direkt mitbekommen konnte.

1 Angst war in der DDR offensichtlich auch dort präsent, wo sie kein Thema war und ausdrücklich auch kein Thema sein sollte. Die Angst arbeitete unterschwellig ohne Zweifel auch in denen, die von ihr nichts wissen wollten und die erst mal aus ganz anderen Gründen nicht auf politische Konfrontation mit der Macht aus waren. Und die Befreiung von den vordergründigen Ängsten, von Verdächtigungen, von dem ständigen Sichdefinieren in Beziehung zur Macht *war* in gewissen Grenzen legitim, *war* auch in einem gewissen Zeitraum (und gerade in Künstlerkreisen) notwendig – die Ära der plakativ politischen Kunst war einfach vorbei und langweilig geworden (nicht nur für die Macher). Aber – diese »Befreiung« verlief leider unsauber und an zwei Fronten; an der heimlichen, an der man sich doch der Macht anvertraute, und an der offenen, an der man u. a. auch ganz schön blind war. Unser Leben in der Nicht-Legalität* damals war verdächtig einfach; und viele Außenstehende sahen es schon damals mit Skepsis.

Allerdings war die Atmosphäre in Ostberlin wirklich entspannter als in der übrigen »Republik«. Man konnte es hier relativ einfach schaffen, nur die lächerlichen und

* Das Wort »Untergrund« wurde in unseren Kreisen möglichst gemieden (meiner Meinung nach sogar zu Recht) – als ungenau, übertrieben. Witzig ist jetzt natürlich, wenn man sich an die ziemlich allergischen Reaktionen von Anderson erinnert, dem das Wort besonders mißfiel. Er wußte warum.

harmlosen Seiten der Stasi-Aktivitäten wahrzunehmen und die ernsteren Dinge auszublenden. Als Schutzmechanismus hat das gut funktioniert. Man konnte sich dabei auch noch wunderbar mutig und frei fühlen, weil man gleichzeitig mitbekam, mit wie vielen Ängsten sich sonst die Normalbürger um einen herum wegen Nichtigkeiten dauernd fütterten. In der sogenannten Provinz war man in dieser Hinsicht an der damaligen Realität näher dran. Dort waren die Leute mit gutem Grund ängstlicher. Und bei Begegnungen mit (z. B. Berliner) Spitzeln auch sensibler.

2   Das Leben in der Illusion kann aber eine Zeitlang kreativ sein; die Illusion kann verhindern, daß Energien woanders unproduktiv oder produktiv zu ganz anderen Zwecken verbraucht werden. Ich stehe nach wie vor zu meiner (unserer) Haltung von der Zeit um 1980. Und daß sich Leute in der »Gegen-Haltung« unterschiedlich verhielten, auf unterschiedlichen Ebenen aktiv waren, ist doch in Ordnung. »Politik« haben eben andere gemacht; das ist ein ganz normaler Fall von Arbeitsteilung. Jeder trägt seine Begabung dorthin, wo sie etwas zählt. Man konzentriert sich, blendet etwas anderes aus, um das, was man ganz ernsthaft machen will, auch ordentlich machen zu können. Und die eine Haltung paßt dann dem Staat weniger als die andere – ohne daß die eine von dem Staat mehr bestellt worden wäre als die andere. Man könnte sich also einen Teil der Angriffe, in denen es um die Positionen von damals geht, jetzt auch sparen.

Die Angst aber war in allen da. Das erklärt nämlich wenigstens teilweise den Fakt, warum einige von denen, die in der inoffiziellen Kunstszene besonders aktiv waren und sich in der DDR damals strafbare Freiheiten nahmen, IM waren. Als Mitarbeiter hatten sie die Rückendeckung des Staates, einen direkten Draht zu ihm. Statt einer diffusen Bedrohung war ein realer und eventuell intelligenter und freundlicher Gesprächspartner da – als Vertreter dieser Bedrohung zum Anfassen. Und als lebendiger Beweis, daß die Stasi im Prinzip auch »sauber« arbeiten und »menschlich« sein konnte.

Und ich lasse mich in diesem Zusammenhang ruhig auf psychologische Deutungen ein (Psychologie war in der Szene doch so schön verpönt und verhaßt): Unsere IM haben zu der von innen langsam wachsenden Angstfreiheit viel – und zwar positiv – beigetragen. Sie haben durch ihre sogenannten »Kontakte« nicht nur ihre eigene Angst neutralisieren können, sie haben durch ihre freundschaftliche Anwesenheit Zuversicht in bezug auf ihre »nicht-konformen« bis strafbaren Aktivitäten ausgestrahlt. Oder andersherum gesehen – sie haben die Angst von ihren Freunden abgeleitet, die Angst »geerdet«. So etwas funktioniert – wie die Tiefenpsychologie lehrt – auf unbewußten Ebenen wunderbar. Und vollkommen wortlos. Der Preis aber, den sie selbst zahlen mußten, war hoch: Ihre eigene, ganz private Angst, die zu ihrer verdeckten Beschäftigung unzertrennlich gehörte und mit der sie von den gut geschulten Offizieren nicht grob, aber geschickt an der Leine gehalten wurden, mußten sie schlucken. Sie abzugeben, war nicht erlaubt. Diese Angst hat sich andere Kanäle suchen müssen.

3   Warum Leute wie Anderson aktiv bis hyperaktiv wurden, hatte also einen ganz speziellen Hintergrund; und hier liegt die nächste Erklärung (oder Teilerklärung) dafür, warum sich gerade die Stasi-Spitzel so exponiert und so viel (»geheimdienstlich« auch völlig irrelevanten) Ballast auf sich geladen haben. Schuld wurde kompensiert durch eine besondere Bereitschaft, Zeit und Energie zu investieren. So etwas wie ein schlechtes Gewissen hatten sie wahrscheinlich noch. (Aber um objektiv zu sein: Die Szene am Prenzlauer Berg war mit IM – quantitativ gesehen – gar nicht mal »übersetzt«. Das steht inzwischen schon fest.)

Anderson entsprach dieses Kanalisieren und Zentralisieren von Aktivitäten sicher aber noch aus anderen Gründen. Er konnte hier gleichzeitig etwas Gutes vollbringen und Dankbarkeit bekommen. Und es war dann sicher auch sein Ehrgeiz, überall dabeizusein, im Mittelpunkt zu stehen, alles zu wissen. Nicht nur um zu spitzeln, sondern auch um großzügig geben zu können. Und ich nehme an, daß er indirekt noch etwas anderes bewirkt hat: Wegen seiner gesteigerten Betriebsamkeit mußten die Genossen im Hintergrund notgedrungen auch andere Kreise, in denen Lesungen organisiert wurden, andere Zeitschriften- und Bücher-Macher in Ruhe lassen, um den Ruf ihres Spitzenmannes Anderson, der nun mal alles Mögliche durfte, nicht in Gefahr zu bringen.

Das Doppelleben muß auch viel Ekel in ihm erzeugt haben. Er konnte dann nur noch auf Hochtouren laufen – mußte noch mehr »Positives« als Ausgleich für die Schweinereien liefern, brauchte dann wieder Schweinereien als Ausgleich für die Einsamkeit im Geheimnis. Und seine Aggressivität konnte er hintenherum natürlich wunderbar ausleben. »Konfliktfrei«. Es war ein verrücktes Spiel, aus dem nicht nur er lange Jahre großen inneren Gewinn schöpfen konnte. Erpressungsgeschichten aus der Jugend reichen als Erklärungsgrundlage nicht aus. Leonhard Lorek ist mit siebzehn angeworben worden und ist schon einige Jahre später während der Armeezeit (!) ausgestiegen. Es war also möglich.

4 Wenn jemand, der viele Jahre mit der Szene zu tun hatte, jetzt plötzlich große Überraschungen erlebt, wird er sich die Frage nach seiner Blindheit gefallen lassen müssen. Diejenigen, die jetzt in voller Ruhe die Produktion von damals konservieren wollen und nicht bereit sind, einen Teil der Legenden zu schlachten, müßten wahrscheinlich viel zuviel Zeug in den Müll werfen oder vieles, woran sie beteiligt waren, gar zu brutal in Frage stellen. Und kommen zu alledem wahrscheinlich ohne Idealisierungen nicht mehr aus. Ich bin jetzt dabei, die Reste von Sentimentalität, die mich mit der ersten Hälfte der Achtziger verbinden, abzutreiben.

Im Moment sind wir an einem interessanten Punkt angekommen – eine ehemalige (sagen wir) Avantgarde klammert sich an eine gemeinsame Vergangenheit, verteidigt gemeinsame Positionen von früher und benimmt sich plötzlich ausgesprochen konservativ. Was viel besser und künstlerisch wichtiger wäre, sind (wieder) radikale Brüche.

Es wäre verrückt, wenn man jetzt an den Einschätzungen der Lage von damals nicht rühren würde und in einigen Punkten den Kritikern der Szene, wie z. B. Lutz Rathenow, nicht recht geben würde. Eine literarische Neubewertung von Texten, die ich damals mochte, werde ich aber nicht starten müssen. Da bin ich mir ziemlich sicher. Seine (Rathenows) Texte werde ich jetzt im nachhinein nicht besser finden, die von Papenfuß nicht schlechter.

5 Wir wurden von der Stasi geschont. Darüber streitet auch niemand. Diese Schonung haben wir aber nicht nur dank der aufmerksamen Westpresse, dank einer auf den höheren Staatsebenen abgesegneten Strategie und dank gründlicher Observation durch (für uns sonst unwesentliche) Randfiguren verordnet bekommen – wie wir damals dachten –, sondern zum großen Teil dank der Top-Spitzel über und neben uns; und die Ausmaße werden erst jetzt einigermaßen klar. Und diese Schonung hat verhindert – darüber habe ich auch keine Lust, mit jemandem zu streiten –, daß wir in wirkliche Konfrontationen mit der Macht kamen und mit der Zeit radikaler wurden. Am Anfang (sagen wir in der ersten Hälfte der Achtziger – unsere Haltung hatte damals noch eindeutig auch politische Brisanz) stimmte die Sache noch. Ich (oder wir) konnte einfach nicht politischer schreiben, weil es – die Ästhetik hat auch ihre Gesetze – absolut nicht »dran« war. Mit einem klaren politischen Ansatz habe ich z. B. in Prag in den siebziger Jahren geschrieben, und für die Didaktik und platte Demonstrativität der Texte schämte ich mich lange genug. Wir (oder ich) hätten auch später in den Achtzigern sicher nicht viel politischer geschrieben, wir hätten uns aber – ohne die verordnete Schonung hätte es wesentlich mehr Repressionen gegeben – auf jeden Fall für inhaftierte

oder in die Provinz verbannte oder anders drangsalierte Freunde eingesetzt. Und wir hätten uns notgedrungen mehr um politische Dinge kümmern müssen.

6 Schedlinski war kein Vordenker der Szene. Er kam erst 1984 nach Berlin; eingeführt von Anderson, der wiederum kein »Vordichter« war. Nach '84 war für mich aber die produktive, innovative, kollektiv erlebbare Zeit im Prenzlauer Berg zu Ende. Was folgte, war zum Teil leerer Aktivismus und Weitermachen einfach in größeren Dimensionen als früher – Weitermachen an Dingen, die am Anfang der Achtziger entdeckt und ausprobiert wurden. Außerdem wurde fleißig an geschwätzigen theoretischen Texten gebastelt, die mit dem eigentlichen Schreiben oder Malen wenig zu tun hatten. Von der eigentlichen, doppelbödigen Realität waren diese Texte jedenfalls weit genug entfernt.

Konkret geht es mir natürlich um Rainer Schedlinski. Wenn er jetzt (trotz aller inzwischen bekannten Tatsachen) meint, daß damals »intellektuell alles klar war«, dann wird er unfreiwillig komisch. Seine Stasi-Geschichte wird er aber nur schwer zu einer rein privaten Angelegenheit uminterpretieren können.

Den Leerlauf der Produktion habe ich deutlich '86 bei den Lesungen in der Samariterkirche gespürt und in einem Vortrag auch später festgehalten. Zum Glück. Jetzt kennt man endlich die Gründe, die die Sache wenigstens zum Teil erklären – das Polster um uns war künstlich, die Lügen häuften sich; die Unechtheit, das Stagnieren der Produktion war kein Zufall.

Anderthalb Jahre später (Herbst '87), als sich die Stasi zu einem Schlag gegen die Umweltbibliothek aufrappelte, dort aber trotzdem weitergearbeitet wurde, Lesungen und Diskussionen stattfanden, zeigte sich ganz deutlich, wie anachronistisch unsere rigide-apolitische Haltung inzwischen geworden war. Die Stimmung in der Umweltbibliothek war ganz anders, als man es aus der Kunst-Szene gewohnt war; und man mußte dafür keinen politisch-agitatorischen Kunst-Krampf produzieren. Die Kluft zwischen denen, die vorne standen, und denen, die mit berechtigten Erwartungen kamen, war plötzlich weg.

7 Im Sommer '87 hatte ich mit Annette Simon, meiner Frau, einen direkten Angriff auf die Prenzlauer-Berg-Szene veröffentlicht. Die Kritiklosigkeit, mit der alles, was kam, angenommen und konsumiert wurde, war unerträglich. Als ob keiner die Unechtheit, die inzwischen nur so wucherte, gespürt hätte. Für mich ist in diesem Angriff von '87 das meiste – auch aus der heutigen Sicht – schon drin; leider wenig konkret und im Grunde sehr schonend.

Es folgte eine – wie denn sonst – wütende Reaktion von Rainer Schedlinski. In seinem doppelt so langen Artikel (in der gleichen Nummer der »ariadnefabrik« III/87) hatte er nach und nach fast alle unsere Sätze zitiert und mit Fragezeichen versehen. Also ALLES verneint und damit ALLE verteidigt. Also alles war in bester Ordnung, und wir lebten in reinem Kunst-Paradies. Alle waren plötzlich auf uns sauer. Trotz der anfänglichen Zustimmung einiger und trotz des sonstigen Dauer-Meckerns; in dem Angriff-Text stand zum Teil nur das, was immer wieder ein Gesprächsthema war. Eine Diskussion, auf die wir gehofft hatten, kam nicht zustande.

Für das Schweigen gab es aber noch einen anderen Grund: Obwohl fast alle jahrelang ernsthaft beim Arbeiten/Schreiben waren und Interesse daran haben mußten, weiterzukommen und durchzusehen, was läuft, hatten sie panische Angst davor, Texte zu schreiben, in denen etwas eindeutig und klar festgenagelt werden könnte. Dazu gab es natürlich die passenden Erklärungen: Die Wirklichkeit ist so rätselhaft und komplex, daß man als Künstler über sie nicht wie ein primitiver Feuilletonist schreiben kann. Verfolgen kann man das in den Interviews der Anthologie »Sprache und Antwort« (hg. von Egmont Hesse). Neben der Angst vor Klarheit findet man dort aber auch einen Wahnsinnsanspruch nach totalem Durchblick.

8   Das Eigentliche, das künstlerisch relevant war und bleiben wird, mußte jeder für sich und unabhängig von den
großen Organisatoren machen. Und diejenigen, die als
Dichter ernst genommen wurden (und werden), waren
keine Spitzel – und das ist auch kein Wunder.

Was für mich zählt und was auch bleiben wird, sind
viele Gedichte und Fotos und Bilder und Konzerte aus diesen Jahren, die mit Andersons Aktionen und Projekten,
auf die er (und nicht nur er) immer noch so stolz ist, nichts
zu tun haben; was unberührt bleiben wird, das sind weiterhin die Stücke von Zinnober oder von Zwieback; von
mir aus auch einige Gedichte von Sascha oder Rainer
selbst. Was man aber künstlerisch zum großen Teil wird
abschreiben müssen (vom Marktwert der Objekte spreche
ich nicht), sind viele der Graphik-Mappen; woran man
nur mit Gruseln wird denken können, sind die vielen Pin-
seleien auf den Bühnen (von damals bis heute) oder Saschas Gesang als Frontmann einer Band – Gesang, der,
trotz der Verstärker und trotz des starken Willens, etwas
herauszuschreien, ihm im Hals steckenblieb; und auch die
übrigen Kunst-Mixturen aller Art unter seinem Manage-
ment. Zu dem fragwürdigen künstlerischen Wert der Map-
pen z. B. habe ich mich in dem schon erwähnten Vortrag
geäußert. Alles andere habe ich dann aber geschont, nachdem ich und meine Frau ein Jahr davor mit unserer Kritik
allein geblieben waren. Freunde schont man eben.

9   Man kommt beim Analysieren der Entwicklung von
damals leider nicht um Anderson herum, auch wenn man
sich den Vorwurf, man schiebe jetzt alles auf den einen
armen Teufel, gern ersparen möchte.

Noch vor kurzem meinte ich, er hätte keine Machtstrukturen in der Szene installiert. Das sehe ich jetzt doch anders. Anderson brachte viele Leute in seine Nähe; Leute,
bei denen er Begabung und offensichtlich auch ihren späteren Marktwert witterte. Er hat z. B. Bert Papenfuß an sich
gebunden, bei den Malern war es Wolfram Scheffler.
Penck war auch noch im Hintergrund. Keine schlechte

Wahl. Und Anderson hat einfach schon durch die eindeutige Autorität und künstlerische Potenz der anderen – nicht nur durch seinen Aktivismus und seine Intrigen – natürlich auch eine Machtstellung bekommen. Echte Szene-Rebellen (damit meine ich diejenigen, die nicht nur die Ästhetik, sondern auch die Ästhetiker persönlich attackierten und durch unverzeihliche Dinge – für die Attackierten auch künstlerisch unverzeihlich – beleidigten).wie Peter Wawerzinek oder Leonhard Lorek wurden ausgegrenzt und belächelt. Mit Papenfuß' Gedichten und Schefflers Bildern unterm Arm war das natürlich kein Problem. Prosaschreiber (wie Detlef Opitz) wurden als unverschämte Vereinfacher des »Unbeschreibbaren« von vornherein nicht ganz für voll genommen.

Anderson und Schedlinski konnten auf begrenztem Gebiet sicher einiges eigenständig entscheiden – wenn es ums Publizieren bzw. um Produzieren von Graphik-Mappen ging, wenn es ums Vermitteln von West-Kontakten ging ... Schedlinski saß auch an einem wichtigen Hebel, da er unter den ersten war, die reisen konnten. Seine »Empfehlungspraktiken« sind auch belegt. Die Frechheit und Erfindungsgabe von Anderson, der immer schon blitzschnell Gerüchte und Geschichten erfinden und sich sehr gut verstellen konnte, hat er aber nicht gehabt. Der effektive Einfluß von beiden sah aber insgesamt trotzdem sehr bescheiden aus. Dazu kurz zwei Episoden:

Bei einem »strategisch« ziemlich wichtigen und in unserer Geschichte für lange Zeit einmaligen Treffen (bei Detlev Opitz am 28. 3. '84; also drei Wochen nach der berüchtigten »zersammlung«) ging es darum, wie (oder ob überhaupt) wir uns gemeinsam als Gruppe gegenüber staatlichen Stellen, gegenüber Verlagen (in Ost und West) verhalten sollten, ob wir uns regelmäßig treffen wollten, uns gegenseitig informieren, und dann – wenn nötig – auch als Gruppe auftreten sollten; und – wie wir einzelne Leute, die Schwierigkeiten bekamen (damals ging es um Uwe Kolbe), als Gruppe hätten unterstützen können. Der wichtigste Beitrag von Anderson an diesem Abend: Mit

100

einem Bus ins Erzgebirge zu fahren und sich die toten Bäume anzusehen. Dann noch: Fußball zu spielen. Gleich am nächsten Tag hat er über das Treffen einen detaillierten Bericht abgeliefert. Die von Anderson in diesem Fall nicht sehr klug ausgedachten Ablenkungsaktivitäten kamen natürlich nicht zustande: Auf den Ausflug-Vorschlag ist niemand ernsthaft eingegangen, Fußball wurde nicht gespielt. Aber auch zu den regelmäßigen Treffen kam es in der ursprünglichen großen Zusammensetzung nicht. Allerdings war das nicht Saschas Arbeit – die meisten waren einfach als ausgeprägte Einzelgänger für solche Dinge nicht zu haben. Und einen ganz gravierenden Anlaß zum Zusammenschluß gab es dann doch nicht (Stichwort: Schonung). Einen Anlaß gab es erst 1988, als Leo Lorek, Peter Böthig und Johannes Jansen Unterschriften zu einem offenen Brief an die Junge Welt sammelten (wir wurden damals vom Chefredakteur Herrn Schütt mit den prügelnden »Zionskirch-Nazis« in einen Topf geworfen). Nach der eigentlichen Unterschriftensammlung unter Berliner und Leipziger Autoren ging es bei einem Treffen bei Jansen darum, ob man versuchen sollte, juristisch etwas zu unternehmen. Es war nach vielen Jahren das erste, direkt politische Vorhaben in diesen Kreisen. Für die Stasi war der IM »Gerhard«, der den Brief brav unterschrieb, »im Einsatz«, und im Hintergrund auch noch der insgesamt wahrscheinlich viel harmlosere IM »Bendel«*, der – auch ganz brav – nichts unterschrieb. Anderson war zu der Zeit schon lange im Westen. Der »Einfluß« der beiden IM beschränkte sich darauf, die Sache beim Berichten so verzerrt (also unterschiedlich) darzustellen, daß Major Heimann verwirrt

---

* »Bendel« war der seit Januar '91 von vielen gesuchte, nach seinen eigenen Angaben aber nie konspirierende »dritte Mann« der Szene. »Bendel« hat sich, weil er zu jedem nett sein wollte, ab '86 immer wieder mal bei sich zu Hause mit einem (auch) netten Burschen vom MfS »einfach so unterhalten« und hat ohne große Hemmungen alles mögliche auch über andere »einfach so erzählt«. Eben so, »wie es seine Art ist, mit Menschen zu sprechen«.

war und nicht wußte, was er glauben sollte. Schedlinski hatte allerdings Leonhard Lorek als den »Scharfmacher« ausgemacht. Ende des Einsatzes. Bei der Fortsetzung der Geschichte war keiner der beiden IM dabei.

10 Diejenigen, die ein Doppelleben führten, haben sich in eine schwierige Lage gebracht. Wenn man sich auf das todsichere, auf immer und ewig angelegte Spiel mit dem Ministerium nämlich eingelassen hatte, war man in seinen Entscheidungen nie ganz frei. Und lassen wir jetzt die ganz eindeutigen Schweinereien beiseite, die andere in den Knast hätten bringen können; und in diesem Zusammenhang auch die direkten Aufträge, die brav ausgeführt wurden – mir geht es an dieser Stelle um viel harmlosere Dinge. Auch wenn es nämlich um ganz einfache Entscheidungen ging (etwa: wen werde ich in der Zeitschrift veröffentlichen, wen im Westen weiterempfehlen, wen einladen, wen mitverdienen lassen), konnte der IM fast gar nicht mehr mit ruhigem Gewissen handeln. Die allgemeinen Intentionen des Ministeriums waren zwar einigermaßen klar, über konkrete Einschätzungen von Einzelpersonen seitens der Offiziere oder über operative Pläne im Hintergrund konnte er nicht viel wissen. Und solche Fragen mußten auch immer eine Rolle gespielt haben: »Werde ich darüber berichten (berichten müssen)?; werden sie darüber schon von anderen Bescheid wissen?; wie werden sie darauf reagieren? ...« Er konnte dann theoretisch fast keine einzige Entscheidung mehr unbesorgt treffen. Selbst wenn sie in erster Linie wirklich seiner eigenen Meinung entsprach. Die Meinung dieses gequälten, aber »künstlerisch ehrlichen« Wesens konnte sich mit der Meinung der freundlichen Herren jederzeit decken. Der »Verstrickte« hätte dann auch im Sinne der Behörde gehandelt, nicht nur in eigener Regie. Er hätte dann zwar theoretisch noch die Möglichkeit gehabt, in der Gegenabhängigkeit immer möglichst nur das Gegenteil dessen, was *denen* hätte nützen können, zu tun, aber das ging nun auch nicht. Man war ängstlich und loyal und unter Kontrolle. Im Grunde hätte die Situation unerträglich

sein müssen, wenn sie keine positiven Seiten als Ausgleich geboten hätte.

Und dieser Ausgleich war notwendig und er war auch da. Für die Arbeit gab es diverse Gegenleistungen, Unterstützung im Alltag und natürlich auch Geld; obwohl das dauernd nur bestritten wird. (Das Lügen dürfte man jetzt aber eigentlich niemandem übelnehmen, es gehört nun mal zur Sache; Spione erzählen auch nicht jedem, was sie machen und für wen und ob sich's lohnt.) Den Fakt, daß die Leute (das betrifft Anderson und Schedlinski besonders; geschützt waren sie ausreichend) nicht von sich aus ausgestiegen sind, kann man aber wirklich nicht nur durch solche Dinge wie »innerer Gewinn« oder »Macht durch Geheimwissen« usw. erklären. Sie haben geliefert und geliefert und dafür auch etwas verlangt und bekommen. Und ohne diesen Aspekt wäre das Bild nicht komplett und das Grübeln über die Mechanik der Sache nie ganz schlüssig. Ich kann es nicht einfach übergehen. In meinem Fall hat Schedlinski über ALLE (Zusicherung noch im April '92: »Über dich habe ich nie etwas gesagt ...«) wichtigen Zusammenkünfte (Aktivitäten) berichtet, bei denen er (auch) anwesend war oder von denen er Bescheid wußte. Und einiges davon war alles andere als harmlos. (Zum Beispiel die Denunziation eines illegalen Postweges via Schließfach am Bahnhof Zoo.) Und er wäre dumm gewesen, wenn er – genug Geld hat er sicher nie gehabt – für seine Mühe (und er hat generell sehr fleißig berichtet) nichts verlangt hätte. Und er gehörte dann später eindeutig zu denen, die sich ihres Wertes bewußt waren und auch offensiv Belohnung verlangt haben. Geld, Dienstleistungen, Naturalien. (Wenn das jemandem nicht passen sollte: Ein Anwalt dürfte sicher die gesammelten Quittungen einsehen.)

11   Anderson war damals durch sein Stasi-Geheimnis in seinen eigenen Augen sicher etwas ganz Besonderes (und das Gefühl brauchte er auch); er war es, wie gesagt, klar auch durch seine Freunde. Durch ihre Präsenz war er auch als Dichter schwer angreifbar. Trotz seiner unerträglichen

Metaphern, von denen er nicht lassen konnte, trotz seiner großen Worte in seinen Gedichten, auf die man ihn wegen ihrer (manchmal) eindeutigen Peinlichkeit lieber nicht ansprach. Sein Schutz war auch die sogenannte »Hermetik« seiner Texte, die sich erst jetzt teilweise öffnet und die man damals – obwohl genug dagegen sprach – als Beweis für seine Größe zu halten hatte. Nur für seine eigene Lyrik hätte er aber trotzdem nie viel Bewunderung bekommen. Ihn hat nur selten jemand nachgemacht – und in Dichterkreisen ist das schon ein wichtiges Kriterium.

In Andersons Umfeld gab es zu alledem nicht ganz so viele Gründe, ihn anzugreifen. Im Gegenteil – z. B. das Amoralische an ihm hat viele (mich auch längere Zeit) fasziniert; sein Geld hätten viele auch gern gehabt (ich auch) usw. Und er hat auch einige gute Gedichte geschrieben. Nach und nach erfuhr man aber neben den vielen kleinen Lügen um ihn herum auch einige Wahrheiten. Und dafür, wieviel man dann später schon wußte, haben sich im Laufe der Achtziger viel zu wenige Menschen von ihm distanziert.

12   Anderson wurde wegen seiner Bedeutung als Manager respektiert, Schedlinski wiederum als Herausgeber und Essayist. Als Dichter wurde z. B. Schedlinski von vielen aus der Szene seit Jahren belächelt. Auch wegen der schlampigen Art, mit der er bei Lesungen las. Stimmen können viel schlechter täuschen als Texte auf dem Papier. Ob sonst alle taub waren, weiß ich nicht, aber ich fand auch Andersons Vortragskunst von Anfang an schwer erträglich – unecht, von eigenartig gehemmtem und unzeitgemäßem Pathos, von einem (warum bloß) geheimnisvollen Schleier umgeben.

Papenfuß, mit dem ich ziemlich lange eng befreundet war, hat gegen die Ausgrenzungen, die vor allem von Anderson ausgingen, nichts getan; auch nichts gegen meine Ausgrenzung. Daß Freundschaften kaputtgehen, ist normal. Und daß zu Künstlerkreisen auch Pose, Eitelkeit und Überheblichkeit gehören, daß die Beziehungen in solchen

Kreisen durch Rivalität und diverse Empfindlichkeiten nicht ganz so offen sind, gilt auch als normal; in dem speziellen Fall »unserer« Szene war aber der Kern des Selbstverständnisses (... Autonomie; weg von der besetzten Sprache ...; der Staat und seine Stasi interessieren uns nicht ... usw.) lange Jahre ganz schön faul – und das ist alles andere als üblich. Die staatlich verordnete Verlogenheit, die so verhaßt war und die man nicht mitreproduzieren wollte, wurde einfach heimlich und in Mengen reingeschleppt und gestreut – ohne eine Spur von Bewußtsein, was für katastrophale Folgen das künstlerisch mit sich brachte. Ohne eine Spur von Bewußtsein, was für eine Verantwortung man auf sich nimmt, wenn man die Entscheidung trifft (oder anders – die Frechheit besitzt), sich nach vorne zu stellen und trotz einer Grundlüge einen Teil der Kultur eines sonst kulturell ziemlich ausgebrannten Landes zu repräsentieren. Und das Bewußtsein dieser Verantwortung fehlt den beiden Haupthelden bis heute. Um so mehr beschäftigen sie sich offensichtlich mit ihrer neuen Rolle als Opfer und Märtyrer. Und verlangen zum Teil sogar, daß man sich bei *ihnen* entschuldigt. Sie werden nämlich dauernd von denjenigen, die keine Ahnung davon haben können, »wie es wirklich war«, »schlecht behandelt« und »böswillig mißverstanden«.

Ihre »Mitarbeit« *war* aber ein Verrat. Diesen Punkt werde ich nicht in Mitarbeit mit den Mitarbeitern zerreden. Wenn jetzt die IM erzählen, daß sie niemanden verraten konnten, weil sowieso »alles« offen ablief und bekannt war, oder wenn sie erzählen, daß sie nur völlig harmlose Dinge preisgegeben hätten, ist das – abgesehen davon, daß es nicht stimmt – ein Ablenkungsmanöver, das nur äußerliche Dinge berührt. Und wenn sie sich jetzt plötzlich in Beziehung zu Bürgerrechtlern setzen, auf die sie sonst nur von oben herabgesehen (oder sie ignoriert) haben, und erzählen, diese wären zum Teil – prozentual gesehen – mehr mit Spitzeln durchsetzt als wir, sprechen sie wirklich nicht zur Sache. Der Verrat ging an die Substanz dessen, woran Jahre gearbeitet wurde und was jetzt erst mal zu

einem Scherz zusammengeschrumpft ist. Ohne Anfüh-
rungsstriche kommt man beim Schreiben über diese
»urbane Subkultur« zur Zeit nicht aus.

Und dies ist eine Warnung an alle unsere IM-Experten:
Sie sollen sich, wenn sie weiter behaupten wollen, ihre geheime Mission hätte keinen Schaden angerichtet und hätte
niemanden weiter stören müssen, hier genau überlegen,
*was für ein Urteil sie damit indirekt über die künstlerische Sensi-
bilität aller aus der Szene aussprechen.* Falls die Künstler den
Kritikern oder Theoretikern etwas voraushaben, dann ist
es gerade die Fähigkeit, nicht rational faßbare, unter der
Oberfläche lauernde Dinge als erste wahrzunehmen. Angenommen, die »Es-spielt(e)-keine-Rolle«-Clique hätte recht
(was ich natürlich nicht hoffe), dann müßten die ganzen
Schreiber oder Maler und alle die anderen aus der Szene
eine angenehm dicke Haut gehabt und nicht gespürt haben, daß um sie herum einige grundlegende Dinge, die ihre
Existenz mehr als tangierten, nicht stimmten. Dann müßte
sich weiter – das wäre dann die Konsequenz – auch bald
zeigen, daß im Prenzlberg zwar alles Mögliche gemacht
wurde und möglich war, aber Kunst von Format und »Zeitgeist« nur die wenigsten produzieren konnten.

13 Wer Anderson heute noch als eine Integrationsfigur
bezeichnet, ist nicht zu retten. Anderson ist eher das Gegenteil dessen gewesen – jetzt im nachhinein kann man
ihn leider nicht viel anders einstufen. Die Fäden führten
zu ihm, und bei ihm verschwanden sie dann irgendwo in
dem Keller, den keiner kannte. Auch die noch echten
Impulse und Regungen mußten in dem Loch verschwinden. Was dann herauskam (»Er hat doch so viel …!«),
konnte nur unglaubwürdig sein, tut mir leid. Für mich
hat er die Glaubwürdigkeit eines vom Staat dotierten An-
archisten.

Anderson hat durch sein »integratives Dasein« andere,
authentischere Bindungen verhindert. Es war nämlich
nicht nötig, durch Reibung und Kontroversen unbrauch-
bare Dinge abzulegen. Und es konnte sich auch keine Zu-

sammenarbeit auf einer anderen, reelleren Grundlage entwickeln (weniger Zentralismus hätte auch dem Prenzlberg nicht geschadet). Eine funktionierende Struktur – also die von Anderson geschaffene – war schon da. Viele haben sich A. angeschlossen; nicht wenige Aktivitäten, die sonst dezentraler abgelaufen wären, liefen dann über ihn; und waren also voll unter Kontrolle. Nebenbei wurde einem vorgeführt, wie ein effektives Untergrundmanagement auszusehen und zu laufen hat. Wie das Geschäft aber mit einem Führungsoffizier als Schutzengel von innen wirklich aussah, erzählt der brave Rebell bis heute nicht. Nach den Stasi-Berichten zu urteilen, die ich gesehen habe, hat er auf der Stasi-Ebene ganz brav und angepaßt und ohne Verstellung funktioniert, die strengen Väter fleißig bedient. Und sie mußten ihn genau und an den richtigen Fäden geführt haben. Anders kann man beispielsweise folgende Dinge schwer erklären: die Bravheit und die Hingabe, mit der er Hinweise auf persönliche Schwächen der Bespitzelten anbot; oder den fast entschuldigenden Ton an Stellen, wo er nicht die Namen der belauschten Personen wußte oder etwas nicht genau wiedergeben konnte.

Daß er jetzt noch immer laviert und herumlügt (wenn er sich zu den Vorwürfen überhaupt äußert) oder schweigt und auf Zeit setzt und tut, als ob nichts passiert wäre, und mit denen, mit denen er versprochen hatte zu reden, nicht redet, hat u. a. einen ganz simplen Grund – er müßte sich nicht nur die anstrengende Arbeit machen, sich an sehr unangenehme Dinge zu erinnern, er müßte vor allem die Banalität, die *auch* zu seiner Geschichte gehört, offenlegen und das große Mysterium um seine Person endgültig (auch vor sich selbst) platzen lassen. Wie es unvermeidlich der überaus schlaue »Gerhard« trotz seiner Schlauheit bereits mehrmals unfreiwillig getan hat. Außerdem müßten unsere fleißigen IM zugeben, daß die Arbeit auch Spaß gemacht hat. Eine Lesung samt Diskussion ganz offen mit einem (von der Stasi wahrscheinlich gespendeten) Walkman aufnehmen, dann noch einen kurzen Bericht reinsprechen und ab (das ist das naheliegendste) in einen toten Briefkasten – so ungefähr könnte sich der Abend des selbstverantwortlich operierenden Agenten David Menzer am 11.11.'81 abgespielt haben. Das ist doch Krimi life. Aber vor solchen Offenbarungen fürchtet sich Anderson wahrscheinlich am meisten, obwohl man als Außenstehender gerade auf solche Geschichten, auf eine sozusagen »positive« Haltung, viel gelassener reagieren könnte als auf arrogante Lügen. Worüber er wahrscheinlich nie wird sprechen können und was ein nicht-banales Geheimnis bleiben wird, sind irgendwelche tiefer liegenden Erschütterungen aus seiner Kindheit oder Jugend. Es gibt vorsichtige Versuche, einige seiner Texte in diesem Sinne zu analysieren.

14 Ich will und kann nicht zwischen der Moral von Leuten wie Anderson und ihrer künstlerischen Produktion eine Trennung ziehen. Für mich hing all das viel zu eng zusammen. Und es wurde auch immer wieder direkt betont, daß es in dem, was man tat und produzierte, auch um eine Lebenshaltung ging.

Echt konnte Anderson in seinen Gedichten nur dort sein, wo seine Gespaltenheit für ihn rational nicht weiter spaltbar war, wo sie nicht »operativ bearbeitet« wurde, sondern gefühlt; also dort, wo sich A. an den wahren Kern seines leider so verlogenen Lebens traute und seine realen Erfahrungen, die er beim Lavieren zwischen den Fronten en masse machen mußte, offen – d. h. im Rahmen von nur ästhetischen Zwängen – preisgab. Und sein ziemlich exponiertes Leben mit einem Geheimnis, das seine sonstige (auch künstlerische) Existenz total in Frage stellte, war schon etwas »Besonderes«. Was das dann noch menschlich in nahen Beziehungen bedeuten mußte, kann man sich auch ungefähr vorstellen. Er machte also Erfahrungen, die kaum ein anderer in diesem Ausmaß machen konnte, die er – auch weil er sich durch sein Wissen an einer ziemlich exklusiven Reflexionsebene bewegen konnte – allen voraushatte. Und so ein Leben mußte eine ungeheure Spannung mit sich gebracht haben; Spannung, die sich auch produktiv hätte entladen können. Aber – das behaupte ich – nur theoretisch; er konnte dieses »Reservoir« aus Gründen der Konspiration nur begrenzt nutzen. Und außerdem hat er in seiner Agentenrolle zusätzlich zuviel – milde gesagt – »außerkünstlerische« Fertigkeiten kultivieren müssen. Also – wenn man weiß, wie er (und schon immer) lügen und klauen konnte, mit welcher Leichtigkeit er Menschen benutzen, ausnutzen konnte, hat man überhaupt keinen Grund für die Annahme, er hätte in seinen Texten nur ehrlich gearbeitet – nicht geklaut, nicht gelogen usw. In Gesprächen über seine Arbeiten hat er sich bei Details immer wieder widersprochen und verraten; man konnte also auch an seiner künstlerischen Ehrlichkeit schon damals zweifeln. Einerseits sind diese Dinge sehr banal, andererseits zum Glück einigermaßen eindeutig und in Texten belegbar.

15 Wenn Amoralität, Aggressivität, Destruktivität, die zu moderner Kunst gehören, offen nach außen fließen, kann man (theoretisch) unabhängig von den menschlichen Qualitäten des sich offen dazu bekennenden Autors über die Qualität seiner Texte urteilen. Wenn der Autor aber keine verinnerlichte, blindmachende Ideologie besitzt, wenn er sich zusätzlich dermaßen im Leben versteckt und ein großer Batzen dessen, was er bedeckt hält, nicht eine ganz persönliche Quelle seines Schreibens ist, sondern in einem Büro ganz bewußt und sachlich bearbeitet wird, dann ist er selbst zu nicht unwesentlichem Teil auch ein *Bearbeitender*, dem in diesem Punkt ganz *bewußt* ist, was er tut und was mit ihm gemacht wird. Er muß es lernen, ganz genau zu unterscheiden zwischen dem, was er zur Bearbeitung abgibt, und dem, was er behält und selbst bearbeitet. Und er muß sich disziplinieren und entwickelt sich dann vielleicht nicht direkt zum einfachen Bearbeiter, sondern, sagen wir, zum geschickten Benutzer. Er wird zum Benutzer seiner Begabung, zum Benutzer seiner Bildung, zum Benutzer aller möglichen literarischen und menschlichen Objekte in seiner Umgebung. Er ist nie ganz bei sich selbst, er

darf sich nie – auch nicht punktuell – spontan öffnen, er darf nie aufs Ganze gehen, nie alles geben. Die hemmende Selbstkontrolle ist immer da; die innere Befreiung, die Kunst immer wieder mal ihren Betreibern kurzzeitig ermöglicht, darf nie zu weit gehen. Und wenn sich derjenige so clever, so kalt kalkulierend fast zwanzig Jahre durchgewunden hat und nicht enttarnt wurde, dann ist er sehr geschickt gewesen und hat gut gelogen und sich sehr perfekt kontrolliert. Und wenn sich diese langen Lebenserfahrungen *nicht* auf seine literarische Arbeitsweise ausgewirkt haben sollten, dann wäre hier für mich wiederum ein anderer Grundsatz, ohne den die Kunst nun mal nicht funktioniert, nicht erfüllt. Diese so wichtige Erfahrung des Autors, das, was er die ganze Zeit so perfekt ausübte und wo offensichtlich auch viel von seiner Begabung zum Einsatz kam, wäre in diesem Fall beim Schreiben links liegengeblieben. Das kann nicht sein; und so war es auch nicht. Diese mit Kunst für mich schwer zu vereinbarende Erfahrung hat sein Schreiben eindeutig geprägt und mitbestimmt; wie sie – das war schon früher offensichtlich – auch seine sonstigen Aktivitäten und »Arbeitsmethoden«, seinen Umgang mit Menschen geprägt hat.

16 Ich habe nichts dagegen, wenn die Presse die Dinge zum Kochen bringt. Ich habe nichts dagegen, wenn der Druck aus dem Westen oder eben von außen kommt. Ohne diesen Druck hätte sich nicht nur im Prenzlauer Berg von selbst gar nichts bewegt. Alles ist doch wunderbar gelaufen – Leute wurden zu kurzzeitigen und intensiven Denkaktivitäten gezwungen, in allen Lagern wurde bei dem »großen Streit« viel Energie investiert. Und es wurde dann so schön viel Quatsch erzählt, so viel Selbstentlarvung und so viel unverständliches Blabla angeboten; aber auch viel Wahres.

Deswegen sag ich's ruhig noch mal und noch mal – haut mal ruhig drauf, Leute. Die Rache für die furchtbare Überheblichkeit vieler aus dieser Szene (auch für meine jahrelang), die Rache für die in dieser Szene vorhandene

Verachtung aller derjenigen*, die sich trauten, sich auch mal emotional und direkt auszudrücken, oder die in der Hackordnung in der Szene tiefer standen, die Rache für die Dauer-Lederpose und Hochnäsigkeit und falschen Zelebrationen, die Rache für die Unreife und den infantilen Trotz, diese Rache mußte sowieso mal kommen.

Zum Schluß noch eine Prognose: Ich befürchte nämlich, daß – wenn der Prenzlauer Berg als Stadtteil in einigen Jahrzehnten voll rekonstruiert und durchgestylt sein wird – von der Literatur, um die es mir hier auch ging, nicht so sehr viel wird übriggeblieben sein. Und das wird nichts mit der aktuellen Ablehnung z. B. seitens der Buchhändler (alles Stasi … usw.) zu tun haben, das wird nicht mit der aktuellen Diskreditierung dieser Literatur durch unsere so prächtig exponierten IM erklärbar sein. Neben Qualität, Innovation und Konsequenz (aber warum sollte es im Prenzlauer Berg anders gewesen sein, als es nun mal überall der Fall ist) brachte diese Literatur auch viele leere Worte.

Außerdem ist die Zeit vorbei, in der von dieser Art Literatur eine Faszination ausging. Diese Literatur ist langsam reif für die Museen. Wofür ich mich jetzt wahrscheinlich begeistern könnte, wäre witzige und mit gut-ironischen »Zeichen« geladene Prosa. Etwas in dieser Art z. B. über den Prenzlauer Berg wird aber eher ein Amerikaner schreiben können als einer von uns.

September 1992

---

* Von denen, die gar nicht schrieben, spreche ich hier lieber gar nicht. Obwohl – u. a. sind es jetzt diese mehr oder weniger Verachteten, die auf dem Markt am längeren Hebel sitzen – als potentielle Käufer der Bücher.

Ciao! Von der Anspruchslosigkeit der Kapitulationen.

eines morgens
in aller frühe
da vergißt uns sogar der feind

(»fett«, 1986/87)

Der früher so zugige Prenzlauer Berg macht dicht, an manchen Stellen und immer nach außen. Was im Kiez von der Szene der achtziger Jahre übriggeblieben ist, ist augenscheinlich ungern beieinander. Das Treibhaus ist kaputt. Die Posen der Insassen geraten bestenfalls linkisch im nunmehr gemeinsamen Versuch, den Einbruch einer Schlechtwetterfront auszusitzen. Es scheint auch weniger schlimm zu sein, daß die Stasi zwei Galionsfiguren der Szene jahrelang für sich anschaffen ließ. Eher stört dabei, daß die Namen bekannt wurden. Als Rainer Schedlinski in der Pankower »literaturWERKstatt« im Februar '92 eine ermüdende Portion Heimatkunde zum besten gab, durfte er ungestört zu Ende lesen. That's the real east. Man stelle sich hingegen vor, im Mehringhof, in Kreuzberg, referierte ein enttarnter V-Mann darüber, daß er *das praktische Handeln schon immer der ideologischen Diskussion vorgezogen* hat. Das gäbe ein Fest. Im Prenzlauer Berg jedoch ist das anders. Einigelungsakrobatik. Tellerrandhorizont. Menschenschlag. Oder die Pose all dessen, für ein Kaninchen vor der Schlange der übriggebliebenen Wirklichkeit. Jetzt vor allem um den guten Ton bemüht. Die bisher bekannten Statements aus der Szene sind lau. Biermanns gerontologisch aufgepeppte Eitelkeit paßt hier prima ins Programm. Schließlich ist es möglich, sich daran hochzuziehen, oder sogar festzuhalten, und das so lange über die Preisrede hinaus. Nur ist es ja nicht so, daß es die Szene aus heiterem Himmel eiskalt erwischt hätte. Nichts begann mit Biermanns Oktober-Offenbarung. Es fing alles viel früher an. Es fing schon an, eh die ersten von uns aus dem Berliner Osten der Platzangst wegen weggingen. Und daß viele nicht ausschließlich der lausig lästigen DDR wegen gingen, war bekannt. Jene, die blieben, die in der Szene verblieben, konnten diese Szene so gebrauchen, wie sie war: mit ihren Ritualen und Korsetts und Zwängen und ihrem Beruhigtsein. Und sie perfektionierten über die Jahre jene enorme Fähigkeit, alles Kontroverse zu ignorieren. Sie kopierten formal das, was ihnen über fast zehn Jahre seitens der Öffentlichkeit zuteil wurde: Ignoranz. Zum Ausgemauertsein kam das Einmauern hinzu. Die Szene war doppelwandig isoliert. Zumindest ein wichtiger Teil derselben. Die Prenzlberg-Szene realisierte eine *beinahe* weggeschwiegene Generation. Ich rede vor allem von Autorinnen und Autoren, die dort geschrieben haben und sich, Ende der siebziger/Anfang der achtziger Jahre, den bis dahin gültigen Konventionen zu verweigern begannen. Diese Szene war schon immer fraktioniert.

November 1976 – die DDR setzt Biermann vor die Tür, und ein Zurück gibt es nicht. Zu diesem Zeitpunkt sind die allermeisten derer, die späterhin die Szene ausmachen sollten, noch nicht in Berlin. Ich selbst hatte meinen Wohnsitz in Brandenburg und war, bereits volljährig, wenige Wochen vor Biermanns Rausschmiß zum Wehrdienst einberufen worden. Nominell war ich auch noch IM*, etwas später dann nicht mehr. Seit diesem November, seit Biermann das Zurückkommen in die DDR verweigert wurde, war die DDR für mich zu. Ebenso für andere. Keine Anteilnahme mehr. Kein Mitleid. Keine Nähe. Kein Interesse. Was der erste A&B-Staat auf deutschem Boden anstellte oder zu tun unterließ, war nicht mehr zu bedauern. »Unser Staat – *ihr Staat. Unsere Partei – ihre Partei. Unser Volk – ihr Volk. Sie müssen aber vermögend sein, sich ein eigenes Volk leisten zu können. Was kostet denn so ein Volk?«* Soweit *meine* Konver-

---

* Meine Zuarbeit für die Stasi begann mit etwa siebzehn Jahren und hörte mit zwanzig abrupt auf.

113

sation* mit einem Stasi-Offizier, allerdings zehn Jahre
später. Da waren die Bedingungen schon ganz andere. Der
DDR galt das Ignorieren ihrer vom Kindergarten an gegenüber *ihrem* Volk zelebrierten Einzigartigkeit als Sakrileg.
Unfaßbar! Glaube, Vertrauen und Gehorsam hatten einen
Stellenwert, wie ihn etwa der orthodoxe Katholizismus in
seinen Gemeinden vorausgesetzt. Diejenigen, die in den
Achtzigern dann das Szenemilieu dominierten, also wir,
konnten von der DDR aber nicht mehr exkommuniziert
werden. Unsereins kümmerte sich ja nicht einmal darum,
wo der Religionsunterricht gegeben wurde. Kein Bedarf.
Wir wollten nicht so tun, als hätten wir irgendwo irgendwas mitzureden. *Mit Bonzen redet man nicht*, war das Credo.
Die DDR war für uns zu – aber auch wir für die DDR. Für
den Anfang der achtziger Jahre kann ich noch von *uns*, als
der wohl am meisten auffälligen und bis in die geschriebene Sprache hinein subordinationsunwilligen Gruppe innerhalb der Szene, reden. Dieses *wir*-Verständnis aber war
kurzlebig. Nach Biermann gingen dann die aus der Generation vor uns. Jene, die am direktesten für uns hätten ansprechbar sein können. Lutz Rathenow galt als einer der
letzten Vertreter derer, die sich in üblicher Weise in Konfrontation zu diesem Staat begaben, und figurierte darum
im Westen längere Zeit als *der* Vertreter einer jungen DDR-
Literatur. Aber *uns* konnte Lutz gar nicht vertreten – er gehörte nicht dazu. Wie gesagt: die Szene war schon immer
fraktioniert. Wir hatten nicht den Bedarf, durch unsere
(wie auch immer kritische) Aufmerksamkeit diesen Staat
ernst zu nehmen, also zu bestätigen; weder in der Literatur
noch im zu lebenden Alltag. Als Vorwurf hat mir gegenüber Ulrich Enzensberger formuliert: Die DDR wäre anders
geworden, hätte man sie nur ringsum ernster genommen.
Nun denn: *Ich schäme mich schon lang nicht mehr / für meine
Heimat DDR* – zwei Zeilen der Weimarer Punk-Band

* 1986 erhielt ich eine Vorladung der Weißenseer Polizei, wobei
mich auf dem Revier kein Vertreter der Behörde, sondern ein Offizier des MfS erwartete.

114

»Schleimkeim«. Wir hatten nicht mehr das Bedürfnis, Kundendienstliteratur herzustellen, die einem Volk nach einem imaginären Maul redet. In ungebrochener Fortsetzung blieb von der Tradition der Estradenlyrik ein Wassersuppen-Biermann übrig – Krawczyk. Im Auffanglager Marienfelde zog er dann bloß noch die eine Wartenummer vor mir. Wir wollten nicht formulieren, was alle sowieso wußten, oder wissen konnten. Wir hatten jede Art von Bestätigungskultur satt, absolut satt. Als während der ersten Streikwelle in Danzig an meinem damaligen Arbeitsplatz die »Polacken« »polnische Kollegen« wurden und acht Wochen später wieder zu »Polacken« mutierten, hatte ich schon lange nicht mehr das Bedürfnis, im breiten Schoß der Arbeiterklasse aufgehoben zu sein. Masse war kein Kriterium mehr. *Wer liest schon Gedichte* – war eine beruhigende Fragestellung. Seit 1976 war ein Individualisierungsprozeß im Gange, der zu Beginn der achtziger Jahre die Sprache erreicht hatte. *Subversive Lyrik* nannte Volker Braun die Poesie aus der Szene. Oder genauer: einen Teil derselben. Die banal existierende DDR gab für uns keine breite Reibungsfläche her. Das Larmoyante in der Poesie blieb aus. Es gab nichts mehr zu bedauern. Schlechte Zeiten für Liedermacher. Und Liedermacherinnen. Bettina Wegner, der ich für vieles zu danken habe, konnte meine Gedichte damals ebensowenig verstehen, wie ich ihren zähen Willen zum Widerstand um jedweden Preis nicht mehr kapieren wollte. Da war nichts mehr nachvollziehbar für mich. Wofür denn auch, bitte sehr? Das kreative Potential der Szene schöpfte seine Energie kaum noch aus der Dauerfrustration. Der Prenzlauer Berg bot sich als brauchbares Biotop für autonome Existenzen an. Das Leben passierte nicht mehr auf Schienen. Schnittmusterbögen für bürgerliche Existenzen und Burda-Mode hatten für uns in etwa denselben Charme. Wir waren für jede Vermassung untauglich. Wir konnten nicht mehr das Leben *nach*erzählen. Wir haben nichts breit Konsumierbares, passiv Rezipierbares mehr anrichten können. Wir wollten nicht mehr dazu beitragen, Zuschauende zu produzieren.

Wir wollten nicht mehr *eigentlich* sein; nicht mehr stellvertreten. Wir wollten nicht mehr protestieren. Die Leute sollten sich selbst leben. Und Politik sollten die Leute selber machen, anstatt uns zu ihren Kaspern zu bestellen. Wir taten das Unsere. Insofern war innerhalb der Prenzlberg-Szene durchaus ein rigoros politisches Potential versammelt – jene *beinahe* weggeschwiegene Generation. All die Gräben, die wir ausgehoben haben, sei es zum traditionellen Widerstand, sei es zur Festtagskultur oder zur alles partizipierenden Mehrheit im Land, verschafften uns kurzzeitig die Illusion der Autonomie – aber ebenso den speziellen Treibhauseffekt der Szene: die Ohnmacht der Isolation. Es gab für uns lange keine Öffentlichkeit über den eigenen Dunstkreis hinaus. Tonbandabschrift, Quelle: IMB »Fritz Müller«, entgegengenommen: am 29.03.1984 für die Hauptabteilung XX/9: »... Bert Papenfuß ging davon aus, daß es besser wäre, mehr in die Öffentlichkeit zu treten, als daß man im zweiten Hinterhof für den Berliner Untergrund gehalten wird. Detlef Opitz meint, man sollte doch die Scheu vor Westveröffentlichungen ablegen und einfach an jeder Anthologie teilnehmen, die dort stattfindet.« Wir nahmen widerborstig zur Kenntnis, daß Öffentlichkeit für uns Kompromisse als Voraussetzung parat hatte. Der übliche Knackpunkt. Schließlich waren wir dem *öffentlichen* Osten zumindest suspekt, und dem anderen *koordinierenden* Osten darüber hinaus anfangs auch unbegreiflich. Nicht kalkulierbare Kategorien waren in der nervösen Begrifflichkeit des Panik-Apparates immer ein Gefahrenpotential. Dem Westen jedoch war der Standard-Widerstand lieb und teuer. Das Petitions-Dissidententum der siebziger Jahre taugte was für ein stabiles Weltbild, wurde aber im Osten nicht mehr hinreichend praktiziert. Als die erste Garnitur Dissidenten dann vor Ort nicht mehr vollzählig anzutreffen war, waren Nachrücker gefragt. Im Prenzlauer Berg aber passierte inzwischen anderes. Wir waren dabei, artifizielle Narrenfreiheit zu leben und auch zu proklamieren. Die Stasi brauchte schon einige Zeit, uns als Idioten zu begreifen; schließlich waren wir ja keine nützlichen Idioten. Die Ost-Öffentlichkeit betrachtete uns derweil als nicht existent. Stefan Heym hat eine solche Praxis einmal, in bezug auf das Dritte Reich, als *Praktikable Ignoranz* bezeichnet – notwendig, das eigene Nichts-Tun zu bewerkstelligen. Wir wurden also weggeschwiegen. Der Öffentlichkeit im Westen waren wir nicht dissidentisch genug. (Nicht dissidieren und dann noch Gedichte schreiben – eine unattraktive Kombination. Verlage kennen Poesie als kommerziell kaum verwertbare Materie zur Genüge.) Und wäre da nicht Sascha Anderson in seinen vielen Verwandlungen gewesen, hielte dieser Zustand an. Vom *Rummel in den Feuilletons der West-Medien ... seitdem Uwe Wittstock im Juni 1983 in der FAZ Sascha Anderson »entdeckt« hatte und 1985 in Köln unter dem Titel »Berührung ist nur eine Randerscheinung« die erste großangelegte Anthologie der »anderen« DDR-Literatur ... erschienen war* zu reden, wie es Matthias Ehlert in der »Berliner Zeitung« (vom 9. 1. 1992) tut, ist unangebracht. Denn der »ersten großangelegten Anthologie« folgte gerade mal 1988, also drei Jahre später, »Sprache und Antwort« mit 10 Autoren, 11 Interviews, 12 Fotografien und einigen Texten – nicht mehr als eine Präsentation von Gesichtern und literaturtheoretischen Ansichten einiger Leute aus der Szene. Das war's dann wohl auch an augenfälligen Publikationen. Oder irre ich mich? Es reichte doch aus, das für diesen »Rummel« ausgegebene Zeilenhonorar zusammenzurechnen, um ein »großes Medienspektakel« auf Low-Budget-Niveau schrumpfen zu lassen. Was sollte auch über Gedichte und Kunst aus einer verschlossenen Subkultur groß spektakelt werden? Inzwischen hat sich das geändert. Die Szene hat Anderson einiges zu verdanken. Um die Literatur, um das kreative und politische Potential, geht es den Medien kaum. Verständlich, wenn man zur Kenntnis nimmt, daß es Auffälligeres, Banaleres, Akuteres zum Thema Stasi und auch zum Thema Literatur in Deutschland zu sagen gibt. Jene zwei als Luxus-IM geouteten Szene-Manager jedoch reichen schon aus, dieser Szene etliche ihrer Wesensmerkmale anzukreiden.

Die Prenzlberg-Szene, zuweilen mit dem Attribut »legendär« versehen, gilt nunmehr als eine *Kreation der bundesdeutschen Journaille**. Derzeit will niemand so recht zur Szene gehören, oder gehört haben. Jan Faktor machte kürzlich den nicht ganz ernst gemeinten Vorschlag, ein Who-Is-Who der Szene zusammenzustellen, um einmal anschließend zu hören, wer sich alles beschwert, nicht erwähnt worden zu sein. Inzwischen ist mein Abstand zum Thema weit genug, amüsiert die verbale Gymnastik der Leute zu beobachten, wenn es darum geht, den Schwarzen Peter im eigentlich verlorenen Spiel bei Dritten unterzubringen. In den westdeutschen Medien wurde die Prenzlberg-Szene jedenfalls nicht zusammengeschoben. Sie wurde in der Normannenstraße kartographiert, katalogisiert, buchstabiert und *mit*erledigt. Definiert ist sie mittlerweile durch die Einzugsbereiche der IM Menzer, Gerhard usw. Sie ist aber auch ein Sammelbegriff geworden, für etwa zehn Jahre künstlerischer und literarischer und politisch nicht ausschließlich zölibatärer Subkultur im Osten Berlins. Und sie war keinesfalls amorph. Aktuell steht der Begriff vor allem für die im Kontext verbliebenen, für deren Selbstbewußtsein und für das nicht artikulierte Selbstverständnis eines Teils derselben. Ein Manko über all die Jahre hin. Ein Nicht-Thema bis heute für viele. Ein aufwandlos installiertes Tabu. Wäre die Szene ein Markenprodukt, gehörte im Verpackungsaufdruck der Hinweis auf Konservierungsstoffe dazu. Und wer innerhalb der Szene dieses als Problem begriff, beim Namen nannte, »geriet« rasch an deren Rand; und darüber hinaus. Absetzbewegungen von dem nach außen hin scheinbar autonomen »Block« innerhalb der Szene, aber auch offene Brüche, hat es spätestens seit '84 gegeben.

Erst '87 geht Faktor die Szene in Schedlinskis »ariadnefabrik« an, und ist aus dem Spiel. Gut ein Jahr vor Faktor

---

* Detlef Opitz in »Literatur zu sagen in diesen Zeiten – ein Sakrileg« (Rede anläßlich der Verleihung des Klaus-Pieper-Stipendiums. Berlin, Januar '92).

habe ich im »schaden« Anderson und seine Freunde beschimpft; es war die billigste Ventilation angestauter Wut. Weder der Text von Jan Faktor und Anette Simon noch mein Text sind hier zitierbar; Dritte könnten gar nichts begreifen. Es waren reine Insiderartikulationen – in die Szene *hinein* gerichtet, das eigene Mit-Tun vor Augen. Nicht einmal Opitz' »Szene, Mafia, provinzieller Haufe«, als Statement nach einem *Zersammlungs*-Aufguß im Juli 1990 geschrieben, ist hier zitierbar. Detlef Opitz reagierte auch da noch in die Szene *hinein*. Insidermentalität. Innercircle-Kodierung. Warum wir uns so furchtbar dumm angestellt haben, könnte eine Sitten-Skizze des Szenedaseins ansatzweise erklären. Und dann kommt auch anderes hinzu: außerhalb der Szene wartete mehr Langeweile als im Treibhaus selbst. Die DDR war *tod*langweilig. *Kein Bock auf Ostblock* hatten wir für Stolperparolen auf U-Bahnhof-Treppen parat – und waren zu faul zum Sprayen. Der nahe Westen kam oft so saturiert rüber, daß uns das *noch ein bißchen dableiben* luxuriös erscheinen konnte. Über die Szene lauthals auszupacken, wäre einem Verpfeifen gleichgekommen. Andersons Rangierbahnhof hatte viele Abstellgleise – aber eben nicht nur diese. Und obwohl seit Mitte der achtziger Jahre die Szene nicht mehr ausschließlich auf das selbstinstallierte Epizentrum Sascha Anderson fixiert war, avancierte der Dichter aus Weimar gerade damals zum Oberhirten auf diesem Prenzlberger *Kunst*rasen. Jüngere Berliner Autoren, wie Zieger, Flanzendörfer, Jansen, bewegten sich schon an Anderson vorbei. Der »schaden« gewann überraschend schnell an Bedeutung und Einfluß innerhalb der Szene, Anderson erlangte jedoch erst relativ spät einen direkten Einfluß auf diese Edition. Eine so wichtige Theatergruppe wie »Zinnober«, das aus Dresden nach Berlin gedriftete Performance-Team »Autoperforationsartisten«, Szene-Bands wie »fett« und »teurer denn je«, haben Andersons Einflußbereich gemieden. Und es waren anfangs nicht seine Gedichte und mit Sicherheit nicht die Essays, die ihn nach vorn projizierten. Ursächlich für seine Auffälligkeit waren andere Qualitäten. Anderson war organisatorisch begabt und alles andere als ungeschickt im Umgang mit Literatur, Kunst, Geld und den Leuten, die solches repräsentierten. Er hatte nun mal die richtigen Freunde zur rechten Zeit. Er wußte sich und andere zu positionieren. Die in vieler Hinsicht naive Szene gehörte darum ihm, im Handumdrehen, fast. Anderson und Schedlinski als Vordenker der Szene hinzustellen, ist zu weit gegriffen; für Szeneverhältnisse waren beide zu solide, zu üblich. Und sowohl als Dichter wie auch als Denker waren sie innerhalb der Prenzlberger Verhältnisse konservativ genug, selbst von der Stasi noch begriffen zu werden. Sie waren recht konsequente Praktiker, und Anderson sage ich brillante Manager-Qualitäten nach, inklusive aller bestaunenswerten Raffiniertheit. Das wirklich Seltsame an Andersons Karriere bleibt, daß er sie als eingeborener Ostgermane realisierte – in der Deutschen Demokratischen Republik. Das mythosreife Phänomen Sascha Anderson hat durchaus das Zeug, uns noch eine Weile zu unterhalten. Im Augenblick aber geht es mir weniger um die Stasi (ich habe meine eigenen Akten noch nicht einsehen können) als viel mehr um das Wesen jenes Betrachtungsgegenstandes, der die Stasi beschäftigte: die Szene also. Das Erscheinungsbild derselben bestimmte das Taktisch-Psychologische und das Praktische im Aktionismus des Sicherheitsapparates. Erst als die Szene dort begriffen wurde, konnten sie versuchen, uns in den Griff zu bekommen. Und dieses dann vorrangig mittels solcher IM wie Menzer, Gerhard usw.

Für weniger romantische Beobachter der Prenzlberg-Szene war unser Tun und Lassen in der Konsequenz irgendwann als ein Einrichten im Status quo durchaus zu erkennen. Um diesen wiederum möglichst unbeschadet zu überstehen, hatte ein erheblicher Teil der Leute, die dort Literatur machten, Sprache als Gegengift entdeckt, entwickelt und parat, der Absorption durch die DDR zu begegnen. Das, was während der Jahre passierte, in einer Readers-Digest-Version in diesem Text unterzubringen, ist nicht möglich. Möglich ist es mir jedoch, ein signifikantes

Moment zu erklären, welches die Zeit und unsere damalige Situation begreifbar machen könnte.

Für die Literatur aus der Szene fällt bis heute zuerst der Gebrauch von Sprache als der am ehesten authentische Artikulationsmechanismus auf. Stefan Döring und ich haben Ende der siebziger Jahre Gedichte von Bert Papenfuß zu lesen bekommen. Und wir waren mehr als überrascht. Papenfuß stand da hinter einer Tür, durch deren Schlüsselloch wir erst vorsichtig zu gucken wagten. Die eigenen Texte, die mir bis dahin in diese Richtung geraten waren, habe ich nicht rausgerückt. Und ohne Papenfuß hätte es wohl auch noch eine Weile gedauert. Der aber schrieb bereits Gedichte aus einer Konsequenz heraus, für die ich selbst zuvor meinte, erst durch eine Art Schallmauer zu müssen. Etwas anderes verlangte unser damaliges Verhältnis zur DDR auch nicht. Max Goldt spottete später einmal während eines Spazierganges in Weißensee: »Ich weiß, warum hier so viele bisexuell sind. Ihr kommt hier nicht raus, also müßt ihr in jedes Loch rein ...« Über ostdeutsche Lust-Defizite könnte man reden wie über den Wärmetod. Wenn unsere Situation für die Begrifflichkeit Außenstehender übersetzbar sein sollte – warum nicht so. Letztendlich standen nicht allzu viele Richtungen offen, sich unkontrolliert zu bewegen. Es gab nur eine, die nicht kontrollierbar war: **rein**. Uns dahin zu bewegen, machte Sprache möglich. 1986 redete ich mit Egmont Hesse über die Kettenreaktion,* als Modell für das Schreiben von Gedichten. Beim Schreiben blieben Linearität und Stringenz weg; unausweichlich hätte das Vereinfachung, Einengung, Betrug, Begrenzung und Ausgrenzung bedeutet, letztendlich die Bevormundung anderer. Die Angst vor der Linearität machte sich auch in der Ablehnung handfester Prosa bemerkbar. Detlef Opitz hat dies als Autor kalt zu spüren bekommen. In der unaufhörlichen Enge der DDR war es in Gedichten möglich, sich selbst als Universum

* »Sprache & Antwort«, Hg. Egmont Hesse, Frankfurt am Main 1988. Interview mit dem Autor.

kennenzulernen. Sprache hörte auf zu beschreiben und festzuhalten. Aber Sprache hörte nicht nur auf festzuhalten, sie begann zu bewegen. Im Osten machten sich Aussteigersymptome zuweilen anders bemerkbar als im Westen. Im Osten wurden Wohnungen besetzt; keine Häuser. Individualismus wurde immer offener praktiziert. Und das Denken konnte exzessiv individualistisch sein. Die Alternative zur gesellschaftlichen Linearitätsnorm war eben die Kettenreaktion: alles Spontane bedingungslos gewollt und befürchtet – im Text, aber auch vorher beim Schreiben. Schließlich hatten wir auch Zeit für Intensität – wir lebten im langweiligsten Land der Welt. Zeit wurde uns in der Prenzlberger Subkultur nur so weit für andere Belange des Lebens abgefordert, wie wir bereit waren, sie rauszurükken. Da blieb genug Zeit, Grenzen kaputtzukriegen, zu überwinden. Vergleichbar vielleicht den Bildübermalungen, die C. M. P. Schleime und andere aus der Szene praktizierten, funktionierte unser Schreiben nicht bloß realitätsattestierend, sondern subjektiv wirklichkeitsverändernd. *statisch ist der rahmen der öffentlichkeit. innerhalb dieses rahmens sich die möglichkeit einer eigenen dynamik zu verschaffen, ist das »ich« ein kommissarisches. ... der statische rahmen der öffentlichkeit ist, im traditionell pragmatischen interesse derselben, einer der standorte unseres vergrenzens. werden wir die standorte unseres vergrenzens überfliegen, wird in jedem das angebot eines kettenkarussells bereitliegen. ... die standorte unseres vergrenzens sind nicht die grenzorte unseres verstandes.* Ich zitiere dies aus einem Statement, welches ich anläßlich einer Performance im Oktober '83 gemeinsam mit M. F. Zickert und Frank Speckhals geschrieben habe.

Ein Jahr später leistet sich die Szene ein Ereignis mit weitreichenden Folgen. In Uta Hünningers Atelier im Prenzlauer Berg wird die (erste) *Zersammlung* einberufen. Der offiziöse Vorwand für das Brimborium: einander etwas vorzulesen, um miteinander darüber zu reden. Dem damals Geschehenen kann mittlerweile, von den Initiatoren abgesehen, kaum jemand der Beteiligten etwas freundlich Gemeintes mehr abgewinnen. Jedenfalls kenne ich niemanden. Was da gelesen und geredet wurde, unterschied sich zunächst einmal nicht von dem, was ansonsten passierte. Aber Andersons koordinative Glanzleistung, die Szene sechs Tage so komplett beieinander zu haben, wie es nicht einmal während der mehrwöchigen '86er *Wort* + *Werk*-Ausstellung in Eppelmanns Kirche gelang, hatte zur Folge, daß wir seit diesem Ereignis nur noch eine gemeinsame Artikulation herstellen konnten, wenn wir gegen uns selbst argumentierten. Das heißt: auch gegen den Terminus *Szene*, der uns alle meinte und ein Ausmaß an Gemeinsamkeiten unterstellte, das es, von uns aus gesehen, nicht gab. Während dieser sechs Tage wurde unsererseits nicht die Qualität der praktischen Umstände unseres Dilemmas begutachtet, und wir begannen auch nicht darüber zu reden, was alles der Veränderung unserer Situation im Wege stand oder zu stehen schien. Statt dessen stellte sich immer mehr der Eindruck her, einer PR-Aktion der Initiatoren beizuwohnen, die darauf ausgerichtet war, eine Hierarchie im Ghetto zu präparieren. Die Stimmung war schließlich so gereizt, daß ich wegging, als Papenfuß seine, oder die gerade von ihm favorisierte Band auftreten lassen wollte, was mich an die Funktion einer Singegruppe im »kulturellen Rahmenprogramm« von FDJ-Veranstaltungen erinnerte. Jene, denen es peinlich wurde, all das geduldig mitanzusehen, die kein Gruppensog animieren konnte mitzumachen, gingen eben, mehr oder weniger laut. Möglichkeiten, in das Geschehen einzugreifen, gab es nicht, oder sie wurden von den irritierten Anwesenden nicht in den geeigneten Momenten wahrgenommen. Nach der *Zersammlung* blieb, dank Andersons Rangiertalent, nach außen hin als Inbegriff der Prenzlberg-Szene ein männerbündlerisches Quartett übrig, das, wegen Faktors unaufweichlicher Renitenz zum Triumvirat abgespeckt, Anderson beigeordnet noch Papenfuß und Döring präsentierte. Dies so deutlich aufzuschreiben, ist meinerseits sicher unschicklich; Klartext in der Szene ist es seither aber gewesen. Ja. Und nunmehr ging es gar menschlich zu im Treibhaus. Denn die Gesprächsthemen der folgenden Jahre erschöpften sich

hauptsächlich im Erörtern der Hackordnung, der Eifer-
süchte, im Kungeln kleiner Grausamkeiten, im Niederma-
chen, also im innigen Verhältnis zur staatlich uns nahege-
legten Blödheit. Die Szene beschäftigte sich mit sich selbst
und vor allem mit dem Überdruß an sich selbst. Die Ursachen des zunehmenden Unwohlseins wurden gut trainiert
ignoriert. Der mit der *Zersammlung* angerichtete Schaden
stabilisierte sich wie von selbst. Und wo dies nicht geschah, jobbten die IM. Es bliebe zu fragen, welche Möglichkeiten es gegeben hätte, in der DDR, aus dieser selbstge-
stellten Psychofalle herauszukommen. Der »schaden«, ursprünglich gedacht als flexibles Kommunikationsmodell,
wurde als solches jedenfalls kaum in Anspruch genommen. Dabei hatte ich die Edition »schaden« durchaus als
Gegenwert in die teilnahmslos zersammelte Szene gesetzt.
Und ursprünglich war das auch die Absicht von Egmont
Hesse gewesen. Als das Heft jedoch, aller aufmerksamen
Beobachtung nach, der *Zersammlungs*mentalität etwas ent-
gegenzusetzen schien, wurde es ins Statische, in das künst-
leröse Korsett, zurückkommandiert. Ach, was waren wir
folgsam. Die Szene war in einem statischen Zustand gut
aufgehoben. Anläßlich der begriffenen Wirklichkeit haben
wir vor den Möglichkeiten, die wir uns mit der Sprache
schafften, kapituliert; wir taten es leise und ohne es zuzugeben. Es war mehr als nur ein Verrat an der Sprache; was
sich banal anhört, solange Sprache zur Eigentlichkeits-
metapher für Lust gerinnt.

Die wirkliche DDR hatte uns wieder, Stück für Stück, auf
eine Art und Weise, wie sie nur wenige von uns gewollt
haben können. Ein Jahr nach der *Zersammlung* stellte ich
meinen Ausreiseantrag. Es hat viel zu lange gedauert, bis
die Hauptabteilung XX/9 notieren konnte: »... Lorek trat
an diesem Abend als absoluter Scharfmacher auf, betonte
wiederholt die Notwendigkeit eines massiven Drucks auf
staatliche Stellen ... er traf hier auf besonderen Widerstand
von Schedlinski ... fand aber auch bei anderen keine
einhellige Zustimmung.« (Quellen: IM »Bendel« und
»Gerhard«) Der Vermerk stammt vom 19. 01. '88. Am

11.02.'88 hatte sich die DDR meiner, als ortsansässiges Problem, entledigt. (Meine Herren IM, hätten Sie dies Ihren väterlichen Gefährten früher erzählt, viel früher, hätte ich Ihnen zu danken. Ich selbst habe mir jedoch auch zu viel Zeit gelassen, die Dreistigkeit parat zu haben, so deutlich aufzutreten – also geht der Vorwurf des Zeitverlustes an mich zurück.)

Eines Morgens / in aller Frühe / trafen wir auf unseren Feind ..., heißt es in der ersten Strophe des italienischen Partisanenliedes »Bella ciao«. Als wir mit der (anstrengenden und rabiaten) Szene-Band »fett« auf ostdeutschen Bühnen standen, konnte ich dem Publikum versprechen: *eines morgens / in aller frühe / da vergißt uns sogar der feind.* Ich habe dies damals nicht als Warnung gegenüber der Szene gebraucht. Ich habe das, vor allem angesichts des politischen Autismus derselben, als Drohung verstanden. Partisanen leisten bekanntlich Widerstand im Rücken des Feindes, auf besetztem Terrain. Partisanen haben sich zu verstecken, um sich aus Verstecken herauszuwagen. Wir haben uns versteckt und unser Versteck außen markiert, und hatten unsere Ruhe, in der Szene. Hätte es da nicht die uns beigefügten und durch uns ermöglichten IM gegeben – was wären wir vergessen worden. Eines schönen Morgens sollten wir uns darum bei ihnen bedanken. Im Moment aber bin ich der Meinung, daß wir es niemals tun werden. Schließlich repräsentieren wir ja nicht die erste deutsche Gegenkultur, die sich in die Verdrängung verabschiedet.

Juli 1992

Wenn wir nicht eingemauert gewesen wären

Der Unbekannte an meiner Tür blickte mich durch die Nik-kelbrille an. Auf berlinerisch, das ich bis dahin nur von türkischen Kindern in Wedding gehört hatte, stellte er sich als Michael Meinicke vor und fragte, ob ich noch Manu-skripte sammelte wie auf dem Anschlag angegeben. Ich bat ihn hinein, erfuhr die Abenteuergeschichte von der Flucht im Kofferraum – »zusammen mit meiner damali-gen Frau« – und bekam eine Klemmappe voll skurriler Er-zählungen. »Willst du auch Texte aus Ostberlin?«

Zwei Wochen später ging ich zu der Adresse, die Meinicke mir gegeben hatte; dort drückte mir Knud Wollenberger Gedichte in die Hand, von denen ich eins später in die An-thologie aufnahm. Er brachte mich mit der Straßenbahn zum nächsten, mir noch unbekannten, noch unveröffent-lichten Dichter, Uwe Kolbe.

In einer Wohnung mit Rissen in den Wänden las ich von der Wohnung mit Rissen. Unzählige Bücher und Literatur-zeitschriften drohten aus den Regalen zu fallen. Bei einem Kaffee erklärte ich mein Vorhaben, Berliner Autoren in Ka-lifornien herauszugeben. Kolbe kannte M. M. auch, sin-nierte amüsiert über eine ihnen gemeinsame Bekannte, zupfte Gitarre.

Wollenberger reichte Kolbe seine Gedichte und lauschte dessen Urteil. Es fiel schroff aus, und Knud ergriff die Flucht. Ich schaute Lyrik von Mao in Kolbes alten NDL-Ausgaben an. »Willst du einen wirklichen Dichter kennen-lernen?« fragte er, unangebracht bescheiden, und führte mich zu Bert, der den Familiennamen seiner damaligen Frau trug, Gorek. Nicht konsequent: später, bei einer Kolbe-Gorek-Maaß-Lesung, griff ihn ein Zuhörer an, das hätte er von Papenfuß geklaut. »Der bin ich auch.«

Berts Haare hingen bis zu den Kniekehlen, und er trug

Kleidung, die seine Frau entworfen und genäht hatte. Ich fühlte mich nach Hause versetzt – Kalifornien, 1967. Seine »Arkdichtung« war mir zunächst so verständlich wie Armenisch. Ich murmelte etwas von mangelnden Deutschkenntnissen. »Daran liegt es nicht.« Er führte mich durch seine Neologismen, seine eigenwillige Orthographie und Assoziationsfelder im Rotwelschen. Ich unternahm einen ersten Übersetzungsversuch. Dann brachte Cerstin Wurst, Brot und Wein. Bert schlug Bücher über die Kelten auf, ließ mich Liedtexte von Captain Beefheart dolmetschen. Ich vergaß die Zeit, bis es fast zu spät war: ab Mitternacht erschien an der Weltennaht ein besonderer Geist ...

»Wann kommst du wieder?«

Bald. Und fünf Jahre lang war mir einmal im Monat, von Mitternacht bis Mitternacht, Friedrichshain und Prenzlauer Berg nicht die vermauerte, sondern eine gelebte andere Seite. Bert war damals im besten Sinne ein streunender Hund. Bei jedem Besuch brachte er mich zu neuen Schriftstellern, Malern, Ausgestiegenen, Ketzer-Linken. Die Postkarten auf dem Boden von Zabkas Wohnung, ein Chaos, das erst richtig zusammengestampft werden sollte, ehe es zu Collagen geklebt wurde, die nicht Nostalgie, sondern déjà vu hervorriefen. Jürgen Böttchers Experimentalfilme ausnahmsweise im Babylon. Gänge durch unbeleuchtete Straßen zu miesen Kaschemmen, an deren Tischen Welten aus Parallelzeiten entstanden. Gegen die physische Mauer reisten die Gespräche dieser Untergrundler, die sich noch nicht als solche stilisierten, ferner als die im Kreise sich drehenden politischen Debatten der Westberliner, die ich kannte. Sie nahmen sich und einander ernster, als Westberliner es taten. Verbotene oder nichtverlegte Bücher, die ihren Weg hierher fanden, wurden ernsthafter gelesen als da, wo sie frei erhältlich waren. Am besten: es hieß noch nicht Szene, hatte also kein Drehbuch, geschweige, daß es zu »Prenzl« verniedlicht gewesen wäre. Vieles, was später auseinanderwuchs, gehörte damals noch zusammen, oder sprach zumindest miteinander, wie man schon an der Kette Wollenberger-Kolbe-Papenfuß ablesen kann: Rathenow lernte ich z. B. über Bert kennen.

Diese Erfahrungen mit dem Osten retteten mich vor dem Druck der West-Mode, die Mauer für gerechtfertigt, den westlichen Literaturmarkt für eine Zensurinstanz zu halten. Kolbe sagte: »Wenn hier drei miteinander sprechen, ist das schon als Gruppenbildung ahnbar. Wenn zehn zusammen sind, ist einer vom Stasi darunter.« Neben Materiellem brachte ich Bücher nach Osten und in der Unterhose Manuskripte nach Westen.

Bert und ich stellten eine Graphik-Lyrik-Mappe zusammen, »Aton-Notate«. Sie sollte von der Obergrabenpresse in Dresden gedruckt werden in einer Auflage, die noch nicht anmelde- und zensurpflichtig war. 83 wurden wir für drei Tage nach Dresden zum Besprechen eingeladen. Das war meine, vielleicht auch Berts erste Begegnung mit Sascha Anderson. Mit jemandem von der Druckerei besuchten wir eine Ausstellung im Zwinger. Der Gang war für Papenfuß und Anderson wohl zu langsam, sie verschwanden zusammen. Ich spürte so was wie Eifersucht.

Die monatlichen Lesungen bei Ekkehard Maaß waren einerseits nicht genehmigt, andererseits eine informelle Institution, bei der z. B. Volker Braun oder Heiner Müller auftauchten, um Texte völlig unbekannter Autoren zu kommentieren. So was gab es im Westen nicht. Später wurde hier der Keim von Detlef Opitz' »Idyll« verrissen. Im nachhinein markiert das für mich das Ende der Offenheit. Die Szene erstarrte, schwor sich auf eine festgelegte Art von »Originalität« ein.

Auch Sascha las bei Maaß. Bei meinem nächsten Besuch war er eingezogen, Nachfolger bei Ekkehards Ehefrau, Wilfriede. Sascha wurde Subkulturmanager, begünstigte einige und schloß andere aus. Er war belesen und charmant und strahlte Poesie aus.

Meine Anthologie kam heraus. RIAS sendete »Stadtteilchen«, meine Sammlung von Anekdoten und Beobachtungen beider Teile der Stadt. Dann wurde ich ausgesperrt – Juli 84 bis Ende Dezember 89. Ein Versuch, Ostberliner

Freunde in Prag zu treffen, scheiterte trotz Visum an der bayrisch-tschechischen Grenze. Gründe erfuhr man nie, vielleicht gab es ein Punktsystem wie in Flensburg. Auch jetzt sagt die Gauck-Behörde nur, daß über mich eine »Lochkarte« existiert. Ob Sascha zur Aussperrung beitrug?

Viele meiner Ostfreunde bekamen in den achtziger Jahren Reisepässe. Sascha und andere zogen nach Westen. Außer Dieter Schulze und, einmal, Ralf Kerbach besuchte mich keiner, was dem ständigen »wann kommst du wieder« einen bitteren Nachgeschmack verlieh. 1991 im Café Kiryl wurde es auf den Punkt gebracht: Ich wurde einer Malerin vorgestellt, die mir von Wilfriedes Keramikwerkstatt bekannt war und deren Bitte nach Filmzubehör aus dem Westen ich damals nachgekommen war. Sie sagte: »Wenn wir nicht eingemauert gewesen wären, hätten wir uns mit euch nie abgegeben.«

September 1992

GABRIELE STÖTZER

Frauenszene und Frauen in der Szene

Die Stasi war ein paramilitärisches Machtsystem, das innerlich hierarchisch organisiert war, das mit klaren Feindbildern arbeitete, mit Vernichtungsterminologien und der naiven Hybris des totalen Rechtes zur Verteidigung eines Staates, der sich immer mehr selbst ernannte.

Was passierte nun in einem militärisch männlichen System mit den Frauen, wenn sie im abgekarteten Spiel nicht mitmachten? Die Frauen waren in der DDR eine latente Masse im Arbeitsheer, notwendig, weil im Hintergrund sehr viele Männer nicht an der gesellschaftlichen Produktion beteiligt waren. An der gesellschaftlichen Produktion beteiligt zu sein, hieß aber nicht, an der gesellschaftlichen Macht teilzuhaben, denn dieses Machtsystem war nicht öffentlich oder wählbar.

Wichtig bei der Auswertung meiner Stasi-Akten war, daß alle »meiner« etwa 25 Inoffiziellen Mitarbeiter Männer waren, mit Ausnahme einer Frau. In dem männlichen System der Stasi und der DDR spielten Frauen keine wirklich identische Rolle. Sie wurden als Gruppe nicht wahrgenommen, nur als einzelne, die man mit dem Vokabular der Staatsfeindlichkeit aber nicht richtig fassen konnte. Solange die Frauen die ihnen zugeteilten Rollen in der Spielgesellschaft DDR einnahmen, waren sie zwar verwaltbar, aber eigentlich nicht existent. So wurde ich gleichberechtigt behandelt als Studentin, die exmatrikuliert wird, wenn sie zu frech gegen die marxistisch-leninistische Ordnung mit dem Gedankengut des Marxismus-Leninismus umgeht. Ich wurde gleichberechtigt verhaftet, als ich mich der Unterschriftensammlung von Schriftstellern gegen die Ausbürgerung von Biermann anschloß. Ich hatte, wie alle Oppositionellen, seit ich 23 Jahre alt war, ständig Geheimprozesse im Nacken, Geheimverurteilungen mit vorgefertigten Paragraphen und Strafmaßen, die nur noch auf die kleinen Aufhänger eines belangbaren Delikts warteten.

Auf das erste »Operative Verfahren« 1976 ohne Festnahme (nur mit Exmatrikulation und Hochschulverbot), das zweite »Operative Verfahren« 1976/77 mit einer Verurteilung zu einem Jahr Freiheitsentzug (nach drei Monaten »Arbeit«, denn die Delikte zur Bestrafung »erarbeitete« die Stasi, nicht der Täter), folgte das dritte Verfahren »Toxin« 1979 bis 1986, mit dem Ziel, mich gemäß Paragraph 106 (Staatsfeindliche Hetze, Strafmaß 2 bis 5 Jahre) zu verurteilen. 1989 wurde schließlich die Operative Personenkontrolle »Medium« angelegt.

»Toxin« dauerte etwas länger, weil ich begonnen hatte, mich in einem nichtpolitischen Inhalt zu bewegen. Gelang das Kriminalisieren oder das Definieren als politisch staatsfeindlich nicht, begann das Biologisieren. Sosehr sie bei mir nach einem politischen Anlaß zur Verurteilung als Staatshetzerin suchten und nicht finden konnten, sosehr versuchten sie mich als Frau zu sexualisieren und zu idiotisieren. Sie suchten immer Schwachpunkte, um Menschen erpreßbar und beherrschbar zu machen. Und weil es in der DDR keine Theorie über eigenes, unabhängiges Denken im allgemeinen und weibliches Denken im speziellen gab, entstanden zwar fleißige, heute aber fast humorvoll anmutende pseudopsycholiterarische Interpretationen. Übrigens immer mit der gleichen Absicht, Beweise gemäß § 106 StGB zu erarbeiten. Ich zitiere im weiteren aus dem Operativen Verfahren »Toxin«, das vom 3. Juli 1979 bis zum 14. Oktober 1986 gegen mich geführt wurde.

»... mit zunehmender Studiendauer war jedoch festzustellen, daß sich bei ihr bestimmte Charakterzüge wie Eigenwilligkeit bei der Betrachtungsweise ihrer Umwelt stärker herausbildeten, die dazu führten, daß sie die gesellschaftliche Entwicklung unseres Staates, besonders in Bezug auf die sozialistische Kulturpolitik, falsch einordnete.« (1979)

»Am 18. 10. 1980 fand in der ›Galerie im Flur‹ Erfurt, Anger 41 [Privatgalerie, die ich 1980 bis zur ›Liquidierung‹ 1981 leitete; G. S.] ... ein Kunstgespräch mit dem Dresdner Künstler Göschel, Eberhard statt. An der Organisierung des Kunstgesprächs war die K., Gabriele maßgebend beteiligt ... Hervorzuheben ist, daß durch die K., Gabriele und deren engsten Verbindungskreis die Bewirtung der Gäste mit Speisen und Getränken, teils kostenlos, vorgenommen wurde. Diese Feststellung ist insofern bedeutsam, da die K., Gabriele in keinem Arbeitsrechtsverhältnis steht und dennoch in der Lage ist, entsprechende materielle Aufwendungen für die Absicherung einer solchen Veranstaltung aufzubringen. Die K., Gabriele besitzt keine Gewerbeerlaubnis.« (Sachstandsbericht 18. 9. 1980)

»Veranlassung einer Prüfung des Arbeitsrechtsverhältnisses der im OV ›Toxin‹ bearbeiteten K., Gabriele durch die Abteilung Inneres unter dem Aspekt der Herausarbeitung von Voraussetzungen für eine strafrechtliche Verantwortung gem. § 249 StGB« [Asoziales Verhalten; G. S.].

»Die ›Galeristin‹ oder sagen wir Akteurin ist eine ehemalige
Pädagogikstudentin in Erfurt ... Knast ... ständig politisch
aktiv. Sie hat einen extra emotionslosen Informations- und
Verhaltensbericht über ihre Zeit in der Haft geschrieben,
der z. Z. in Berlin kursiert.« (IMB »David Menzer«
16. 3. 1981)

»G. Kachold ist bisexuell und hat sehr große Kontakt-
schwierigkeiten auf sinnlicher Ebene. Es ist möglich, daß
es eine Art Kompensation ist, sich schriftlich zu äußern.
Den Bericht hat zur Zeit Christa Wolf.« (IMB »David Menzer« 13. 4. 1981) »Diesen Bericht haben sehr viele Erfurter
und Berliner gelesen. G. Kachold ist sehr abhängig von der
Meinung anderer, was aber ihren manischen Ausdrucks-
willen nicht beeinflußt, nur richten kann ...« (IMB »David
Menzer« 6. 5. 1981)

»Das Verhältnis zwischen der K. und ihrem Ehemann
Dittmar scheint sehr gespannt zu sein ... Der psychische
Zustand der K. ist durch Hysterie, Verfolgungswahn und
permanente Unruhe gekennzeichnet. ... Zu vermuten ist,
daß sie gegenwärtig keinen ›Halt‹ bei irgendeiner Person
verspürt und in sexueller Hinsicht weder bei Frauen noch
bei Männern auf Interesse stößt ... Die politische Situation
in der DDR ist nach ihrer Meinung dadurch gekennzeichnet, daß wir uns in schnellem Maße einer Zeit nähern, die
durch schwere Unruhen, Straßenkrawalle, Protestdemon-
strationen und Auflösungserscheinungen der staatlichen
Ordnung gekennzeichnet sein wird.« (IMB »Lutz Müller«
29. 10. 1982) [Beauftragung des IMB, ein sexuelles Verhältnis zur K. herzustellen und so den Kontakt zu ihr zu festigen; G. S.]

»Weiterhin wurde festgestellt, daß die K., Gabriele selbst
literarisch tätig ist. Sie verfaßt gemäß inoffiziellen Hinweisen literarische Manuskripte, die Probleme hinsichtlich der
Meinungsfreiheit bzw. der Persönlichkeitsentwicklung
beinhalten ... Die dabei von der K. produzierten lyrischen
Werke sind derart entfremdet und unverständlich, daß
selbst literarisch geschulte und an westlichen Tendenzen
orientierte Personen diese Produkte als unqualifiziert und

teilweise psychopathisch bezeichnen.« (Sachstandsbericht zum OV »Toxin« 1.10.1982)

»... vieles aus ihrer eigenen sexuellen Verklemmung wird bei G.K. politisiert und treibt sie sehr hektisch in solche Diskussionen ... Eines ihrer Hauptthemen ist die unterdrückte Frau in der sozialistischen Gesellschaft.« »In einem Brief an die DDR-Schriftstellerin Christa Wolf spricht sie von der ›Suche nach einer gültigen Frauenfigur‹, wobei sie selbst diese Figur sein möchte. Hierbei gerät sie in ihren Auffassungen z.T. an die Grenze normal denkenden Menschenverstandes.« (Sachstandsbericht 6.6.1984)

Zum Thema »Frauen in der Szene« ist zu sagen, daß die seit 1980 sich entwickelnden Untergrundszenen von selbstorganisierten Ausstellungen, Zeitschriften, Lesungen, Filmveranstaltungen immer heterosexuell orientiert waren. Es fiel dabei fast niemandem auf, daß immer Männer die Überzahl hatten und dominierten (an der literarischen PrenzlauerBergSzene ist das am auffälligsten). Außerdem wurden, wie die Geschlechter, auch die verschiedenen literarischen Gruppen und Städte gegeneinander gehetzt. So war es für einzelne Frauen oft mehr ein Amoklauf als ein fürsorgliches Ankommen bei Kollegen. Frauen wurden sexualisiert, umgenietet, dienten als Matratze oder als Medium für Männer. Meldeten sie individuelle Ansprüche an oder ein Recht auf eine poetische »Ichgestalt«, waren sie Exhibitionistinnen oder Feministinnen. Weibliches Temperament war pervers oder psychopathisch, literarische oder bildnerische Beschäftigung mit der weiblichen Figur galt als bisexuell oder lesbisch.

Ich habe unter »meinen« IM zwei Päderasten und drei schwule Männer ausgemacht. Armee, Reserve und Knast waren die Knutstätten für Männer, hier wurden sie ›eingeritten‹, verfügbar gemacht für ein System, das nur an sich selbst glaubte, für ein männliches System mit männlicher Selbstbeschäftigung, d.h. einem latenten Kriegszustand, in dem fast alles Bewegliche ein Feind war. Die Koordinierung ging von Freund zu Feind, beides war männlich, es gab kein weibliches Feindbild, Frauen waren »statisch, erdig, ruhig, passiv«. Wollten sich Frauen nicht an diese Bilder halten, wurden sie für krank erklärt. Für die Frauen in der Öffentlichkeit der Männer gab es die Einsamkeitsvorschrift, die Isolation und damit eine der dümmsten Einrichtungen, die die Moderne für »Karrierefrauen« hat: das Glücksverbot.

In dem großen Gesellschaftsspiel nicht mitwirken zu können, bedeutete für Frauen aber auch einen gewissen Schutz. Sie waren für den Posten eines IM mit Geheimnamen und Treffen in konspirativen Wohnungen nicht geeignet, weil sie als zu klatschsüchtig oder zu gefühlsanfällig galten.

Aber wie war es nun wirklich mit uns Frauen, mit den Frauen »außer der Szene«, mit den Frauen in ihrer eigenen Szene? Das bisher Gesagte zeigt den Rahmen, in dem sich eine Frauenszene etablieren mußte.

Ich hatte seit 1981 begonnen, Fotoserien ausschließlich mit Frauen zu machen, und hatte dabei bemerkt, wie ich mich selbst und andere Frauen als Medium empfinde. Ich konnte in der Darstellung zwar epische Geschichten finden, doch ich stoppte dies, weil sie Situationen des Eingesperrtseins, der Ästhetik der Selbstzerfleischung, des Fühlens als Implosion zeigten.

»Gegenwärtig ist sie intensiv mit der Produktion von Akt-Fotoserien, unter dem Einfluß westlicher Kunstrichtungen wie der ›Neuen Wilden‹ stehend, beschäftigt. Hierzu fertigt sie außerdem entsprechende lyrische und prosaische Machwerke ... Die K. setzt sich aktiv mit Problemen des sog. Feminismus auseinander.« (Sachstandsbericht zum OV »Toxin« 22. 3. 1983)

In dieser Zeit wurden alle meine Briefe ins/vom In- und Ausland geöffnet, Telefongespräche abgehört, alle meine Freunde und Bekannten beobachtet, erfaßt oder »operativ bearbeitet«. »... werden gegenwärtig durch unsere DE im Zusammenwirken mit dem örtlichen Staatsapparat die Voraussetzungen geschaffen, gegen die K. Ordnungsstrafmaßnahmen durchzuführen unter dem Aspekt der Steuerhinterziehung, der Aberkennung der genannten Genehmigung [Preisgenehmigung zum Verkauf selbstgewebter Schafwollartikel; G. S.] sowie der Einleitung von Maßnahmen des Amtes für Arbeit ...« In dieser Zeit, um 1983, entstand die Frauengruppe Erfurt. Wir machten Fotos, Super-8-Filme, erzählten uns unsere Träume, unsere gemeinsamen Liebhaber, sprachen von unseren Illusionen. Nachdem wir uns ein Jahr lang in Wohnungen getroffen hatten, stellte ich fest, daß wir begannen, uns zu zerfleischen. Alle Frauen waren sich außerhalb meiner Geschichte schon früher einmal zufällig begegnet und damals im Unausgesprochenen auseinandergeplatzt. Jetzt begann eigentlich unsere gemeinschaftliche Arbeit, mit der positiven Bewältigung der einzelnen Vorgeschichten, die plötzlich langverdrängt wieder hervorkamen. Wir trafen uns zunächst nicht mehr, doch ich begann mit jeder einzelnen Frau ihren speziellen Traum zu filmen, den wir uns in den vorherigen Treffen erzählt hatten. Als die Teilfilme fertig waren, schnitt ich mit jeder Frau ihren Filmteil und suchte ihre spezielle Musik.

Seit dieser Zeit machten wir jährlich unsere Filme. Wir fuhren gemeinsam zu Untergrundfilmfestivals nach Dresden zur Hochschule für Bildende Künste und erhielten bald den Leumund: Die Erfurter kommen nur in Gruppe – was Staunen und Erschrecken zugleich auslöste.

Es entstanden Gemeinschaftslesungen in Gärten, Gemeinschaftsausstellungen in Wohnungen, Musikveranstaltungen in Kellerräumen. Die Stasi suchte: »5. Erarbeitung einer Konzeption zur weiteren Disziplinierung und Verunsicherung der K. bzw. ihrer Isolierung innerhalb des Freundes- und Bekanntenkreises bis zum 15. 6. 1985.« In fast allen Gruppen, die beidergeschlechtlich organisiert waren, ist ihnen dies gelungen, aber: »Probleme sind erkennbar, wenn die K. sich intern unter Frauengruppen bewegt, da hier ein geeigneter weiblicher IMB nicht vorhanden ist.« (Zustandsbericht zum OV »Toxin« 6. 6. 1984)

Obwohl ich seit 1983 in verschiedenen Untergrundzeitschriften veröffentlichte (»und«, Dresden 1983, »Mikado«, Berlin 1984), bin ich das Gefühl eines ständig schleichenden Mißtrauens gegen meine Person, gegen meine Identität, meine Existenz überhaupt, nie losgeworden. Es war für mich eine Lebensnotwendigkeit, in mein Geschlecht unterzutauchen, denn nur dort war der geheimste und der einzige Ort, mich – nur zwischenmenschlichen Problemen ausgesetzt – zu entwickeln. Die anderen Probleme in der Stasi-Öffentlichkeit waren unmenschlich und dadurch für mich nicht zu lösen. Unsere Frauengruppe hatte keine IM. Sooft in den Akten zur Suche nach einer geeigneten IM aufgerufen wird – sie haben sie nicht gefunden. Anders ist auch der Zusammenhalt und die menschliche und künstlerische Qualität nicht zu erklären, die sich über Jahre hinweg in dieser Gruppe entwickelten. Daß wir einander treu waren, Vertrauen schaffen konnten, kreativ miteinander waren, ist ein Beweis, daß die in der DDR gängigen Zersetzungs- und Verräterpraktiken nicht von uns Frauen übernommen wurden, daß sie männlich waren.

Für unsere Gruppe waren die künstlerische Entwicklung und die Auftritte das wichtigste. Ich weiß nicht genau, ob es auch eine Sucht wurde, aber ich stellte fest, daß die wahnsinnige Aufregung vor den Auftritten, die höchste Konzentration während des Auftretens und das danach erfolgende lösende Glücksgefühl die eigentliche Bindung wurden. Also die körperlichen Erlebnisse, der Moment, auf die anderen angewiesen zu sein, und die Erfahrung, sich auf sie verlassen zu können. Frauen sind in solchen Momenten hochleistungsfähig, lustvoll verläßlich. 1990, als Mitterrand zweihundert DDR-Künstler einlud, war unsere Gruppe als Performance-Gruppe »Undine« dabei. Die Konzentration auf Kunst war aber auch ein Pol gegen das Zu-nahe-Kommen in anderen menschlichen Bereichen. Obwohl fast alle Frauen Kinder haben, kam es nicht zu gemeinsamen Kinderaufpaßaktionen, kam es nicht dazu, sich beim Tapezieren zu helfen. Da waren die Frauen ziemlich asozial zueinander. Die Entwicklung ging immer mehr vom Privaten weg in andere Ebenen. Trotzdem waren an dem Tag, als in Erfurt die Stasi gestürmt wurde, fast alle da, unsere Frauen und die der anderen Frauengruppen. Wir gingen zu viert ins Rathaus in eine Vorstellungssitzung des neuen Bürgermeisters und verlangten, den Stadt-Stasi zu sprechen. Während wir mit der Stasi und der Abteilung Inneres redeten, organisierten andere Frauen die Umstellung der bekannten Stasi-Gebäude und riefen zum Generalstreik in Erfurt auf. Nach wenigen Stunden waren wir in fast allen Gebäuden und begannen mit der Versiegelung wichtiger Räume. Schon abends aber mußten die Frauen entweder ihre Kinder vom Kindergarten abholen, der Familie zu essen machen, oder einige Schwangere waren nicht mehr belastbar. Die Bürgerwache und das Bürgerkomitee organisierten sich dann männlich.

Seit Anfang der achtziger Jahre hatten sich in verschiedenen Städten der DDR Frauengruppen gebildet, die sich damals einmal im Jahr trafen. Wir konnten aber keinen Konsens finden, wohl auch, weil wir zu freundlich zueinander waren. Ich hatte 1985 in Berlin eine Lesung, und dabei sprangen die älteren Frauen auf und riefen: Aufhören, wir haben noch nie so etwas Schlechtes und Entsetzliches gehört! Die gleichaltrigen Frauen fanden das, was ich las, normal und modern, sie dachten auch so wie ich. Um 1980 war unsere Generation desillusioniert genug, die gesellschaftliche Situation nicht mehr als alleinigen Sinn zu sehen. Der heimliche Krieg der Männer ließ uns unsere Räume neu definieren und sie auch fordern. Auch das Recht auf öffentliches Glücklichsein und Liebe. Damit hat sich auch der Begriff von Freiheit gewandelt, der ein öffentliches Bewußtsein ist, ein Begriff von Bewegung und Raum und Austausch ohne Clinch; kein Massenbegriff, sondern ein Qualitätsbegriff mit fixierbaren Inhalten. Kunst ist ein Moment, sich fast spielerisch einer festen Wahrheit zu nähern. Also änderte sich Anfang der achtziger Jahre auch der Wahrheits- und Identifikationsbegriff in unserer Generation: Frauen definieren sich über sich selbst. Und werden dadurch erkennbar.

Frühjahr 1992

JOHANNES JANSEN

Enttarnt mich auch!

Etwas abständig wie ich bin und in Anbetracht der diffe-
renzierungsarmen Aufarbeitungs- und Überwältigungswut
ist es mir fast unerträglich, noch nicht dazuzugehören. Deshalb eine Geschichte in Grobform. Ich habe schon immer
versucht, sie zu erzählen, es hat bloß niemand zugehört, da
sie wahrscheinlich weder für die »eine« noch für die »andere« Seite verwertbar schien, und möglicherweise mag
man es nicht, wenn sich Leute bekennen. Verschweigen ist
spektakulärer. Aber wer weiß, vielleicht ist sie diesmal von
Nutzen, denn jeder Krümel zählt, um die Sündenböcke ins
Gigantische zu katapultieren.

Die Geschichte ist üblich und fast schon Klischee.

Morgens um elf vor der Tür eines neunzehnjährigen
Jungdichters. Zwei Genossen des MfS bitten um ein Gespräch. Aus der durchaus ehrlichen Überzeugung heraus,
nichts verbergen zu müssen und nun endlich auch einmal
die vielgerühmten Herren in die eigene Wohnung zu bitten, meint der Schreiberling ›warum nicht‹. Sie reden ein
wenig, ohne daß ahnbar wäre, was der Grund ist für dieses
Gespräch, doch plötzlich holen die Herren eine Art Druckmittel aus ihrer Kiste ... Ich hatte damals eine Lehre als
Reliefgraveur im VEB »Münze« absolviert, dort, wo das
Geld und vor allem die Orden der DDR hergestellt wurden.
Von Ironie getrieben, ließ ich regelmäßig aus diversen Aus-
schußkübeln einige Probeprägungen von Orden und Abzeichen mitgehen (Karl-Marx-Orden, Vaterländischer Ver-
dienstorden, Abzeichen für gutes Wissen usw.), die ich
dann spaßeshalber an Freunde verteilte. Ich weiß inzwischen, wer es den Genossen gesteckt hat, aber irgendwie
kann ich die Person nicht hassen. Vielleicht ist das ein
Mangel, doch ich hab etwas übrig für schuldige Opfer. Auf
jeden Fall machte mir angst, daß die das wußten, denn
mir war schon klar, wie heilig dem Staat seine Ehrenzei-

chen sind. Das Gespräch verwandelte sich in ein Verhör, aber anscheinend ging es dabei nicht um Verpflichtung. Sie wollten nur eine Art Schuldbekenntnis haben, schriftlich natürlich, und in meiner katholischen Naivität ließ ich mir diesen Ablaßbrief von ihnen diktieren.

Dies war die erste Begegnung, und sie kündigten sich für ein weiteres Mal an. Verunsichert wie ich war, habe ich mehreren Leuten davon erzählt, z. B. auch meinen Eltern (Öffentlichkeit war alles. Keine Konspiration! Aber das ist bekannt), und als sie das zweite Mal kamen, tauchte ganz unvermittelt meine Mutter mit einem Staubsauger auf und meinte, sie müsse jetzt saubermachen, was die beiden Herren in eine gewisse Verwirrung versetzte. Aber das nur am Rand, denn dieser Abwehrversuch brachte sie keineswegs dazu, ganz zu verschwinden. Weitere Besuche folgten, unangekündigt seitdem. Jedesmal hatten sie anscheinend Stunden vor dem Haus zugebracht, um sich davon zu überzeugen, daß ich allein war. Mir wurde jedoch nie richtig klar, was sie eigentlich wollten bzw. was ihnen so wichtig an meiner Person war, da sie nie etwas Konkretes verlangten oder ansprachen. Lästig waren sie schon, aber ich meinte (höflich erzogen), sie nicht einfach vor die Tür setzen zu können, und außerdem kannte ich niemanden, der mir wirklich gesagt hätte, wie man mit solchen Gestalten umgeht. Ich hatte keinen Kontakt zur »Opposition«, was ihre Aufdringlichkeit mir gegenüber noch fragwürdiger machte.

Dann kam der Armeedienst. In diese Zeit fiel eine kirchliche Veranstaltung, bei der zum ersten Mal die sogenannten »nichtoffiziellen Zeitschriften« gezeigt wurden, und ich sollte dort lesen. So hatte ich die Einladung eines FDJ-Jugendklubs gefälscht, um mir einen Urlaubsschein zu erschleichen (man kam ja nicht raus aus der Kaserne). Alles ging gut bis zu dem Zeitpunkt, da ich mich aus dem Staub machen wollte. Ich wurde genauestens kontrolliert (was normalerweise nicht üblich war), und mein gesamtes Material (Texte, Zeichnungen, Briefe) wurde beschlagnahmt, weil es verboten war, in der Kaserne etwas zu schreiben über den Dienst. Das passierte kurz nach dem letzten Parteitag, bei dessen Eröffnung Sindermann oder Stoph gesagt hatte: »... und nun gehen wir über zur Gefechtsordnung« statt »Geschäftsordnung«. Dieser Versprecher tauchte in einem der beschlagnahmten Texte auf. Der Sicherheitsoffizier schloß daraus, es handele sich um zersetzendes Material, und ich wurde arretiert. Damals geriet ich in Panik, denn das konnte bedeuten, ins Armeegefängnis nach Schwedt (eine Art ›Hölle‹) verfrachtet zu werden. Nach einigen Tagen jedoch wurde ich zum Sicherheitsoffizier befohlen und bekam mein gesamtes Material zurück, säuberlich auf drei Papiertüten verteilt und in Anwesenheit der zwei Genossen, die mich in meiner Berliner Wohnung aufgesucht hatten. Hier begriff ich zum ersten Mal, wie folgenreich ein Zusammenhang ist. Die zwei waren recht freundlich und mit Sprüchen wie »Sie können froh sein, daß Sie nicht in Chile leben« munterten sie mich auf. Am Schluß des Gesprächs meinten sie, man sollte sich öfter sehen, und ich müsse einen Namen bekommen, eine Nummer und eine konspirative Adresse. Ziemlich ängstlich, aber auch froh, daß nichts Schlimmeres passiert war, wollte ich es mir überlegen. Aber kurze Zeit später, und ohne daß mir jemand gesagt hätte, was diese Angebote bedeuten (ich kannte keine wirklichen Opfer), bekam ich das dumpfe Gefühl, mich da heraus winden zu müssen. Ich schrieb einen längeren Brief. Den Entwurf habe ich noch, und heute würde ich sagen, es war Feigheit und Naivität, doch damals war es eine krampfartige Diplomatie, die auf einer Existenzangst beruhte. Beim nächsten Treffen übergab ich den Brief anstatt einer Antwort. Der Inhalt war ungefähr, daß ich ein gewisses Verständnis dafür aufbringen könnte, daß sich ein Staat wie die DDR einen Sicherheitsdienst leistet, und daß ich zu einer geringen Unterstützung bereit wäre, wenn ich mich davon überzeugt hätte, daß alles mit rechten Dingen zugeht. Nur wäre ich nicht bereit, einen anderen Namen zu tragen, eine Telefonnummer zu benutzen oder eine konspirative Wohnung zu betreten. Wenn sie was wollen, sollen sie kommen. Schließlich könnte man offen reden. Wozu also dieses Versteckspiel. Ich hätte lieber eine völlige Absage formuliert, zumal ich mir nicht vorstellen konnte, daß ein Gespräch mit mir für das MfS von Nutzen sein konnte, denn ich meinte, eher zu den Unwissenden zu gehören, aber wie das so ist, wenn man im Zwang steckt oder sich zumindest einbildet, in der Klemme zu sein.

Den Rest der Armeezeit durfte ich die Kaserne nicht mehr verlassen, und als das Übel vorbei war, verging eine Weile, doch dann tauchte einer der zwei wieder auf, unvermittelt und unkonkret. Ich verstand nie, was er wollte. Er kam noch zirka viermal, und eigentlich ging es um nichts. Beinahe hatte ich das Gefühl, er wäre nur einsam. Was genau gesprochen wurde, hab ich vergessen. Die Erinnerung setzt aus, wo sie notwendig wäre, insofern kann ich die Leute verstehen, die an ihren Erinnerungslücken kranken.

Dann kam der erste Mauerkrawall, und in einem plötzlichen Anflug von Moral machte ich einen Zettel an meine Tür, auf dem stand, daß ich nicht bereit wäre, noch einmal mit ihm zu sprechen, solange der Staat die Bevölkerung so behandelt, eine fast kindliche Geste, aber immerhin. Ich verschwand für einige Wochen. Als ich zurückkam, war der Zettel weg. Ich weiß nicht, ob er ihn geholt hat. Danach sah ich ihn nur noch einmal, als er sich flüchtig erkundigte, ob der Selbstmord des Dichters Frank Lanzendörfer mit dem MfS in Verbindung gebracht würde, was ich verneinen mußte, und was mir zu denken gab, dahingehend, daß ich plötzlich einen Eindruck von ihrer Angst bekam. Das war im Sommer '88. Danach habe ich den Genossen nie wieder gesehen. »Richtige Oppositionelle« lernte ich erst hinterher kennen, und wenn ich versuchte, ihnen meine Geschichte zu erzählen, war die Reaktion meistens ein Gelächter, so als hätte ich einen guten Witz gemacht. Also begriff ich das Ganze als Witz und war zufrieden.

Ich halte die Geschichte nicht für besonders bedeutend, nur derzeit regen sich Zweifel, wenn ich sehe, wie diverse

Kümmerlichkeiten zu Katastrophen stilisiert werden einer gewissen Präsenzsucht wegen. Da wär ich fast lieber ein skrupelloser IM gewesen (und war es vielleicht auch, ohne es zu wissen), nur glaube ich leider, daß meine Begegnungen kaum tauglich sind für eine echte Spitzelkarriere, denn dummerweise habe ich nie einen Bericht geschrieben oder einen Auftrag erhalten, sonst wäre wenigstens etwas da, was ich zu verbergen hätte. Aber möglicherweise kommt ja noch so ein Anti-ex-Stalinist und macht etwas draus. Mir wär's recht. Und vielleicht ist meine Akte ja brauchbarer für solche Zwecke als dieser Text, denn die Akten sind sowieso die bessere Wahrheit, wie's scheint.

In der aktuellen Situation zu den wütenden Opfern zu gehören, ist fast eine schreckliche Vorstellung. So wie die sich gebärden, quälen sie sich nur selbst oder (was widerlicher ist) versuchen mit ihrer Wichtigkeit die Trauer um den Verlust der DDR zu kaschieren. Ich meine nicht, daß keine Aufarbeitung nötig wäre, nur die Form scheint mir falsch, wenn nicht gar mediengeil und verlogen. Sicher ist Rache ein Menschenrecht, aber eines, das blind macht und so Vertuschungen zuläßt. Wenn sich gekränkte Eitelkeit und alte Feindschaft mit Vergangenheitsbewältigung tarnen, bleibt nichts als ein totes Gelände, ein Baugrund für Fastfood-Buden. Vielleicht steckt eine unbewußte Absicht dahinter, alles in den Boden zu stampfen, aber von Okkupation war nicht die Rede. Oder sollte das ein Mißverständnis gewesen sein?

Die Staatsdiener sind schuldlos wie stets. Mit einem diffizilen Bewußtsein für Traditionen werden sie gut bezahlt als Alibi für die verquere Moral. Ich denke mir einen Offizier, der seine Pension genießt mit einer hämischen Freude, doch etwas erreicht zu haben wider den Feind in Anbetracht der abscheulichen Verwirrung. Diese Rolle tät mir eher gefallen als die Unfähigkeit, meine eigene Deformation in einen brauchbaren Umstand zu verwandeln. Aber um das letztere geht es, nur sehe ich keine Bemühungen in diese Richtung.

Mit meiner privaten Ost-Verhunzung ins reine zu kommen und geflüchtet vor der lähmenden Atmosphäre aus
Verdrängung und Denunziation, bin ich nach Wien geraten. Österreich ist Ausland, und mit Abstand relati-
viert sich so manche innerdeutsche Scheußlichkeit. Nicht
grundlos hat Markus Wolf hier um Asyl gebettelt. Er hatte
Abstand nötig aus Angst. Aber auch Opfern wäre ein Abstand zu wünschen, denn irgendwie sollte es weitergehen
mit dem Land. Doch wenn die vielbesungene »Trauerar-
beit« zum kreischenden Zeitvertreib verkommt, erscheint
mir das eher als zehrende Streitigkeit unter Schrebergärt-
nern, provinziell bis in die Aufklärung hinein, während
draußen der Zusammenbruch wütet.

Gestern abend im Café Westend: Am Tisch hockt ein
angetrunkener Wiener, eine Mischung aus Stasi-Typ und
Kirk Douglas. Als er sich über meine Herkunft im klaren
zu sein scheint, beginnt er zu jammern: »Ihr habt es gut.
Ihr habt mindestens zehn Jahre mit euch zu tun. Wir
haben nichts. Wir hätten auch gerne Akten. Gebt uns doch
etwas ab. Ihr habt sicher genug. Eine würde schon genü-
gen. Gebt uns nur eine einzige Akte, und wir sind beschäftigt.«

Wien, Januar 1992

I. M.

1

Diese letzte Bequemlichkeit noch vorweg: Ich hätte lieber das Maul gehalten. Wäre lieber als ein Schluck trübe Brühe den Strom der Zeit runtergegangen, als diese Geschichte noch einmal durchkauen zu müssen.

Kann sein, daß das jemand Feigheit nennt. Warum nicht? Es hätte doch alles gut gehen können. Der Sozialismus in seinem Lauf von Ochs und Esel nicht aufzuhalten, die Bundesrepublik über die Jahre etwas bunter, durchgestylter, pflegeleichter, eine Art fetterer, selbstherrlicherer Schweiz. Und ich eine kleine Made im Speck.

Aber es kam anders. Man soll nie gegen Ochsen und Esel antreten. Und jetzt muß ich, weil es anders nicht zu ertragen ist. Weil ich mir anders nicht zu ertragen bin.

Ich war Sebastian Edelbrink.

Klingelt's?

Es klingelt nicht. Sebastian Edelbrink ist nicht »Mischka« »Rose« oder »Heiner«. Er hat keine Durchschlagkraft. Er schlummert. Er schlummert in einem der abertausend Ordner der Gauck-Behörde.

Wehe, er wird aufgeweckt!

Nichts ist, wenn er aufgeweckt wird. Niemand von Rang und Namen verliert sein Gesicht. Niemand wird zurücktreten. Keiner erschüttert sein. Ein weiterer kleiner, mieser Helfer in einer miesen Truppe in einer kleinen, miesen Zeit.

Nur ich.

Ich bin erschüttert.

Jetzt noch, Jahre nach seinem Tod.

Ich wecke ihn auf: Sebastian Edelbrink war einer von ihnen, Inoffizieller Mitarbeiter des Ministeriums für Staatssicherheit.

2

Ich war achtzehn, hatte die Schule hinter und die Armee vor mir. Dazwischen lag eine letzte Reise nach Bulgarien, ein letzter Sommer.

Es ist der Sommer des Jahres, in dem der Sprayer durch Zürich schleicht, John Lennon an fünf Kugeln stirbt, die Dire Straits dem Rock ein paar neue Töne beibringen.

Die Nacht vor meiner Abreise, ich wollte mit dem Zug nach Prag und dann per Autostop weiter, saßen wir auf dem Dachboden im Haus einer Freundin, tranken Rotwein, rauchten Karo, und die Zukunft lag wie eine Aschenbahn vor uns.

Es war ein Traum, in diesem letzten naiven Sommer einmal über den Rand des Topfes schauen zu dürfen, auf dessen Grund wir alle lebten, den Schatten eines Abenteuers zu spüren. Es, bitteschön, schnell einmal selbst erkennen dürfen, daß es keine bessere Alternative gibt, frei nach Engels: Entscheidung mit Sachkenntnis.

Einige hundert Kilometer hinter Budapest gibt es eine Weggabelung. Beide Straßen führen nach Bulgarien. Nach links fährt man durch Rumänien, rechts geht es zur jugoslawischen Grenze. Ich hatte ein Visum für Rumänien. Rumänien lag auch auf dem Boden des Topfes, auf dem wir lebten. Die Strecke durch Rumänien kannte ich auswendig. Jugoslawien ragte ein Stück darüber hinaus.

Über Jugoslawien war nie viel gesprochen worden. Es gehörte zu uns, aber nicht richtig. So wenig, daß es fremd und geheimnisvoll genug war, das Andere zu sein.

Ich dachte nicht viel an diesem Tag. Dafür war die Sonne zu heiß und zu hell. Diese unerklärliche, absurde Sonne, hundert Meter vor der Kreuzung. Mal schauen, dachte ich, wohin der erste fährt, der hält.

Ich ließ meinen Rucksack auf den Asphalt plumpsen, hob die Hand.

Es hielt ein roter R 4.

Das Orakel sprach: durch Jugoslawien.

Zwei Stunden später saßen Bernhard Helfenöter und ich

auf den kärglichen Sitzhölzern einer ungarischen Grenzstation, hundert Meter von Jugoslawien entfernt. Vor der Tür stand ein Posten. Er stand da wie zufällig, rauchte. Eine Kalaschnikow hing an seiner Seite. Nicht sehr gefährlich. Respekteinflößend.

»Laß dich auf keine Diskussion ein«, raunte Bernhard durch zusammengepreßte Lippen.

Ich schüttelte den Kopf.

»Du mußt hart bleiben!«

Ich nickte.

Ein anderer Grenzer erschien und holte mich.

Ich wurde zu einem Jeep gebracht. Der Jeep brachte mich zu einer Kaserne. Das Zimmer war ein Zimmer, keine Zelle. Dreimal täglich wechselte der Posten vor der Tür. Viermal täglich gab es was zu essen. Unzählige Male fragte ich, was werden würde. Niemand konnte eine Antwort geben. Niemand sprach deutsch. Der Himmel im Fenster war tags weißblau, nachts schwarz. Noch hatte das Fenster keine Gitter.

Hau ab, sagte ein Teil in mir, versuch es wenigstens.

Mach keinen Scheiß, sagte die andere Hälfte. Steig nicht noch tiefer in diesen Alptraum.

Ich hatte keine Ahnung.

Ein Held war ich immer nur in Träumen – Rockstar, Drachentöter, Prinzessinnen- und Völkerbefreier. Nie ein Mann auf der Flucht. Das wurde ich später.

Ich stieg noch tiefer.

Ein Bus brachte mich samt Bewachung in die nächstgrößere Stadt. Was ich von der Stadt sehen konnte, war schön. Das Gebäude, in das sie mich brachten, war gelb. Es war das Gefängnis.

Nach der ersten Woche wurde ich einem Richter vorgeführt. Es war ein alter, schwerer Mann, dem schwarze Haare aus der Nase wuchsen und der ein Deutsch mit Wiener Einschlag sprach.

Er las den Untersuchungsbericht vor: Bernhard Helfenöter hatte mich erst an der Kreuzung aufgelesen. Wir hatten über den Pariser Mai, Trotzki und Literatur gesprochen.

146

Ich hatte nach Jugoslawien gewollt, von einer Republikflucht wußten Bernhard und der Untersuchungsbericht nichts. Herr Helfenöter hatte Ungarn vor zwei Wochen verlassen.

Auch fremde Freiheit macht glücklich. Ich heulte für einen Freund, den ich zwei Stunden gekannt hatte, heulte für diesen einen Satz hemmungsloser Vertrautheit: Nach Jugoslawien willst du? Probieren wir es mal.

Der alte Mann schüttelte den Kopf. »Sie sind noch jung«, sagte er. »Ich tät sie gern entlassen. Aber wir haben Sie schon Ihren Leuten gemeldet, nicht wahr. Die werden Sie bald holen, tzzt, tzt, tzzzt.«

Ich wurde in meine Zelle zurückgebracht.

3

Die Heimreise begann im Morgengrauen. Am Vorabend mußte ich meine Zelle putzen. »Muußt duu puutzen wie zu Hause«, sagte der Wärter, »scheen sauber.« Die Nacht schlief ich schlecht, unruhig. Alpträume hatte ich keine. Während der ganzen Zeit hinter Gittern hatte ich Alpträume immer nur bei Licht. Die Nächte, das waren stille Inseln.

Die Tage weniger: Der Schlüssel krachte im Schloß. Ein Beamter bellte mich nach draußen. Gesicht zur Wand.

Immer das Gesicht zur Wand.

Ab in den Keller. An den Flurwänden links und rechts Holzspinde, Karnickelkäfige ohne Drahtgitter in den Türen. In einen davon wurde ich geschlossen. Und war nicht mehr allein. Links und rechts die Schränke voll mit denen, denen es ging wie mir: Stimmengewirr, Geflüster, Schreie, die einen Namen riefen, Mutmache, von Befehlen niedergeschrien: »Wo haben sie dich erwischt?«

»Schnauze!«

Kommt ihr bloß nach Hause!!!

Es war ein Ikarus-Bus der Interflug. Es war ein Bus voller eingefangener Ausreißer, Möchtegernausreißer, versuchter Republikflüchtiger.

Nicht fliehen, nur Jugoslawien, das werden Sie Ihren Leuten ganz genau erklären müssen, hatte der Grenzer gesagt. Jetzt verstand ich es.

Ich hatte es nicht gewußt!

Ich war nicht die Ausnahme. Ich war die Regel!

Und die Regel sah vor, daß auf einer abgelegenen Flugbahn des Budapester Flughafens eine IL 62 wartete. Und die Regel sah vor, daß zu jedem Festgenommenen ein Bewacher gehörte. Und die Regel sah auch vor, daß die Gefangenen während des Fluges Handschellen zu tragen hatten. Und die Regel sah vor, daß während des Fluges nicht gesprochen wurde. Und die Regel sah vor, daß die Maschine während des Sommers mindestens zweimal im Monat flog.

Es war der erste Flug in meinem Leben.

Laß diese verdammte Maschine abstürzen, flehte ich zum Gott der Marxisten, laß diese verdammte Maschine abstürzen und die Rettungsmannschaften einen Haufen mit Handschellen gefesselter Leichen finden.

Mach keinen Scheiß, flehte ich, laß ja nichts passieren. Alles ist besser als tot sein.

Als ich sechsunddreißig Stunden später, nach Stunden in kleinen, dunklen Transportkäfigen in B-1000-Transportern über kariöse Autobahnen, im Knast meiner Heimatstadt anlangte, war ich weichgekocht, wie Spaghetti in einer Betriebsküche.

Mein sozialistisches Vaterland hatte mich wieder.

4

Nummer soundso, raustreten! Gesicht zur Wand! Links! Treppe hoch! Rechts! Links! Gesicht zur Wand! Weiter, warten!

In dem Zimmer, in das ich sechs Wochen nach meiner Festnahme in Ungarn geführt wurde, saß ein Mann am Schreibtisch über ein paar Papiere gebeugt. Durch ein vergittertes Fenster fiel Sonne. Ohne aufzuschauen nahm er mich mit Kopfnicken in Empfang. »Setz dich!«

148

Ich ließ mich auf den Stuhl fallen, mein Herz raste. Unterm Fenster auf einem kleinen Tisch lagen die Trümmer meines letzten Sommers verstreut – der Rucksack, seitlich aufgeschnitten, meine Hemden und Unterhosen, die Bücher, die ich mithatte. Die Notizbücher, denen der Jungdichter sein lyrisches Gemüt anvertraute: Ich möchte eine Punktmasse sein, ein Theorem, alles durchschlagend ...

»Setz dich gefälligst ordentlich hin!« knurrte der Schreibtisch. Ein kurzer Blick aus seinen grauen Augen, und ich wußte, ich war ihm ein Greuel. Dabei hatte ich noch gar nichts gesagt.

Ein zweiter Mann betrat den Raum, unscheinbar rundgestrickt wie der erste. Sie flüsterten miteinander. Dann war das Geflüster vorbei. Es ging um mich. »Isser das?« fragte der Rundgestrickte.

Der Schreibtisch nickte: »Hättest du gedacht, daß der mal hier landet?«

Die Rundstrickhose sagte nichts. Beide starrten mich an.

Ich nahm alle Kraft des Tages zusammen. Hände über der Brust verschränkt, starrte ich zurück. »Darf ich vielleicht auch mal ...«, versuchte ich mich in das Gespräch über mich einzumischen.

»Hände auf den Stuhl!« brüllte der Schreibtisch unvermittelt.

Ich zuckte zusammen, meine Hände flogen an das Holz.

5

Nummer soundso, raus, hoch, Gesicht zur Wand.

Es war die Rundstrickhose, die mich empfing. »Ich hatte das Gefühl, daß du besser mit mir klarkommst als mit meinem Kollegen.« Die Rundstrickhose rauchte. »Erzähl mal«, sagte sie.

Ich wollte reden. Nach acht Wochen Einzelhaft wollte ich nichts mehr als reden. Es war nicht leicht: Die Kreuzung hinter Budapest, die gleißende Sonne, Engels' Entscheidung mit Sachkenntnis und dieser einzige, letzte

Sommer. Alles, wofür ich auf mit glühenden Ohren ge-schriebenen Aufsätze Einsen bekommen hatte, alles, woran ich achtzehn Jahre lang glauben gelernt hatte. Es war alles andere als leicht. »Ich wollte nicht abhauen!« sagte ich.

Die Rundstrickhose nickte. »Du wolltest nach Jugosla-wien. Was wolltest du da?«

»Sehen, angucken, da sein ... ich weiß es nicht.«

Der Schreibtisch erschien auf Stichwort. »Ich weiß es nicht ...«, äffte er mich nach, um dann sofort wieder zu brüllen, daß ihm die Halsschlagadern zu platzen drohten. »Der wollte abhauen, sich heimlich aus dem Staub ma-chen, sich auf den bequemen Weg schlagen! Der hat nicht mal den Mut, es einfach zu sagen ...«

Die Rundstrickhose hob die Hand, drehte sich zum Schreibtisch. »Laß gut sein, ich komm schon allein klar mit ihm ...«

Der Schreibtisch verschwand leise grummelnd und mit lautem Türgeknall. Meine Erstarrung löste sich. Die Rund-strickhose hatte mich gerettet. Sie versuchte, mich zu ver-stehen! Es ging nicht um den Mut abzuhauen. Es ging um den Mut zu bleiben. Glaubt das jetzt jemand, daß es einmal auch darum ging?

»Angst?« fragte die Rundstrickhose. Sie hatte über Gegensprechanlage zwei Kaffee geordert. Der erste Kaffee seit Monaten!

Ich nickte. Ich hatte Angst.

»Warum?« fragte die Stasi.

»Weil ich hier bin«, sagte ich. Die ganze Wahrheit.

»Ja«, er setzte die Tasse ab. »Damit laß uns anfangen. Warum bist du hier?«

Gute Frage. Warum war ich hier.

Ich fertigte eine persönliche Niederschrift darüber an, was ich in Jugoslawien gewollt hatte.

Ich fertigte eine persönliche Niederschrift darüber an, warum ich nach Jugoslawien gewollt hatte.

Ich fertigte eine persönliche Niederschrift darüber an, was ich an der Kreuzung hinter Budapest gewollt hatte.

Ich fertigte eine persönliche Niederschrift darüber an, daß ein roter R 4 gehalten hatte.

Ich fertigte eine persönliche Niederschrift darüber an, was ich mit Herrn Helfenöter gesprochen hatte.

Ich fertigte eine persönliche Niederschrift darüber an, warum ich mit Herrn Helfenöter gesprochen hatte.

Die Rundstrickhose half mir dabei. Manchmal, wenn es gut lief, rauchten wir eine Zigarette miteinander. Wenn es mal nicht so gut lief, dann mußte er etwas schreien, weil ich so bockig war, und ich verschwand für drei bis sechs Tage im Loch, die zwanzig Minuten täglicher Rundgang gestrichen, allein mit mir, meiner Angst, meinem schlechten Gewissen.

Das alles war erst der Anfang.

6

Frühe Lyrik auf dem Schreibtisch des Vernehmers, nicht ohne Anteilnahme vorgetragen. Ein Mensch, der alle Tagebücher und Briefe eines anderen Menschen liest, kann dem sehr nahekommen. Vor allem dann, wenn er es aus beruflichem Interesse tut: »Das ist doch nicht staatsfeindlich, das doch nicht. Bißchen viel Rilke gelesen, jugendliche Trauer. Aber staatsfeindlich ist das nicht. Oder?«

»Nö, also, nö, nö.« Was sollte ich sagen. Ich war an diesem Tag nicht besonders gut drauf, obwohl die Glühbirne freundlich schien und kein Wölkchen unter der Zellendecke entlangzog.

Mein Urteil war verkündet worden.

»Ein knappes Jahr«, sagte mein Vernehmer, »ein knappes Jahr, das sitzt du doch auf einer Arschbacke ab. Noch Kekse?«

Er meinte es ernst. Ich konnte ihm das ansehen. Er hatte so viele hier durchgehen sehen, daß ihm das Gefühl für Zeit völlig abhanden gekommen war. Und Jahre gab es reichlich für die Feinde des Arbeiter-und-Bauern-Staates.

Und ich saß da in meiner komischen Kluft, stopfte Kekse in mich hinein und konnte spüren, wie die Schnecke Zeit mir über die Haut kroch, ihre Spur auf mir hinterließ mit jedem Tag, den sie sich weiterschleppte. »Ein Jahr«, ich griff mir einen Lebkuchen. Ich war schon immer ein Freund von Weihnachten. »Ein Jahr sind fünf Prozent aller Zeit, die ich bis jetzt hatte.«

»So oder so«, sagte mein Vernehmer, »es bleibt immer eine subjektive Größe.«

Recht hatte er.

Niemand, der mir näherstand als mein Vernehmer.

Nicht ganz freiwillig, zugegeben. Aber mit grenzenlosen Möglichkeiten; reden zu dürfen.

Und so saßen wir wieder, ich weiß es noch genau, es waren nur noch Tage bis zum Fest des Friedens, die tiefstehende Dezembersonne färbte die Gitterstäbe vor dem Fenster gülden, die Zeit wurde langsam knapp, bald würde ich dem Strafvollzug übergeben, und da hieß es für uns Abschied nehmen voneinander, die wir alle meine Geheimnisse miteinander geteilt hatten. Und so kurz vor Fest und Abschied wollte auch die Rundstrickhose Frieden machen mit mir und der Welt. Sie befragte mich, wie ich die Zeit in ihrer Obhut gefunden hätte, mahnte zur Ehrlichkeit.

Wie hätte ich den Menschen anlügen können, der mehr als jeder andere von mir wußte. »Das Essen war in Ordnung«, sagte ich. Das stimmte.

»Wir brauchen gute Leute. Leute, die selbst fähig sind zu entscheiden, was diesem Land nützt, was ihm schadet. Keine blinden Denunzianten, die uns ein paar Namen zutragen. Wir brauchen Leute, die uns sagen, warum das so ist, was in diesem Land schiefläuft. Weißt du, was ich meine?«

Ich spürte, wie sich etwas in mir zusammenzog. Ich wußte es.

»Wir vertrauen dir«, sagte meine Stasi, »wir brauchen dich!«

Da war es raus. Ich, ohne Platz in der Welt, versehen mit einer Nummer und einem Urteil, hinter einer mit Stahl beschlagenen Tür weggeschlossen, jeden Tag für zwanzig Minuten herumgeführt unter einem vergitterten Stück

Himmel, ich, der ich mich selbst als das unnützeste Stück empfand, mir selbst zu nichts nütze, anderen zu nichts nütze, ich wurde wieder gebraucht.

Ich hatte noch nie nein sagen gekonnt, wenn mich jemand braucht.

Einen Moment spürte ich so was wie Glück.

Es war nicht mehr oder weniger, als wäre das Tor wieder aufgestoßen worden, das Tor, das ich mir in der Grenzstation zu Jugoslawien selbst zugeschlagen hatte. Und für einen Moment konnte ich durch die geöffneten Flügel auf alle die makellosen Streiter für das Wohl der Menschheit sehen, deren Licht mich blendete.

Ich war noch nicht verloren.

Und wie ein Erzengel an dem einen Tor, so stand auch einer an diesem anderen. Er war groß, besonnen, und ein heiteres Leuchten lag auf seinem Gesicht. »Ich werde dein Führungsoffizier sein«, sprach er, »der, dem du alles anvertraust und der dir vertraut. Nichts wird uns trennen.« Er hielt mir seinen Füller hin. »Unterschreib mal da!«

Ich unterschrieb.

Ich war Sebastian Edelbrink.

7

Ein Jahr nach jenem Sommer, in dem ich vom rechten Weg abgekommen war, betrat ich mit 136,80 Mark in der Tasche, die ich in der Wäschekammer des Zuchthauses Brandenburg verdient hatte, wieder diese relative Freiheit.

Das genaue Datum meiner Entlassung wurde mir bis zuletzt nicht bekanntgegeben. Aus Gründen der eigenen Sicherheit, hatte der Vollzugsbeamte gesagt. Diese Begründung war so universell wie eine Betonfertigplatte. Man konnte alles daraus machen.

Niemand holte mich vom Bahnhof ab.

Ich stieg aus dem Zug, sog die rußige Luft ein; die Reklametafel für Narwa-Leuchtstofflampen war noch immer kaputt. Die Lautsprecher plärrten noch immer Unverständliches. Ich schaute mich um, auf der Suche nach einem ersten Menschen. Mein Atem stockte. Ich nicht, aber Sebastian Edelbrink wurde abgeholt. Von seinem Führungsoffizier.

Er stand neben einem Zeitungskiosk, zwei unauffällige junge Männer mit sauberen Kurzhaarschnitten standen ihm zur Seite, standen rum, waren einfach nur da. In der Bahnhofshalle, mitten im Berufsverkehr, gab mir mein Führer eine kleine Showeinlage in konspirativem Handeln: Sprach mich im Vorbeigehen an, fragte nach der Uhrzeit, schlug meine Hand aus, raunte mir eine Adresse, einen Tag, eine Uhrzeit zu, verschwand.

Ich bewunderte sein Verschwinden in der Menge.

Ich war geschockt.

Ich weiß nicht, wie ich es mir vorgestellt hatte; auf alle Fälle nicht so real, nicht so, als würde mitten auf diesem kalten, zugigen Bahnhof der Klassenkampf toben. Und wie er tobte.

> Von all unseren Kameraden war keiner so lieb
> und so gut,
> wie unser kleiner Trompeter, ein lustiges
> Rotarmistenblut.

Ich kam nicht nach Hause. Ich kam an, einen Auftrag zu erledigen.

Einer der jungen Männer mit den ausgeprägten Kinnpartien trat von hinten an mich heran, der ich noch immer mit meiner Tüte voller Habseligkeiten in der Hand wie erstarrt im Gewühl stand.

»Weitergehen«, knurrte er.

Ich gehorchte.

Ich ging eine Rostbratwurst essen; Senf soviel es gab.

8

Das Treffen fand in einer Neubauwohnung statt. An der Tür stand ein Name wie Müller oder Schmidt.

»Da bist du ja«, sagte meine Stasi.

154

»Ich war gerade in der Gegend«, sagte ich und versuchte den Kloß im Hals runterzukriegen.

Mein Führer führte mich nach drinnen. Die Gastgeber waren auf Arbeit. Sie hatten ein Deckchen auf den Couchtisch gelegt. Eine Thermoskanne mit Kaffee stand bereit, ein Teller mit Plätzchen und eine Flasche 60 %iger Stroh-Rum. Mein Führer zog die Hosen über die Knie, machte es sich in einem Sessel bequem. Er forderte auch mich auf, endlich Platz zu nehmen.

Mein Führer wollte wissen, wie es mir ging. Ob ich Probleme hätte.

»Hab ich nicht«, sagte ich.

»Wir haben uns alle Mühe gegeben«, sagte mein Führer. »Aber du mußt auch wollen. Es hat keinen Sinn, wenn du dich einschließt. Du mußt raus, unter Leute, sonst machst du dich selbst fertig.«

Wir tranken Kaffee. Ich trank Rum.

Der Führer prostete mir zu. Er konnte nicht ganz fröhlich sein. Ich gefiel ihm nicht. »Was ist los?« fragte er.

Gesicht zur Wand, raus, rein. Ich nahm mich zusammen: »Ich will das nicht.«

»Was willst du nicht?«

»Das hier, diese Treffen . . .«

»Du hast ein schlechtes Gewissen, ja? Glaubst, du verrätst deine Leute?«

Ich nickte.

»Du verrätst keine Freunde. Du mußt nur aufpassen, daß du dich nicht selbst verrätst.« Er machte eine Pause. »In unserer Abteilung gibt es keine Kündigungsrate.«

Diesen Ton kannte ich. Danach kam meist Einzelhaft, Gesicht zur Wand. »Was soll das heißen?« fragte ich.

»Ein Scherz«, sagte mein Führer.

Wir lachten beide laut und herzlich. Abschied mit Handschlag an der Tür. »Schreibst du noch?« fragte er.

Ich schüttelte den Kopf. Keine Zeile seitdem.

»Du mußt wieder anfangen«, sagte meine literaturbegeisterte Stasi, »du mußt!«

Mein treuester Leser.

9

Das Leben ging weiter.

Die Treffen gingen weiter.

Es war das fünfte, vielleicht das sechste. Ich führte keine Liste. Ich vergaß jedes letzte Treffen, so schnell, wie ich mir das nächste herbeiwünschte; um darüber reden zu können, daß ich ein Stasi-Spitzel war. Denn der einzige, mit dem ich darüber reden konnte, war meine Stasi. Jedes neue Vertrauen hätte auch eine neue Abhängigkeit bedeutet. So nah wie mein Führer ging mir keiner.

»Es gibt da einige Leute in deinem Bekanntenkreis, die vielleicht zu deinem Bekanntenkreis gehören«, verbesserte sich mein Führer, »über die sind wir uns überhaupt nicht im klaren. Es gibt da Vermutungen, daß die in antisozialistische Machenschaften verstrickt sind.«

»Was für Machenschaften?«

»Üble Geschichten.«

Ich hörte zu. Ich hatte zuhören gelernt. Es waren die Leute, mit denen ich Nacht für Nacht zusammensaß und an den kleinen barocken Fresken in diesem Arbeiterparadies arbeitete: eine Kneipe, die nachts geöffnet hat, eine Bühne, die offensteht, ein paar Gedanken, die helfen, die Welt zu ertragen – so mehr existentialistisch gesehen. All diese post-evangelischen DDR-Worte; Hoffnung, Sehnsucht, Nirgendwo. Der lachende Schmerzensmann unterm roten Banner, Väterchen, Väterchen, warum hast du mich verlassen.

»Nein, der Name sagt mir nichts.« Ich log nicht. Ich hatte trainiert, nicht auf Namen zu reagieren. So was geht. Noch heute habe ich Probleme, mir welche zu merken. Sogenannte Spätfolgen; könnt' ja mal einer kommen.

Mußte mir ein Name doch was sagen, fertigte ich ein Personenporträt an. »Du, schreib einfach, was du über den denkst«, und erlebte das Gefühl der Macht einen Fliegenschiß neben dem der Ohnmacht.

Und jetzt legen wir »Inoffiziellen Mitarbeiter« mal die Hand aufs Herz und sind ganz ehrlich – war es nicht ein großes Gefühl: Ich schreibe, also bist du. Ich bin wichtig. Ich weiß, daß sie sich für dich interessieren. Ich weiß mehr. Ich halte die Hand darüber. Ich ziehe die Hand weg. Wer ist gleich wir, wer kann den rechten Glauben von subversiven Elementen scheiden!

Das Ding hatte auch seine Kehrseite: Woher kannte der Führer meinen wechselnden Bekanntenkreis? Woher wußten sie, was ich wo wem auf die Schuhe gekotzt hatte? Wer hatte mein Kommen da und dort gesehen, wer aufgeschrieben, mit wem ich gegangen war? Wer schrieb die Porträts über mich, wer saß als nächster bei Schmidt oder Schulze auf dem Sofa?

Erst jetzt begreife ich das ganze Ausmaß der Tragödie.

Auch ich.

10

Es war noch Nachmittag, die Stadt war schon in Nacht gepackt, die Wohnung sah aus wie alle Wohnungen, in denen wir uns vorher getroffen hatten, Schrankwand »Neustrelitz«, Sitzgruppe »Oberhof«. Der Kaffee in der Thermoskanne war heiß, die Vorgesetzten meines Führers zufrieden mit mir. Sie ließen mich grüßen. »Ein von dir angefertigtes Personenporträt hat dazu geführt, den antisozialistischen Umtrieben einer gewissen Person das Handwerk zu legen.« Mein Führer hielt mir die Hand hin. Mein Führer legte immer sehr viel Wert auf körperlichen Kontakt. Vertrauensbildende Maßnahmen. Vielleicht liebte er mich auch wirklich.

»Wer?« fragte ich.

»Das muß dich nicht interessieren.« Die Hand war noch immer da.

»Doch.« Keine Hand. Jetzt endlich wollte ich es wissen.

»Beate F.«

»Nein. NEIN.«

Es war mein erster Auftrag gewesen. »Geh da mal hin«, hatte mein Führer gesagt, »ein neuer Jugendklub. Schau dir das mal an und sag mir, was du davon hältst.« Ich ging

157

hin. Der Klub lag in einer Straße im Altbauviertel hinterm Bahnhof. Das Haus gehörte zu den wenigen, die in den letzten Jahren saniert worden waren. Die Gaslaternen davor waren von Herrn Schalck noch nicht nach Japan verkauft worden. Es gab eine Klingel. Die Tür stand offen.

Hinter einer Tür rauschte die Spülung, es klapperte, und eine junge blonde Frau mit einem breiten Lachen, einem etwas schiefen oberen Schneidezahn, einem Leberfleck überm linken Mundwinkel, grünen Augen und einem verboten kurzen Rock trat aus einer schwarz angemalten Tür und fragte, ob sie mir helfen könne.

Ich schüttelte den Kopf. Entweder war das eine andere FDJ als die, die ich kannte, oder das war kein Jugendklub. »Ich schau mich nur um«, sagte ich.

Sie sagte, daß das in Ordnung sei, ging zu ihrem Schreibtisch zurück. Ich interessierte mich mächtig für die Bilder. Wir tauschten zwei Lächeln.

Sie war älter als ich. Sie kam mir entgegen. »Bist du auch künstlerisch tätig?«

Ich nickte.

»Darf ich fragen was?«

»Gedichte und so.«

Sie fragte nach meinem Namen. Sie kannte ihn. »Schön, daß du hierhergefunden hast«, sagte sie. »Solche Leute brauchen wir.« Sie hieß Beate und erklärte ihre Philosophie, die ganz einfach war: ein paar Bretter von den Köpfen nehmen, ein paar Dinge möglich machen. Einfache Dinge; du brauchst diese oder jene Musik? Ich werde sie dir besorgen. Ihr wollt dieses Buch lesen? Es gibt einen Weg. Für diese Idee braucht ihr eine Videokamera? Ich weiß, woher ihr eine bekommt.

»Ja«, sagte ich, »genau das! Ja, ja, ja.«

Ich kam wieder. Es war etwas an Beate und ihren Leuten, was ich bis dahin nicht kannte: Entspannung. Ich spürte, wie sich meine vereisten Mundwinkel entkrampften. Ich habe nie behauptet, besonders locker zu sein. Hier bekam ich zum ersten Mal den Eindruck, wie kaputt ich war.

»Was für Leute gehen dort ein und aus?« fragte mich mein Führer bei der nächsten Sitzung.

»Leute wie ich«, sagte ich.

»Schreib es auf«, sagte er. Papier und Stifte lagen bereit.

Ich schrieb es auf. Und ich schrieb, daß ich Beate liebe. Daß ich mir so wie sie den neuen Menschen vorstellte, den wir für unsere neue Gesellschaft brauchten.

Antisozialistische Elemente, sagte die Stasi.

Der Mann vor mir, der jetzt »Gute Arbeit« sagte, hatte Angst vor diesem neuen Menschen. Er war froh, den alten unter Kontrolle zu haben. »Gute Arbeit!« Aus ihm lachte Handwerkerstolz.

Ich starrte ihn an. Was hatte ich denn geglaubt?

11

Liebe Beate,

es tut mir leid. Es tut mir jetzt, fast zehn Jahre später, noch leid. Ich habe das nicht gewollt. Ich habe geglaubt, ich könnte Dir nützen. Aber so schlau, wie ich glaubte zu sein, so schlau war ich nicht. Sie haben mich einfach wie eine umgekehrte Wünschelrute benutzt – wo ich begeistert ausschlug, haben sie den Spaten angesetzt, das Wasser abgegraben.

Ich nehme ihnen das übel.

Aber es gibt auch keine Entschuldigung dafür, sich so benutzen zu lassen. Ein Versuch vielleicht: Es gab eine Zeit, da glaubte ich an Gut und Böse.

Liebe Beate, manchmal paßt mehr Erkenntnis in einen einzigen Atemzug als angelerntes Wissen in ein Leben. Dieser Brief versucht einen solchen Moment zu beschreiben.

Ich danke Dir, daß Du mir den Kick gabst, aus diesem Kreis auszusteigen.

PS.: Entschuldige, daß Du einen Teil meiner Rechnung übernehmen mußtest. Du hast damit noch etwas gut bei mir.

12

Ich mißtraue meinem Erinnerungsdispositiv. Denn was dann kam, sieht zu heroisch aus. Es ist von der Paßform etwas zu weit für mich. Sieht so aus, als hätte ich den Tisch, den kleinen Couchtisch gepackt, hätte ihn umgestoßen, wäre aufgesprungen, hätte die Stasi, die meinen Stimmungsumschwung so schnell nicht nachvollziehen konnte, gepackt, ihr mein NEIN ins Gesicht gespuckt, das die Wände erzittern ließ, und wäre hinaus in den Winter gerannt, dampfend vor Wut und Scham, mich selbst nicht einkriegend, endlich ein Mann auf der Flucht.

Vielleicht war es so.

Vielleicht war es anders. Vielleicht war ich nur fassungslos vor Ohnmacht. Bestimmt war ich verzweifelt. Sicher bekam ich kein Wort heraus. Auf alle Fälle schlug ich Funken, färbte meine rote Fahne schwarz.

Ich will das nicht dramatisieren, aber auf meinem Weg durch den Schnee ging mir einiges durch den Kopf; mein Führer hatte immer scherzhafterweise davon erzählt, daß die Kündigungsrate im operativen Bereich gleich Null sei, daß nur der ginge, den das Ministerium geht. Ich hatte die Geschichten von den Leuten gehört, die keinen Kontakt mehr mit der Stasi wollten, und wie sie gestorben waren. Ob die Geschichten die ganze Wahrheit waren, wußte ich nicht. Ihr Abgang war es. Andere Teile aus anderen Geschichten kannte ich selbst. Gesicht zur Wand, raus, rein.

Was ich sagen will, und ohne auf die Pauke zu hauen – es war kein Pappenstiel, dieses endlich und entscheidende NEIN an diesem Tag.

13

Als ich Mitte der Achtziger mit meinem Pappkoffer voller unlesbarer Manuskripte in Berlin/W. ankam, wurde ich vom BND gefragt, ob ich wisse, wo die SS 20 stationiert seien. Das wurde jeder gefragt. Ob ich Mitglied eines Geheimdienstes sei. Das wurde auch jeder gefragt.

Ich sagte zweimal nein. Damit hatte ich nur zur Hälfte gelogen. Es erschien mir zu kompliziert, die andere Hälfte zu erklären.

Später fragte mich jeder, wie ich denn rübergekommen sei, wie ich drüben gelebt hätte. Was auf der Strecke geblieben war, danach fragte keiner.

Mein persönlicher Beitrag zum Kampf des internationalen Proletariats versackte im Bodensatz der Erinnerung. Der Kampf der Systeme bekam eine andere Bedeutung: Zwischen IBM und Apple zum Beispiel. Es ging nicht mehr darum, wie der Mensch die Produktivverhältnisse verändert. Es ging nicht mehr um Standpunkte. Es ging um Fluchtpunkte in einem offenen System, ging um Initiation und jede Menge gastronomischen Nachholbedarf.

Aber es war die ganze Zeit da, wie ein virusverseuchtes Dokument auf einer vollen Festplatte. Und als dann die Mauer fiel, das Volk zu seinem letzten euphorischen Wir-Gefühl auflief, da stand ich am Brandenburger Tor, und meine Gefühle waren sehr gemischt. Was da kam, sah nicht gut aus.

14

Jetzt sitz' ich hier an meinem Schreibtisch, der aus seiner Nische plötzlich ins Zentrum der Stadt gerückt ist. Hinter und neben mir explodieren die Mieten, und vor mir blinkt der Fernsehturm. Wenn ich mir überlege, was wir – tut mir leid, manchmal komm ich von diesem Plural einfach nicht los – damals wollten, dann war das nicht viel. Wir wollten diesen Sozialismus. Wir wollten bessere Musik. Wir wollten sie jünger, diese jüngste aller Gesellschaftsformationen. Wir wollten kämpfen. Aber wir wollten kämpfen wie tanzen. So schön.

Hat nicht geklappt.

Manchmal muß ich an meinen Führer denken. Ich muß lange am Knopf drehen, um ein scharfes Bild zu kriegen. Es ist nicht wirklich wichtig, was er macht. Vielleicht arbeitet er bei der Wach- und Schließgesellschaft, die den

Pförtner des städtischen Museums arbeitslos machen wird. Vielleicht hat er aber auch ein Stück des Stasi-Geländes gekauft, um es in einen Gewerbepark umzuwandeln, und fährt einen 500 SL.

Wie gesagt, es ist nicht wirklich wichtig.

Wichtig wäre es, wenn einer von denen aufstehen würde, um mit der Faust auf den Tisch zu hauen: Es war nicht nur der Dreck, zu dem ihr es macht. Es war ein abendländischer Erlösungstraum, und wer ihn nicht einmal geträumt hat, der wird sein Leben lang weniger über das Menschsein wissen.

Aber sie schweigen. Sie lassen sich ohne Widerrede zu gesinnungslos-faschistischem Instrumentarium machen. Vielleicht können sie nicht anders. Vielleicht waren sie es. So bleibt auch mein weißes Hemd fleckig. Zwar sauber, aber eben nicht porentief rein.

Sei's drum. Ich bin's.

Bin ich Täter oder wurde mir angetan?

Egal. Für eine Spanne meiner Zeit habe ich die Welt für veränderbar gehalten.

Gute Zeit gewesen. Ehrlich.

Frühjahr 1992

ELKE ERB

Gib zu, was wir wissen!

»Herr Anderson, Sie kriegen hier keinen Fuß auf den Boden, wenn Sie so weitermachen«, sagte er, »sagte die Stasi stets«, deren Mitarbeiter er nun gewesen sein soll. Darum geht es doch? Material soll da sein, von '75 bis '89, also drei Jahre auch noch im Westen. Im Westen konnte es kaum noch Verhör sein. Also wars Mitarbeit. Die Sonne nämlich Biermann nämlich Fuchs nämlich ungenannt

162

nämlich Der Spiegel (nun doch nicht? oder doch noch? später, später?) nämlich ein deutsches Gericht, und die Gauckbehörde bringt es glasklar an den Tag. »Denken Sie ja nicht, wenn Sie nun in Berlin sind, daß Sie hier einen Fuß auf den Boden kriegen!« Stimmt auch, denke ich, so hielt er sich denn in der Luft. »Freilich, Luftikus, Windhund, umtriebiger!« höhnt drauf, nicht faul, das Echo. »Gelichter überhaupt, das!« Ferneres Echo: »Scheckbetrüger!« (Code: In den Adel erheben mit Antibürgerlichkeitszeichen. – Die Verf. über die Verf.). Antwort (auf ferneres Echo): Wunder was! Er hat sein Konto überzogen. Er hat nur die Bank betrogen.

Figur 1: Ich soll nicht dem Anderson glauben, den ich zehn Jahre lang gesehen habe, sondern hinter diesem scheinbaren Lichten einen Dunklen, Schwarzen Peter und bösen Buben für wahr halten. Der, der er zu sein schien, war er zum Schein, in Wirklichkeit gab er nur vor, der zu sein, weil so niemand drauf kam, daß er ein Stasi-Spitzel war, als inoffizieller Mitarbeiter geführt und gehalten, die von ihm selbst (als Falle also) mit aufgebaute, angestiftete Szene zu beobachten und auszuwerten. Das ist ja eben das Wundersame am Hochleistungswachdienst des Arbeiter- und Bauernstaats (die von den Fesseln des Klassenstaats befreite Produktivität), daß er sich derartige Spitzenkräfte als inoffizielle und ohne erkennbaren Lohn am Rande halten konnte. Kräftig am Wachsen ist nun in den Köpfen das Bild einer so verfeinerten und omnipotenten Stasi, und es drängt, sich zu seiner vollkommenen Fülle und Pracht dort zu entfalten. Die Macht dieses ›Geheimnisses‹ (Jürgen Fuchs am 4. 11. in »Die Welt«) wirkt weiter, weil nicht enttarnt. Aber die Wahrheit ist nah, ist gleich hier, gleich hinter der sie verwaltenden Behördenwand.

Der Schwarze Peter in der Hand der Roten. Als hätte ich in ihm nicht die Quittung des quittierten nachmittelalterlichen Karnevals gesehen, jenes überholten Maskenfests von Rot und Schwarz (rot der Tod und schwarz der Teufel), die alle Farben zwingen wollen, sich ihnen anzugleichen, weil sie selbst keine Farben mehr sind. Ich habe ihn nicht

163

gesehen, nein?, als eine Konsequenz aus ihrer System-Hölle, als pazifistischen Aschermittwoch? Ein Diener des Teufels soll er in Wirklichkeit gewesen sein, dem ich verdanke, daß mir die aggressive und verlogene Seite des kausalen Denkens aufging, nämlich: Es ist gefährlich, sagte er, die Krebserreger zu suchen; hat man sie, kann man manipulieren mit ihnen. Der Denkansatz korrigierte: Wieso geht man stets von den Ursachen, nicht von den Folgen aus? – Die DDR-Macht, nicht wahr, legitimierte sich aus den Ursachen (eine Kritik der Folgen unterband sie).

Also: Alles, was ich gesehen habe – dieses dynamisch (nicht beliebig) bewegliche Denken, diese unermüdliche kollektiv- und kulturbildende Aktivität (dieser ebenso uneigennützige wie nicht nur von Sozialfürsorge geleitete Kollektivismus), dieser freudige, von einer Aktions-Idee begeisterte Eifer – und all seine Produktionen! – , dieses Gute und Wirkliche kam von einem, der in Wirklichkeit schlecht war, ei, und der es denunzierte.

Figur 2: Denn es war eben nichts als eine Falle, die jene unschädlich machte, die den anderen, deren Mitarbeiter er war, hätten schaden können. Denn so paralysierte er ihre revolutionäre Energie, leitete sie in die Kunst ab (das Verbrechen folglich unterstützend), und obwohl ihm das gelang und sie also politisch entschärft wurden, observierte er sie unausgesetzt weiter, um weiter ihr getreuer Verräter zu sein. Denn es ist uns nicht gegeben, an einer Stätte zu ruhen, an der wir keinen Fuß auf die Erde kriegen und nicht einmal eine Wohnung.

Figur 3: Und das Gute war auch gar nicht gut, und eigentlich war es Humbug, nichts, wohin dieser Rattenfänger vom Prenzlauer Berg, der seine eigenen Ratten verpfiff, sie verlockt hat, dem sie, unmündige Kinder einer wie der andere, gefolgt sind in die Verblendung & Eitelkeit, die gewissenlose Sicherheit vor dem Gefängnis (?!). (Machtgeschützte Aussteigerkultur-Oase! Neben den von der Macht gemarterten offiziellen Kulturszenen!) – Unwissende Irregeleitete! Obwohl man ja nicht weiß, wie viele von denen gleich ihm (dem gleichwohl Ersten unter Gleichen, nicht wahr, Hierarchisten?) der Stasi dienten, ob zwei oder drei, ob fünf, wie viele demnach überhaupt als verführt gelten können, ob zwei oder drei, ob fünf. Von ihm weiß man nun. Und was man ja vorher auch wußte: Nichts als Blendwerk – diese ihre gesamte Literatur und Musik und bildende Kunst, dem Satan gefällig. Volksfeindlich/staats-erhaltend dies wie das. Das Gelbe in Grün. Mach die Augen auf, daß du endlich Schwarz und Weiß unterschei-dest. Die lupenreinen (und von unreinen staatlichen Gei-stern bedrohten) Akten sprechen eine klare unwiderleg-liche Sprache, wirst sehen. Jemand hat sie gesehen. Du wirst dich noch umgucken, Furchtbares kommt auf uns zu, prophezeit Jürgen Fuchs. (Kaum, daß wir es hinter uns haben. – Die Verf.)

Oder, meditiert Ulrich Greiner (»Die Zeit«, 8.11.): »Es kann aber auch sein, daß der Stasi-Staat ›die moralische Korruption aller durch alle‹ (Schütte) so gründlich betrie-ben hat, daß ›Wahrheit‹ erst als historische ans Licht kommt, daß der Sumpf durch und durch Sumpf ist und fester Boden erst sein wird, wenn Täter und Opfer schon unter ihm liegen.« Oder aber auch nicht, denn, so interpre-tiert er reinherzig weiter: »Es kann auch sein, daß, frei nach Hegel, die Geschichte nicht der Boden der Gerechtig-keit ist und daß, wer ›reinen Tisch‹ will, neue Ungerechtig-keit in Kauf nehmen muß. Der Schmutz wird nicht weni-ger, nur sichtbarer.« – Der Dreck trägt den Landesfarben Schwarz & Rot nun die dritte auch zu, nämlich im Rätsel: »Was liegt in der Erde und bleibt doch rein? – Gold.« Oder, variiert: »Was geht durch das Wasser und wird nicht naß? – Der Lichtstrahl.« Junge, Junge. Fast kein Adern-netz, das kein Stasi-Netz war. Mabuse, Mabuse, man weiß doch Bescheid. Wer nicht für uns ist, der ist gegen uns. Oder sollte nun alles dahin sein? – Jedenfalls nicht, so-lange es noch einen Gerechten gibt, der für uns litt wie kaum einer, der aber gnädig ist und verzeiht, aber auch sich mit Zorn füllen kann, Blitze schleudern.

12.11.1991

Ich habe diesem Text seine zur Zeit der Niederschrift zu-
künftig, nämlich inzwischen zutage getretene Gesellschaft
an Äußerungen und profilierten Gedanken beizugeben.

Ende November 91 fand in Wien ein Colloquium von
Schriftstellern aus deutschsprachigen und aus ehemaligen
Ostblockländern zum Thema Literatur und Moral statt. In
meinem Statement legte ich für mich einen ersten Weg zu
einer gedanklichen Beschäftigung mit dem Thema Stasi
frei, und zwar in dieser Weise: Der Abend hatte das Unter-
thema »Gestürzte Denkmäler«. Bei der Frage, ob sich
Autor/Autorin gegen eine Monumentalisierung (Symboli-
sierung) von außen oder eine Selbstmonumentalisierung
(Folge eines übermächtigen Defizits beide) wehren können, kam ich auf die Wortverbindung »fragliche Schuld«,
d. h. bezweifelbare Schuld, und von da zu dem Aspekt, ob
sich nach einer Schuld fragen läßt oder nicht. »Ein Diktator
oder sonstiger Potentat«, erkannte ich, »rutscht aus dem
Bereich einer fraglichen Schuld in den Bereich der Absicht.
Deshalb sind solche Monumente hernach so schwer zu be-
schuldigen.« Diese Unangreifbarkeit, die ja das die Medien
regierende Dilemma der offenbaren Disproportion von
Schuld (angerichtetem Schaden) und Geschrei (Anklage)
verursacht, dieses Nichtgreifenkönnen des hirnlichen
Greifapparats (der Begriffe) brachte mir eine andere kriminelle Unangreifbarkeit in Erinnerung, nämlich den Eindruck der elenden Nichtigkeit, der so prompt entstand,
wenn man einem von diesen Aufsteigern, Positionisten,
Funktionären aus der politischen Maschinerie begegnete.
Die Bemerkung »Absicht« im vorher berührten Bild des
Potentaten führte mich dann zu der Sicht, daß eine solche
Körperschaft mit der Summe ihrer Vorgänge an ihren End-
und Zwischenstationen, ja womöglich an allen ihren Stationen eine solche Nichtigkeits-Aura produziert, deren
Effekt es ist, das moralische Bewußtsein unüberwindlich
zu desorientieren.

Meine Ignoranz gegenüber der Stasi war die Konsequenz

eines Urteils gewesen. Sie hatte folgende Herkunfts-Figur: Die Stasi ist gefährlich. Ich will produktiv denken (= arbeiten). Die Stasi ist unproduktiv. Daher interessiert es auch nicht, daß sie gefährlich ist. Ich verstehe, daß meine Verachtung der Gefahr vor der Verachtung der Stasi, nämlich gleichzeitig mit dem verdeutlichten Trieb zu arbeiten eintrat (die Gefahr war nur ein Teil des Arbeitsgegenstands). Mit dem Ende November angebahnten Gedankengang wurde die Stasi wieder beträchtlich: Mich muß/kann es interessieren, wenn meinem Denken Grenzen gesetzt werden, wie sie diese Nichtigkeits-Aura setzte. Es ergab sich auch eine Erklärung dafür, wieso die gefürchteten Stasi-Leute sich, wie man ja ab & an hörte, als klug, umgänglich, gebildet, als solche erweisen konnten, wie sie das Staatsgefüge sonst durchgängig vermissen ließ: Ohnehin ja nicht einmal an reale Notwendigkeiten gebunden (wie andere Teile des Machtapparats), waren sie kraft dieser Trivialisierungspraxis unabhängig von dem Codierungs-System der üblichen Geltungen und hatten – in den stabilen Grenzen ihrer Positionen – die Freiheit von Entlassenen.

Im Januar traf ich in einem Interview mit Sascha Anderson (*Freitag*, 10. 1. 92) erneut auf jene Wendung, die wir seit de Maizières erster Reaktion wiederholt und mit gleichem Unverständnis hörten: »Ich muß erst die Akten sehen.« Bei Anderson ergänzt um: »Ich muß erst mit den Freunden sprechen.« Diesmal, am 10. 1., hieß der Satz: »Wir« (meine Freunde und ich) »müssen das anhand des Materials klären. Daß man sich hinsetzt und guckt: wie ist die Logistik, was sagt der Text, wie ist der entstanden, was ist da passiert? Und wenn da eine konkrete Aussage von mir ist, werde ich das auch sehen.« Obwohl diese Passage einleuchtender, differenzierter ist als gewohnt, stellte sich für mich aus ihr eine Elementar-Konstellation holzschnitt-schlicht dar: Das Dasein ist bedrohlich, und zwar diffus. Du kannst nur von Fall zu Fall sehen, was ist und was zu tun ist. Ich übertrage diese Figur auf die Maße des Gemeinwesens: Seine Einrichtungen, seine Codierungssysteme sind veraltet, deshalb stellen sie selbst eine Gefahr dar.

Aussteigen. Neuorientierung. Eine entscheidende Korrektur des gewohnten Denkens ist: Reagiere auf den Augenblick, von Fall zu Fall. Es ergibt sich eine Kongruenz zu dem oben (per Zitat) dargestellten Verhalten. Eine Neuorientierung, wie sie von Anderson und Schedlinski aktiviert wurde, konnte theoretisch nicht erlauben, sich an unproduktiven Praktiken zu beteiligen. Oder doch? Oder wie?

Erst die Mitteilung Rathenows im »Stern«: »In seinen Berichten für die Stasi kann ich jetzt meine damalige finanzielle Situation genau nachvollziehen« (über Rathenows Westhonorar-Umtauschaktionen bei Anderson) brachte diese Beteiligung für mich real aus der Unwahrscheinlichkeit heraus. In Erinnerung an die ansteckende Begeisterung Schedlinskis und Andersons bei ihren kulturstiftenden Unternehmungen reagierte ich darauf mit dem Gedicht: Na, nicht, was du denkst! // Nein, nicht, was ich dachte! // Angehakt / an die Seele oder / die Morgenstunde // jeweils bereits befindet sich // etwas wie eine Pappschachtel, / Inhalt ein alter Radiergummi, // ein Kronenverschluß, ein paar Spielkarten, / König, As, ein aufgeschraubter // Kugelschreiber, Staubflocken, streunende / Schlüssel und anderer solcher Kros, // spärlich belebt von Ameisen, / mikroskopisch ja wohl / fressenden Milben. // Na, was dachtest denn du? // 28. 1. 92.

Der Monat September lieferte inzwischen (nachdem ich meine Stasi-Akten – und ach, und ach – noch immer nicht gesehen habe) das folgende Epitaph bei mir ab: Archiv // Ich stehe, meine ich, dem eigenen Gedächtnis doch näher / als dort den Geheimdienst-Akten. // Selbst, wenn es völlig versagt.

4. 10. 92

168

ANDREAS KOZIOL

Staat zu Staat

An einer Brandmauer in meiner Straße las ich die Losung: »Schweigen ist ein Verbrechen!« Und grübelte über den verlockenden Efeu-Wahnsinn dieser Warnung: Ein Satz, der alles sagt, sagt nichts. Ein Satz, der sich jedem und keinem andient, zeugt von ohnmächtiger Beherrschungssucht.

Läßt sich eine Diktatur zur Ordnung rufen? Die damit anfingen, auf DDR-Gebiet, werden die Antwort nicht bekommen. Sie ist in die privilegierte Fremde der Aktenversorgungslage gerückt und läßt geheimnisvoll grüßen. Es herrschen verschiedentliche Zweifel an ihrer Existenz.

Das »Wort« der Gewalt, mit der sich richtiges Leben und selbst ordentliches Sterben erübrigte, war immer eine Ausrede. Unaussprechliche Ausrede, die aus Lauschen bestand. Eine Epoche amtlich geregelten Mißtrauens ist untergegangen. Hebungen biographischer Wracks, die in der Achtbarkeit gesunken sind, lichten die Gründe des Scheiterns.

Daß die von einer Überschwemmung mit Spitzelergüssen betroffen sein sollenden Labyrinthe der ostdeutschen Gegenwartslyrik neu ausgelegt werden müßten, ist eine allzu leicht verständliche Ausuferung der landesüblichen Literaturtouristik und darf sich ruhig im Sand der Abenteuerspielplätze akademischen Entdeckergeistes verlaufen: Kunst als Kompensation eines schlagenden Gewissens: ein zu vertraut schillernder Topos für die schwarzrotgoldene Hochzeit zwischen einem Geheimwissen von gestern und einer Meinungsmachermacht von heute. Mit einem elitären Wissen von vorgestern als Trauzeugen.

Vom Philister werden Konsequenzen nicht gerade gezogen wie Lotterielose. Sein als anschwärzendes Element in kritische Zeitungsspalten geschmuggeltes persönliches Pech mit aller möglichen Kunst fristet grausamerweise das anödendste Untergrund-Dasein, das je einem kardinalen Hintergedanken aufgenötigt war.

169

Die Gewalt, die das Mißtrauen amtlich regelte, wird nun, nach ihrem Untergang, bei den Akten genommen, welche die Ausrede der Gewalt für den zerstörerischen Sinn ihrer Fehlgeburten verkörpern. Jetzt hat man die Ausrede als fehlende Wahrheit gepachtet und verspricht sich märchenhafte Erträge.

Es steht eine Wahrheit hinter dem gefallenen Spitzel, ganz ein Phantom seiner selbst. Zunächst erscheint sie als die Lüge einer weiterreichenden Beweglichkeit, die der Stasispitzel, IM, irrenamtliche Mitarbeiter seinen Nächsten bis in die Bettgenossenschaft ersparte. Daß um die Lüge ein Amt errichtet wurde, welches jene nur noch als Wahrheit über die Vergangenheit von DDR-Bürgern rauszulassen gedenkt, scheint zunächst nichts als eine mit lauteren Vorsätzen gepflasterte Sackgasse der Vernunft. An ihrem Ende sieht man manchmal dumme Gesichter mit einem auf jede Unkorrektheit eifersüchtigen Deutsch.

Der Presse zu den einschlägigen Enttarnungsprozeduren war die Meinung zu entnehmen, daß die Lyrik einiger Ereignisumwerter (das sind Zuträger gewiß gewesen) nach der Überführung so lange in Abrede steht, wie sie nicht unter der Lupe der Ermittlung schlechter Gewissensrückstände diskutiert bleibt. Das kann bedeuten: Du bist noch nicht erledigt, solange du bis in deine tiefsten Motive hinein ab sofort nach unserer Pfeife tanzt. Beziehungsweise nach unserer Lupe. Kann. Muß nicht.

Ist der Spitzel weggebrochen und die Existenz dahinter, davor nicht abgestumpft, kann eine Verblüffung entstehen, die sich nicht halten läßt und z. B. Wut wird. Das gehörte mit zum Nachspiel unter den so oder so Getroffenen. Und weil es die alte Wut war, die aus der alten Ohnmacht kam, fehlte ihr selbstredend Verantwortung. Vielmehr stürzte sie sich auf die zur Mitverantwortung für ihre einstige Herkunft Bezeichneten, um ihnen noch die intimsten Behinderungen in die Schuhe zu schieben, die einen vormals nicht von der Stelle kommen ließen. Und weil der Wut ohne Frage jede Verantwortung fehlt, genießt sie noch einmal ihre alte Ohnmacht, nun aus dem neuen Stand der

Mitverantwortlichen, der ebenso fraglos (rhetorische Fragen nicht mitgerechnet) der Stand einer mit den Ermittlungsakten angeheizten und durch Akte der Reue nicht zu löschenden Schuld ist. Die Wut hat unter dem Druck der Aktenlese-Erwartung eine Identität der Mäßigung angenommen. Das Aktenmaterial ist das Maß ihrer Rache, welche übrigens auch nicht Rache genannt sein will, sondern Rechenschaft usw. Nur in Ausnahmefällen, wenn die Rede von der Täter-Opfer-Beziehung in eine gar zu zwielichtige Dialektik gleitet, vergißt sie ihre neue, quasi bundesbürgerliche Identität.

Die von Verbeamtung bedrängte Sprache der Verständigung über das lauschende »Wort« der Gewalt muß den Mund voll Papier nehmen, Papier von deinem Schicksal. Doch wenn ich sie dann höre, ist es gewendete Asche. Sicher, man macht Funde. Aber die protokollarische Asche machte eine Karriere als angebliche Erhellerin der vieldeutigen Winkel und Nischen im ehemaligen Spielraum unserer ohnehin hinters Licht geführten Zeit. Ich brenne jedenfalls nicht gerade auf Reaktionen mit Elementen, für die ich mich nicht erwärmen kann, pardon.

Könnte ich meinem stark zurückgebliebenen Grauen über die Nichtigkeiten, mit denen das am Rande inszenierte Leben in der DDR, die »Szene« also, in Bewegung gehalten wurde, nachträglich irgendwie zum Ausbruch, zum Ausdruck verhelfen, würde die zwischen Stasi-Debatte und -Debattenkritik verklemmte Geduld des Papiers vorübergehend steinalt aussehen, Steinform bekennen. Aber da sei der Vorwurf der Zurückgebliebenheit vor.

Seine ganze Seele bzw. ihr verschwiegenes Ersatzorgan hat der Staat in seine Marotte gelegt, die Volksmeinung in den Griff zu kriegen. Man hat die Marotte geöffnet und untersucht nun bis ins neue Jahrtausend das Stroh des Inneren. Verfaulter Sprengstoff, Zundelfrieder. Wenn von diesem Stroh die schwerwiegenden Fakten sein sollen, die unsereinem so lange zur Verankerung des halben Lebens am Boden der hinfälligen Verhältnisse gefehlt haben, dann will ich nichts mehr davon über die Lippen bringen.

Und aus diesem Mist auch niemandem einen Strick drehen.

Nach entsprechendem Studieren weiß jeder heute etwas über die peinigende Nähe des als Akten deponierten Stücks gestohlener Realität zur eigenen Haut. Und freilich begreift er nichts. Das Nichtbegreifen, das sich zur Enttrümmerung der von der Stasi verursachten Brüche in den Biographien so vieler aufschwingt, ist, was immer auch zu ihm halten läßt, ein der Bekloppheit des Ansinnens, den gesamten Aktenapparat aufzuarbeiten, würdiger Hammer.

Begreifen, im Hinblick auf den Umstand, daß die amorphe Bedrängnis durch das berüchtigt gewesene Heer zu Zuträgern funktionalisierter Nobodies den Namen und Adressen diverser Freunde und Bekannten gewichen ist, muß würgen, wenn es ernst genommen sein will. Manche, deren Informantengetue unter diesem Umstand begreifbar wurde, wehrten sich, als ginge es ihnen an den Hals. Begreifer hingegen, die ungern als Würger dastehen wollten, wichen aus auf das Nichtbegreifen, das nach einer verständlichen Konvention Auswertung genannt wird. O das Meer der krummen Sargnägel, deren jeder einzelne eine Denunziation war. Wer klopft die jetzt womit alle grade? Richtig ...

Ich habe mich vor der Stasi geekelt wie vor dem vergleichsweise sprichwörtlichen Ellenbogen eines Tischnachbarn im eigenen Teller. Und es gehört nicht allein zum Mysterium meiner Vergeßgewohnheiten, daß die seinerzeit alle Umgangsregeln in dicke Luft auflösende Unfaßbarkeit des so unwiderruflich in der eigenen Suppe ankernden gesellschaftlichen Geheim- und Bindeglieds mir den Appetit auf Nachbarlichkeit schlechthin nicht restlos verdorben hat. Mit mir haben viele zu viel Spukhaftes in sich hineingefressen, als daß uns einfach zumutbar wäre, heute diesen, einst einem den Mund verschließenden und nun das Unmögliche wahr machenden Brei aus Absurditäten bis zum mutmaßlichen Grund auszulöffeln. Neuen Vorkostern und bestellten Kellenschwenkern, die das Archive füllende Rezept nach sicherlich zeitraubenden Proben für ein in Zukunft wohl verdaulicheres Staatsorganbewußtsein dechiffrieren, würde ich trotzdem kein Vertrauen schenken.

Aus der Literatur kennt man Geschichten, in denen das Haus in Flammen aufgeht, weil Mann und Frau, die darin wohnen, sich weigern, miteinander zu sprechen. Der Stolz hat manchmal Gründe, die die Moral nicht mehr kennt. Ich kann enttäuscht sein von dieser oder jenem aus dem näheren Umfeld, weil sie der Staatssicherheit den kleinen Finger gaben, ohne sich einen Begriff von der unvermeidlichen Preisgabe wenigstens der Möglichkeit zur Handlungsfähigkeit zu machen. Aber ich bin außerstande, in den Chor der von Vertrauensbruch tönenden Stimmen einzufallen. Die relativ unvermittelt über mich hereinbröckelnde Enttäuschung angesichts der sich herausstellenden eigenen Blindheit gegenüber dem Stasi-Ohr aus der nächsten Bekanntschaft glich am ehesten der sofortigen Wut über die Bloßstellung einer Schwäche, die ich bis dahin für eine, dem unverhältnismäßigen Nervenverschleiß durch die Mode der Bespitzelungsverdachtsgewahrung abgetrotzte Stärke gehalten hatte: nämlich alles zu ignorieren, was vordem zu einer delirierenden Hellhörigkeit geführt hatte, welche das eigenste Sprechen mit immer mehr Dunkelheit schlug. Nichts gegen Dunkelheit eigenster Worte, aber in direktiver Opposition zur gesichtslosen Dunkelheit aus den hauptsächlichen Machtzentren sollte sie dann doch nicht stehen.

Wenn in den Akten »die Wahrheit« enthalten ist, wie man überhäufig vernehmen durfte, darf man erwarten (auch im Interesse der Entgötterung des lobotomisierten »ich« in aller postbürgerlichen Selbstbehauptung), daß die Motivationen irgendwo vermerkt worden sind, die ein Individuum auf die geheimdienstfertige Hierarchisierung seiner natürlichen Aufmerksamkeit bringen konnte. Zu blauäugig? Ein junger Mann bezeichnete neulich in einer Fernsehsendung die Stasi-Akten als einen Schatz, da man nun endlich einmal begreifen könne, wie ein Geheimdienst funktioniere.

Schatz zu Schatz.

Manche sprachen im anhängigen Zusammenhang von gebrochenem Vertrauen, wie wenn dieses Vertrauen eine Achse gewesen wäre, worum sich die Welt ihrer Beziehungen gedreht hat. Manchmal trauen ja die Leute auch ihrem Vertrauen nicht und ersetzen es durch Vertraulichkeiten, ohne die Verwechselung jemals zu gewahren. Wenn der Grund für eine gemeinsame Sache zusammenbricht, kann das manchmal bedeuten, daß er länger gelebt als jene. Wer will das wissen? Etwas Totes stürzt um und reißt etwas Lebendes mit. Der Schatz unter den Wurzeln hat keinen Schimmer von der Hoffnung, die sich der ehrliche Finder mit ihm macht. Die Gründe könnten vertraut sein. »Vertrauen nutzt sich ab, indem man es gebraucht?« Die bekannte Redensart von der Kontrolle, die besser ist, wird schon wissen, warum sie sich nicht auf die Kontrolle des Vertrauens bezieht. Ich erinnere mich an »Gespräche« mit verdächtigungskriegsblinden »Kollegen«, da jeder etwas forschere Satz zur jeweils thematisierten Befindlichkeit als stasigesteuerte Herausforderung gedeutet werden wollte. Ich traf Leute, deren Ziele mir heute egal sind, die ebenso prompt ein Verdachtsmomentchen zu plazieren wußten, wie sie später nichts mehr davon wissen wollten. Ich kenne heute Vertraulichkeiten, in deren Namen manche mit weiß der Henker wodurch eingeholten Kenntnissen über anderer Dunkelmänner Aktengeheimnis in der Gegend herumtelefonieren, um den Anschluß an die Ausschlachtung spezieller Schweinereien in der alten Alltagspraxis der verordneten Gerüchtevergiftung nicht zu verpassen.

Du sollst nicht mit Taten ankommen, die du nie begangen hast. Du sollst nicht sagen, du seist im Widerstand gewesen, wenn der Widerstand nur in dir war. Du sollst nicht reden über das Zeugnis der Falschheit deines Nächsten, als wärst du ein Redner des Staats. Du sollst dein Vergißmeinnicht nicht mit einer Aktenlawine deflorieren. Du sollst beim Erbsenzählen nicht mit den Schoten prahlen. Du sollst deinen Stil nicht der Stille und Heimlichkeit des Opfers opfern, das du dem Lärm um die verstrickten Är-

melschoner der hunderttausendarmigen Stasi-Krake dar-
bringst. Du sollst dich über die brutale Ironie der Zurschau-
stellung einer Massenkonspiration vor Lachen ausschüt-
ten, du Horn.

Eins noch, mehr oder weniger greif- oder ungreifbarer
IM, dich meine ich jetzt, etwas ganz anderes: Solltest du
»mit der Macht gepokert« haben, solltest du also dein Gesicht oder deine Hände aufs Spiel gesetzt haben, um eventuell einen Zuwachs an Gewichtigkeit deines Namens ein-
zuheimsen, so laß dir versichern, daß du deshalb an beidem verloren hast, weil du gegen die vorhandenen Ge-
winnchancen selbst gespielt hast. Oder hast du, was
immer du auch vorschobst, ernstlich daran geglaubt, daß
die Vermittlung deiner womöglich reformatorisch gemeinten Nachrichtenübersetzungen aus dem Spitzellatein in die
Sprache des gelebten Widersinns auf dem Dienstweg in die
Zentren der Entscheidungsgewalt anders hätte funktionieren können als die »Stille Post« an einem Kindergartenvor-
mittag? Oder du, der wahrscheinlich noch heute meint,
sein Duzfuß mit der »kalten Hand« hätte »den Stein ins Rollen gebracht«. Oder du, der du »Schadensbegrenzung« auf
deine Machtverhandlungsfahne geschrieben hattest, hast
du wirklich nie begriffen, daß die Staatsgrenzen der DDR in
jeder Hinsicht schon übergenug Schadensbegrenzung gewesen waren?

Sofern das letzte Jahr mit dem Herunterputzen moralischer und ideologischer Fassaden vermutlich schon vordem ruinierter Freundschaften und Konsensträumereien
das Erbaulichkeitssoll des Gottseibeiuns übererfüllt hat,
kann ich es getrost vergessen. All der aufgewirbelte Akten-
staub, der an die Fronten des Feuilletons geblasen wurde,
ist letzten Endes, allerletzten Endes auch nur Dreck. Dreck,
der sich absetzt. Und wieder aufgewirbelt wird. Und sich
wieder setzen muß. Und wieder hochkommt. Und wieder
nieder. Wenn es nicht nur seelenloser Dreck wäre, der sich
auf die Drastik der Säuberungsmaßnahmen reimt, würde
es mich, rein gemütsbewegungstechnisch, an meine Zeit
bei der Armee erinnern. Welche, wer weiß, ohne Be-

fehlshuberei vielleicht noch niederschmetternder gewesen wäre.

Wer unter der abgebrannten Mittagssonne der stillge-standenen DDR-Zeit nie versucht war, über seinen Schatten zu springen, weiß nicht, wie schnell man von allen guten Geistern im Stich gelassen oder hoppgenommen werden konnte. Den Teufel interessierte der alles vom Menschen wissende Schatten brennend. Aber eigentlich war ja Feierabend. Jede Stunde, die man im manichä-ischen Dämmer des letzten Dutzendjahrs schlief oder wach war, war eine Überstunde. Diese Art Überstunden wurde zwar gleich nach der Wende mit einer nie dagewesenen Aufgeräumtheit abgerechnet, gilt aber heute als keine rich-tige Zeit. Was wohl auch richtig ist. Da ich annehme, daß sie von meiner Lebenserwartung nicht abgeht, will ich auch nicht so tun, als wäre ich um Zeit betrogen worden. Übertretungen von Verboten, mit seiner Zeit nach Gutdün-ken zu verfahren, funktionierten oft nur mit Verbindun-gen, deren Erschütterungen gefühlsweltenweit vor einer Inbetrachtnahme anders erklärbaren Versagens Stasi ge-heißen wurde. Zorn über gestohlene Zeiten kommt auf dem Weg über die Gauck-Behörde vom Regen in die Traufe. Ein Blick in den Spiegel der blendend beschattet gewese-nen Zeit hat genügt, um mich von der Neugier auf die Ge-sichtspunkte, unter welchen meine scheinbare Anwesen-heit in einer Horde ideologischer Klippschulschwänzer re-flektiert wurde, zu heilen. Nicht heilbar dagegen erscheint mir jene gleichsam unter der Gürtellinie der Faktizität rumorende Hysterie des Bewußtseins, die jeden Schatten, der aus der Stasi-Aufklärung nachträglich auf die Biogra-phie fällt, für ein die Qualität seiner (Vertrauens-?) Verhält-nisse bezeichnendes und beurteilendes Licht hält. Nährbo-den für einen zu pflegenden erkenntnistheoretischen Fata-lismus. Ohnmacht, die Summe aller Chancen, im Rahmen politischer Selbstbestimmbarkeit sein eigener Herr gewe-sen zu sein, protzt plötzlich mit einem alle verfehlten Akti-vitäten konjugierenden Konjunktiv.

Irgendwo las ich kürzlich, daß der erwachsene Durchschnittsmensch der westlichen Hemisphäre bis über fünfzigmal am Tag lügen soll, um sich sein seelisches Gleichgewicht notdürftig zu sichern. Nicht vermerkt war, ob diese Erhebung auch non- und außerverbale Äußerungen einschloß.

Über Staatssicherheit und ihre Bestallung von Neurose und Schizophrenie möchte ich hier nichts mehr sagen. In jedermanns Sinnen schwirren Splitter der auf den Ambossen der sozialistischen wie kapitalistischen Kriegs- und Nachkriegshaltungsschmiede zerfaserten vätermoralischen Maßstäbe und warten auf die Befreiung ihres Durcheinanders durch den Leim aus mehrheitsfähiger Meinung, der das Grauenhafte mit dem Nützlichen schon zu neuer Flexibilität verbinden wird. Diejenigen, die einen über die Belange ihrer eigenen Haut erhobenen Maßstab unter Berufung auf in Gefängnissen physisch Gefolterte in Anschlag bringen, sollten achtgeben, daß er in der obsoleten Masse der Informellen Mitarbeiter nicht verlorengeht – was passieren wird, wenn sie ihm jeden Beliebigen an die Bust setzen. Hiermit endet die Froschpredigt. Den für mich zuständigen Fakten werde ich schon geben, was ihnen gebührt. Ihre Anerkennung vermutlich, falls mir die Beklagung der Kindheit und Jugend ihrer Verschaffer dazu Zeit läßt. Alle sonstigen mich darüber hinaus berührenden Tatsachen werde ich so verantwortlich wie möglich unterscheiden in solche, die über das Fernsehen kommen, solche, vor die ich mich ohne Glotze und Glotzen gestellt sehe, und solche, die mir noch träumen. Und wenn ich es nicht schaffe, sie anständig auseinanderzuhalten, werde ich sie teilen in Oktroyierte und Adoptierte. Und noch im trauten Kreise oktroyierter Adoptionen muß ich nicht von Verantwortung phantasieren, sondern kann davon erzählen, wie ich im Traum als Babysitter in Sarajevo oder als Schildkröte auf einer Autobahn oder als Wasserleiche in der Wüste erwacht bin. Mehr Farbe habe ich nicht zu bekennen. Mein hinter den einstigen Rahmenbedingungen meiner Ansichten über Freunde und Gegner verdeckt gewesenes bißchen Weisheit hat sich nach dem letzten Bildersturm über das dicke Auf- und Vor- und Nachtragen von Einfaltspinseln, rächenden Kehrern und verschiedenem Mobersatz schwarz geärgert.

Mag sein, daß es ein lähmendes Gefühl der Abgeschnittenheit von der Möglichkeit des letzten Worts war, das einen Menschen dazu bewegen konnte, sich im Spiel der Stasi aufführen zu lassen. Mag sein, daß die Sehnsucht nach dem Ende aller Widersprüche sich nicht totlaufen kann, ohne daß die Wahrheit dabei auf der Strecke bleibt. Mag sein, daß es die Verlorenheiten eines Hoch-hinaus-Wollenden waren, die ihn die ganz besonderen Fäden, an denen er seine politische Beweglichkeit aufgehängt wußte, als einen »Weg nach oben« begreifen ließen. Mag also sein, daß ein Mensch, der derartig an seiner Beweglichkeit hing, die Verbindung zu den Drahtziehern seiner Rolle nicht einfach kappen konnte, weil er befürchten mußte, dann »hochgezogen« zu werden. Daß somit eine Paradoxie über sein geheimdienstliches Spannertum käme, die seinen »Fall« immer zu einer Sache der anderen machen würde. Von denen es aber hieß, daß sie keinen fallenließen. Möglich, daß der übrige Spielraum alle von jenem zugkräftigen »Oben« kommenden Bewegungsimpulse in so viel Vieldeutigkeit verwandeln konnte, daß selbst die Möglichkeit einer Frage nach der Hand, von der sie abhingen, miteinbegriffen und aufgelöst wurde. Die Ära fingierter Beweglichkeiten steht sicher eher an ihrem Anfang als am Ende. Doch dieses Stück hat sich totgespielt und alle, die auf menschenmögliche Art und Weise noch einen Draht zu den für ein Senkauge wie mich noch immer und schon wieder mal zu hoch hängenden Kreuzen der abgesetzten Führung haben, machen vielleicht einigen begreiflich, daß die Deutschen schnell zu Spinnern werden, wenn sie wähnen dürfen, die Fäden ihres Schicksals in eigenen Händen zu halten.

August 1992

178

druckhaus galrev

wenn ich, nach den standrechtlichen akteneinsichten der vergangenen monate und nach den herrenlos wirkenden entgegnungen der mehr oder weniger enttarnten, mir überhaupt noch selbst trauen darf – meiner geschichte, meinem verstand, meinem klarnamen – , so doch immerhin meiner erinnerung an die überlieferung des 13. zimmers. am ende des ganges stehst du am rande der realität. ich erfaßte das »druckhaus« nur noch in einer abstrakten, einer gewissermaßen psychischen bedeutung, nicht aber mehr im zusammenhang mit der herausgabe von poesie. es ist wohl kaum als therapeutisch zu verstehen, wenn ich an dieser stelle nicht das begriffsmöbel der aufarbeitung schiebe, doch in einer derzeit geführten debatte von einer nicht geführten debatte und ihren erscheinungsformen im druckhaus sprechen will.

die tatsache, daß zwei seiner gesellschafter als Inoffizielle Mitarbeiter in den akten der staatssicherheit geführt wurden, irritierte mich nicht weniger als die tatsache, daß sich meine einsichten in deren vergangenheit auf die akteneinsichten (ein wort, das seiner bedeutung selbst von der schippe springt) anderer und auf eine institutionalisierung der opfer gründen sollten. ihr monopol an den akten mündete in eine schweigende mehrheit der fakten, die auf den täter als auf eine lebensform hinausliefen. um die fakten transparent werden zu lassen und um weiterer enttarnungen zuvorzukommen, entschloß man sich im druckhaus zu einer krisensitzung. es deutete sich so etwas wie ein offenes gespräch über die qualität der kontakte der belasteten gesellschafter zur staatssicherheit, aber auch über die kontakte eines jeden einzelnen im druckhaus an. dieses gespräch fand nie statt. und wenn Anderson und Schedlinski sich doch einmal zum thema äußerten, dann wie in abwesenheit. ihre verlautbarungen kamen mit der epischen ein-

179

silbigkeit jener einfalt daher, die in aller unschuld besagt: das leben ist schwer! Anderson schwieg schließlich ganz. er war der ansicht, daß im augenblick nichts zu klären wäre, da er immer aus der position des sich rechtfertigenden sprechen müsse. er wollte die kategorie des Inoffiziellen Mitarbeiters absolut und seine mitarbeit als inoffiziell auch gegenüber der eigenen person verstanden wissen. Schedlinski wurde zum scholastiker, der bemüht war, seine konspiration mit den von ihm beschriebenen strukturen in einklang mit seinen essays zu bringen. die situation im druckhaus wurde absurd. durch das öffentliche interesse, das einem druck der öffentlichkeit entsprach, herrschte an manchen tagen der ausnahmezustand. die gesellschafter, die sich als handlungsfähig empfanden, führten einen stellvertreterkrieg. wer im druckhaus arbeitete, saß nicht selten im verlagseigenen café, darauf angewiesen, informationen aus den schlagzeilen einer ständig hämmernden presse zu filtern. die eigentlichen informanten, von denen man nichts erwartete, außer, weiter zu informieren, arbeiteten inzwischen nebenan und setzten ihre hoffnung in die zeit wie zombies auf die letzte ruhe. so war es keine seltenheit, daß einer der belasteten gesellschafter neben dir stand und etwas bestellte, während man selbst versuchte, sich, durch den detailrausch des feuilletons, ein bild von ihnen zu machen. bei solchen gelegenheiten bekam ich nicht nur einmal zu hören: in drei wochen ist alles vorbei. ich erwähne dies, da ich diese unbekümmertheit als methodisch empfand. am rand der realität glaubte man sich im falschen film. Anderson und Schedlinski wurden im rundfunk, fernsehen und feuilleton gegenwärtiger als im druckhaus, wo man in ihre gesichter wie in dermoplastiken schaute, deren anwesenheit immer nur abwesenheit bedeutete. was ich sagen will, ist, sie schienen neben sich zu stehen, sie wurden gewissermaßen zu menschen ohne klinge und griff, die sich zwischen den aggregatzuständen bewegten. die perfekte mimikry. solche abstraktionen, ich bin mir dessen bewußt, ersetzen nur die abstraktion Inoffizieller Mitarbeiter durch die kategorie der schizophrenie. doch

der riß zwischen   Anderson und »Müller« verläuft nicht
zwischen »Dr. Jekyll & Mr. Hyde«, und Schedlinskis deckname war »Gerhard« und nicht »Dorian Gray«. als klassifi-
kationen versagen der schizophreniebegriff Stevensons
und die moral von der doppelmoral bei Wilde, wie sie
1992 auf Inoffizielle Mitarbeiter angewendet werden. ein-
gemeindet in ihr gegenteil, bieten sich diese werte immer
in dem maße an, in welchem ihr dualismus von gut und
böse auch das phänomen entschärft. der riß durch Anderson und Schedlinski verläuft ganz sicher nicht quer durch
das niemandsland der moral. im rückblick schatten voraus, ist für meine begriffe ausgerechnet ein ideologisches
stereotyp des DDR-pressebreis am ehesten geeignet, die
Inoffiziellen Mitarbeiter zu greifen, da es noch undurch-
sichtiger ist als sie selbst. die rede ist von den »gewissen
Elementen«, durch welche der DDR-machtapparat alles,
was er, in seinem verständnis von subkultur und politi-
schem untergrund, nicht zu beschreiben vermochte, ab-
strahierte, abtrieb aus der realität und in einen bereich höherer gewalt wie jenseits der gravitation verlegte. dies beschreibt sehr genau das verhältnis des druckhauses in seiner gesamtheit aller an ihm beteiligten zu den Inoffiziellen
Mitarbeitern in den eigenen reihen. anstatt sich eindeutig
gegen sie zu bekennen, übte man sich in parteidisziplin,
anstatt sich, schon allein einer brüskierung beschränkter
feuilletonisten wegen, eindeutig zu ihnen zu bekennen,
wurde diplomatie betrieben. offiziell wurde Anderson, wie
es hieß, im gegenseitigen einvernehmen von seiner funktion als gesellschafter entbunden und für ein halbes jahr in
die warteschleife geschickt, Schedlinski trat von der ge-
schäftsführung zurück. faktisch waren sie weiterhin im
druckhaus präsent. wenn man einmal bereit war, ihren
status als Inoffizielle Mitarbeiter zu differenzieren, waren
sie nun tatsächlich IM.

September 1992

Man liebt immer die Katze im Sack
Gespräch mit Ute Scheub und Bascha Mika

*Hat sich Ihr Verhältnis zu Sascha Anderson und Rainer Sched-
linski geändert, seit ihre Arbeit für die Stasi ruchbar wurde?*

Ich kenne Sascha seit 1977, und seit dieser Zeit gab es das
Gerücht, daß er für die Stasi arbeitet. Aber nicht nur über
ihn, sondern über viele Leute, besonders groß war die
Stasi-Hysterie unter den Leuten aus Dresden-Neustadt.
Wenn ich auf alle Verdächtigungen Rücksicht genommen
hätte, dann hätte ich kaum ein Vertrauensverhältnis zu
irgendwem aufbauen können. Mit Sascha ist ganz orga-
nisch eine Freundschaft entstanden, aus der später eine Zusammenarbeit wurde, die sich Anfang der achtziger Jahre
noch einmal intensivierte. Für mich hat sich dieser damalige Stasi-Verdacht in keiner Weise verhärtet. Naja, Freundschaft funktioniert so ähnlich wie Liebe, und man liebt immer die Katze im Sack. Wenn ich eine Liebesbeziehung zu
einer Frau habe und später erfahre, daß sie mich betrogen
hat, dann liebe ich sie deswegen nicht weniger. Und dann
ist es überhaupt eine Strategie nicht nur der Stasi, sondern
aller Geheimdienste, aus ihren Leuten nicht nur die reinen
Täter zu machen. Die Leute müssen spüren, daß sie auch
Opfer sind. Oft ist es nicht klassifizierbar, ob jemand Täter
oder Opfer ist. Mir fällt dazu das Wort »Tolerangst« ein.

*Sie vergleichen das mit Fremdgehen. Aber bei Anderson dauert
diese Affäre schon fünfzehn Jahre.*

Solange mir nicht klar ist, was er wirklich getan hat, rede
ich nicht von Beweisen. Aber auch den Stasi-Akten traue
ich nicht. Geheimdienste existieren, um Fakten zu fälschen
und Menschen zu manipulieren.

*Und wenn auch Ihnen bewiesen würde, daß Sascha Anderson
vielen Leuten geschadet hat, was ist dann mit der Freundschaft?*

(schweigt 31 Sekunden lang) Ich glaube, ich würde versuchen, mich nicht zu distanzieren, sondern ein Teil Verantwortung zu übernehmen.

Was muß denn noch passieren, damit Sie glauben, daß Anderson spitzelte?

(9 Sekunden Pause) Das beste wäre, wenn Sascha mir etwas erzählen würde. Ich habe bisher noch keine Stasi-Akten gesehen. Wir, einige Leute aus seinem Freundeskreis, haben das jetzt gemeinsam beantragt. Aber ich weiß nicht, ob ich Stasi-Akten glauben kann.

Sie tun so, als gäbe es keine Opfer.

Das ist doch normal. Wenn du was von einer bestimmten sozialen Relevanz veranstaltest, gibt's eins auf die Mütz'. Auch für nur scheinbare Relevanz. Und manche Leute fanden es toll, daß sie von der Stasi verfolgt wurden.

Warum verteidigen Sie Anderson bis zum letzten Blutstropfen? Sie lavieren und winden sich die ganze Zeit. Das kommt mir vor wie in einem Western, wo zwei Freunde jahrelang gemeinsam durch die Wüste reiten. Einer entpuppt sich dann als das Schwein. Diese Männergeschichte könnte so enden, daß der eine den Verräter zwar im Showdown niederknallt, dem Sterbenden aber noch zuflüstert: Du warst mein Freund.

Meine Defensive hat nichts mit einer Männerfreundschaft zu tun.

Fühlen Sie sich als sein letzter Freund?

(9 Sekunden Schweigen) Sieht so aus. Allein das ist Grund genug. Ich mache immer die Sachen, die andere nicht machen.

Und was halten Sie von dem Vorwurf, auf dem Prenzlberg sei nur Stasi-Literatur geschrieben worden?

Völliger Quatsch, das ist vielschichtiger. Saschas Texte sind ein bißchen eskapistisch, ideenflüchtig. Stefan Döring ist prinzipiell zurückhaltend und enorm skeptisch. Ich teile diese Skepsis auch, bin aber gleichzeitig viel engagierter. Ich falle immer wieder auf Engagement rein, das entsteht in jeder Situation neu. Meine Texte sind im Vergleich zu Saschas und Stefans enorm politisch. Was war noch mal die Frage?

Ob das Stasi-Literatur war. Auch angesichts der Aussage Sched-linskis, daß die Stasi die Untergrundzeitschrift »ariadnefabrik« pro Heft mit 300 Mark bezahlt hat.

Das Geld war wahrscheinlich eine Belohnung, daß sie das Heft druckfrisch bekommen hat. Lutz Rathenow hat mir neulich einen Brief geschrieben und meinte, daß meine Texte ab Mitte der achtziger Jahre von der Stasi mitgesteuert worden seien. Bis zu diesem Zeitpunkt galt ich mehr als Underground.

1986 wurde ich von der Akademie der Künste »rehabilitiert«, nachdem ich meinen 1984 gestellten Ausreiseantrag zurückgezogen hatte. Ich wollte zwar aus der DDR weg, weil ich aus Liebesgründen ein neues Leben anfangen wollte, aber eigentlich nicht in den Westen. 1977 waren die ersten Texte von mir erschienen, dann lange Zeit nichts, und erst 1986 wieder, in »Sinn und Form«. Damit hat das System den Verlagen und Veranstaltern dokumentieren wollen: Man kann jetzt mit ihm zusammenarbeiten.

Aber Sie haben auch an der langen Leine gegangen.

Unser Leben im Berg war ein sehr selbstbestimmtes, ich habe nicht das Gefühl, daß es gesteuert wurde. Aber es war kriminalisierbar. Jeder, Sascha oder Schedlinski oder ich, konnte eingeknastet werden, wegen Asozialität und tausend Sachen. Aber das wurde dann irgendwann nicht mehr praktiziert. Die Gesetze hatten keine soziale Relevanz mehr. Sie wären vielleicht noch angewandt worden, wenn unsere Aktivitäten eine radikalere Richtung genommen hätten. Die einzigen, die damals militant gegen die Staatsmacht vorgegangen sind, waren die Punks. Gegen die wurden die Gesetze wirklich noch angewendet.

*Aber es gab doch sicherlich noch viel mehr IM am Prenzlberg,
die euch womöglich in bestimmte Richtungen gedrängt haben.*

Vielleicht bin ich zu sehr davon überzeugt, daß ich mein
Leben selbst bestimme. Gut, jetzt erfahre ich, warum bestimmte Leute anders waren. Aber das ändert ja nichts an
meinen Gefühlen. Ich versuche mir gerade vorzustellen,
wie Sascha irgendwie manipulierend in mein Leben einge-
griffen hat. Wenn das der Fall war, habe ich mich eben
sehr ungeschickt verhalten. Aber ich glaube es nicht. Und
da gibt es keine andere Institution, die darüber zu befinden
hat, außer mir.

*Was halten Sie von Lutz Rathenows Ausdruck »Ästhetik des Ver-
rats«?*

Klingt plausibel. Ich glaube an nix. Negativ ausgedrückt,
könnte man das schon so bezeichnen. Meine Grundhal-
tung ist, sich auf nichts einzulassen und niemandem über
Maßen zu trauen. Ich glaube an keine Ideologie. Man
könnte Beispiele meines extremen politischen und sozialen
Engagements bringen, aber auch Beispiele für das Gegenteil.

*Lutz Rathenow redet von einem »hinreichend verkümmerten
Wahrnehmungsvermögen gegenüber politischen Realitäten« auf
dem Prenzlberg, das es der Stasi ermöglicht hätte, auf die sonst
üblichen Wächter zu verzichten.*

Ja, das ist richtig. Seit fünfzehn Jahren muß ich mir Gedanken machen, wie ich meine Miete bezahle. Ich bin stun-
denlang rumgelaufen und habe versucht, Geld für Kon-
dome aufzutreiben. Das ist allein schon ein materiell
motiviertes Wahrnehmungsvermögen.

*Er fragt weiter: »War der Prenzlberg schon zu einem Ghetto
geworden, begrenzt von einer ganz spezifischen Ignoranz«?*

Das stimmt, es war schon ein Ghetto. Aber auch ein Freiraum, ein Chaos, ein Gas.

Haben Sie denn immer mit dem Hintergedanken gedichtet, bloß nicht so zu schreiben, daß Sie ideologisch vereinnahmt werden können?

Ich kranke immer noch an der Illusion, daß meine Texte für keine wie auch immer geartete Staatsideologie brauchbar sind. 1977 habe ich die ersten Texte veröffentlicht und die ersten Lesungen gemacht und wurde sofort verboten. Dann hat sich ein anderes Kommunikationssystem entwickelt. Nicht so, wie es normal gewesen wäre, daß ich einen Verlag finde oder Geld auftreibe und meine Texte selbst verlege. Es lief in anderen Bahnen als im Westen. Lesungen hatten einen viel größeren Zulauf und wurden auch benutzt als Freiraum für eine u. a. auch politische Meinungsäußerung. Es war nicht nur ein rein ästhetisches Erlebnis, sondern stand auch in einem politischen Zusammenhang. Das bekam eine Eigendynamik. Die Leute fingen an, sich zu solidarisieren, gemeinsam zu arbeiten. Aber damals war überhaupt keine Zeit, sich ästhetisch oder stilistisch auseinanderzusetzen. Und ich denke, ein Großteil der Debatte, die heute geführt wird, geht auf Probleme zurück, die über Jahre zurückliegen. Die Leute, die heute als Prenzlauer Berg bezeichnet werden, und die Leute, die heute zu den engagierten Bürgerrechtlern gezählt werden, sind auch literarisch sehr unterschiedlich. Rathenow und andere sind traditionell im Rahmen dessen, was man Hochkultur nennt. Wir stehen in einer Tradition der häretischen Kultur. Es hätte normalerweise eine ästhetische Auseinandersetzung geben müssen. Die gabs nicht, weil wir uns quasi synthetisch solidarisiert haben.

Es geht also um eine verschleppte Literaturdebatte?

Ja, das ist ein Aspekt, aber ein ziemlich entscheidender. Viel davon wird über die Stasi-Debatte ausgetragen. Aber man muß dem »verlogenen« Prenzlauer Berg zugute halten, daß Stefan Döring, Sascha und ich 1984 die »Zersammlung« initiiert haben, die wirklich ein Podium sein sollte, um über stilistische, ästhetische und politische Fragen zu diskutieren. Es ging damals darum: Gründen wir einen unabhängigen oder Anti-Schriftstellerverband oder nicht, und führen wir diese Diskussionen oder nicht. Wenn ich heute daran denke, kommen mir die Hochkulturrellen vor wie wohletablierte Leute, die mal wissen wollten, was denn so im richtigen Underground passiert.

Sollte das ein Kampf zwischen bourgeoiser Hochkultur und Underground sein?

Ich denke schon, das das 'ne Rolle spielt. Die Leute um Rathenow waren auch irgendwie situiert in der DDR. Die kamen so zurecht, hatten Geld, hatten sehr gute Beziehungen zu Westverlagen und so weiter. Während die andere Seite noch Subkultur personifizierte, und das zum Teil heute noch tut. Die Positionen waren relativ klar. Sascha galt als relativ unpolitisch. Ich war Anarchist, das wußten alle.

Was kam bei der »Zersammlung« heraus?

Das Fazit war: Es gibt nicht genügend Anlaß, einen Anti-Schriftstellerverband zu gründen. Es ist nicht genügend Energie da, eine stilistische Debatte zu führen oder sich so auseinanderzusetzen, daß sichtbar wird, was trennt. Wir sind so sehr unter Repression, daß wir uns weder das eine noch das andere leisten können. Wir können keinen stabilen Gegenschriftstellerverband gründen, und auf der anderen Seite können wir uns nicht zersplittern. Wir können uns nicht ästhetisch so auseinandersetzen, daß wir zum Beispiel nicht mehr gemeinsam bei Lesungen auftreten. Und die wenigen Orte, wo das möglich war – zum Beispiel die Kirche – immer hätte man aufpassen müssen, wen sie zusammen einlädt. Es ging darum, nach außen hin eine relativ stabile Opposition, wie vielschichtig auch immer, zu dokumentieren.

Sie meinen literarische Opposition?

Ja, oder kulturpolitische.

Also wart ihr nun eine Gefahr oder nicht?

Wir hatten das Wort, natürlich waren wir deswegen eine größere Gefahr.

Würden Sie immer noch behaupten, die Literatur vom Prenzlberg war subversiv?

Ja, soweit es mich betrifft . . .

Jan Faktor meint, daß man die Prenzlberg-Literatur jetzt neu interpretieren muß?

Das braucht man nicht zu fordern, das passiert ohnehin.

Januar 1992

HOLGER KULICK

Grautöne. Der Amoklauf Sascha Andersons
Aus drei Gesprächen

> »Wenn Anderson seine zertretenen Nieren
> auf Kulicks Tisch legt, dann ist Showtime.«
>
> *Wolf Biermann im »Spiegel«*

Als »Diktatur des Proletariats« wollte sich der Sozialismus/ Kommunismus verstehen und verkam zur »Diktatur der Spießer und Opportunisten«. Man paßte sich an, jeder auf seine Weise.

Auch Sascha Anderson wurde zum Rad im Getriebe, statt Sand im Getriebe zu sein. Mitläufer aller Länder vereinigt euch. »Aber es ist nicht so einfach«, hat Anderson in der »Zeit« gesagt, und es ist weiß Gott nicht so einfach, wie seine Verfolger es sich machen.

Die Orwell-Variante DDR hatte vor allem eines ausgetüftelt: die Psychoanalyse. Wie knacke ich mir wen und instrumentalisiere ihn so, wie ich ihn brauche. Bewußt oder

188

unbewußt, in beidem war die Stasi perfekt. Es gab die verständnisheischenden Führungsoffiziere. Ihr Motto: »Du, wir wollen Verständnis für deine Sache erreichen, sag uns, was läuft.« Schedlinski hatte diese Ausrede so verinnerlicht, daß ihm bis heute jedes Unrechtsbewußtsein fehlt. Er fühlte Verantwortung im »Dechiffrierungssystem der Macht«. Hinterlistig, ja schamlos nutzten die Offiziere die wunden Punkte und Schwächen ihrer Opfer aus, heimlich und offen. Es gab die Gestapo-Fritzen, die autoritären, die getarnten im Polizei-Kostüm. Ihr Mittel war Druck. Sascha Anderson sagt, ihnen sei er aufgesessen. Eine Lüge, eine Not-Lüge in seinem öffentlichen, kurzen Prozeß?

»Es ist nicht so einfach«, sagt Anderson und macht es leider auch nicht einfach, mit ihm ins Gespräch zu kommen. Für viele stand umgehend fest: Schnur = Böhme = de Maizière = Anderson = Stolpe = ? Milde Zweifler wurden rasch selbst als Stasi-Spitzel diffamiert. Staeck, Penck, Duve, Schlesinger, andere und ich konnten das erleben. Ich fälle nach wie vor kein Urteil über Sascha Anderson, wohl wissend, daß er der Stasi sehr hilfreich war.

Ich habe ihn in der ersten Hälfte der achtziger Jahre in Ostberlin kennengelernt. Was davor geschah, kann ich nicht beurteilen. Außer, daß er Journalisten wie mir eindrücklich seine engsten Freunde weiterempfahl, die gegangenen und die gebliebenen, im nachhinein die verratenen. Paradoxon: Ohne ihn wären viele Nobodies geblieben, vielleicht ist dies sein eigentliches Verdienst. Anderson war ein Motor, lebte vor, machte Mut und half anderen, selbstsicher in ihrer Aussteigerrolle zu sein, trotz Stasi und wie immer seine Bindung auch war. Er lehrte, daß, wo immer zwei Gesetze sind, auch eine Gesetzeslücke ist.

Ob Anderson nun »Spitzel« oder ein »Verräter« war, müssen die mit ihm klären, die es genauer betrifft. Es ist kein großer, aber es ist ein Unterschied: Als Spitzel wirst du geschickt, als Verräter vernommen. Immerhin: Den zweiten Schuh ist Anderson bereit, sich anzuziehen. Soweit gehen die folgenden Gespräche mit ihm. Sie wurden vor laufender Kamera geführt, unvorbereitet und unredigiert, das

189

bitte ich zu beachten. 59 Seiten wurden dabei auf einige wenige reduziert. In dem Gespräch ringt der eine Anderson mit dem anderen in einem mühsamen Selbsterkennungsprozeß. Irgendwann bricht der Dialog ab: als Sascha Anderson sich selbst zu nahe kommt.

Wie geht das, Staatsferne vorzuleben und dem Staat so nahe zu sein? Vertrauen zu mißbrauchen, ja Freunde zu verraten, ohne sie darüber aufzuklären? War Anderson schizophren oder schizoid? Oder sehr bewußt kalkulierend, ein Egoist oder Egomane? Ein Maulwurf oder schlicht zu feige, um Schwächen zu zeigen? Als »Amokläufer« sieht sich Anderson selbst. Moralisch verwahrlost – mit diesem Etikett wird er leben müssen, wie so viele in der DDR. Aber Anderson ist ein Fall für sich.

Ich verteidige ihn nicht, wohl aber das journalistische Prinzip, kein Vor-Urteil zu fällen. Die eigentliche Aussprache steht immer noch aus. Die Debatte an sich scheiterte daran, daß drei Egomanen aufeinanderprallten. Biermann, Rathenow, Anderson. Ihnen gaben sich einzelne Medien gerne als Bühne her, um öffentlich private Rechnungen zu begleichen. Endlich würzte Pfeffer die Feuilletons. Rarer war, zu recherchieren, zu hinterfragen und Beweise abzuklopfen. Denn Mittelsmänner zu den Akten waren rar. Das ARD-Magazin »Kontraste« hatte sie, und deren Autoren wollten ihre Wahrheit verteidigt sehen. So kamen »Zeit« und »Spiegel« zu ihren Schlüssen. Nur selten haben im Feuilleton Medien so Partei gegen einen Menschen genommen, als sei jener der Teufel an sich. Nur die eigentlichen Teufel Führungsoffiziere konnten und können als Kronzeugen feixen. Verführt sein ist schlimmer als Verführer sein. Immerhin:

Die Affäre Anderson hat verblüffend vielen ihre Masken heruntergezogen und wahre Gesichter entblößt. In dieser Hinsicht hat der Streit bislang sein Gutes gehabt. Wir wissen jetzt besser, woran wir untereinander sind. Zu entschuldigen ist nichts, aber zu entschuldigen haben sich viele. Ich fange an.

Oktober 1992

190

1. Gespräch
am 14. und 16. Januar 1992 für das Jugendradio DT 64

Holger Kulick: *Sie sind jetzt als »Fritz Müller«, »Peters« und wie auch immer enttarnt. Roland Jahn, Rüdiger Rosenthal, Gerd Poppe sagen eindeutig, Sie sind derjenige, auf den zurück-führbare Informationen an die Stasi gegeben wurden, Denun-ziationen. Warum sagen Sie nicht, Scheiße, da ist ein Kapitel, das gestehe ich jetzt ein?*

Sascha Anderson: Ich habe nichts dagegen zu sagen, ich habe Scheiße gemacht. Aber nie in dem Kontext, der mir da reininterpretiert wird ... Natürlich könnte ich das generell sagen, auch um den Druck loszuwerden und den Druck von wirklich engsten Freunden zu nehmen, das wäre der konstruktive erste Schritt, den man tun könnte. Aber ich halte ihn für falsch.

Meine Biographie, wie soll man das sagen, diese Ge-schichte, die da gewesen ist, würde diesem Geständnis überhaupt nicht entsprechen. Ich müßte immerzu irgend-eine Riesenerklärung abgeben, die ich nicht abgeben kann. Die will ich nicht abgeben. Das geht nicht.

Es ist halt tatsächlich für mich komplizierter gewesen. Ich kenne natürlich meine Biographie. Ich kenne auch die-ses ununterbrochene Scheitern während dieser wenigen oder während dieser ab und zu stattfindenden Versuche, doch ins reine zu kommen. Mir ist ja jahrelang vorgewor-fen worden, ich will einfach nie mit dieser Gesellschaft zu tun haben, ich will aus dieser Gesellschaft aussteigen. Und ich habe gesagt, gut, dann bewerbe ich mich halt im Schriftstellerverband. Und dann habe ich mich beworben, und bin abgelehnt worden.

Das ist ein Versuch, man will irgendwie mit dieser gesell-schaftlichen Realität doch in ein abgesichertes, reines Ver-hältnis kommen, daß einem eben nicht immer vorgewor-fen wird, man würde außen stehen ...

Der Vorwurf ist ziemlich eindeutig, Sie wären eingesetzt gewesen in zielgerichtete Operationen, sei es gegen Künstlerfreunde früher in Dresden, bis hin zu Roland Jahn in der Zeit in Westberlin, also doch ein gezielt operierender Stasi-Täter.

Das bin ich nie gewesen. Nie hat mir irgend jemand gesagt, jetzt gehen Sie dort und dort hin und machen das und das. Sollte sich herausstellen, daß ich aufgrund dessen, was ich dort gesagt habe, für operative Dinge verwendet wurde, dann bin ich gerne bereit, das zuzugeben, und zwar direkt. Also jede Konsequenz ist mir da recht. Aber nie auf der Basis, da ist eine Person, die hat sich sozusagen vereidigen lassen, und jetzt gehorcht sie irgendwelchen Befehlen. Das entspricht nicht meiner Person.

Es könnte aber auch bedeuten, das wäre von Ihnen ausgegangen. Über die Leute, die Sie einerseits sehr schätzen, dann trotzdem sehr viel erzählen, und die fühlen sich nun richtiggehend verraten.

Ja, das auf jeden Fall.

Warum haben Sie Ihren Freunden nichts darüber gesagt, die sich jetzt verraten fühlen?

Weil ich bisher nie fähig war, über mich zu sprechen. Ich habe nie über mich gesprochen. Dieser Druck, in dem ich war, das war keine Konzeption, aber ich wollte diesen Druck nie auf andere übertragen. Ich hatte diese Abhängigkeit, die ich natürlich auch gespürt habe, das ist klar. Das ist ja nicht so, daß ich das nicht merkte, wie sehr sie mich auf diese Weise an sich binden. Aber für mich war, wie für jeden anderen, die Staatssicherheit eine riesenschwarze Wand. Ich habe überhaupt nicht dahinter geblickt. Ich habe keine Ahnung, was das ist, diese ganze Organisation. Jetzt ist das natürlich anders, jetzt ist das ja ein Thema, was scheinbar sehr durchsichtig funktioniert haben soll innerhalb der eigenen Struktur. Das mag sein.

In dem Moment, wo Sie vorgeladen waren und berichtet haben, hatten Sie nicht das Gefühl, das sind jetzt eigentlich alles Sachen, die auch gegen andere benutzt werden könnten?

Ja gut, man hat das natürlich abgewägt. Das heißt, das kann man nie klären. Man kann dann so tun, als könnte man das einordnen. Das kann man nie. Das ist schon klar. Aber, ich hatte nur ein Gefühl, raus, raus, raus und weg, sag ihnen alles, und dann kannst du wieder weg dort. Wenn man jahrelang vorgeworfen bekommt, man sei der Spiritus rector einer Angelegenheit und man sei ganz leicht zu köpfen, und sie haben ja die Instrumente gezeigt, sie haben die Mittel gezeigt, sie haben nie bloß die Paragraphen gezeigt, an dem Punkt, an dem sie mich faßten, war ich paranoisch. Ich habe ja auch den Widerspruch gesehen, daß man versucht, ein Leben zu führen, das diese Paranoia ignoriert, das den Begriff Staatssicherheit lächerlich macht auch im praktischen Leben. Trotzdem war man selbst so belastet davon, und wenn man diese Belastung nicht übertragen will, hm. Also ich begreife das nicht ganz.

Wie oft hatten Sie mit dieser Stasi zu tun?

Aufgrund meiner Biographie, mit der ich mich jetzt beschäftige, vielleich hundert- bis hundertzehnmal. Davon in den ersten zwei, drei Jahren ziemlich oft. Ich habe das Gefühl, sie wollten damals irgendwas aus mir machen, und es ist ihnen aber nie gelungen.

Das heißt, Sie sind eigentlich zu leichtfertig mit der Stasi umgegangen?

Leichtfertig? (Haha) Leichtfertig.

Oder bewußt, um sich eigene Freiräume zu erhalten?

Ich hatte keine Freiräume, ich bin Amok gelaufen. Zumindest die letzten Jahre. Ich hatte nur Angst. Ich hatte überhaupt nichts Praktisches in der Hand, um aus der ganzen Scheiße wieder rauszukommen. Sie haben mich geholt, wenn sie es wollten, und ich habe gesagt: Schicksal,

Scheiß-Schicksal, drauf geschissen auf dieses Schicksal. Na gut, O.k., außer eine Flasche über den Schädel schlagen, können sie ja eh nichts.

Und dann haben Sie erzählt?

Ja sicher habe ich auch erzählt. Aber in der Masse nicht, das ist doch alles Unsinn. Diese Masse von Papier, die jetzt auf mich niederprasselt, das ist doch völlig absurd alles.

Das hieße, Sie haben selber sehr bewußt wahrgenommen, was die Stasi von Ihnen wissen wollte und eventuell auch aus Ihnen gemacht hat?

Ja, ich habe das verdrängt, daß die irgendwas mit mir machen. Sie wußten, mit mir kann man nie Tacheles sprechen, mit mir kann man nie geradeaus sprechen, mir kann man nicht sagen, wir wollen das und das von Ihnen, würden Sie das da mitmachen. Da hätte ich »Nein« gesagt. Also haben Sie es über eine andere Strecke versucht, was für mich im nachhinein allerdings viel schlimmer ist.

Haben Sie da ein schlechtes Gewissen? Jetzt?

Es gibt kein schlechtes Gewissen. Es gibt ein sehr, sehr differenziertes Gewissen.
    Wenn eine Begriffskette aufgebaut wird, wie Ratte, Schwein, Arschloch, Verräter, Lump, Krimineller, Verbrecher, wenn diese Kette aufgebaut wird, dann muß man sich nicht wundern, daß die Leute nie reden. Es ist unmöglich, noch an dieser Stelle zu sprechen. Das ist das Bild, das erst mal gesetzt wird. Also ich bin sozusagen in einer Situation, wo es mir mit den Leuten, die das differenzieren können, möglich ist, zu sprechen, wenn es denen möglich ist. Aber in Richtung Öffentlichkeit, wo dieses Bild angesetzt wurde und immer noch mehr ausgemalt wird, habe ich fast keine Chance zu sprechen, weil ich an der Wand stehe. Erst wurden alle an die Wand gestellt, dann wurde die Mündung auf sie gehalten und wurde gesagt: Jetzt, wer gesteht, kann wegtreten, alle anderen werden erschossen.

Und weil das passiert ist, sage ich, dann werde ich eben lieber erschossen. Verdammt noch mal.

Wie geht es denn im Moment jetzt für Sie weiter?

Das weiß ich nicht. Keine Ahnung. Ich hoffe, daß ich wirklich die Möglichkeit habe, mit sehr vielen Leuten gemeinsam das Material zu sichten, dem ich in der Form unmöglich glauben kann. So wie es sich jetzt mir darstellt, halte ich das Material auch für sehr, sehr verlogen.

Aber diesen Schuh: IM und IMB »Fritz Müller«, »Peters« und »David Menzer« geworden zu sein, den ziehen Sie sich jetzt doch an?

Ja, das ist ja nicht die Frage, ob man sich den Schuh anzieht. Wenn man ihn anhat, hat man ihn an, egal, ob man ihn sich selber angezogen hat oder man ihn angezogen bekam. Die Frage ist, hat man es merken können oder hat man es ahnen können oder hat man es verdrängt, daß man da plötzlich noch einen Schuh überm Fuß hat.

2. Gespräch
Am 24. Januar 1992 in der Galerie Baumschulenweg Berlin-Treptow

Die »Zeit« beschuldigt Sie jetzt definitiv der »Krankheit Lüge«. Ist es denn so, daß Sie noch irgendwas Tiefsitzendes zu verbergen haben?

O Gott. Ich habe nichts mehr zu verbergen. Also alles gibt es ja, alles ist ja an der Oberfläche zu sehen. Also Akten scheinen mir die wenigste Oberfläche zu haben, bei aller Liebe.

Die Beschuldigung ist jetzt, daß sie richtiggehend konspirativ gearbeitet hätten als IM.

Wenn jemand auch nur einigermaßen über Geheimdienststrukturen nachdenkt, dann wird er wissen, daß eine Geheimdienststruktur, die jemanden nutzt, nicht sagt, O. K., das ist der Täter, den setzen wir jetzt auf sein Opfer an. Und dann sagt uns der Täter, mit wem könnte der denn gerade schlafen oder mit wem oder wie könnten wir den entzweien. So läuft das ja alles nicht, weil in dem Moment, wo der benutzt wird als Spitzel, ist er ein Opfer. Also darauf poche ich nicht, daß ich ein Opfer wäre, überhaupt nicht. Aber wenn man irgendwie etwas klarer sieht über diese Struktur, dann ist dieses Täter-Opfer-Ding Schwachsinn. Absoluter Schwachsinn.

Im Schlußsatz des Biermann-Gesprächs hatte ich Sie gefragt: Herr Anderson, Sie bleiben dabei, Sie haben nicht für die Staatssicherheit gearbeitet? Sie haben gesagt: Ja. Bleiben Sie dabei?

(Lachen) Ich kriege immer wieder dieselbe Frage, nicht? Wahrscheinlich habe ich für die Staatssicherheit gearbeitet, aber nie in dem Sinne, daß ich gesagt hätte, O. K., ich mache mit Ihnen einen Vertrag, und jetzt werden wir das alles tun, und jetzt machen wir Biermann fertig, und jetzt machen wir Bärbel Bohley fix und fertig, und jetzt bringen wir Poppes auseinander und machen wir Wollenberger kaputt. Aber wenn das in dem Sinne zutrifft, daß die Stasi sagt, wir arbeiten mit jemandem, wie wir es wollen, dann stimmt es wahrscheinlich.

Werden Sie das Kapitel Vergangenheit selber literarisch aufarbeiten?

Ja, ganz sicher. Allerdings mit mehr Zeit, als sich andere nehmen. Ganz sicher. Und zwar nicht, um der letzte zu sein, um das I-Tüpfelchen zu setzen, sondern um über mich klar zu blicken, um über die Verhältnisse klar zu blicken, in denen ich gelebt habe. Ich versuche da nicht, jemanden zu überbieten oder langsamer zu sein als andere, sondern ich muß einfach nachdenken. Ich muß das ausdenken. Ich werde es sehen.

Fortsetzung folgt?

Ja.

196

3. Gespräch

Am 20. Februar 1992, nach einer Lesung in Köln

Ist es nach wie vor so, daß Sie sagen, die IM-Rolle, die Ihnen zugeschrieben wird, haben Sie nicht ausgeübt? Es hat noch niemand eine ganz klare Antwort?

Als die Stasi mir die Schnauze eingehauen hat, haben sie gesagt: Sie haben keinen klaren Standpunkt. Da habe ich gesagt: Nee, ich habe keinen klaren Standpunkt. Es war wohl wahrscheinlich die klarste Antwort der Stasi gegenüber.

Freiwillig haben Sie nichts der Stasi gesagt?

Freiwilligkeit und Staatssicherheit. (Lachen) Schönes Begriffspaar. Unverwendbar. Bringt nichts. Treffen wir uns in zehn Jahren noch mal und reden über die ganze Geschichte.

Also das Kapitel Stasi ist jetzt für Sie vorbei?

Nichts ist vorbei, lange Röcke sind nicht vorbei und kurze Röcke sind nicht vorbei. Nie ist irgendwas vorbei. Vielleicht mein Leben ist vorbei. Aber laß den Unsinn bitte jetzt.

Fortsetzung fehlt.

SASCHA ANDERSON

Lieber P.,
die vorzeichen aller gewohnheiten sind vertauscht. nichts liegt mehr in der luft als ein ungeschriebener text. niemand zwingt mich (zu schreiben). das thema ist gegeben. ansonsten, verwirrend wie gehabt, aber überraschend selbstver-

ständlich, da ich dennoch annahm, dieses buch würde zum medium eines sich zeit nehmenden gesprächs und nicht die verpackung von reagenzien werden. äußerung ist mir also dermaßen suspekt, daß ich bisher zu noch keinem schlüssigen text gelangt bin.

wesentlich wäre gewesen, wir hätten diese »MachtSpiele« hergestellt und profitlos vertrieben. es sollte ja im druckhaus galrev erscheinen. so hatten es autoren und autorinnen, die dafür zusammensaßen, entschieden. und damit es nicht unter der ägide des verlages (was hier die im verlag arbeitenden und nicht die in seinen programmen veröffentlichten meint) erblaßt, wurde das projekt an kiryl e. v. und den unabhängigen herausgeber klaus michael delegiert. das ganze erwies sich als work in progress, und die abhängigkeit des herausgebers zum zeitgeist prägte den begriff seiner unabhängigkeit vom auftraggebenden (, der autorenversammlung).

es gibt da verschiedene möglichkeiten: man kann das buch für wichtig halten, ohne es gut zu finden (ich), man kann einen text dafür schreiben oder einen schon fertigen hergeben, man kann tun, als hätte man, zufällig, schon lange, schon seit vor alledem einen im kasten, oder einen schon gedruckten für den kontext variieren, man kann ablehnen, mitzumachen und, dann plötzlich nicht mehr, oder umgekehrt, und kann dies alles äußern. bis nicht alle alle texte gelesen haben, sicher eine illusion, wird der herausgeber immer ein hin und her gerissenes medium sein, das sich nur gegen sich selbst aufzulehnen vermag, oder sich auflöst, und dies meist in einem mächtigeren, partizipierenden organ; wie ich und klaus michael, der das expose außerhaus brachte und dann im druckhaus galrev seinen aussteigeantrag stellte. stattgegeben.

nun ist galrev zwar nicht die ddr, doch dergestalt der ex-ddr ähnlicher als solche ruck-zuck anästhetisierten, sterilisierten und nach verschiedenen bedürfnissen operierten mobilien wie ostreclam, wiederaufbau oder volkundwelt usw. und »MachtSpiele« wird in der komplexität des entstehens plötzlich ein beispiel für etwas, das vom spektakel des textes und den reflexionen nachhackender profis, nichtsdestoweniger, pragmatikern ihres marktes, immer ausgeschlossen bleibt, mir aber, aus purem eigennutz, wesentlich sein muß: es kann sich ja nicht darum drehen, klaus michael, seine ihn wahrscheinlich selbst überraschende zerfetztheit vorzuwerfen, sondern auf mich zu kommen, da ich gleichzeitig einem öffentlichen sinn begegne, und auch dieser ist am ende nur ein text, in dem ich mich einerseits wiederfinde und andererseits nicht erkenne.

es ist eigenartig (und in dieser art eine das erinnern grausam blockierende wiederholung), während im ruhigen raum der selbstzweifel eine sprache gewinnt, erschließt der herrschende text nur den fatalen zeitraum unter druck gesetzter, demonstrativ ausgelöschter identität; denn er verschweigt den versuch zu trennen, die eigene destruktion und angst vom konstruktiven impetus, der die andauernd lähmende erfahrung nicht überträgt und verallgemeinert, nicht gleich was draus macht, höchstens ein, dem mir nicht vermittelbaren schmerz sich widersetzendes tun. das ist aus meiner perspektive nicht simplifizierbar. aber man kann sich ja trennen, kann offensichtlich kundtun, daß ja alles ganz einfach sei, kann sich (hier eher als im wirklichen) verabschieden, ohne je gutentag gesagt zu haben.

eine einfache methode: man lehnt das komplizierte ab, den grundsätzlichen zusammenhang, und installiert die verwicklung. dann haut man kräftig drauf (aufwiedersehen, wie gesagt) mit dem hackebeilchen etwas spaltend, das nie eins war. wenn das nichts mit zynismus zu tun hat, und nur mittelbar mit staatssicherheit, und vor allem damit, was ein konzept effektiv überträgt, wie es sich übersetzt, auge um auge. wie macht man denn heute effekt? indem man sein leid von dem anderer scheidet. ausschließend, einschließend, abschließend. das kenne ich, das rasier ich. das bin ich gewohnt, das macht mich durchschaubar, so sehr, daß die, nicht anonyme, doch durch präsenz ihrer phantasielosen endlosschleife, ewiggleiche drohung, nicht mich, sondern die zusammenhänge zu vernichten, zur selbstzerstörung führt. pumpe.

es geht selbstverständlich auch unspektakulärer, ehrlich hilfloser, auf sich im zusammenhang selbst bezogener. Verarge doch dem Freunde nicht, wenn du ahndest, daß er dir etwas verbirgt; denn dies ist ja nur der Beweis einer zärteren Liebe, einer Scheu, die sich ängstlich um dich bewirbt und an dich schmiegt. das nun ist keinesfalls zynismus. das ist die tieck'sche verzweiflung, im schatten des klinischen goethe-schiller-bildes. während das eine zur romantischen erfindung herabgesetzt wird, verkommt das andere zu populärem selbstbetrug selbstvergessener. und da der entscheidende teil meines lebens notwehr war, sollte es jetzt nicht wundern, daß ich noch funktioniere.

was den hörigen und mündigen bürger nicht davor schützt, daß der spiegel fortsetzt, was die staatssicherheit begonnen hat: einen text (jetzt, gut honoriert herstellen zu lassen, abzuzocken, aus einem pool zu puzzeln, nach seinem bilde) in dem ich mich erkenne, aber nicht wiederfinde. insofern,

dein S.

Dezember 1992

200

III

AKTENDÄMMERUNG

C. M. P. Schleime: aus der Serie »Averdatsche«, farbige Tusche auf
Leinwand, 1992

KLAUS MICHAEL

Eine verschollene Anthologie
Zentralkomitee, Staatssicherheit
und die Geschichte eines Buches

Das Verbot der »Akademie-Anthologie« Ende 1981 ist ein
Symbol für das Scheitern all jener Versuche, die sich nach
der Biermann-Affäre um eine Vermittlung zwischen den
verhärteten kulturellen Fronten bemüht haben. Aus heuti-
ger Sicht kann das Ende der Anthologie als Beginn für den
Ausschluß und die Kriminalisierung der jüngeren Autorengeneration gelten. Das Buch war für alle Beteiligten ein
Testfall. Die Ergebnisse waren unterschiedlich.

Im Laufe des Jahres 1981 wurde die Staatssicherheit auf
eine Anthologie aufmerksam, die von Franz Fühmann im
Namen der Akademie der Künste (AdK) in Auftrag gegeben und im September 1981 deren Präsidenten, Konrad
Wolf, und dem damaligen Leiter der Sektion Dichtkunst
und Sprachpflege, Günther Rücker, übergeben worden
war. Anstoß dieser Sammlung hatte ein im Sommer 1980
geführtes Gespräch zwischen Konrad Wolf und Franz Fühmann gegeben, bei dem Fühmann die restriktive Ver-
öffentlichungspraxis bedauerte. Von dieser Praxis wären
vor allem jüngere Autoren betroffen, die kaum eine
Chance zur Veröffentlichung hätten. Da Konrad Wolf keinen der Namen kannte, machte er Fühmann den Vorschlag, diesen Autorenkreis in einem Arbeitsheft der Akademie der Künste vorzustellen. Fühmann war im Laufe der
Jahre zu einer der wichtigsten Anlaufstellen für Veröffentlichungen geworden. Es war bekannt, daß sich Fühmann
als Redaktionsmitglied der Zeitschrift »Sinn und Form« für
die Arbeiten junger Autoren einsetzte. So kamen Textver-
öffentlichungen von Uwe Kolbe, Frank-Wolf Matthies
oder von Wolfgang Hilbig durch seine Empfehlung zustande. Fühmann beauftragte Uwe Kolbe und Sascha Anderson mit der Textsammlung. Jeder der beiden Autoren ver-

trat einen anderen literarischen Kreis. Uwe Kolbe war durch den Gedichtband »hineingeboren« (1980) bekannt geworden und gab Anfang der achtziger Jahre die selbstverlegten Zeitschriften »Der Kaiser ist nackt« und »Mikado« heraus. Anderson hatte sich in Dresden mit Künstlerbüchern und der Editionsreihe »Poe-sie-all-bum« einen Namen gemacht.

Es ging den Herausgebern, wie Fühmann am 22. Dezember 1981 an Konrad Wolf schrieb, zunächst nur darum, »einen überblick über die tatsächlich vorhandenen kräfte der generation von etwa 1958 bis 1940« zu geben. Auswahlkriterien waren literarische Qualität, der Umstand, daß die Autoren bisher nicht veröffentlichen konnten, und die Akzeptanz der Arbeiten in der eigenen Generation. Die Altersgrenze wurde mit vierzig Jahren bei Wolfgang Hilbig angesetzt. Aufnahme fanden Arbeiten von Sascha Anderson, Jochen Berg, Peter Brasch, Stefan Döring, Dieter Eue, Thomas Günther, Eberhard Häfner, Wolfgang Hegewald, Wolfgang Hilbig, Uwe Kolbe, Katja Lange, Leonhard Lorek, Monika Maron, Sabine Matthes, Uta Mauersberger, Christa Moog, Gert Neumann, Detlef Opitz, Bert Papenfuß, Lutz Rathenow, Andreas Röhler, Michael Rom, Rüdiger Rosenthal, Dieter Schulze, Sabine Strohschneider, Bernhard Theilmann, Lothar Trolle, Bettina Wegner, Erhard Weinholz und Michael Wüstefeld – Autoren, die völlig verschiedene literarische Konzepte verfolgten und sich untereinander auch nicht kannten. Die Auswahl war Sache der Herausgeber. Sie sollten, so Fühmann an Konrad Wolf, »selbständig entscheiden, wen sie von ihren generationsgefährten für wesentlich hielten«. Fühmann war sich über die literarische Qualität der Beiträge keineswegs sicher. Seine Poesie-Auffassung war eher traditionell, er gestand aber den Texten zu, daß sie bei allem experimentellen Charakter etwas enthalten konnten, »das mir entging und vielleicht für die angehörigen der generation der verfasser von wichtigkeit war. man trifft in der literaturgeschichte immer wieder auf generationsbedingte fehleinschätzungen; ich fühlte mich also nicht kompetent ...« Das Manuskript wurde im Sommer 1981 bei Elke Erb auf dem Grundstück in Wuischke fertiggestellt und der AdK übergeben.

Am 15. September 1981 wurden Fühmann, Kolbe und Anderson zu Günther Rücker, dem damaligen Leiter der Sektion Dichtkunst und Sprachpflege, gerufen. Rücker machte mit wenigen Worten deutlich, daß die Arbeit an der Anthologie beendet wäre und daß es für die Sammlung nie ein Mandat der AdK gegeben habe. Würde die Arbeit nicht eingestellt, kämen die Autoren der Sammlung in den Verdacht einer feindlich-negativen Gruppenbildung.

Damit schien das Schicksal der Anthologie besiegelt und die Linie für das weitere Vorgehen gegenüber den beteiligten Autoren abgesteckt zu sein. Da man sich offenbar davor scheute, Fühmann in aller Öffentlichkeit zu brüskieren, versuchte man zunächst, Druck auf die weniger bekannten Autoren auszuüben. Katja Lange, damals Studentin am Literaturinstitut Johannes R. Becher in Leipzig, wurde in einem dreistündigen Gespräch mit Max Walter Schulz, dem damaligen Leiter des Institutes, gedrängt, ihre Teilnahme aufzukündigen. Michael Wüstefeld, damals Ingenieur in Dresden, drohte man sogar mit Arbeitsplatzverlust. Die »Aussprache zum Anthologie-Manuskript führte bei Kolbe nicht zur Einsicht«, heißt es in einer zusammenfassenden Information der Stasi über das Gespräch bei Günther Rücker. Gegen Uwe Kolbe wurde daraufhin am 25. 9. 1981 die Operative Personenkontrolle »Poet« eingeleitet, später ein Operativer Vorgang. Und weiter heißt es in der Stasi-Information: »Die von Kolbe und Anderson zusammengestellten Arbeiten der sogenannten Nachwuchsautoren werden in einer vorliegenden Einschätzung bis auf wenige Ausnahmen als von einer aggressiven, konterrevolutionären Position gegenüber dem realen Sozialismus und seinen Organen geprägt charakterisiert.«

Gewarnt von den überraschenden Erfahrungen mit Schriftstellern und Künstlern während der Biermann-Affäre, schreckten die verantwortlichen Stellen auf. Man sah sich mit einer Entwicklung konfrontiert, die mit den vorhandenen Mitteln kaum kontrollierbar schien. Die Anthologie offenbarte ein dreifaches Dilemma. Die Autoren waren nicht organisiert und den Verlagen und Kulturbehörden zumeist unbekannt, verfügten aber zum großen Teil bereits im Westen über Veröffentlichungsmöglichkeiten und wurden drittens durch eine Reihe »gestandener« Autoren wie Franz Fühmann, Volker Braun, Richard Pietraß, Elke Erb, Rainer Kirsch, Gerhard Wolf und andere unterstützt und gefördert. Da der Autorenkreis im Umfeld der Akademie-Anthologie in keine der offiziellen Strukturen eingebunden war – weder im Schriftstellerverband noch in den Zirkeln Schreibender Arbeiter und auch nicht in der FDJ-Poetenbewegung –, schien die Staatssicherheit als einzige staatliche Instanz in der Lage, sich einen Überblick über diese neue Literaturentwicklung zu beschaffen. Das und die Angst vor einer erneuten Überraschung erklären, warum dieser Autorenkreis von Anfang an als Sicherheitsproblem eingestuft und als »Politische Untergrundtätigkeit« (PUT) gewertet wurde.

Am 6. Oktober 1981 übermittelte die Hauptabteilung II/3 »Informationen zu dem Schriftsteller Franz Fühmann sowie ein[en] Auszug aus dem IM-Bericht ›Anne‹ mit der Bitte um Kenntnisnahme und op. Auswertung« an die Berliner Bezirksverwaltung der Stasi. Darin heißt es: »Der Schriftsteller Franz Fühmann hat aus eigener Initiative über die jungen Lyriker Sascha Anderson, wh.: Dresden (mehrfach vorbestraft, asozial) und Uwe Kolbe, wh.: Berlin (politisch indifferent einzuschätzen) eine Anthologie über nicht veröffentlichte Schriften und Buchmanuskripte von jungen DDR-Autoren erarbeitet. Fühmann hat engen Kontakt zu den o. g. und beabsichtigt, diese sowohl ideell als auch finanziell zu unterstützen. Er will aus ihnen Lyriker machen und hat die ihnen übertragenen Aufgaben finanziell abgesichert. [...] Die Absichten Fühmanns sind, staatliche Stellen auf die ›Ungerechtigkeit‹ des Ministeriums für Kultur und des Schriftstellerverbandes hinzuweisen, daß schriftstellerische ›Talente‹ keine Entfaltungsmöglichkeiten in der DDR haben. Es kann damit gerechnet werden, daß diese Anthologie als Druckmittel verwendet werden soll, um bestimmte Bücher dieser Autoren in der BRD veröffentlichen zu lassen, falls eine Veröffentlichung in der DDR versagt wird. Quellenschutz ist erforderlich.«

Drohte das außenpolitische Ansehen der DDR auf dem Spiel zu stehen, reagierte man umgehend und mit allen administrativen Mitteln. Öffentliches Aufsehen galt es unter allen Umständen zu vermeiden, schließlich waren die Biermann-Ausweisung, die Ausschlüsse aus dem Schriftstellerverband und der Massenexodus von Autoren Ende der Siebziger noch nicht vergessen. Das Ministerium für Staatssicherheit, das Kulturministerium und die Abteilung Kultur beim ZK der SED wurden aktiv. Auch die Stasi konnte sich eine zweite Panne wie die außer Kontrolle geratene Biermann-Affäre nicht leisten. Hellhörig geworden, wird IMB »David Menzer«, so der bis 1982 gültige Deckname von Sascha Anderson, am 28. Oktober 1981 zur Veröffentlichungsarbeit der jüngeren Autorengeneration befragt. Er gibt zu Protokoll: »Ich habe zur Verfügung gestellt maschinengeschriebene und als Typoskripte ausgezeichnete zeitschriftenartige Blätter von Uwe Kolbe, die er monatlich herausgibt. Darin sind vertreten jüngere Literaten der DDR, wie Katja Lange, Wolfgang Hegewald, Richard Pietraß [...] Uta Mauersberger und andere, die noch kommen werden, unter dem Titel ›Der Kaiser ist nackt‹ [...]. Ich weiß von Bert Papenfuß, daß er seinen 4. Gedichtband, den er geschrieben hat, in einer 20er Auflage herstellt. [...] Und ich weiß von Plänen, die andere haben, wie Leonhard Lorek, ebenfalls solche Editionen zu machen. Welchen Umfang das haben wird und wie die Wirkung der Literatur in dieser Form sein wird, kann ich z. Z. mit Sicherheit nicht sagen. Ich glaube aber, daß keiner der editierenden Literaten beabsichtigt, eine Literaturdiskussion zu führen, sondern gesellschaftliche Wirkung zu erreichen.«

In der Abteilung Kultur des ZK sieht man sich unter Handlungsdruck. Am 4. November wird das Thema in den Monatsbericht aufgenommen, der sich ausführlich mit »Fragen des künstlerischen Nachwuchses« beschäftigt. Dort gestaltet sich das Problem, wie eine Reihe von Dokumenten aus dem Zentralen Parteiarchiv zeigen, auf folgende Weise: »Viele, die sich für Schriftsteller halten und zum Teil sogar freiberuflich tätig sind, haben keinerlei Kontakt zum Verband und in einigen Fällen auch nicht zu DDR-Verlagen. Damit sind die Einflußmöglichkeiten auf diese jungen Leute von vornherein begrenzt und sie werden meist von anderen Kräften, die nicht auf dem Boden unserer Politik und Weltanschauung stehen, beeinflußt.«

Bislang konnte ein Autor nur freischaffend werden, wenn er Kandidat oder Mitglied des Verbandes war – dazu mußte er aber eigenständige Publikationen vorweisen – oder wenn eine Steuernummer erteilt wurde, eine Entscheidung, die ebenfalls von Veröffentlichungen abhing. In beiden Fällen gab es genug Steuerungsmöglichkeiten der Kulturbehörden. Autoren aber, die für ein oder zwei Tage in der Woche ›jobben‹ gingen oder die Honorare ihrer West-Publikationen in DDR-Mark umsetzten, entzogen sich diesem Kontrollsystem. Hier zeigten sich Lücken, die geschlossen werden mußten. (Dazu auch der Beitrag von P. Boden.)

Schon eine Woche später fand am 11. November 1981 eine Sitzung des Sekretariats des ZK statt. Anwesend war die komplette Führungsriege: Honecker, Axen, Dohlus, Felfe, Hager, Herrmann, Jarowinsky, Lange, Mittag, Verner, Naumann. Zwei Tagungspunkte befaßten sich direkt mit den Problemen der Akademie-Anthologie. Punkt 13 legte eine »Konzeption zur Arbeit mit jungen Schreibenden und anderen am Schreiben interessierten Bürgern« fest, in deren Folge in allen Bezirken sogenannte »Literaturzentren« gegründet wurden. Und Punkt 14, der im Beisein von Joachim Hoffmann, Minister für Kultur, und Ursula Ragwitz, Leiterin der Abteilung Kultur beim ZK der SED, verhandelt wurde, beschäftigte sich »mit Autoren, die ein Arbeitsheft der Akademie der Künste (als eine Art Anthologie) herstellen wollen«. Wie nicht anders zu erwarten, wurde auch auf höchster Ebene das endgültige Aus der Anthologie verfügt. An der AdK sollten auch keine Veranstaltungen mit den beteiligten Autoren stattfinden. Darüber hinaus wurde Konrad Wolf beauftragt, Fühmann »bewußt zu machen, daß er mit seiner Haltung und seinen Aktivitäten an Grenzen stößt, die mit seiner Verantwortung als Akademiemitglied nicht im Einklang stehen«. (Reinschriftenprotokoll vom 11. November 1981)

Ein Differenzierungsplan legte die Grundlinien für den künftigen Umgang mit den beteiligten Autoren fest. Beschlossen wird eine Zuordnung nach drei Kategorien: Wer in »positivem Sinne für den Sozialismus nutzbar gemacht werden kann«, sollte als Kandidat des Schriftstellerverbandes gewonnen werden. Wer sich aber als freischaffender Autor gegen den Staat betätigt, wird einer geregelten Arbeit zugeführt. Und diejenigen, »die sich asozial und staatsfeindlich verhalten, müssen entsprechend den Gesetzen behandelt werden«.

Grundlage dieses Beschlusses bildet eine kurze Inhaltsanalyse der Anthologie, die die bisherigen Ablehnungen bestätigt. Sie kommt zu dem Schluß, daß die Autoren »im wesentlichen außerhalb der durch die Kulturpolitik unserer Partei formulierten Erwartungen und Anforderungen an Literatur stehen«. Und über Franz Fühmann heißt es abschließend: »Es ist eine große Schuld des Schriftstellers Franz Fühmann, daß er diese jungen Autoren in Auffassungen bekräftigt hat, die für ihre Entwicklung schädlich sind. Sie erhalten keinen Rat, der sie zu konstruktivem Verhalten befähigt, formale Gesichtspunkte führen zu einer Überbewertung ihres Talents. Das führte bei einigen von ihnen zu einer Verfestigung ihrer negativen Haltung.«

Man fragt sich heute, was die Regierung eines Landes bewogen haben mochte, mit solch personellem Aufwand über das Verbot von Literatur zu entscheiden. Wahrscheinlich gab es verschiedene Gründe: die generelle Überbewertung von Literatur, die Furcht vor erneutem außenpolitischen Schaden oder der Siegeszug von Solidarność im Nachbarland, der das Ende des Sozialismus an die Wand malte. Wie auch immer, ein Gedanke stand stets im Vordergrund: Die Anthologie unterlief das Prinzip der staatlichen Allmacht und die kulturpolitische Hoheit des Staates.

Sie hatte den Institutionen des Staates das Gesetz des Handelns aus der Hand genommen. Bereits neun Tage später wurde begonnen, den ZK-Beschluß in die Tat umzusetzen. In einem Schreiben an die Berliner Bezirksleitung der SED wird die Gründung eines Literaturzentrums angekündigt. Hier sollen »nicht hauptberuflich als Schriftsteller tätige Schreibende die Möglichkeit« erhalten, »ihre literarischen Versuche zur Diskussion zu stellen«. Hauptinhalte der Zusammenkünfte »junger Scheibender und am Schreiben Interessierter« seien die Diskussion über die »literarischen Versuche« und »damit verbundene weltanschauliche, ästhetische und literarische Probleme. [...] Bei der Zusammensetzung dieser Gruppe ist ständig darauf zu achten, daß junge, kämpferische, progressive Kräfte die Atmosphäre bestimmen. Darin eingebettet ist verantwortungsbewußt die ideologische und fachliche Arbeit auch mit jenen Schreibenden und am Schreiben interessierten Bürgern zu organisieren, die noch keine festen sozialistischen Positionen erlangt haben, mit dem Ziel, sie politisch und ideologisch weiter zu bilden und parteiliche Standpunkte zu bewirken.«

Doch die Bestrebungen zur Einbindung der jüngeren Autorengeneration gehen nicht auf. Was an Vorhaben durchgesickert ist, stößt auf Ablehnung, wie ein IM-Bericht schon am 14. Dezember 1981 zu vermelden weiß. »Dazu wird gesagt, nicht nur von den jungen Autoren selbst, sondern auch von Autoren aus dem Schriftstellerverband etc., daß die zentralen Häuser für Kulturarbeit weder politisch, inhaltlich noch künstlerisch zur Anleitung solcher Leute in der Lage sind. Das hat sich bereits erwiesen. [...] Die Gründung von Klubs junger Poeten, die eine Zwischenstation zwischen den Poetenseminaren bilden sollen, wird allgemein belächelt, da die Leute, die nach Schwerin zum Poetenseminar gehen bzw. aus der Schweriner Szene dann kommen, ohnehin wegen ihrer naiv politischen Haltung und ihres teilweisen literarischen Unvermögens belächelt werden. [...] Allgemein bekannt ist ja nach wie vor die Rolle von Franz FÜHMANN u. ä. Autoren, die aber wegen der hohen künstlerischen Qualität ihrer Werke geachtet werden und deshalb weit eher als Förderer junger Literatur für die jungen Schreibenden in Frage kommen als irgendwelche Politkader aus anderen Institutionen oder Kulturhäusern.« In einer wenige Tage später beigefügten handschriftlichen Anmerkung kommt der Führungsoffizier allerdings zu dem Ergebnis, daß der Bericht gerade »die Notwendigkeit der konsequenten Durchsetzung des Sekretariatsbeschlusses des ZK« zeige.

Am 17. Dezember 1981 geht eine von Generalleutnant Mittig unterzeichnete Vertrauliche Verschlußsache an die einzelnen Bezirksverwaltungen der Staatssicherheit. Sie informiert über die Gründung von Literaturzentren und gibt Erläuterungen, wie man künftig mit dem Status des freischaffenden Schriftstellers zu verfahren habe. Der Wortlaut des Textes ist in seinen wesentlichen Teilen identisch mit den Beschlüssen auf der ZK- und der SED-Bezirksleitungsebene und gibt einen guten Einblick in die direkte Zusammenarbeit von Partei und Staatssicherheit. Auch hier wird auf die von Fühmann initiierte Akademie-Anthologie Bezug genommen: »Seit geraumer Zeit entwickelt der Schriftsteller Franz FÜHMANN im Rahmen seiner Bestrebungen zur Förderung sogenannter talentierter Nachwuchsautoren (größtenteils Personen, die eine verfestigte feindlich-negative Einstellung zur sozialistischen Staats- und Gesellschaftsordnung besitzen und teilweise politisch negativ in Erscheinung getreten sind) neue Aktivitäten, um sie literarisch aufzuwerten ...« So beabsichtige Fühmann »unter Ausnutzung« seiner Mitgliedschaft in der Akademie der Künste der DDR, diesem Autorenkreis »zu einer gewissen Popularität zu verhelfen«. Wie aus dem Dokument weiter hervorgeht, schien man sich an höchster Stelle bereits damit abgefunden zu haben, daß die Autoren der Anthologie für die DDR verloren waren: »Wie die vorliegenden Texte erkennen lassen, stehen fast alle Autoren in ihren politischen, weltanschaulichen und poetologischen Positionen sowie den erkennbaren Darstellungsabsichten im wesentlichen außerhalb der durch die Kulturpolitik unserer Partei formulierten Erwartungen und Anforderungen an Literatur.«

Franz Fühmann, der die Verschlechterung des Klimas spürte, konnte auch nach dem verordneten Gespräch mit Konrad Wolf noch nicht an das Ende seiner Bemühungen glauben. Er beschloß, sich noch einmal persönlich an Konrad Wolf und an den Kulturminister zu wenden. Vorausgegangen war ein Protestbrief der betroffenen Autoren. Von Fühmann über den negativen Ausgang des Gespräches mit Konrad Wolf informiert, hatte Uwe Kolbe die Beteiligten am 20. Dezember zu einem Treffen in die Wohnung von Peter Brasch eingeladen. Laut Bericht von »David Menzer« nahmen daran u. a. Elke Erb, Thomas Günter, Uwe Kolbe, Wolfgang Hegewald und Wolfgang Hilbig teil. Man kam überein, dem Kulturminister weitgehend entgegenzukommen. Den Autoren ginge es nicht um eine Veröffentlichung der Anthologie, so heißt es in dem Brief, sondern um die Schaffung eines internen Studienmaterials, das die Grundlage für Gespräche mit der Akademie der Künste und den Kulturinstitutionen lege. Die Anthologie sei nicht als Ultimatum, sondern als Gesprächsangebot gedacht. Von einer Verbreitung in den Westmedien sehe man auch dann noch ab, wenn der Brief unbeantwortet bleiben sollte. Der Brief wurde von 17 Autoren unterschrieben und u. a. von Peter Brasch, Uwe Kolbe und Anderson im Ministerium für Kultur abgegeben.

Offensichtlich hatte Konrad Wolf in dem Gespräch mit Fühmann zwei grundlegende Vorwürfe erhoben. Fühmann nimmt den Autorenbrief zum Anlaß, um seinerseits ein erklärendes »Vorwort« zu verfassen. Er wehrt sich gegen die Vorhaltung der mangelnden Obhutspflicht, vor allem aber gegen den Verdacht der feindlichen Gruppenbildung, der damals durchaus strafrechtlich relevanten Charakter hatte. »diese dichter bilden keine gruppe«, schreibt er am 22. Dezember 1981 an Konrad Wolf, »die problematik ihrer arbeiten wächst aus der unseres lebens, das quälende und beunruhigende ihrer fragen stammt von dort, aus der realität, nicht aus irgendeinem bösen willen, und es

ist, dies quälende nicht durch literaturpolitische restriktio-
nen aus der welt zu schaffen ... die gemeinsamkeit der in
der anthologie vertretenen ist also ihre existenz in der ddr,
ihre erfahrung, ihre begabung und ihre mangelnde gelegenheit zur publikation. und aus diesen gründen dann ihr
zusammengeführtsein in dieser anthologie. in deren
rahmen allerdings fühlen sie sich zusammengehörend ...«
In einem weiteren Brief an den Kulturminister vom 29.
Dezember 1981 schreibt Fühmann: »Ich hatte die Absicht
gehabt, mir zu meinem 60. Geburtstag, bei der Gratula-
tionscour, ein Geburtstagsgeschenk besonderer Art zu er-
bitten, nämlich im nächsten Jahr eine ›Stunde der Akademie‹, in der ich Gelegenheit nehmen könne, über Probleme
junger Autoren zu sprechen (junger Autoren jener Art, wie
sie in der Anthologie vertreten sind) und einige von ihnen
vorzustellen.« Um Mißverständnisse und Verhärtungen zu
vermeiden, heißt es weiter, »habe ich mich entschlossen,
von dieser Bitte abzustehen«.

Unterdessen wurde das Kriegsrecht über Polen verhängt.
Auch die Truppen der NVA sind in höchste Gefechtsbereit-
schaft versetzt und an der Grenze zusammengezogen worden. Die Schwerpunkte der Stasi-Berichte ändern sich. Obwohl die Stimmungsberichte zum Kriegsrecht die IM-
Berichte zur Literatur verdrängen, kam »David Menzer«
am 13. Januar 1982 noch einmal auf die Anthologie zu
sprechen und schlug eine kleine, interne Lösung vor. »Die
günstigste Konstellation wäre es, wenn die Verantwortlichen und Herausgeber der Anthologie zu einem Gespräch
bei dem Kulturminister eingeladen werden, das wären
Franz Fühmann, Uwe Kolbe und Sascha Anderson.« Daß
sich Anderson an dieser Stelle in die Dritte Person setzt, ist
normales konspiratives Handwerkszeug. Bei diesem Gespräch, führt der Bericht weiter aus, »könnte vor allem
geklärt werden, wie es weitergeht mit der Kulturpolitik im
Verhältnis mit der jungen Literatur. Dann würde das
gleichzeitig bedeuten, daß es keine Großveranstaltung
wird mit allen Literaten, die hier nichts zu sagen haben ...«
Das Gespräch mit dem Minister kommt auch nach dem

Brief Fühmanns nicht zustande. Fühmann wird vom Staatssekretär für Kultur, Löffler, lediglich bedeutet, daß sich an der grundsätzlichen Ablehnung und an der Haltung des Ministeriums gegenüber der Anthologie nichts ändere.

Der Streit um die Akademie-Anthologie ging aber weiter. Einen letzten, schon verzweifelten Versuch zur Rettung des Projektes unternahm Uwe Kolbe zur offiziellen Feier des 60. Geburtstages von Fühmann am 15. Januar 1982. Noch einmal persönlich auf die Anthologie angesprochen, hatte er Konrad Wolf das Versprechen abgerungen, sich doch noch um die Angelegenheit zu kümmern. Kurz darauf starb Konrad Wolf. Die Akademie-Anthologie blieb unveröffentlicht. Ein Teil des Autorenstammes bildete den Grundstock für die spätere, von Elke Erb und Sascha Anderson herausgegebene Sammlung »Berührung ist nur eine Randerscheinung«, die 1985 bei Kiepenheuer & Witsch in Köln erschien.

Für IMB »David Menzer« ging es schon wenige Tage danach weiter. Er erhält den Auftrag, einen detaillierten Bericht über die Autoren aus dem Umfeld der Anthologie zu verfassen. Anlaß ist offensichtlich ein im »Stern« veröffentlichter Beitrag über die Situation von Schriftstellern in der DDR und das Ende der Akademie-Anthologie vom 14. Januar 1982. Von der Stasi vorgegebene Fragen sind: Kontakte zu westlichen Verlagen; Einschätzung darüber, wer von den Autoren gewillt ist, politisch positiv zu wirken und wer nicht; Gruppierungen und Differenzen in der Literaturszene; Veranstaltungen, Lesungen und Editionsprojekte und schließlich: Auskünfte über Verbindungen zur Ständigen Vertretung der Bundesrepublik in Ostberlin. Die Vorgaben decken sich hierbei in bezeichnender Weise mit den vom ZK beschlossenen Differenzierungsstrategien.

»David Menzer« nutzt den Auftrag, um am 15. Februar 1982 ein 43seitiges Strategiepapier zur Einbindung der jüngeren Literatur in die Kulturpolitik der DDR zu übergeben. Darin macht er Vorschläge, wer für den Schriftstellerverband zu gewinnen ist, wer nicht. Und er gibt Hinweise über Gruppierungen und geplante Veranstaltungen, über illegale Druck- und Vervielfältigungstätigkeiten und über die geplanten und laufenden Zeitschriften- und Editionsprojekte. Es kommen aber auch Hinweise, wo man im einzelnen nachforschen müßte, »ob sich was verhindern läßt«.

Aber nicht nur Zeitschriften wurden weitergegeben, auch Manuskripte von Autoren, die weit über den Kreis der Akademie-Anthologie hinausgehen. In einem Schreiben vom Leiter der Abteilung XX der Bezirksverwaltung Dresden an die Bezirksverwaltung Berlin vom 25. März 1982 werden 17 Autoren genannt, von denen Anderson Manuskripte erhalten und seinem Führungsoffizier ausgehändigt hatte: »Die Originale wurden durch die benannten Personen pesönlich an unseren IMB ›David Menzer‹ übergeben. Eine offizielle Verwendung ist deshalb nicht möglich.«

Vielleicht dachte Anderson wie manch anderer Inoffizieller Mitarbeiter, Teil des Machtapparates geworden zu sein und damit über Einfluß zu verfügen. Passagen seiner frühen Berichte bestätigen diese Vermutung. Anderson war zwar von der absoluten Besonderheit und der künstlerischen Eigenständigkeit seiner Generation überzeugt. Nach dem Debakel der Biermann-Affäre und dem massenhaften Exodus namhafter DDR-Autoren hielt er aber die Zeit für gekommen, seine Autorengeneration als Block in die Literaturlandschaft der DDR einzuführen. Aus diesem Grunde hielt er wahrscheinlich auch die verschiedenen selbstverlegten Zeitschriftenprojekte in Dresden, Karl-Marx-Stadt und Berlin für falsch, da diese einer Einbindung im Wege stehen und die Kluft zwischen offizieller und nichtoffizieller Literatur vergrößern würden. Dialog, nicht Konfrontation mit der Macht war sein Prinzip. Im Schlußwort des Strategiepapiers kommt »David Menzer« zu konkreten Vorschlägen:

Um »die dazu gehörende und notwendige kulturpolitik zu beeinflussen, bitte ich nicht nur meine informationen ernst zu nehmen, sondern auch die damit zusammenhängenden schlussfolgerungen. [...] für das nützlichste und nötige halte ich, wenn ein grossteil der hier beschriebenen autoren in den verband (und nicht in einen zu schaffenden ersatz oder wurmfortsatz, sondern als aktive gleichberechtigte mitglieder) aufgenommen werden, wenn sie gedruckt werden [...] ausserdem glaube ich, würden aktivitäten, die bisher stattfinden und die nur mit viel aufwand in gesetzlichen gleisen unter beobachtung gehalten werden müssen, kanalisiert und nutzbar gemacht werden können.«

Die Akademie-Anthologie war für alle Beteiligten ein Testfall. Für Franz Fühmann war es die schmerzliche Erfahrung, daß er wieder einmal von jenen enttäuscht und hingehalten wurde, an die er sich persönlich gewandt und auf die er einmal mehr alle seine Hoffnungen gesetzt hatte. Uwe Kolbe sollte, wie sich jetzt herausstellt, für einige Zeit von der Bildfläche verschwinden. Im »Rahmen der festgelegten Differenzierungsmaßnahmen« gab es Überlegungen, »Uwe KOLBE im Rahmen einer FDJ-Freundschaftsbrigade für ca. ein Jahr in die VDR Jemen zu delegieren«, wie eine Information der Hauptabteilung XX/7 vom 24. März 1982 zu berichten weiß. Das ZK mußte feststellen, daß inzwischen eine literarische Generation angetreten war, die sich nicht mehr so ohne weiteres disziplinieren ließ. Und Sascha Anderson mußte erkennen, daß er weder als Autor noch als Reformator, sondern als inoffizieller Arm der offiziellen Kulturpolitik akzeptiert wurde. Nur die Stasi hatte dank »David Menzer« einen umfassenderen Überblick über das, was ihr bislang entgangen war. Für einige Jahre landete ein Teil der Anthologie-Autoren auf den schwarzen Listen der Verlage. Fast die Hälfte der beteiligten Autoren reiste aus, 1986 auch Sascha Anderson, der sehr schnell zur Symbolfigur des Prenzlauer Bergs avancierte. Schon bald soll eine Sicherheitsüberprüfung klären, ob die Stasi auf IMB »Peters«, wie Anderson ab 1986 in Westberlin geführt wird, noch zählen kann. Darauf deutet eine Notiz im Jahres-Arbeitsplan der HA XX für 1987. Heute muß seine Übersiedlung im Zusammenhang mit der vielfachen Ausreise der jüngeren Maler und Autoren Mitte der Achtziger gesehen werden. Ganz offensichtlich wollte die Stasi auch im Westen über die Aktivitäten ehemaliger DDR-Künstler Bescheid wissen. Fest steht, daß Anderson schon früh Zugang zu den von der Stasi genutzten Diplomaten-Kanälen zwischen Ost und West hatte und noch im Mai 1986, kurz vor seiner Übersiedlung, vorschlägt, auch Rainer Schedlinski in dieses inoffizielle Kuriersystem einzubeziehen.

Doch zurück in das Jahr 1981. Franz Fühmann ahnte sicherlich vieles, ohne daß er zu sagen wußte, woher die Gefahr eigentlich kam. Von der Stasi wurde auch er schon seit längerem in dem Operativen Vorgang »Filou« bearbeitet. »David Menzer« wurde im Fall Fühmann nicht als Zuträger benötigt; hier tauchen eher Kollegen auf, IM »Anne« oder IMV »Günter«. Obwohl Fühmann die Texte Andersons nicht immer lagen, hielt er ihn für wichtig. Und »David Menzer« überlegt weiter: »die bezirksverbände von dresden, erfurt und vielleicht auch leipzig und halle [...] müssten direktiven vom zentralverband erhalten [...]. die hauptlast träfe sicher den berliner verband. ich halte es aber für so dringend, dass ich meine, der berliner verband müsste diese last tragen. vielleicht könnte man auch noch einiges bewirken (was jedoch ein langwieriger prozess wäre), ein paar junge lyriker zu dezentralisieren.

ich hoffe auf eine weitere und konstruktive zusammenarbeit.«

Oktober 1992

PETRA BODEN

Strukturen der Lenkung von Literatur
Das Gesetz zum Schutz der Berufsbezeichnung Schriftsteller

Zwischen November 1979 und November 1981 bereiteten
die Abteilung Kultur beim ZK und das Sekretariat der SED
ein Gesetz zum Status des »freischaffenden Schriftstellers«
vor. Das Gesetz sollte regeln, wer sich Schriftsteller nennen
dürfe und wer nicht. Einiges zur Vorgeschichte:

Eine »Information über einige Probleme des lyrischen
Schaffens«, im Juli 1973 am Lehrstuhl für Kultur- und
Kunstwissenschaften der Akademie für Gesellschaftswissenschaften beim ZK der SED für das Büro Hager angefertigt und mit dem Hinweis »Streng vertraulich« versehen,
wird am 8. 12. 1976 durch Ursula Ragwitz (Abteilung Kultur beim ZK der SED) angefordert, um, das ist offensichtlich, sich nach der eben erfolgten Ausbürgerung Biermanns erneut mit dem Problem »junge Lyrik« zu beschäftigen. Diese »Expertise« von Hans Koch kommt zu folgendem Schluß:

»In einer Reihe von Gedichten aus der Feder Adolf End-
lers, Elke Erbs, Peter Gosses, Rainer Kirschs, Karl Mickels,
Klaus B. Tragelehns u. a.« – heißt es über Texte, die für ein
Lyrik-Seminar des Schriftstellerverbandes eingereicht worden waren, »werden negative, mit dem sozialistischen
Realismus unvereinbare Tendenzen, wie sie schon während der 60er Jahre scharf kritisiert werden mußten, fort-
gesetzt – z. T. sogar in politisch verschärfter Weise. [...]
Eine Reihe von Gedichten machen es schwer, darin *soziale
Wirklichkeit des realen Sozialismus* zu erkennen. [...] Von
wirklichen gesellschaftlichen Beziehungen losgelöst, wird
das *Erleben persönlich-intimer Beziehungen* – der Liebesakt
vor allem – *als ein pseudogesellschaftliches ›Großereignis‹* aufgebläht, als wahre Erfüllung von Freiheit und Glück in
dieser Gesellschaft besungen. [...] Hier artikulieren sich
›linke‹ Stimmungen in politisch brisanter Weise. Kleinbür-

gerliche Auffassungen von einem [...] Widerspruch zwischen Idealen und der Wirklichkeit in der entwickelten sozialistischen Gesellschaft erhalten hier besonders zugespitzten Ausdruck. [...] Die ›Ästhetisierung des Häßlichen‹ hat programmatischen Charakter [...] Sie ist ein Aspekt der ›ästhetischen Verdrängung‹ von Anerkennung und Bewußtsein wirklicher sozialer Errungenschaften der realen sozialistischen Gesellschaft. [...] *Fast in der Regel erscheinen indessen als Vertreter kleinbürgerlicher Haltungen Menschen, die in dieser oder jener Weise die sozialistische Gesellschaft repräsentieren,* bzw. sie sind Kleinbürger, weil und indem sie für die Gesellschaft stehen. [...] Hier artikulieren sich [...] schon direkt antisozialistische politisch-ideologische Tendenzen, gegen die denn auch direkt politisch-ideologisch aufgetreten werden muß.«

Die Entwicklung ab Mitte der siebziger Jahre versetzte die Zensoren in ständige Alarmbereitschaft. Einem Mitarbeiterstab bei der Abteilung Kultur des ZK unterlag z. B. die regelmäßige Überwachung und Auswertung der Kunst- und Literaturzeitschriften der DDR, wobei jeder Zeitschrift je ein Beauftragter zugeteilt war. So konnte ihnen nicht entgehen, daß sich im Heft 3/1979 von »Sinn und Form« und im Heft 7/1979 der »Weimarer Beiträge« junge Autoren zu Wort gemeldet hatten; in einer für die Kultur- und Politbürokratie höchst bedenklichen Weise. Das Machtspiel begann. Im Präsidium der Akademie der Künste fand eilends eine Auswertung dessen statt, über die der Abteilung Kultur mitgeteilt wurde: Es »wurde die Frage aufgeworfen, ob derartige abweichende und falsche Positionen repräsentativ für die Gesamtheit der jungen Künstler sei«. Man sei davon ausgegangen, daß hier »ein Symptom [...] für einige sehr ernst zu nehmende Schwächen und Probleme in der Entwicklung der Literatur gerade der jungen Generation« läge, und daß »die belletristischen Publikationen von Uwe Saeger, Uwe Kolbe, Monika Helmecke u. a. eine Entsprechung finden in den theoretischen Äußerungen junger Autoren in den ›Weimarer Beiträgen‹, und daß hier wie

218

dort Grundpositionen in der parteilichen Rolle der Künste in der sozialistischen Gesellschaft in Frage gestellt werden«.

In einer, wiederum vertraulichen, Studie über »Entwicklungsprobleme der DDR-Literatur 1975 – 1980« aus der Akademie für Gesellschaftswissenschaften für das Büro Hager heißt es über die Autoren: Es sind »Tendenzen der Konstituierung eines Gruppenbewußtseins, das sich bewußt anders als die Vorgänger empfinden will und sich deutlich von den Repräsentanten des Verbandes abzugrenzen versucht, bemerkbar. [...] Gleichzeitig sind Bekenntnisse zu ›nicht arrivierten‹ Autoren, wie Bobrowski, Böll, Grass, Frisch, Kunert, Christa Wolf (bis zu Knut Hamsun) bei vielen jüngeren Autoren zu finden. Das gilt nicht nur einer geistigen Verbundenheit mit diesen Autoren, – in einzelnen Fällen gibt es auch sehr enge persönliche Kontakte zu Franz Fühmann, Christa Wolf, Werner Heiduczek und anderen Autoren, die sich gegenwärtig von der Verbandsarbeit aus ideologischen Gründen zurückgezogen haben. [...] Nihilismus, Skeptizismus gegenüber Ideologie und Kulturpolitik und elitäre Modelle von Kunst und Literatur sind hier ebenso zu finden, wie eine kenntnisarme Ich-Bezogenheit, die gesellschaftliches Engagement zumindest fragwürdig macht.« Es »ist zu verhindern, daß die Existenz einer DDR-Literatur, die nur westlicherseits gedruckt wird, begünstigt wird«.

Wie aussichtslos Arbeit gegen diese Ausgrenzung war, mußte gerade Franz Fühmann immer wieder erleben (vgl. auch den Beitrag von Klaus Michael in diesem Band). In seinem Brief vom 24. 7. 1980 an den Chef des Reclam Verlages in Leipzig Hans Marquardt geht es um Wolfgang Hilbig: »Ich will Ihnen das schönste Geburtstagsgeschenk machen, das man einem Verleger überhaupt machen kann, nämlich 1 Dichter in die Arme legen und zwar den größten dieses Landes (uns alle eingeschlossen).« Er »ist ein neuer Trakl«, er schreibt Gedichte, in denen »die Problematik des Abwesend-Anwesend-Sein[s], mit all ihrer tiefen Trauer, ihrem Argen & Bösen, ihrer Sehnsucht, ihrem Grimm & Groll, auch ihrer Absurdität (lebt) – eben jene Dialektik, die ja bewirkt, daß die Zahl der Abwesenden wächst – lieber Hans Marquardt, ich will zu Ihrem Geburtstag mit dieser Lesung dazu beitragen, einen, der abwesend sein muß und es nicht will, anwesend machen zu helfen und zwar anwesend, so wie er ist !«. Die Entscheidung darüber war allerdings nicht Marquardts Sache. Schon vier Tage später schrieb Hoffmann an Hager: »Am Rande der Begegnung zu Arno Langes Geburtstag zeigte mir Hans Marquardt heute einen *Brief Franz Fühmanns*, von dem ich eine Ablichtung beilege. Er bat, diesen Brief vertraulich zu behandeln, was ich zugesichert habe. Zugleich habe ich klar gesagt, daß an eine Lesung mit Bezug auf Wolfgang Hilbig bei der von Marquardt für den 11. August geplanten Lese-Veranstaltung in keiner Weise zu denken ist. Sofern Fühmann von diesem Vorschlag nicht wieder zurücktritt, wird er eben nicht mitwirken können. Wenn er Fragen zu Hilbig hat, kann er die mit uns besprechen.«

Die Autorität Fühmanns erforderte immerhin, daß seine Bitte im Auftrag von Ursula Ragwitz und Klaus Höpcke geprüft wurde. Ein »Experte« meldete auf Anfrage: »Über Hilbig weiß ich nichts. a) wenn die Gedichte *staatsfeindlich* gegen den Sozialismus gerichtet sind, kommt Lesung nicht in Frage. Dann muß dies F. F. aber deutlich gemacht werden. b) sind die Gedichte einfach Ausdruck von Pessimismus, Kritik an Mängeln der Gesellschaft, Lebensangst etc. sehe ich keinen Grund abzusagen, schon um F. F. nicht zu verärgern.« Es ist gegenwärtig nicht bekannt, warum Fühmann, der Hilbig zum Durchbruch verholfen hat, für diese Lesung auf seinen Trakl-Essay zurückgriff. [Vgl. in diesem Zusammenhang auch Kopfbahnhof I und V, Reclam 1990, 1992]

Daß sich Autoren verstärkt um ihre Alternativen selber kümmerten, blieb natürlich nicht unbeobachtet. Veranstalter von Lesungen wie Zirkel- und Klubhausleiter waren neben der polizeilichen Meldepflicht angehalten, sowohl Termine als auch Autoren an die Kulturabteilungen der jeweiligen Kreis- oder Bezirksleitung der SED zu melden. Damit sollte die Parteikontrolle öffentlicher Konzerte und Lesungen gewährleistet werden. Die Beobachtungen der abdelegierten Genossen gingen in die Monatsberichte der Bezirksleitungen ein und wurden an die Kulturabteilung des ZK weitergeleitet. Am 17.2.1977 meldet z.B. der 1. Sekretär der Bezirksleitung Gera über einen Chanson-abend in Bad Köstritz mit Bettina Wegner, Gerulf Pannach und Jürgen Fuchs gleich direkt an Honecker: »Die Mehr-heit der Programmnummern [...] kritisierten und verleum-deten Grundsätze und Errungenschaften unserer Politik [...] Allerdings trat keiner der Gäste, auch nicht die anwe-senden Mitglieder unserer Partei und Staatsfunktionäre, in dieser Veranstaltung gegen diese Provokation auf. [...] Fuchs fühlt sich Biermann geistig verwandt. [...] Das Vor-kommnis in Bad Köstritz wurde zum Anlaß genommen, um grundsätzliche Schlußfolgerungen für die politische Er-ziehungsarbeit [...] in den kulturell-künstlerischen Ein-richtungen zu ziehen [...] Zugleich wurden Konsequenzen gezogen, um durch eine gründliche Einschätzung der poli-tisch-ideologischen Lage bestimmte geistige Verbindungen aufzuhellen, die mit den Mitwirkenden der Veranstaltung [...] im Zusammenhang stehen.«

Meldungen wie diese haben weitreichende Folgen: Die zentrale Planvorgabe des MfS für das Jahr 1978 erweitert ihre ständige »Unterstützung der zuständigen Organe der Partei [...] durch eine aktuelle Informationstätigkeit« um die »exakte Festlegung, welche Personen – vorrangig aus dem Bereich Kunst und Kultur, Hoch- und Fachschul-wesen [...] – mit welchem Ziel unter ›Wer ist Wer?‹ – Aufklärung zu stellen sind, bei gleichzeitiger Festlegung [...] personengebundener politisch-operativer Maßnah-men [...].« Diese Maßnahmen werden jeweils mit den für Kultur und für Agitation/Propaganda zuständigen Vertre-tern der einzelnen Strukturebenen der Partei abgestimmt.

Dem Literaturinstitut Johannes R. Becher nimmt sich eine Arbeitsgruppe der Abt. Kultur 1978 in dem »Vorhaben« an, »Probleme und Aufgaben des Literaturinstituts genauer zu untersuchen«. Schwerpunkt ist die »Auswahl und Delegie-rung der Studierenden«, die »politisch-ideologische Situa-tion am Institut« und der »Einfluß der Parteiorganisation«.

Die Tätigkeit dieser Arbeitsgruppe »dient zugleich der weiteren Vorbereitung des Beschlusses des Politbüros über die Arbeit mit jungen Künstlern«. Vorgearbeitet wurde hier bereits dem »Gesetz zum Schutz der Berufsbezeichnung Schriftsteller«. Betroffene werden sich erinnern, daß solche Arbeitsgruppen immer dann gebildet wurden, wenn Gefahr im Verzug schien. Nicht verhindern konnte diese hier, daß sich auch Absolventen des Instituts im Heft 7/79 der Weimarer Beiträge äußerten. Die am 30. 8. 79 daraufhin erfolgte »Aussprache ergab Übereinstimmung in der prinzipiell kritischen Bewertung der politisch falschen, auf idealistischen Positionen beruhenden Auffassungen [...] von einigen Absolventen [...]. Unter Verantwortung des Ministeriums für Kultur ist bis Ende 1979 ein Material über die Aufgabenstellung und die Perspektive des Literaturinstituts auszuarbeiten.« Auch der Lehrkörper soll überprüft werden. Am 6. 2. 1980 wurde auf einer »Beratung« am Institut unter Leitung von Ursula Ragwitz festgelegt: »Notwendig ist die genaue Bestimmung der Frage, was ein literarisches Talent ist, wer für ein Studium am Literaturinstitut geeignet ist. Es geht um parteiliche, der Partei nahestehende Studenten. [..] Erforderlich ist eine klare Immatrikulationspolitik. Der Bewerber muß nach seiner fachlichen, gesellschaftlichen und seiner Leistungsfähigkeit beurteilt werden, seine literarische und seine individuelle Entwicklung ist in Betracht zu ziehen.« Auch darüber, welche Resonanz diese Arbeit im verborgenen, ohne ganz verborgen zu bleiben, am Institut fand, gaben IM Auskunft: »Eine große Rolle in den Diskussionen spielt auch die beabsichtigte Schließung des Literaturinstitus ›J. R. Becher‹ in Leipzig. [...] Jetzt spürt bzw. hört man von der Verunsicherung des Institutsdirektors Max Walther SCHULZ. Diese Verunsicherung wird auf Maßnahmen bzw. Auflagen zurückgeführt, die dem Institut erteilt wurden, die aber nicht bekannt sind [...] Bekannt ist, daß Max W. SCHULZ das Institut nicht mehr lange führen wird.« Und in der Tat: Dieses Amt wurde an Joachim Pfeiffer übertragen.

Sehr genau wurde auch beobachtet, welche Möglichkeiten DDR-Autoren im westlichen Ausland wahrnehmen, um gedruckt zu werden. Seit Ende der siebziger Jahre erschienen zunehmend Anthologien mit jüngeren DDR-Autoren, von denen einige auch Literaturpreise erhielten.

Bei einem Besuch in der DDR Ende '77 mußte sich der österreichische Bundesminister für Unterricht und Kunst, Fred Sinowatz, von Hoffmann zurechtweisen lassen, daß man bei der Auswahl der Preisträger die DDR-Behörden nicht übergehen könne: »Es gehe dabei nicht um bequeme oder unbequeme Leute, sondern um die Frage, daß die DDR bei einem Kulturaustausch gerne das Beste zur Verfügung stelle, was sie habe. Gen. Hoffmann griff das Beispiel der österreichischen Preisverleihung an Schädlich auf, der in der DDR weder als Schriftsteller bekannt noch jemals als solcher in Erscheinung getreten sei und betonte, daß es bei diesen Fragen auch um den Stil der Zusammenarbeit und die Haltung zu solchen Fragen gehe.« Dem Bericht Hoffmanns an Hager zufolge hat Sinowatz mit diplomatischem Geschick beschwichtigt, jedoch nicht ohne seinerseits zu bitten: man möge »überlegen, ob wir nicht Verständnis dafür aufbringen könnten, daß die österreichische Regierung es nicht gerne sieht, wenn staatliche Vertreter aus der DDR, die offiziell in Österreich weilen, während ihres Aufenthaltes auch direkten Kontakt zur KPÖ aufnehmen«.

In dem Zusammenhang ist interessant, weil für das Informationssystem aufschlußreich, daß aus der DDR-Botschaft in Wien Informationen in die Hauptabteilung XX des MfS flossen. Ein Telegramm vom 10. 8. 1983 meldet über eine Sendung im österreichischen Fernsehen, daß zwar über die Friedensbewegung und die »›alternative kunstszene‹ in ddr« berichtet wird, jedoch »frueher angewandte zuspitzungen und uebertreibungen« vermieden worden seien.

Einfluß und »erzieherische Wirksamkeit« auf die »feindlich gesinnten« oder auch nur »schwankenden« jungen Autoren hielten sich, gemessen an den Erwartungen, jedoch in Grenzen. Gänzlich aus der Kontrolle zu geraten drohten vor allem jene, die sich auf private Räume zurückzogen, Bücher im Selbstverlag herstellten und über deren Verkauf bzw. über die in DDR-Mark umgetauschten DM-Honorare ihre Existenz und Unabhängigkeit sichern konnten. Im Monatsbericht der SED-Bezirksleitung Berlin an die Abt. Kultur des ZK vom 4.1.81, der vor dieser Entwicklung nachdrücklich warnte, wurde »vorgeschlagen, auch die staatliche Ordnung in bezug auf die Zulassung freiberuflicher Tätigkeit so zu gestalten, daß nicht jeder nach Gutdünken ohne Nachweis seines Könnens freiberuflicher Schriftsteller werden kann«.

Schon seit dem 6.11.79 gab es den vermutlich in der Abt. Kultur verfaßten »Vorschlag für Maßnahmen, um eine bessere Übersicht über Anträge zur Aufnahme einer freiberuflichen Tätigkeit als Schriftsteller zu erhalten und diese Anträge besser steuern zu können«: »1. Es müßten schnellstens *rechtliche* Voraussetzungen geschaffen werden, daß für die Bestätigung freiberuflicher schriftstellerischer Tätigkeit ein Mindesteinkommen aus dieser Tätigkeit von 6000 Mark jährlich von Verlagen oder Einrichtungen der DDR nachgewiesen werden muß. Dieser Nachweis sollte für mindestens drei Jahre erbracht werden müssen. 2. Die Aufnahmepolitik des Schriftstellerverbandes ist weiterhin so zu gestalten, daß Kandidat bzw. Mitglied des Verbandes nur solche Personen werden können, die mit ihren vorliegenden veröffentlichten Arbeiten nachweisen, daß sie *ständig* schriftstellerisch arbeiten. Zugleich ist bei der Aufnahme zu sichern, daß die Antragsteller das Statut des Schriftstellerverbandes kennen und akzeptieren.« In den Punkten 3 bis 10 wird die Arbeit bestehender Institutionen, wie Kulturbund, Berliner Haus für Kulturarbeit, der HV-Verlage und Zeitschriftenredaktionen in ihrer Verantwortung für Kontrolle, »Beratung« und, im Verweigerungsfall, Erfassung junger Autoren geregelt.

In der Sekretariatssitzung des ZK wird allerdings erst zwei Jahre später, am 11.11.1981, die »Konzeption zur Arbeit mit jungen Schreibenden und anderen am Schreiben interessierten Bürgern« verabschiedet, die in ihren entscheidenden Punkten beschloß:

»5. Die gegenwärtig vorhandenen gesetzlichen Grundlagen zur Erlangung der Berufsbezeichnung ›Schriftsteller‹ sind zu überprüfen und neu festzulegen. (Der Beruf des Schriftstellers ist z. Z. nicht gesetzlich geschützt.) Dabei sollte davon ausgegangen werden, daß sich künftig als Schriftsteller nur bezeichnen kann, wer den Nachweis erbringt, daß er diese Tätigkeit auf der Basis einer Kandidatur des Schriftstellerverbandes bzw. einer vertraglichen Bindung zu einem Verlag, einer Redaktion bzw. an Massenmedien der DDR ausübt. In Fällen, wo diese Voraussetzungen nicht gegeben sind, müssen die betreffenden Personen auf der Grundlage der bestehenden Gesetze durch die jeweiligen Ämter für Arbeit und Löhne geregelten Arbeitsverhältnissen zugeführt werden.

Verantwortlich: Minister für Kultur
Minister für Justiz
Abt. Kultur des ZK
Abt. für Staats- und Rechtsfragen«

»6. Die Vergabe von Steuernummern durch die Finanzorgane an Schreibende sollte ab sofort nur noch erfolgen, wenn

a) die Kandidatenkarte des Schriftstellerverbandes der DDR vorgelegt wird

oder

b) eine Bescheinigung vorliegt, aus der die feste Bindung des Antragstellers an einen Verlag, oder eine Redaktion hervorgeht und ihm daraus ein jährliches Einkommen von mindestens 6000, – Mark garantiert ist.

Verantwortlich: Minister der Finanzen
Vorsitzende der Räte der Bezirke«

Noch bevor der Beschluß in den Bezirksleitungen der SED verbreitet wurde, ging eine Mitteilung über diese Punkte an die Bezirksverwaltungen des MfS. Am 17.12. ist dort der Maßnahmeplan erstellt.

In der »Erläuterung« des Beschlusses bei der Bezirksleitung Berlin machte Ragwitz klar: »Es gehe jetzt darum, alle in den Territorien schreibend Tätigen zu erfassen. [...] Genossin Ragwitz sprach sich noch einmal dafür aus, daß die gesetzlichen Grundlagen für die Zulassung zur freiberuflichen Tätigkeit als Schriftsteller schnell präzisiert werden sollen und zwischen den Ministerien exakt abzustimmen sind, damit die notwendige Handhabe gegen die weitere Selbsternennung von Leuten zu Schriftstellern geschaffen werde.«

Zu den Autoren, die in diesem Zusammenhang für die HA XX interessant wurden, zählt auch Lutz Rathenow: »Durch IM wurden Hinweise erarbeitet, wonach sich R. mit einem Schreiben an den Minister für Kultur wandte [...] R. nahm Bezug auf Mutmaßungen, wonach ein ›Gesetz zum Schutz der Berufsbezeichnung Schriftsteller‹ vorbereitet wird. [...] Es entspricht den Tatsachen, daß von seiten des Ministeriums für Kultur erwogen wird, einen Beschluß des Ministerrates der DDR herbeizuführen, der regelt, wann die Berufsbezeichnung Schriftsteller genutzt werden darf.« Nach dem Zitat dieser Vorlage, die o.g. Punkt 6 entspricht, heißt es weiter: »Ein Beschluß des Ministerrates ist bisher nicht herbeigeführt. Alle im Zusammenhang mit der Vorbereitung und Herbeiführung des Beschlusses stehenden Probleme sollten vertraulichen Charakter tragen und als solche behandelt werden.«

Das Gesetz wurde nie erlassen. Vermutlich scheute man eine neue innenpolitische Debatte. Das Gesetz hätte schon bestehende Irritationen über die weitere Kulturpolitik bestärkt. Durch den Artikel im »Stern«: »Eiszeit in der DDR – Mit einem neuen Gesetz will Ostberlin den kritischen Künstlern beikommen« vom 14.1.1982 hatte das Gesetz bereits in der Vorbereitungsphase zu viel unerwünschte Öffentlichkeit. Laut IM-Bericht von »David Menzer« ging der Artikel auf eine Initiative von Rathenow und Dieter Eue zurück.

Dennoch versuchte man diesen Beschluß bei Bedarf anzuwenden. 1981 wurde Richard Pietraß die Steuernummer entzogen, 1983 Dieter Schulze (OV »Bummelant«) wegen Asozialität angeklagt, verhaftet und in den Westen abgeschoben und gegen Detlef Opitz (OV »Otter«) 1985 ein Verfahren wegen asozialen Verhaltens eröffnet.

Die Autoren nahmen diesen Beschluß ansonsten gelassen: Aus einem IM-Bericht über die Lesung vom 26.1.1982 in der Wohnung von Eckehard Maaß war zu erfahren: »Weiterhin sprachen wir beide über den Beschluß des ZK vom November 1981 zur Arbeit mit jungen Nachwuchsautoren und zwar dahingehend, daß E. MAASS sich über die 6000, – Mark Formulierung äußerte, die darin enthalten sein soll und betonte, daß diese Bestimmung die meisten der damit zu treffenden Personen nicht störe, da sie durch Ehepartner etc. sowieso sicher eingebunden seien. Leute wie PAPENFUSS, ANDERSON und RATHENOW hätten inzwischen ohnehin erkannt, daß sie in der DDR nicht veröffentlichen könnten und legen auch keinen Wert mehr darauf. Die 3 o. g. Personen produzieren jetzt ihre Bücher selber.«

Oktober 1992

Der Staatsfeind im Wohnzimmer
Aktenfunde zum Kampf gegen die Dichterlesungen

In einem zusammenfassenden Bericht der Hauptabteilung XX des MfS ist im Abschnitt »Politisch-operative Erkenntnisse und Ergebnisse bei der Bekämpfung von feindlichen Angriffen sowie bei der Realisierung von Sonderaufgaben« unter anderem folgendes zu lesen:

OV »Zirkel«, Reg. Nr. XV/4703/77
 Inoffiziell wurde bekannt, daß am 18.6.1982 erneut in der Wohnung des im OV bearbeiteten Poppe, Gerd eine Lesung stattfand. Dazu wurde die gesamte Wohnung genutzt, indem die Lesung wieder durch Lautsprecher in alle Räumlichkeiten übertragen wurde. Anwesend waren ca. 120 Personen im Alter zwischen 25 und 40 Jahren.
 Die Lesung wurde von Endler, Adolf, erfaßt für BV Berlin, Abteilung XX, durchgeführt.

Um den auf mehreren hundert Seiten im OV »Zirkel« beschriebenen Kampf der Stasi gegen die in Form literarischer Lesungen geführten feindlichen Angriffe hinreichend würdigen zu können, sei zunächst ein Abschnitt aus dem gefährlichen Werk zitiert.

Tonbandaufzeichnung des Geständnisses vom 3. März 2007
 (bei Nieselregen und mit schwerem Nichtraucherhusten)
 Devils Lake, North Dakota, Ende August
 Von kalten Buffets, verehrte gnädige Frau, weiß auch ich ein Liedlein zu singen. Ja, auch im Leben des Bobby-Bergermann-Herausgebers haben sie zu Zeiten eine verhängnisvolle Rolle gespielt. Sei es, daß sie seinem Geschmack nicht entsprachen – fast immer fehlt der Spinat! Sei es, daß sie sich ihm brutal und menschenfeindlich entzogen – in ähnlicher Weise, wie es unserem armen Freund Bobby Bergermann erging. Oh nieder-

schmetternde Einsicht an so vielen Tagen des Jahres: wieder einmal übergangen worden zu sein von den Veranstaltern irgendeines Presseempfangs oder aber eines internationalen Friedenstreffens diverser Poeten.

Nebbich. Nebbich? Nebbich! Es spricht sich für einen Menschen meines hohen Alters wohl zu leicht aus, das Wort ...

Den schwersten Schlag unter diesem Gesichtspunkt bedeutet indessen für mich das jähe Ende meiner Beziehungen zur sowjetischen Botschaft. So um 73, 74 herum. Die deprimierende, schwarze Erkenntnis, daß ich sie in Zukunft vermutlich für immer zu missen gezwungen sein würde, die extraordinären kalten Buffets in der sowjetischen Botschaft in der Straße »Unter den Linden«. Um so deprimierender dieser Fakt, als die Kluft zwischen mir und Abrassimow – Entschuldigung, zwischen Abrassimow und mir – absolut künstlich provoziert worden ist, aufgerissen von interessierten Kreisen aus dem Bereich der Trivialschreiberei, welche sich neben dem kernechten Dichter natürlich nicht wohlfühlen konnten, wenn es im kleinen Marmorsaal um Schinkenröllchen und Kaviar ging.

Meine Klagen, und das trieb meine Depressionen auf die Spitze, verhallten echolos. Und als zählten sie nicht: noch nicht einmal der »Spiegel«-Korrespondent war zu gewinnen für meinen Fall, die brutale Verletzung der Regeln des diplomatischen Parketts, wie man sie nicht jede Woche erlebt. Dabei hätte ein gewiefter Rechercheur hier so manches absahnen können für die drohende Wolke seines Hintergrundmaterials. Jetzt ist es zu spät, und niemals wird man erfahren, was damals wirklich passiert ist. Eines ist vollkommen klar: vorgesehen für eine Ehrenurkunde aus den Händen des Botschafters – Lohn für die in Korporation mit Rainer Kirsch, Marzahn, und in beispielhaft harter Arbeit erfolgte Ausarbeitung einer grusinisch-georgischen Poesie, auf Deutsch! Und von Weltrang! – harrte ich wieder einmal vergeblich des so lebensnotwendigen Lorbeers, und harrte und harrte. Es ergab sich folgendes charakteristische Bild (und nur dank vertraulicher Winke eines mitleiderfüllten Mitarbeiters eben jener sowjetischen Botschaft, eines Herren Mitte dreißig, mehr über ihn weiß ich nicht): Gänzlich unbeschädigt bis auf einen winzigen Tintenfleck unten links war die Liste mit

229

den 15 oder 20 oder 25 Namen der Ehrenurkundenanwärter je-
ner Saison im Apparat des Schriftsteller-Verbandes der DDR wie
üblich verschwunden. Wieder herausgekommen fand man sie
erstens kaltschnäuzig abgehakt, zweitens bereichert um einen
freihändig ausgeführten dreieinhalb Zentimeter dicken tief-
schwarzen Strich. Mein Name, mein Name (– Fleiß ist des Glük-
kes Vater –) war wieder einmal getilgt, als einziger wohlge-
merkt. Unzweideutige Botschaft für jeden geschulteren Men-
schen: Achtung Pupille: CIA ... ... ja, Spannungen gab's schon
immer.

Vom Autor nun zu den Rezensenten. Natürlich war uns die
»alte Oma Wanze« (Endler) ebensowenig verborgen geblieben wie die Tatsache, daß nicht alle Gäste aus rein literarischem Interesse kamen. Bemerkenswert ist denn auch
weniger die Anzahl der Spitzel als das, was sie sich von der
zweistündigen Lesung merkten und gemeinsam mit ihren
Führungsoffizieren »auswerteten«.

IM »Dorle« identifiziert 12 Teilnehmer. Ihr fällt auf, daß
sich in der Wohnung Plakate und ein Solidarność-Aufkle-
ber befinden. Sie ermittelt, daß der Autor »in Form eines
utopischen Briefwechsels mit überspitzter Satire die ›DDR-
Kulturszene‹ und andere gesellschaftliche Bereiche ins
Lächerliche gezogen« hat. Sie hat »den Eindruck, daß Endler dieses Manuskript aus seiner Enttäuschung heraus geschrieben hat, nicht mehr zu den ›privilegierten‹ Schriftstellern zu gehören.« »Dorles« Führungsoffizier kommentiert die Fröhlichkeit der Zuhörer trocken: »Es war deutlich
festzustellen, daß die Anwesenden in ihrer Erwartungshaltung bestätigt wurden.«

Ein IM der Kreisdienststelle Pankow benennt 8 Zuhörer
und beklagt sich darüber, daß ein großer Teil der übrigen
für ihn nicht sichtbar war, da »es so voll war, daß man sich
nicht mehr vom Platze rühren konnte«. Er stellt fest, daß in
dem fiktiven, im Jahre 2007 herausgegebenen Briefwechsel »auch derzeitig lebende Personen eine Rolle spielen.
So der Botschafter der UdSSR P. Abrassimow, die Autorin
Gisela Steineckert und der Autor Helmut Preißler. Es geht

230

dabei teilweise um eine Diffamierung dieser Persönlichkeiten. Es wird geschildert, wie von einem imaginären Schriftstellerverband bzw. einer Kulturministerin Dum Dum verhindert wird, daß ein gewisser Schriftsteller an einem Empfang in der sowjetischen Botschaft teilnimmt.«

IM »Monika« schließlich hat sich von der zweistündigen Lesung am meisten gemerkt und wie »Dorle« 12 Teilnehmer »identifiziert«. »Laut eigener Ankündigung hat Endler aus seinem 85-bändigen Romanwerk gelesen, das bereits in der BRD bzw. Westberlin erschienen ist ... Endler hat aus seiner Abneigung gegen die Schriftsteller Gerd Eggers, Helmut Preißler, Günter Görlich und Gisela Steineckert keinen Hehl gemacht und in stark ironisierter Form deren Fähigkeiten als Schriftsteller bezweifelt. Er hat sich und andere Schriftsteller in einen Gegensatz zu den genannten Personen gebracht, denn nur diese ließe man an Friedensveranstaltungen von Poeten teilnehmen, ihn hingegen nicht. Nur diese würden Einladungen zu Cocktails in der sowjetischen Botschaft erhalten, er aber nicht, weil man vermutlich befürchtet, er würde ihnen die besten Bissen wegschnappen.«

Führungsoffiziere aus zwei verschiedenen Dienststellen fassen das zusammen, was die Spitzel berichtet haben, und melden es in stark geraffter Form ihren Vorgesetzten. Der Autor, erfaßt für BV Berlin, Abt. XX, hätte aus seinem »85-bändigen Romanwerk«, das bereits in der BRD bzw. Westberlin erschienen wäre, gelesen. Er würde boshafte Ausführungen über andere Schriftsteller machen, sich beklagen, nicht mehr in die sowjetische Botschaft eingeladen zu werden, und Abrassimow lächerlich machen.

Es ist also nicht viel los mit dem »Stasi-Eckermann«. Eine Chronik oder gar Analyse der »subversiven« Literatur kann von den Stasi-Protokollanten nicht erwartet werden. Auch die Poeten unter den Spitzeln, die dichtenden IM wie »David Menzer« / »Fritz Müller« machen dabei keine Ausnahme. Dessen geistig wie orthographisch äußerst dürftigen Stasi-Berichte (der Operative Vorgang »Zirkel« enthält davon ca. 30, überwiegend von ihm selbst verfaßte) bestä-

tigen – um eine o. a. Stasi-Einschätzung aufzugreifen –
eben auch nur die Erwartungshaltung des MfS:

Wer war dabei / wer waren die »Rädelsführer« / war
jemand aus dem Westen anwesend / wer hat welche
staatsgefährdenden Gedanken oder könnte sie haben / wer
hat von wem Geld bekommen / wer hat mit welchem Verleger gesprochen / wer hat welche Meldung in westliche
Medien lanciert / wer hat was in nächster Zeit vor? Usw.
usw.

Die vielstrapazierte These, mit solch einfältigen Denunzianten hätte sich eine »alternative Szene« als Gegengewicht zur politischen Opposition herausbilden können,
mutet geradezu abenteuerlich an.

Befassen wir uns lieber nicht weiter mit derartigen Spe-
kulationen, sondern wenden wir uns wieder der aktenkundig gewordenen Bekämpfung von Dichterlesungen zu.

Die MfS-Oberen sind sehr unzufrieden mit dem »Miß-
brauch« von Privatwohnungen für Lesungen literarischer
Texte. Sie sind fest entschlossen, dem ein für allemal ein
Ende zu bereiten.

Als erstes wollen sie den Hausbewohner W., der schon
ein Jahr zuvor der Stasi bereitwillig seine Wohnung zur
Verfügung stellte, um ihr den Einbau konspirativer Abhörtechnik (sog. »B-Maßnahme«) in die Wohnung der Familie
P. zu erleichtern, zum Schreiben eines Beschwerdebriefs
ermuntern.

W. soll an die Volkspolizei schreiben, daß er am
18. 6. 82, aufgeschreckt durch eine »größere Unruhe im
Treppenhaus«, auf die Straße ging und von dort aus beobachten konnte, daß »sich zeitweilig bis zu 100 Menschen«
in der Wohnung des Mieters P. aufgehalten haben müssen.
W. macht sich vom MfS vorformulierte Gedanken: »Abgesehen von der Tatsache, daß einige Besucher reichlich verwahrlost aussahen und somit das Problem des Inhalts solcher Veranstaltungen entsteht, geht es mir um die Klärung
der Frage, ob in einer Privatwohnung in einem renovie-
rungsbedürftigen Altbau überhaupt die baulichen Voraussetzungen für den Aufenthalt einer solchen Anzahl von

Menschen gegeben sind. Nicht auszudenken, wenn es zu einem Brand kommt, und diese 100 Personen zusätzlich zu den Mietern schnell ins Freie kommen müssen!« Und er soll mit der Aufforderung schließen, »gegen möglicherweise erneut stattfindende ähnliche Veranstaltungen im Interesse der Sicherheit des Hauses vorzugehen«.

Dies und nichts anderes hat die Hauptabteilung XX des MfS ohnehin vor. Denn inzwischen ist ihr aus den Mündern von vier IM längst zu Ohren gekommen, daß am besagten Abend bereits eine Lesung des Lyrikers Uwe Kolbe für den 10. 9. 82 angekündigt wurde.

MfS-Oberleutnant Grunwald macht sich an die Arbeit und legt am 1. 9. den Vorschlag für einen Maßnahmeplan vor.

Ziel ist demnach die »Verhinderung der Zusammenrottung von negativen oder negativ-feindlichen Personen bei P. am 10. 9. 82 und zu nachfolgenden ähnlichen Anlässen« sowie die »Ausschaltung P.'s als Organisator solcher Aktivitäten«. Ferner soll der »bisher weitgehend unbekannte Teilnehmerkreis festgestellt« werden als Voraussetzung für die »Verbreiterung der inoffiziellen Basis im OV«, sprich: die Verpflichtung weiterer Spitzel.

Die vorgesehenen Maßnahmen werden ausführlich beschrieben:

P. ist durch die Abt. Erlaubniswesen der VP zu beauflagen, »die geplante und nicht genehmigte Veranstaltung« »auf der Grundlage einer operativ beschaffbaren Eingabe des Bürgers W.« abzusagen. P. soll die Auskunft erhalten, daß sich entsprechend »der ›Veranstaltungsverordnung‹ und den gegebenen bautechnischen und hygienischen Voraussetzungen« höchstens 15 bis 20 Personen in der Wohnung aufhalten dürfen.

Durch Einsatzkräfte der VP sollen alle Personen »kontrolliert und namentlich festgehalten« werden, die am 10. 9. 82 das Wohnhaus betreten wollen. »Es erfolgt eine Zurückweisung mit der Begründung, daß damit eine gegen diese Zusammenkunft gerichtete Verfügung durchgesetzt wird.« Durch Mitarbeiter der HA XX/2 ist zu kontrollieren, »inwieweit von P. unterrichtete Personen die polizeilichen Maßnahmen dokumentieren«. Alle Personen sollen konspirativ fotografiert oder gefilmt werden.

Die staatliche Bauaufsicht ist zu veranlassen, »eine Begehung der Wohnung durchzuführen und P. anschließend zu beauflagen«.

Die HA VIII des MfS wird beauftragt, eine »lückenlose B-Maßnahme« (Wanze o. ä.) »bis zum Abend des 11. 9. 82 einzuleiten« sowie »Kontaktaufnahmen mit bisher namentlich nicht bekannten bevorrechteten Personen und Westjournalisten festzustellen«. Die ohnehin seit langem stattfindende Telefonüberwachung wird auf die Arbeitsstelle erweitert (»A-Maßnahme«).

IM aus der HA XX, der HA XVIII, der Bezirksverwaltungen Berlin und Dresden, Abt. XX, sowie der Kreisdienststelle Pankow sind für den Einsatz am 10. 9. vorgesehen.

Um den Wanzeneinbau zu ermöglichen, hat sich der MfS-Leutnant Zönnchen eine besonders geistreiche »Kombination« einfallen lassen: P. soll zum Wehrkreiskommando bestellt und während dieser Zeit ein Schlüsselabdruck angefertigt werden. Leider schlägt die Kombination fehl. Begründung: »Im Wehrgesetz der DDR von 1982 ist die Möglichkeit der Einberufung von gedienten Bausoldaten zum Reservedienst nicht verankert. Es gibt aber auch keinen §, der dies untersagt. In der Praxis wurde bisher noch kein Bausoldat zum Reservedienst einberufen. Unter den Bausoldaten ist diese Tatsache bekannt. Der Leiter des Wehrkreiskommandos ist nicht berechtigt, so eine Maßnahme selbständig zu veranlassen. Da P. nicht einberufen werden kann, ist die Beschaffung der Schlüsselabdrücke während einer Tauglichkeitsuntersuchung nicht durchführbar.«

Demzufolge verschwindet die »B-Maßnahme« vorerst aus dem Plan. Noch eine weitere Einschränkung ergibt sich. Die Besucher, die das Haus betreten wollen, sollen nun nicht mehr daran gehindert werden, »um eine Konfrontation mit diesen Personen während des Zeitraumes zu vermeiden, weil mit dem abflutenden Strom von BFC- und Dynamo Dresden-Anhängern zu rechnen ist«.

An anderer Stelle wird der Maßnahmeplan erweitert: P. soll am 9. und 10. 9. 82 durch die HA VIII beobachtet werden. Falls er der Beauflagung durch die Abt. Erlaubniswesen nicht nachkommt, wird er mit einem Ordnungsgeld in Höhe von 500,- M belegt.

Und schließlich: »Die HA XX/7 veranlaßt über Gen. Höpcke [seinerzeit stellvertretender Kulturminister, heute MdL Thüringen; G. P.], daß von seiten des MfK eine Aussprache mit dem Uwe Kolbe geführt wird, um ihn zur Absage der Lesung zu veranlassen.«

Die »Maßnahmen wurden durchgeführt«, obwohl inzwischen Uwe Kolbe (noch bevor der Einsatz des Genossen Höpcke geplant wurde) die Lesung abgesagt hatte. (Einen Monat später wurde sie nachgeholt.)

Daß Kolbe nicht lesen wird, ist der Stasi längst bekannt, aber wer läßt sich schon gern das Ergebnis wochenlanger Arbeit zunichte machen?

Im Bericht der HA XX über den Polizei- und MfS-Einsatz finden sich denn auch jede Menge Erfolgsmeldungen.

Die Personalien von 22 Personen seien aufgenommen worden, nur zwei oder drei Leute hätten die Wohnung betreten, die Hausbewohner hätten »mit Ausnahme einer namentlich bekannten Bewohnerin gegenüber den Genossen der VP Zustimmung zu dieser Maßnahme geäußert«. Gegen 21.30 Uhr hätte sich P. auf den Boden seines Wohnhauses begeben, »offensichtlich um erneut nach dort angebrachter operativer Technik zu suchen. Danach suchte er die Umgebung des Hauses mit einer Taschenlampe ab. Die eingesetzte Fototechnik wurde nicht dekonspiriert.« Ohne den Einsatz, so die Vermutung des Berichterstatters, »wäre es zu einer Zusammenkunft von über 50 Personen gekommen«. So aber konnte »die geplante Zusammenrottung von Personen durch die eingeleiteten Maßnahmen wirkungsvoll verhindert werden«. »Feindliche oder negative Handlungen« der kontrollierten Personen vor dem Wohnhaus oder in der näheren Umgebung hätten nicht stattgefunden.

Hier nur allerdings irrt die Stasi, wenn wir uns ausnahmsweise einmal ihre Begriffe »feindlich« und »negativ« zu eigen machen und sie auf eine wenige Minuten vom Wohnhaus Rykestraße entfernt stattfindende Lesung von Elke Erb, die kurzfristig für Kolbe eingesprungen ist, anwenden.

Der schreibende IM »David Menzer« macht wenige Tage später mit einem von ihm auf Tonband gesprochenen Bericht auf das Versehen aufmerksam: »Die Veranstaltung bei P. fand nicht statt. Es wurde eine Ausweichwohnung gesucht von einer Freundin von P. Die Erb hat Übersetzungen von Jessenin vorgelesen, ein Poem. Nach der Veranstaltung sind ein Teil der Leute wieder zu P. gegangen ...« Mehr kann sich »David Menzer« zur Literatur nicht abringen. Schließlich hat er Interessanteres mitzuteilen:

»Das besondere an diesem Abend war vielleicht, daß Franziska Groszer aus Westberlin, eine Grafikerin und Lyrikerin, die in der DDR gelebt hat, anwesend war. Sie hat die Einreise mit einem Messeausweis bewerkstelligt und ist zur Leipziger Messe gefahren und von dort aus nach Berlin ..., ist wohl eine Stunde, bevor die Polizei anfing, das Haus zu bewachen, gekommen und ist zwei Tage bei P. gewesen, ohne das Haus zu verlassen.« Er berichtet weiter, daß Katja Havemann, Lutz Rathenow, Elke Erb und ihm namentlich nicht bekannte Leute aus der Bundesrepublik an dem Gespräch teilnahmen. Dabei wäre es um die allgemeine Lage in der DDR gegangen, um Robert Havemann, und wer denn nun nach seinem Tod seine Nachfolge antreten könnte ...

Wer diesen Bericht liest, wird sich kaum noch darüber wundern, daß Franziska G. mehr als sieben Jahre, bis zum Fall der Mauer, warten mußte, ehe sie Ostberlin wieder betreten konnte.

Es wäre nun allerdings ungerecht, würde dieser Überblick sich auf die Rolle der Staatssicherheit beschränken. Was wären all die konspirativen Pläne und Handlungen des MfS wert gewesen, wenn es nicht zugleich die intensiven, für jeden nachvollziehbaren Bemühungen an der sichtbaren Front gegeben hätte. Deshalb muß an dieser Stelle unbedingt vom Hauptmann K. die Rede sein, dem damals stellvertretenden Leiter der Abt. Erlaubniswesen, später deren Chef. Eine undefinierbare Hemmung läßt mich darauf verzichten, seinen Namen auszuschreiben.

Wer eine Weile durch den Prenzlauer Berg ging, mußte ihm begegnen. Bei Wind und Wetter stand er in den Hauseingängen, um staatsfeindliche Vorhaben oder wenigstens »Beeinträchtigungen des sozialistischen Zusammenlebens« frühzeitig erkennen und bekämpfen zu können. In ein Gespräch verwickelt, pflegte er zu sagen: Ich kenne jeden, ich sehe alles, im Prenzlauer Berg entgeht mir nichts! Und belegte das glaubwürdig durch eine Aufzählung von Aktivitäten seines Gegenüber aus den letzten fünf Jahren. Ich verdanke dem Hauptmann K. eine der atemberaubendsten Verfassungsinterpretationen: Das Grundrecht auf Unverletzbarkeit der Wohnung bedeute nichts anderes als den Schutz des Staates vor Mißbrauch der Wohnung durch den Mieter, z. B. mittels Durchführung nicht genehmigter Veranstaltungen.

Hauptmann K. begibt sich also zum wiederholten Male in die Höhle des Löwen, um die Veranstaltungsverordnung durchzusetzen. Und er läßt sich nicht vom Staatsfeind hereinlegen: »Mit dem Ziel der Untersagung dieser Veranstaltung wurde der P. zum 9.9.82 gegen 15.00 Uhr zum Erlaubniswesen vorgeladen (Anwesenheit Mitarbeiter MfS). P. versuchte, das Erlaubniswesen zu täuschen, indem er sich durch seine Frau telefonisch entschuldigen ließ und um einen neuen Termin bat, der nur nach dieser Veranstaltung zu vereinbaren war. Im Einverständnis (Ausnutzung Überraschungseffekt) mit Frau P. wurde jedoch die Wohnung aufgesucht, um ihr die Forderung auf Untersagung noch am 9.9.82 mündlich zu überbringen. Dabei wurde in der Wohnung der P. und eine männliche sowie weibliche Person neben der Ehefrau des P. angetroffen. In Anbetracht der Übermacht wurde jede Rechtsargumentation abgelehnt und provokatorische Herausforderungen beider Eheleute abgewehrt ... Es wurde ein vorbereiteter Text einer mündlichen Forderung der Volkspolizei verlesen und die Veranstaltung am 10. 9. 82 untersagt.«

Es folgt ein Bericht über einen »gemeinsamen Ordnungseinsatz DVP/MfS« am 10. 9. Der Leser erinnere sich an die Darstellung der HA XX/2 des MfS. Hauptmann K.s Beobachtungen stimmen nicht in allen Punkten damit überein: »18 Personen suchten die Wohnung auf und verließen diese nach einiger Zeit. 6 Personen nahmen nach der Kontrolle Abstand bzw. wurden abgehalten. Ca. 25 Personen entfernten sich, als sie die Kontrollen bemerkten. Überwiegend waren die Personen aggressiv eingestellt ... P. sowie seine Frau erschienen mehrmals am Kontrollort und wurden zurechtgewiesen, da sie die Amtshandlungen zu stören versuchten ... Die Art und Weise des Abflusses der Teilnehmer ließ den Schluß zu, daß die Zusammenkunft in einen anderen Raum außerhalb des Stadtbezirks verlegt wurde (MfS in Kenntnis gesetzt) ... Die Hausbewohner verhielten sich bis auf eine Frau, deren Wohnung unter der des P. liegt, positiv. Diese Frau (Personalien werden noch ermittelt) solidarisierte sich mit P. am Fenster ihrer Wohnung (3 Treppen links).«

Kurz darauf wird die Ordnungsstrafe von der HA XX/2 in Abstimmung mit der Abt. Erlaubniswesen vorgeschlagen: P. soll 200,- M zahlen, da er »keine Anstrengungen unternommen hat«, zu verhindern, daß »ca. 50 Personen am 10. 9. 82 die Wohnung des P. aufsuchen wollten«. Nach dem Eintreffen der Ordnungsstrafverfügung sucht P. den Rechtsanwalt Gysi auf, um sich gegen die Ordnungsstrafe aufgrund einer in seiner Wohnung nicht stattgefundenen Lesung zu wehren. Rechtsanwalt G. schreibt die Beschwerde. In den Unterlagen des OV »Zirkel« finden sich neben dem offiziellen Schriftwechsel des Anwalts mit den Behörden ein dreiseitiger Bericht über das vertrauliche Gespräch, das P. mit dem Anwalt führte, sowie die Kopien zweier Texte, die P. dem Anwalt zur Information und Aufbewahrung übergab, doch das ist ein anderes Thema ...

Der OV enthält des weiteren verschiedene Szenarien zur Ablehnung der Beschwerde: a) die Ablehnung wird schriftlich begründet, b) die Ablehnung wird gegenüber dem Beschwerdeführenden mündlich begründet, c) die Ablehnung wird gegenüber dem Anwalt mündlich begründet – verbunden mit der Aufforderung, den P. auf seine staatsbürgerlichen Pflichten hinzuweisen.

Die Beschwerde wird durch den Polizeipräsidenten von Berlin zurückgewiesen, der direkter Vorgesetzter der die Ordnungsstrafe verhängenden Dienststelle und somit nach SED/MfS-Rechtsempfinden dafür zuständig ist.

Die Begründung der Ablehnung durch den Polizeipräsidenten wird gemeinsam von MfS-HA XX und VP, Abt. Erlaubniswesen, ausgearbeitet. Dabei fällt erneut die erfrischende Direktheit des Hauptmanns K. und seines damaligen Vorgesetzten, Major F., von der Abt. Erlaubniswesen auf:

K.: »Bei dem Bürger P. handelt es sich um einen Menschen, der mit seinen Familienangehörigen jederzeit Stellung gegen die sozialistische Gesellschaftsordnung bezieht und seine Gesinnung in aktives Handeln umsetzt. Zu diesem Handeln gehören organisierte Zusammenkünfte bzw. Veranstaltungen in seiner Wohnung ...

P. beteiligte sich an Aktionen des ehemaligen Prof. Havemann und des Pfarrers Eppelmann (Gesinnung und Auftreten des Eppelmann als bekannt vorausgesetzt) ... Gegenüber den Staatsorganen, insbesondere der VP, tritt P. negierend auf ... Der bei ihm zusammenkommende Personenkreis verhält sich überwiegend in ähnlicher Art und Weise. Kirchliche Tendenzen sind nicht auszuschließen, und es gibt Personen darunter, die sich als die ›Grünen der DDR‹ verstehen und handeln. Von den einer Kontrolle unterzogenen Personen sind ca. 75 % in die Hauptstadt zugewandert und haben illegal Wohnraum, sogenannte schwervermietbare Wohnungen, bezogen ...«

F.: »Eingefügt sei in diesem Zusammenhang, daß die Lesungen in der Wohnung P. fast ausschließlich Bücher oder Manuskripte zur Grundlage haben, die in der DDR aus begreiflichen Gründen nicht verlegt sind. Unter den Teilnehmern befinden sich konzentriert Antragsteller,

Wehrdienstverweigerer, Sympathisanten von Solidarnosc und Vertreter des sogenannten demokratischen Sozialismus.«

Solche ideologische Festigkeit muß auch durch das MfS neidlos anerkannt werden. Das geschieht denn auch durch Oberleutnant Grunwald von der HA XX/2, der am 20. 12. 82 beim HO-Einzelhandel Berlin »diverse Ware« im Wert von 35,75 Mark einkauft: als Präsent für die Abt. Erlaubniswesen der VPI Prenzlauer Berg für die nachahmenswerte Zusammenarbeit im Falle des OV »Zirkel«. Nach der kleinen Siegesfeier geht der gemeinsame Kampf gegen die Wohnungslesungen weiter. [...]

Die Literatur spielt in der Bewertung der Lesungen nur eine sekundäre Rolle. Deren eigentlicher Zweck, so hat die Stasi herausgefunden, ist das »Sammeln von Kontaktpersonen« und deren »negative ideologische Beeinflussung« durch die »feindlich-negativen Kräfte«, die ihrerseits von Westen her (aus dem »Operationsgebiet«) gesteuert werden.

Nun könnte gefragt werden, ob denn nicht ungeachtet solch irrationaler Bewertung durch den Repressionsapparat ein gewichtiger Bestandteil oppositionellen Handelns in der Literaturszene angesiedelt gewesen wäre.

Es fällt nicht schwer, dies für die siebziger Jahre zu bestätigen. Wenn wir uns in jene Zeit zurückversetzen, landen wir ganz zwangsläufig bei Wolf Biermann in der Chausseestraße. Und bei unserem gemeinsamen Freund Robert Havemann, der zwar kein Dichter war, aber mehr Phantasie und Kreativität entwickelte als mancher im Westen hochgelobte DDR-Autor.

Wir erinnern uns auch derer, die uns nach dem Biermann-Rausschmiß und während der gegen Havemann verhängten Blockade abhanden kamen: Sarah Kirsch, Bettina Wegner, Schädlich, Brasch, Schlesinger, Kunert, Loest, Jürgen Fuchs (der auch nach zwölf Westberliner Jahren immer noch ein echter DDR-Dissident war) und viele andere.

Was aber die politische Entwicklung in den achtziger

Jahren bis zum Umbruch des Herbstes 1989 betrifft, so ist die Rolle der Schriftsteller vergleichsweise gering. Es waren einzelne, die sich zur Wehr setzten, die den Ekel vor der Bonzensprache nicht unterdrückten, die nicht käuflich waren oder aus Angst vor dem Entzug kleiner Privilegien schwiegen.

Ihre Werke wurden in der DDR nicht oder nur bruchstückhaft veröffentlicht. Deshalb lasen sie in den Wohnungen (von Matthies, Maaß, Poppe, Fischer, Bickhardt, Mehlhorn usw.). Hier wurden Texte vorgetragen (von Wolfgang Hilbig, Gert Neumann, Elke Erb, Adolf Endler u. a.), die zum Besten gehören, was im letzten DDR-Jahrzehnt an Literatur entstand.

Das oben notierte Stückchen Akteneinsicht liefert nicht mehr als einige Momentaufnahmen aus drei Monaten des Jahres 1982, dazu noch aus dem eingeschränkten Blickwinkel der Machthaber bzw. ihrer Schergen. Es verweist jedoch auf die damals noch engen Beziehungen von Oppositionellen und Autoren (manche, wie Lutz Rathenow, waren beides in einer Person).

Wenige Jahre später (etwa ab 1985) lockerten sich die Bindungen zwischen literarischer und politischer Opposition. Die jüngere Generation, unzutreffend als Prenzlauer-Berg-Szene bezeichnet, verabschiedete sich, von wenigen Ausnahmen abgesehen, völlig aus der Politik. Grund genug, über diese Zeit nachzudenken. Zumal die Trennung bis heute fortwirkt.

November 1992

Quelle: IM »Gerhard«

Aufträge und Maßnahmen:

1. Vorbereitung einer Einschätzung von Rathenow und Anderson;
2. Berichterstattung über alle bekanntgewordenen Aktivitäten
   der mit dem IM in Verbindung stehenden Untergrundpersonen;
3. Weitere Berichterstattung zu dem ehemaligen DDR-Bürger
   Blohm sowie anderen dem IM bekannten ehemaligen DDR-Bürgern
   hinsichtlich ihren Zusammenwirkens in der Untergrundszene;
4. Überprüfung bzw. Auswertung der beim Treff bekanntgewordenen
   Informationen zu den einzelnen Personen und Sachverhalten.

Nächster Treff: 30. 4. 1985, 10.00 Uhr, U-Bahnhof Vinetastraße;
                von dort aus soll die Einführung des IM in das
                Objekt "Sturm" erfolgen, in dem die weiteren
                Treffs durchgeführt werden.

NS:

1. Anschrift des IM: *Schedlinski, Rainer*
                     1058 Berlin, ████████, Str. ██
                     Hinterhaus rechts, Eingang 8, 5. Etage;

2. Unterzeichnender ist ihm als Werner Richter bekannt.

3. Es wurde eine regelmäßige Trefftätigkeit im Abstand von ca.
   14 Tagen festgelegt. Bei operativer Notwendigkeit nach
   kurzfristiger Verbindungsaufnahme kann folgendes Telegramm
   an den IM übermittelt bzw. ein Zettel mit folgendem Text
   im Hausbriefkasten eingeworfen werden:

       "Lieber *Rainer*!

       Ich bitte um Anruf.

                               Gruß Gerhard"

4. Als zweiten Mitarbeiter der Hauptabteilung XX/9 wird beim
   nächsten Treff Genosse Major Heimann als Günter Zimmermann
   mit dem IM bekannt gemacht.

                               Reuter
                               Oberstleutnant

242

Verw./BV Magdeburg

Abt./KD   XX/7

Magdeburg, den 5.8.85 19____

Übergabemitteilung/Abverfügung

Betr.: _____ IMB-_____ Vorlauf, -Vorgang

bestehend aus T I,Bd. 1 ,T. II,Bd. 1, T. III, Bd. 1
               (Anzahl der Bände, Teile usw.)

Registriernummer VII / 97 / 79

Bezeichnung oder Deckname "Gerhard"

a) wurde von BVfS Magdeb.,XX/7, Mj. Hagen
             (Abt./KD/Mitarbeiter)

   an _____
             (Abt./KD/Mitarbeiter)

   übergeben.

   Vorgang übernommen _____
                        (Unterschrift des Mitarbeiters)

   Bestätigt: _____ (Leiter der DE)

b) ist an Verw./BV MfS Berlin, HAXX/9

   Abt./KD _____ Mitarb. Gen. OSL Reuter

   zu übersenden.

   Rücksprache wegen Übernahme geführt

   am April 85 mit Gen OSL Reuter

                        Leiter der DE i.V. _____
                                        (Unterschrift)

   Anlage: 3 Bände

Berlin, 27. Sept. 1985
                                      hei-m

Treffbericht

Quelle: IMB "Gerhard"
Treff am: 26. 9. 1985, 10.00 - 13.00 Uhr
Mitarbeiter: OSL Reuter, Major Heimann

"Gerhard" erschien pünktlich am Treffort. Die Fahrt zum und vom
Objekt verlief ohne Vorkommnisse, ebenso der Treff.

Auftragsgemäß hatte er die Lesung bei Bickard besucht und hat
dazu einen Bericht gegeben. Diese Gelegenheit nutzte er auch
zu einem ausführlichen Gespräch mit Rathenow.

Den Auftrag, die B███-Verbindung W███, Dorothea aufzusuchen,
hat "Gerhard" aus Gründen der Konspiration nicht erfüllt. Seine
Begründung wurde akzeptiert und festgelegt, daß er sich schriftlich an B███ wendet. Der Treff wurde u. a. dazu genutzt, um
ihm Wege und Möglichkeiten aufzuzeigen, in der "Szene" stärker
in Erscheinung zu treten.

Ausgehend von ihm bescheinigten Stärken wurde er beauftragt, sta-
bile Brücken für Kontakte zu Rathenow, Anderson, Zabka, Lorek,
Papenfuß u. a. zu schaffen, um sie jederzeit anlaufen zu können.
Entsprechende Ansätze sind vorhanden.

"Gerhard" wurde angeraten, seine Stärken in der theoretischen
Arbeit mehr zur Geltung zu bringen und seine Zurückhaltung etwas
abzulegen. Gleichzeitig wurden Möglichkeiten ins Gespräch gebracht, wie er durch zeitweise Arbeitsverhältnisse sich sozial
und operativ besser absichern sollte.

Weiter berichtete "Gerhard"

2. über Tendenzen bei den Untergrundzeitschriften,

3. zu Opitz und einer geplanten Lesung in Halle anläßlich eines
   ███-Treffen's,

4. zu Kolbe und einem bevorstehenden Gespräch beim Aufbau-Verlag und

5. zu Papenfuß.

Aufträge:

1. Teilnahme an der Lesung in Halle,
2. Anschreiben des ███,
3. Fortsetzung der Kontakte zu Rathenow und Anderson sowie Auf-
   bau stabil-er Verbindungen zu den anderen genannten Personen.

Nächster Treff: 30. 9. 1985, 10.00 Uhr Kurztreff
                       15.10. 1985, 10.00 Uhr Objekt "Sturm"

                              Heimann
                              Major

Zahlung von feststehenden Zuwendungen an
IM
_____

Es wird gebeten, für die IM "Frieda",
"Rolf Anderson" und "Villon" die Zuwendungen in gleicher Höhe weiterzuzahlen.

Des weiteren wird vorgeschlagen, dem

>   IMB "Gerhard"
>   Reg.-Nr.: VII/97/79
>   IM-führender Mitarbeiter
>   Gen. Reuter

mit

>   400,00 Mark (vierhundert)
>   monatlich

neu festzulegen.

Der IM arbeitet im Kern des politischen
Untergrundes. Er hat kein festes Arbeits-
verhältnis und verfügt über keine regelmäßigen Einnahmen.

Reuter
Oberst

Hauptabteilung XX/9

Bestätigt:

V o r s c h l a g
zur Zahlung einer monatlichen Zuwendung von 400,- Mark an den
IMB "Gerhard", Reg.-Nr.: VII/97/79 ab 1. 1. 1986

Der IM wurde 1979 durch die BV Magdeburg zur inoffiziellen Zusammenarbeit auf der Linie VII geworben. Zum damaligen Zeitpunkt war er als kulturpolitischer Mitarbeiter in der Bezirks-
filmdirektion Magdeburg beschäftigt.

1982 erfolgte seine Übergabe an die Abteilung XX/4 und später
an das Referat 7 der BV Magdeburg. In der Zeit dieser Zusammenarbeit hat er sich gute Fähigkeiten für die inoffizielle Tätigkeit erworben und Kontakte zu operativ bearbeiteten Feindpersonen hergestellt.

Durch seine zunehmende Beteiligung an illegalen Ausstellungen,
Lesungen und anderen Veranstaltungen erhielt er Kontakt zu Personenkreisen des politischen Untergrundes, vorwiegend im gei-
stig-kulturellen Bereich.

Durch seine eigene literarische und journalistische Tätigkeit
und die Veröffentlichung eigener Arbeiten in sogenannten Untergrundzeitschriften hat er sich im Kern des politischen Untergrundes fest verankert. Auf Grund dessen erfolgte auch 1983
sein Umzug in die Hauptstadt der DDR.

Da "Gerhard" zur Bearbeitung bedeutsamer OV und OPK eingesetzt
war, wurde er zunächst weiter durch die BV Magdeburg, Abt. XX,
gesteuert.

Zur Prüfung seiner zentralen Einsatzmöglichkeiten durch die
Hauptabteilung XX erfolgte im März 1985 unter Teilnahme des
Leiters der HA XX/9 ein gemeinsamer Treff in Berlin, bei dem
festgestellt wurde, daß der IMB "Gerhard" fast ausschließlich
Kontakte zu Personen des literarisch-kulturellen Untergrundes
in der Hauptstadt der DDR, wie

    R a t h e n o w , OV "Assistent",
    K o l b e , OV "Poet",
    M a a ß , OV "Keller",
    O p i t z , Detlef,
    A n d e r s o n , Alexander (Sascha)

und weiteren unterhält, die objektiv eine Übernahme durch die
HA XX/9 erforderten.
Entsprechend getroffener Vereinbarungen erfolgte die Übergabe
durch die BV Magdeburg im Mai 1985 an Unterzeichnenden.

In der bisherigen Zusammenarbeit konnten durch den IMB sehr
umfangreiche und operativ bedeutsame Informationen zu Vor-
gangspersonen und operativen Materialien bzw. Sachverhalten
erarbeitet werden. Er ist zu einer der wertvollsten Quellen
in der Aufklärung und Bekämpfung politischer Untergrundtätigkeit entwickelt worden.

Sein Einsatz ist sehr zeit- und kraftaufwendig und erfolgt
aus Überzeugung, Feindtätigkeit gegen unseren sozialistischen
Staat vor allem vorbeugend zu verhindern.

Da der IM keine festen Einnahmen und durch zeitweilige Hilfs-
arbeiten bei der Deutschen Post (Telegrammzusteller) nur ge-
ringe finanzielle Mittel hat, macht sich zur Gewährleistung
seines weiteren operativen Einsatzes die Gewährung einer
finanziellen Zuwendung in der vorgeschlagenen Höhe erforderlich.

Die vorgesehenen Mittel sind in der Finanzplanung 1986 für die
Erweiterung des IM-Bestandes der Abteilung enthalten.

Um Bestätigung wird gebeten.

(Reuter)
Oberst

V e r m e r k

Der Treff mit dem IM B"Gerhard" am 28. 5. 1986 konnte nicht
im Objekt durchgeführt werden, und wurde darüber hinaus von
ursprünglich 10.00 Uhr auf 15.00 Uhr verlegt.

Der Treff fand auf dem Pakkplatz P + R Heinersdorf statt.
Ca. 15.15 Uhr sah Unterzeichner plötzlich den IM "Fritz
Müller" hinter dem Auto in Richtung S-Bahn gehen, worauf
"Gerhard" sofort Deckung im PKW suchte.
Zu diesem Zeitpunkt konnte nicht konkret gesagt werden, ob
"Fritz Müller" beide PKW-Insassen gesehen und erkannt hatte.
Daraufhin wurde der Ort sofort verlassen und "Gerhard" auf
dessen eigenen Vorschlag in die Nähe des "Wiener Café" ge-
bracht.

Ihm wurde folgende Verhaltenslinie erteilt:

- sich nichts anmerken zu lassen und nur auf evtl. Reaktion-
  nen von "F. Müller" einzugehen;

- sich wie gewohnt zu verhalten;

- alle evtl. Anschuldigungen ironisch abzuwehren und gege-
  benenfalls "F. Müller" als Spinner zu bezeichnen sowie derartige "Bespitzelungen" sich zu verbeten.

"Fritz Müller" bestätigte beim Treff am 29. 5. 1986, daß er
Unterzeichner und den IM "Gerhard" erkannt habe. Seine größte Sorge bestand darin, daß "Gerhard",wie er selbst auch,
über das MfS Fahrschule gemacht haben könnte und so seine
Dekonspiration unausweichlich wäre. Er konnte dahingehend be-
ruhigt werden.

Beim Zusammentreffen zwischen "Gerhard" und ihm am 28. 5. 1986
ca. 16.00 Uhr hatte "Fritz Müller" sich nichts anmerken lassen und die Einladung,zum Café zu gehen, abgeschlagen mit der
Aussage, daß er dringend ein Taxi brauche, da ihn sein Fahr-
schullehrer nicht dort abgesetzt habe, wo er es wollte.

"Fritz Müller" gegenüber wurde erläutert, daß ihm gegenüber
bisher aus Sicherheitsgründen keine Hinweise zum Kontakt zu
"Gerhard" gegeben wurden. "Fritz Müller" zeigte dafür Verständnis, zumal es ihm im umgekehrten Falle genauso unange-
nehm gewesen wäre.

Er äußerte Befriedigung dahingehend, daß es ihm nicht unan-
genehm sei, zu wissen, daß "Gerhard" auch "dabei sei".
Er versprach, sich "Gerhard" gegenüber nichts anmerken zu lassen.

Gleichzeitig stellte er Überlegungen an, wie "Gerhard" zu-
künftig (nach Übersiedlung von "Fritz Müller") in das Ver-
bindungssystem einbezogen werden könnte.
Er bewies ein hohes Maß an Sachlichkeit.

"Fritz Müller" sagte, daß es günstig wäre, wenn "Gerhard"
sich später stärker für die Herausgabe der illegalen Zeitschrift "Ariadnefabrik" engagieren würde.
Auf Diplomatenwege könnte "Fritz Müller" ihm evtl. Texte
aus Westberlin zukommen lassen und somit "Gerhard" in die
Verbindungswege einbeziehen.

Es wurde zugesagt, diese Gedanken zu überdenken und Lösungs-
wege zu suchen.

Der IM "Gerhard" wird dahingehend informiert, daß Überprü-
fungen ergeben haben, daß "Fritz Müller" den Treff auf dem
Parkplatz offensichtlich nicht bemerkte und keinerlei Ver-
dachtsmomente gegenüber "Gerhard" hegt.

Heimann
Major

249

Quelle: IMB »David Menzer«

*[Strategiepapier zum Umgang mit den Autoren
eines Arbeitsheftes für die Akademie der Künste]*

[1. Kontakte zu West-Verlagen]

[...]

jan faktor: ist tschechischer bürger, hat eine deutsche frau
geheiratet und lebt in berlin-johannisthal. er ist als ingenieur tätig, hat zwei kinder. er hat enge verbindung mit der
modernen musikszene prags (plastic people, DG, usw.)
und ist literarisch an der tschechischen moderne (miroslav
holub, kundera, usw.) orientiert. ein sehr bescheidener,
ruhiger mensch mit einer klaren sprache. er schreibt in
tschechischer sprache, seine frau und er übersetzen die gedichte gemeinsam ins deutsche. hat keine kontakte zu
westverlagen.

jochen berg: ich kenne jochen berg nur im rahmen seiner
wohnung. die vier, fünf besuche bei ihm brachten keine
besonderen dinge zu tage. [...] bekannt ist dass jochen
bergs dramatik von bundesdeutschen theatern gespielt
wird. in diesem zusammenhang wird auch der druck der
stücke organisiert.

peter brasch: hat keine konkreten verbindungen zu brd-verlagen. alle verbindungen laufen über seinen bruder thomas
brasch. ein paar texte von peter brasch sind im zusammenhang mit einer österreichreise in dortigen literaturzeitschriften gedruckt worden.

stefan döring: hat keine verbindungen zu verlagen in der brd.
adolf endler hat im januar texte von döring an den claasen
verlag gegeben. ein gedicht von döring wurde im almanach
deutscher lyrik (III) 1981 im november veröffentlicht. rüdiger rosenthal hat drei oder vier gedichte von döring an den

250

wagenbach-verlag gegeben. dort soll eine nummer des »tintenfisch« sich speziell mit junger ddr-lyrik befassen. stefan döring würde auf ein angebot eines westdeutschen verlages sicher sehr entgegenkommend reagieren.

thomas günther: keine kontakte zu westverlagen. über einen namentlich nicht bekannten bonner galeristen, wird er gemeinsam mit einer weimarer fotografin [gemeint: Claus Bach, die Herausgeber] dieses oder nächstes jahr eine kleine ausstellung von fotografien machen. wenn ich nicht irre ist der galerist ebenfalls von andy warhol. an eine buch-veröffentlichung in der brd denkt th. günther nicht.

wolfgang hilbig: der 2. band erscheint gerade im februar beim s. fischer verlag. dieses buch ist genehmigt vom büro für urheberrechte. sein lyrikband vom vorjahr war ungenehmigt. das geld liegt in devisen auf einem konto in der brd. wie seine manuskripte an den verlag gelangen ist mir nicht bekannt.

uwe kolbe: der lyrik-band »hineingeboren« soll wohl bei suhrkamp erscheinen. in »litfaß« ist mal etwas von kolbe abgedruckt gewesen. diese paar texte hat lutz rathenow an assen assenov gegeben.

[. . .]

leonhard lorek: hat keine kontakte zu brd-verlagen, würde sich aber nicht sträuben, wenn er angesprochen wird.

[. . .]

detlef opitz: detlef opitz hat keine verbindungen mit verlagen in der brd. ein paar seiner linguistischen prosa-gedichte sind von rainer kirsch an eine österreichische literaturzeitung gegeben worden und dort erschienen.

bert papenfuß: bert papenfuß hat über gerhard wolf einen geplanten kontakt zum klaus wagenbach verlag. er nimmt ausserdem über max dehmel kontakt zu gabriele dietze auf. bücher sind noch nicht geplant er wird aber sicher in der brd veröffentlichen. im almanach oder ich glaube es heisst jahrbuch deutscher lyrik III ist er als neuvorstellung mit fünf gedichten vertreten. wie bei stefan döring wurden die texte von adolf endler an den claasen-verlag übermittelt.

lutz rathenow: lutz rathenows band erzählungen »mit dem schlimmsten wurde schon gerechnet« erscheint demnächst als taschenbuchausgabe ebenfalls beim ullstein-verlag. über wen seine texte an den verlag gelangen ist mir nicht bekannt. ausserdem bereitet er einen band mit gedichten vor und ist, wie bekannt in keiner westdeutschen anthologie nicht vertreten.

andreas röhler: scheint nur zufällig über das geplante arbeitsheft der akademie der künste in den interessierenden personenkreis hineingeraten zu sein. über seine kontakte zum ausland ist mir nichts bekannt.

rüdiger rosenthal: gilt als typ wie lutz rathenow. hat in vielen anthologien texte. gabriele dietze hat von rüdiger rosenthal gedichte mit nach westberlin genommen. es ist nicht denkbar, dass der rotbuch verlag diese gedichte als buch drucken wird. r. rosenthal ist permanent an westveröffentlichungen interessiert.

[. . .]

lothar trolle: seine kontakte zum westlichen ausland sind mir nicht bekannt. er hat ein fernsehspiel im zdf nach einem stoff von ihm laufen, dafür hat er auch geld erhalten. bei »litfaß« ist eine kurze geschichte von ihm erschienen.

252

bettina wegner: ihre kontakte sind mit nicht bekannt. aber b. wegner dürfte eine person sein, über die in diesem bericht nur am rande zu sprechen ist.

[. . .]: ist mir persönlich nicht bekannt. ich glaube er hat noch keine veröffentlichungen in der brd. auch seine verbindungen zu ddr-verlagen sind mir nicht bekannt.

[2. »wer ist gewillt, politisch positiv zu wirken und wer nicht?«]

zu 2. *jochen berg:* ist ein stiller, auf seine künstlerpersönlichkeit achtgebender mensch. er wirkt etwas zu gesetzt für sein alter. legt grossen wert auf äusserlichkeiten. [. . .] jochen berg ist, wie ich gehört habe, mitglied des theaterverbandes. warum er sowenig gedruckt und gespielt wird kann ich mir nicht vorstellen; sicher ist alles was er schreibt von vornherein kein publikumserfolg. könnte meiner meinung nach jedoch sehr interessant inszeniert werden.

er hat theater im westen, die ihn spielen, somit wird er auch gedruckt. ich denke, er wird jedes angebot, ob ddr oder brd, annehmen.

peter brasch: peter brasch grenzt sich literarisch nicht ein. er schreibt alles. ich kenne von ihm lyrik, kurzprosa, hörspiele, filmszenarien. seine literatur wird von kollegen sehr in der nähe seines bruders thomas brasch gesehen. in der lyrik zum teil von der nordamerikanischen moderne und der poésie trouvée beeinflusst. entfernt er sich dann von seinem vorbild, wenn er historische stoffe mit einer ihm sehr eigenen erzählerischen brillanz, ich möchte sagen humoresker lakonie bearbeitet.

er gilt als kontaktfreudig, wenn es um gemeinsame arbeiten geht. er ist impulsiv, trinkt gerne. sein freundeskreis umfasst [. . .], den bildhauer anatol erdmann, [. . .], hat kontakte zur filmhochschule. er gilt als clever und zum teil schon dadurch etabliert, dass er reisen kann oder konnte. staatliche organe sind ihm sicher scheiss-egal, wenn sie nicht persönlichen druck auf ihn ausüben. er würde sicher in den schriftstellerverband eintreten, wenn diese entscheidung aus praktischen gründen käme.

stefan döring: ist ein sehr ruhiger charakter, man kann schon fast sagen phlegmatisch. hat sich ganz sicher aus gründen innerer und äusserer freiheiten auf ein sehr bescheidenes leben hinuntergearbeitet. er war verheiratet, hat ein kind, lebt allein in einer mehr als bescheidenen einraumwohnung. stefan döring hat ein manuskript beim aufbau-verlag liegen. sein lektor ist christian schlosser. es sieht nicht so aus, als sollte aus einem buch bei diesem verlag etwas werden. ausser lyrik schreibt er nichts. es gibt sehr gute versuche einzelner nachdichtungen von ihm. stefan döring hat die absicht sich im schriftstellerverband zu bewerben. er arbeitet neben seiner literarischen tätigkeit als heizer in einem kleinen büro. von dem bescheidenen verdienst kann stefan döring leben. unter kollegen wird seine lyrik, vor allem die der letzten zwei jahre sehr geschätzt. manche sehen eine starke hinwendung zur lyrik von bert papenfuß, was jedoch reine äusserlichkeiten sind, seine poesie ist sicher, konkret und klar. angebote aus dem westlichen ausland wird er in jedem Falle annehmen, wenn es sich nicht um faschistische oder neonazistische verlage handeln würde.

thomas günther: ist ein ruhiger, konstruktiver, an zusammenarbeit interessierter mensch. er arbeitet eng mit einer weimarer fotografin und seiner freundin, die siebdruckerin in karl-marx-stadt ist zusammen. die besitzerin der siebdruckwerkstatt seiner freundin ist wiederum sehr eng mit dieser befreundet, so dass thomas günther seine arbeiten an wochenenden in deren werkstatt sehr billig herstellen kann. fast alle arbeiten basieren auf verfremdung von fotografischen grundlagen. einen verlag in der bundesrepublik hat er nicht. seine gedichte liegen oder lagen, glaube ich, beim aufbau-verlag. er wurde abgelehnt. er schreibt in letzter Zeit verstärkt kurzprosa, die bevorzugten ideen sind sehr präzise auf einer einfachen idee fussende geschichten. er ist in kollegenkreisen kaum bekannt. befreundet ist er mit peter brasch. sehr eng befreundet war er vor dessen abgang mit thomas brasch. er arbeitet zwei oder drei tage auf einem friedhof in der woche. friedhofsverwaltung, kann von dem geld was er und seine freundin verdienen, leben. würde sicher sehr gerne in den schriftstellerverband eintreten und wahrscheinlich sogar aktiv mitarbeiten. konfrontation mit staatlichen organen wird er in jedem falle meiden. er versucht auch immer druckgenehmigungen für seine siebdrucke zu bekommen.

in diesem zusammenhang muss ich mein unverständnis mit der frage »wer ist gewillt politisch positiv zu wirken, wer nicht« ausdrücken. wenn ich den fragesteller so verstehe, wie er es will, muss ich sagen: keiner von den hier beschriebenen will positiv wirken. wenn ich sie in meinem sinne beantworten will, sage ich: alle wollen positiv wirken, positiv im sinne von widersprüchlich und widersprechen, auch den ideen muss widersprochen werden im laufe der zeit. halten sie mich bitte nicht für schizophren. ich will ändern, was zu ändern geht, aber illusionslos und nicht wie ein junger idealisierter held zum beispiel in der ddr-literatur. ich werde also auf diese frage im laufe des berichtes nicht mehr antworten, da den meisten hier beschriebenen egal ist, ob positiv oder negativ, und sie werden sicher bei der nächsten generation, die auf sie und ihre generation zukommt feststellen, dass die nicht mal mehr gewillt sind, konstruktiv auf solche fragen einzugehen.

wolfgang hilbig: hat nach seiner umsiedlung von meuselwitz nach berlin, und durch eine kurzzeitige freundschaft mit frank-wolf matthies einen kleinen freundeskreis gefunden. seine gedichte und in etwas eigenwilligerer form auch seine kurzprosa zeigen seinen schlichten und einfachen charakter sehr genau. durch den einsatz von franz fühmann ist es glücklicherweise gelungen wolfgang hilbig beim reclam verlag unterzubringen. [...] w. hilbig ist frei-schaffend. er würde sicher unvoreingenommen mitglied des schriftstellerverbandes werden, sieht es aber nicht als erstrebenswertes ziel in einem verband zu sein, er ist bereits 40 jahre alt. von den jüngeren kollegen wird er als qualitätsvoller literat eingeschätzt, der allerdings nicht zur moderne zählt.

uwe kolbe: ist ein aktiver, sachlicher typ, mit ungebroche-nen idealen. seine lyrik zeigt starke ähnlichkeiten zu der von frank-wolf matthies, ist aber durch das alter und ande-re äussere umstände (familie, herkunft, freundeskreis) von vornherein nicht so verinnerlicht und verhärtet. die früh-zeitige förderung von franz fühmann hat zeitweise zu einer von ihm auch gespürten isolierung geführt. wegen der en-gen zusammenarbeit im zusammenhang mit der akade-mie-anthologie und seiner natürlichen befähigung zur öff-nung gegenüber anderen anschauungen und lebensweisen hat er guten kontakt zu gleichaltrigen kollegen [...] s. an-derson, b. papenfuß usw. seine lyrik ist gebildet-naiv und konstatiert zustände, das heisst das innere bewegte ich zum aussenraum. man sollte uwe kolbe in den schriftstellerver-band aufnehmen. er wäre sicher ein sehr aktives mitglied.

[...]

leonhard lorek: ist wie viele, die an die substanz der wörter gehen ein sehr einfach zu nennender charakter. er ist direkt und ehrlich in gespräch und struktur der gedanken. leon-hard lorek stammt aus sehr einfachen verhältnissen, war drei jahre bei der fahne studiert bibliothekswissenschaften. er ist in sehr frühem alter mit der rocklyrik amerikas der 60er jahre konfrontiert worden und packt gewissermassen seine weltgefühle in verfremdete sprechweisen. er ist ein offener charakter und zu gemeinsamkeiten, gerade in ver-bindung mit anderen medien, wie musik z. b. bereit. der versuch, äusserst originär zu wirken, kann am alter liegen.

zwar nicht formal, aber von der denkart könnte man schlussfolgern, 1. Lorek gehöre nicht mehr zur beschriebenen generation. ich glaube aber das stimmt nicht, eher liegt es so: durch seine relative spätentwicklung und den dadurch schlagartig erscheinenden erkenntnisvorgang; wie steht das eigene leben im verhältnis zu dem, was man aussagen will, radikalisieren sich lebens- und erscheinungsformen. seine lyrik zeigt den widerspruch zwischen internationalen ansprüchen und trivialsituationen des eigenen lebens.

[...]

detlef opitz: ist äusserlich eine ruhige erscheinung, macht jedoch auf mich einen unklaren eindruck. ich möchte ihn mit ein paar vagen begriffen charakterisieren. übersteigertes selbstbewusstsein aber innerlich depressiv veranlagt, neigt zu empfindungsäußerungen, die stark egozentrisch erscheinen. labile psyche. seine literatur hat dogmatische gedankenstrukturen, scheint aber offen durch die bewusst freie sprachbehandlung. mit ein paar veröffentlichungen in anthologien und literarischen zeitschriften wäre detlef opitz sicher leicht integrierbar. seine ambitionen in richtung öffentlichkeit und status als schriftsteller sind mir nicht ganz klar. kontakte zu westverlagen hat er keine.

bert papenfuß: gilt in fachkreisen als einer der modernsten und klarsten lyriker der jungen ddr-literatur. b. papenfuß ist ein ruhiger und konstruktiver charakter, der fähig ist sehr konzentriert zu arbeiten. seine sprache ist modern aber nicht modernistisch. die basis seiner lyrik ist die mythologie der wörter, die er in freien zusammenhängen und assoziationsketten verwendet, damit hinterfragt er nicht die sprache, wie man meinen könnte, sondern die befähigung der sprache im verhältnis zur zeit. sein humor ist zwingend zur reaktion, auf die es b. papenfuß ankommt. bert papenfuß hat ein ignorantes verhältnis zu be-

:n und institutionen. er hat sich schon einmal im
:stellerverband beworben, ich halte es für einen ent-
lenden fehler, dass er nicht aufgenommen wurde.
ᴄᴏᴇᴍalls ein grosser fehler war, die nichtannahme seines
gedichtbandes, und damit das nichterscheinen eines buches, das nicht nur literarisch wichtig gewesen wäre, sondern auch ein kulturpolitischer erfolg im wörtlichen sinne
des fortschritts. zur zeit sieht es so aus: wie viele andere hat
b. papenfuß den versuch gemacht sich mit der öffentlichkeit ins benehmen zu setzen; auf grund globaler und
scheinbar im anomymen instanzenweg versumpfender
ablehnung sucht b. papenfuß einen verlag in der brd. gerhard wolf will für ihn mit klaus wagenbach sprechen. ausserdem ist gabriele dietze auf bert papenfuß aufmerksam
geworden. seine lyrik ist nur insofern anarchistisch, wie
man nicht hinter die sprache sieht. bert papenfuß ist kein
radikaler. er spricht nur brillant die sprache der radikalen.
viel eher ist er im besten sinne ein deutscher schriftsteller
mit tendenzen zum moralismus.

lutz rathenow: sicher einer der subtilsten charaktere der jüngeren ddr-literatur. ihn kennzeichnet sein entwicklungs-
weg durch die literatur. als frühzeitig noch geförderter junger lyriker, wurde er, wie so viele von der ddr-konkretwel-
le erfasst, beeinflusst von starken und aktiven persönlichkeiten wie reiner kunze und wolf biermann, bewegte er
sich während seiner studienzeit im jenenser kreis um jürgen fuchs, mit der er auch heute noch engen kontakt hält.
nach l. rathenows theorie, muss man, um wirksam zu
sein, überall auftauchen, wo die literatur auftaucht. so verhält sich auch sein erscheinen zu seinem leben. er ist ein,
und das charakterisiert ihn treffend, literat mit bürokraten-
mäppchen. seine geistige passfähigkeit lässt ihn, mit einer
leicht sensiblen ausstattung überall dort erscheinen, wo literatur auf dem programm steht. man sagt: es gibt keine
deutsche anthologie in der er nicht vertreten sei. sicher eine
manische veranlagung. starke kontroversen mit [...], die
ihn für schädlich halten und lieber aus allen entscheiden-

den gesprächen heraushalten. das liegt nicht an einem grundmisstrauen, aber rathenow gilt als neugierig und schwatzhaft. er weiss, dass seine literatur nur in der ddr eine existenzgrundlage hat, daher verliess er nicht wie frank-wolf matthies das land. was er im schriftstellerverband für eine rolle spielen sollte, ist mir nicht klar. er sucht das gespräch mit der öffentlichkeit, das heisst auch mit den behörden und staatlichen organen aus einem bewusstsein heraus, das gehöre zu einem aktiven schriftsteller. schreibt eingaben und tendiert dazu, alles was auftaucht in ein ihm eigenes logistisches system zu packen. seine literatur wird von der jüngeren generation wenig beachtet, höchstens als art satire akzeptiert.

rüdiger rosenthal: nach einem technischen studium und frühen schreibversuchen in richtung ddr-konkret, stiess er auf frühe offizielle ablehnung, literarisch beeinflusst von thomas brasch, reiner kunze und letztendlich von lutz rathenow, versuchte er mit technokratischer geduld eine eigene handschrift zu finden. einfach und klar wird seine lyrik dann, wenn er sich der mittel des epigramms bedient, auf einer idee aufbauende, stark sinnfällige, pointierte assoziationen. versucht wie rathenow überall dabeizusein, was ihm scheinbar nicht so gut gelingt. hat eine sammlung lyrik an gabriele dietze zum rotbuch verlag gegeben. ich glaube nicht, dass rotbuch die gedichte rosenthals druckt. er arbeitet sehr aktuell und vermeidet, was ihm aber selten gelingt, ddr-spezifische fragestellungen. wovon er lebt ist nicht klar. [...] er dagt, er arbeite zeitweise als kraftfahrer für den notdienst eines krankenhauses. kolbe, papenfuß, döring u. a. sind ihm gegenüber sehr misstrauisch. er wird sicher jedes angebot von westlichen verlagen annehmen, ich denke sogar, daß er kontakt in dieser richtung sucht. rüdiger rosenthal macht einen betont sachlichen eindruck auf seine umwelt.

[...]

lothar trolle: zu ihm kann ich nicht viel sagen. er ist glaube ich im theaterverband. seine stücke sind einfach und sinnvoll und aus seinem leben die erfahrungen alternierend. er findet eine kräftige sprache und skurrile situationen für seine figuren. ihm ist sicher egal ob im westen oder osten gedruckt, die ddr wäre ihm als podium auf jeden fall lieber. ich denke, wenn die gesellschaft seine arbeit nicht nur honoriert sondern anerkennt, würde es beiden nützen.

bettina wegner: sie gehört allgemein gesehen einer anderen generation an. ich weiss nicht was es für einen eklat geben würde, wenn man sich von ihr trennt. ich selbst halte ihre lieder nicht für so gefährlich, dass sie hier nicht gesungen werden sollten. da sie selbst vorgibt, auf alle westlichen auftritte zu verzichten, wenn sie hier auftreten könnte, würde ich es für besser halten man gibt ihr diese möglichkeit zumindest soweit uneingeschränkt zurück wie sie nicht von der bühne zur revolution aufruft. es ist sicher nicht möglich, aus was weiss ich für gründen, zu ihr zu gehen, und ihr zu sagen, du darfst wieder. vielleicht sollte man beschränkte angebote, sagen wir kleinveranstaltungen in galerien und sozialveranstaltungen in kirchen und so weiter nicht versuchen zu verhindern. ihre kontakte sind sicher bekannt. zur zeit versucht sie ein buch mit den sagen wir beschissen sentimentalen gedichten ihrer schwester einem westlichen verlag anzubieten. alles folgen der isolation. soll man sie doch fragen, ob sie auf ihr etablissement verzichten will. von den dichtern der jüngeren generation wird sie nicht so sehr geschätzt, aber eine grundsolidarität ist aus der gemeinsamkeit vorhanden.

ekkehard maaß: als letzten in diesem persönlichen bericht will ich versuchen einen menschen zu charakterisieren, der nicht zur eigentlichen literaturszene zu zählen ist, da er selbst nicht schreibend tätig ist, der jedoch in diesem zusammenhang eine sehr entscheidende rolle spielt. [...] die ganze lesereihe bei maaß ist, trotz rationaler begründung ein kompensationsgeschäft seiner seele. e. maaß ist sich seiner inneren situation bewußt, seine art und weise kontakte zu pflegen (biermann, havemann, matthies, usw.) führte oft dazu, dass ihn viele für einen mitarbeiter der staatssicherheit hielten und halten. inkonsequenzen der letzten zehn jahre führten ende 81 zu dem entschluss den waffendienst in der reserve zu verweigern. e. maaß will [...] lieber in den knast als zur fahne. [...] über seine aktivitäten und pläne im inoffiziellen literaturbetrieb werde ich unter punkt 3. zu sprechen kommen.

generationen von schreibenden.
1.: schriftsteller, die durch einen gesellschaftlichen prozess der ablehnung in ein scheinbares abseits gedrängt wurden, und eben diese situation thematisch und in den dafür entsprechenden literarischen traditionen nutzen zu schreiben und zu veröffentlichen.
2.: schriftsteller, die auf ihre art als aussteiger zu bezeichnen sind. sie beschäftigen sich weder thematisch noch formal mit ddr-spezifischer realität. man kann kurz sagen, sie reagieren nicht auf repression oder innenpolitische (kulturpolitische) bewegungen. formal breitgefächerte reduzierung auf allgemein menschliche, elementarste und existentielle probleme.
3.: schriftsteller, die weder mit kulturpolitik noch mit der reaktion und aktion innerhalb der ddr zu tun hatten, einfach noch nicht eingestiegene.
zu 1.: neumann, hilbig, rathenow, brasch, wegner, theilmann
zu 2.: papenfuß, döring, [...], anderson, berg
zu 3.: rosenthal, rom, lorek, häfner, faktor
sehr einfach könnte man auch so teilen. da sind zum beispiel die, die bewusst ihre eigenen medienbereiche überschreiten, um mittel der musik oder bildenden kunst nicht nur zu nutzen um an die öffentlichkeit zu gelangen, sondern, weil sie die überschreitung solcher grenzen für das wirklich produktive halten. da wären rom, anderson, papenfuß, theilmann [...] usw., diese erscheinen natürlich im

gesellschaftlichen raum, der diese überschreitungen schon vom formalen verständnis her kaum schätzen kann als aktiver Kern, was jedoch sicher eine fehleinschätzung ist.

und dann gibt es die masse derer mit dem spruch: schuster bleib bei deinen leisten. [. . .] rathenow [. . .] usw. wenn ich von der muse geküsst würde, könnte ich jetzt noch massenhaft grenzen ziehen, die sicher alle künstlich gezüchtet werden könnten, und das sicher mit dem ergebnis von kontroversen.

ich möchte jedoch folgendes sagen:

angenommen wird im prinzip, alle hier aufgezählten stünden relativ organisiert im zusammenhang, so könnte es in der öffentlichkeit und (nach diesem bub-artikel im stern) nach aussen aussehen. ich denke jedoch, so aphoristisch es klingt: hier klappert, in einer verschlossenen schachtel, eine völlig ungleiche und nur im zustand gefangene masse von steinen lauter, als ein ungeteilter grosser stein, der an den innenseiten der schachtel klebt und nach aussen schaut, es vermag.

[3. Veranstaltungen in der Literaturszene]

es gibt zur zeit innerhalb des von mir beschriebenen kreises fünf mehr oder weniger regelmäßige veranstaltungsreihen:

a. die lesereihe bei ekkehard maaß, die im monatlichen abstand stattfindet. [. . .] maaß bittet jeden literaten um eine einladung (ich habe im einzelnen über diese veranstaltungen berichte gemacht und material, soweit möglich geliefert) und findet auf grund seiner kontaktsucht immer neue verbindungen, die für seine abende geeignet sind, das funktioniert so einfach: der eine kennt einen zweiten und dritten, diese wieder vierte und fünfte, sechste und so weiter. eine kette ohne ende, und literatur, die nicht gedruckt wird gibt es ja genug. durch die schwierigkeiten, die matthies mit den bei ihm stattfindenden lesungen hatte, hat e. maaß natürlich immer darauf geachtet, ähnliche fehler möglichst nicht zu machen. keine konspiration, keine

lesung, sondern ein quasi familientreffen in seiner wohnung und letztendlich ist maaß immer darauf bedacht,
dass einige renommierte schriftsteller anwesend sind, die
das ganze relativ abschützen. heiner müller, elke erb, richard pietraß, [...] christa oder gerhard wolf, franz fühmann, volker braun, von seiten der jungen schriftsteller
wird dieser monatliche abend völlig frei genutzt, um sich
zu treffen, wie um den brunnen in einem dorf. das ist ja
auch ziemlich klar, da diese schriftsteller ja keine bindung
in den verband aufweisen können, ist das natürlich auch
eine gute gelegenheit mit älteren kollegen in kontakt und
austausch zu kommen. geplant sind für das erste halbe
Jahr 82 folgende lesungen: im februar liest paul gratzik aus
seinem roman kohlen-kutte, im märz liest jan faktor lyrik,
im april liest uwe hübner prosa, im mai will e. maaß entweder hilbig oder [...] lesen lassen.

b. die lesereihe bei poppe, rykestr. 28, ebenfalls im mo-
natlichem turnus.

auch diese veranstaltung kann man als folgeerscheinung
der affäre matthies betrachten. poppe (popow) und der
dort versammelte kreis waren regelmäßige besucher der lesungen bei matthies. mir selbst ist der personenkreis nicht
direkt bekannt. ich habe aber trotzdem den überblick im
vergleich, dass es sich, etwas erweitert um den selben kreis
handelt. das liegt auch insofern nahe, dass die organisatoren, die dichter rathenow und rosenthal, ebenfalls zum
kreis um frank-wolf matthies gehörten. ihre motive sind
verschiedener art gelagert. rathenow hat in diesen kreisen
mehr anhänger als in dem ziemlich beschränkten kreis bei
e. maaß. rosenthal begreift die popow-reihe auch als reaktion auf die maaß-reihe. das sind die rein persönlichen motive. ich selbst halte die popow-reihe für insofern unter-
gründiger, als dort die literatur natürlich über die schublade der literaten hinaus wirksam wird. es geht dort eindeutig um politik. ich weiss nicht ob regelmäßig, aber doch öfter taucht auch robert havemann bei popow auf, der sein
vorgeschobenes interesse für information natürlich für seine ideen nutzt. wer bei popow als nächstes lesen soll ist

noch nicht bekannt. als einer der nächsten wurde auch wolfgang hilbig angesprochen. ich werde mich genauer mit diesem thema beschäftigen.

c. eine art literaturreihe im atelier von volker henze [...] ohne regelmäßigkeit,
dass diese veranstaltungen noch nicht regelmäßig sind liegt daran: volker henze hat [...] im zusammenhang mit seiner ehrenausstellung zu picassos geburtstag den raum für die anschliessende festivität zur verfügung gestellt. dabei zeigte der maler und filmregisseur seine drei »experimental«-filme. ein paar wochen später stellte volker henze [sein atelier] bert papenfuß für einen lyrik-punk-abend zur verfügung, wo bert papenfuß, wo dieser unter dem motto druden den dru bogorek liest die schlechtesten verse von b. papenfuß mit einem freund aus der berliner punk-szene einen abend gestaltete. silvester 81/82 traten auf grund einer bitte der sogenannten »papenfuß-band« (papenfuß hat mit dieser gruppe seit langem nicht das geringste zu tun) fünf punk bands der berliner und dresdener szene auf. das atelier fasste über 200 Personen. vor kurzem hat der dichter [...] volker henze gebeten, ihm sein atelier zur verfügung zu stellen. er will dort in moderner form, in einer art theaterinszenierung seine testamente vorstellen. (von den testamenten habe ich vor zwei monaten ein tonband zur verfügung gestellt) [...]

d. atelierausstellungen im atelier von [...] und erdmann.
dazu kann ich nur ganz kurz sagen, dass die absicht besteht, die im vorigen jahr stattgefundenen ausstellungen auch in diesem jahr ziemlich regelmässig durchzuführen. wer konkret ist mir nicht bekannt, ich kenne nur den zusammenhang zwischen den plänen von [...] in der obergrabenpresse und dem [...]-atelier. [...]

am ende wiederum einiges zusammenfassend: fast kate-
gorisierend ist festzustellen, dass sich die hier beschriebenen literaten auf die verschiedensten arten teilen liessen,
wollte man es darauf anlegen.

1. literaten des sogenannten alten stiles, mit durchaus alten überlieferten maßstäben und ansprüchen: qualität, tradition, moral, etablissement. das wären zum beispiel: [...]
lutz rathenow [...] uwe kolbe [...] usw.

2. schriftsteller, eines ich will sagen neuen sozialen
typus, das wären z.b.: thomas günther, leonhard lorek,
bert papenfuß, stefan döring, sascha anderson, michael
rom [...] usw. diese würden das scheinbare etabliert-sein
in verband und den status der unabhängigkeit von ver-
dienstbeschäftigung nicht als bestätigung ihrer leistung
und qualitäten, sondern als selbstverständlichkeit auffas-
sen. [...]

abschliessend: vor über einem jahr habe ich darauf hingewiesen, dass die tendenz zu veranstaltungen, ja sogar
veranstaltungsreihen in wohnungen und ateliers vorhanden ist. die gründe basieren eindeutig auf einem genera-
tionskonflikt, den man nicht mit ignoranzen abheften und
mit marxistischen theorien neutralisieren sollte. ich sehe
den konflikt so: eine generation, die ihre jugendideale, die
zur zeit ihrer jugendzeit innerhalb einer ungeteilten welt
dieselben waren (kein faschismus – also sozialismus, frieden und keine ausbeutung) kommt an die macht und versucht mit der last ihrer unmenschlichen erfahrung diese
ideale zu verwirklichen. teilung der welt in unterschied-
lichste lager, tagespolitik und deren wirkung auf innerge-
sellschaftliche prozesse, politische notwendigkeiten wie
grenze, mauer, stabile zustände als notwendigkeit, all diese
erscheinungen werden von der nun folgenden generation
mit den idealen der väter identifiziert. keine selben erfahrungen, aber möglichkeit das leben zu erfahren, was einem
in form von brennpunkten auf der welt über fernsehen,
medien, schule usw. gezeigt wird, lässt diese jugend nicht
nur an den begriffen der väter zweifeln (krieg, frieden) son-

dern lässt sie auch lebensformen suchen und probieren, die nicht in die gesetzlichkeiten einer gesellschaft passen, die von den vätern erstellt wurden.

ich glaube die eskalierung dieser »untergrund«-kultur-zustände und bewegungen, (immer mehr gemeinsamkeiten zwischen den einzelnen kunst- und kulturgattungen deutet auf bewegung) wird auf lange zeit eine viel grössere wirkung haben, als, sagen wir, die ereignisse auf dem alexanderplatz oder die gesteuerte kampagne gegen biermann. wie will man denn die masse der jugend gegen dichter und künstler orientieren, wenn deren basis nicht die literatur oder humanistische traditionen usw. bilden, sondern deren basis das leben eben dieser jugend selbst ist. gesetze zum schutz der berufsbezeichnung schriftsteller werden nichts gegen die sogenannten aussteiger bewirken, sondern den konflikt nur verdeutlichen. in der öffentlichkeit verdeutlichen. selbst ältere schriftsteller wie christa-gerhard wolf, franz fühmann, heiner müller, endler, erb, braun und viele andere werden auf einen prozess aufmerksam gemacht, der ihnen bis dahin nicht bewusst war, und reizt ihre grundlegendsten solidaritätsgefühle.

die oben beschriebenen privaträume haben ja bereits einen status der öffentlichkeit, dass es nichts mehr nützt gegen einzelne personen vorzugehen, sondern man muss gegen den »frei«-raum der gesellschaft. und das geschieht durch gesetze völlig idiotisch. man sollte die literaten veröffentlichen, dann wären die räume, die privaten, keine gesellschaftlichen freiräume.

zu 3. keines der von *helga paris* angefertigten fotos geht aus ihren händen in den westen. was mit den fotos geschieht, die sie sehr freigiebig an die fotografierten verteilt kann niemand überschauen. ich selber habe zu helga paris ein gutes verhältnis ausgebaut, es hat etwas gedauert, aus gründen der konspiration. ich bin aber soweit, dass ich von allen fotos, die helga paris auf derartigen veranstaltungen macht, einen grossteil abgezogen bekomme, die ich dann zur verfügung stelle .

ihre motivation, diese fotos aufzunehmen, besteht eher auf einer dokumentarischen veranlassung. einmal wird das alles ja geschichte sein, dann hat sie noch was davon übrig. und für viele der beteiligten ist es eine erinnerung an das, was sie getan haben.

zum treffen mit *ernst jandl:* organisiert hat dieses treffen richard pietraß. es war klar, dass die öffentlichen lesungen von ernst jandl so überlaufen sind, dass viele der schriftsteller, vor allem der jungen, die auf derselben grundlage wie jandl arbeiten, nicht die gelegenheit haben würden, die lesungen zu besuchen. vorausgesetzt, dass man als dichter in ein anderes land kommt, um nicht nur aufzutreten, sondern vom land oder zumindest von der dichtung des landes etwas kennenzulernen, wurde der wunsch jandls auf diese weise am besten erfüllt. die wohnung von helga paris ist gross und gut geeignet für einen derartigen abend. helga paris hat ihn auch aus dem grunde zur verfügung gestellt, dass nicht einer der privaten räume, wie maaß oder ähnliches, bekanntes herangezogen wird. es war ein begrenzter kreis eingeladen, da es um ein gespräch ging. die dichter: gerhard wolf, adolf endler, richard pietraß, [...], b. papenfuß, sascha anderson, stefan döring, jan faktor und eberhard häfner. es waren ausserdem anwesend die maler [...], die verantwortliche lektorin für die schweiz vom verlag volk und welt und drei vier, mir unbekannte gäste, die meistens ehepartner, der anwesenden waren. erst hat jandl eine halbe stunde gedichte gelesen, dann die dichter papenfuß, döring, häfner und faktor. im nachhinein kam es zu einem gespräch zum thema konkrete poesie und deren entwicklung im 20. jahrhundert. die jüngeren dichter baten jandl um vermittlung von kontakten zu gleichaltrigen dichtern in österreich. ernst jandl will versuchen, die dichter papenfuß, döring, häfner offiziell nach österreich einzuladen. wie sich die kontakte aufbauen, ob sie sich aufbauen oder nicht und mit welcher wirkung, werde ich weiter sehr genau verfolgen. fotos von diesem abend werde ich in zwei wochen zur verfügung stellen.

[...] differenzen gibt es [...] zwischen den verschiedensten kreisen. [...] und peter brasch gegen rathenow und rosenthal. papenfuß und döring gegen lorek und günther. maaß gegen [...] und anderson. und so weiter. insgesamt scheint es aber so: möglichst keine offenen differenzen, da die allgemeine situation so geladen ist, dass sich differenzen nur auf die massenpsyche auswirken.

in diesem zusammenhang nocheinmal die unterschiedlichsten projekte in richtung »sprachlos«:

das gemeinsamste projekt war sicherlich die anthologie für die akademie der künste, die, wie ich schon berichtet habe nach einem langwierigen und komplizierten prozess von gesprächen und einflussnahmen auch seitens franz fühmann keine fortsetzung erfährt. der sicher problematischste punkt war, die ablehnung (leider anonym den dichtern und herausgebern gegenüber) nicht zu einem anlass der entladung, dieser relativ geschlossenen masse zu machen.

ein weiteres kursierendes objekt sind die tüten des dichters lorek, die wie es das schaffen loreks bringt in möglichst regelmässigem abstand erscheinen (auflage ungefähr 20). dieses objekt kursiert als art rock-lyrik zeitung durchaus auch ausserhalb der literatenkreise. (ich werde eine der tüten zur verfügung stellen).

in dresden beabsichtigt die obergrabenpresse eine sammlung lyrikgrafik mit unterschiedlichsten grafikern und dichtern noch dieses jahr erscheinen zu lassen. dies wird auch hauptsächlich junge dichter betreffen.

ausserdem geben der grafiker kerbach und der dichter anderson ein »poe-sie-all-bum« heraus. immer einige gedichte andersons mit handzeichnungen [...]. im monat eine auflage von 10 bis 20 exemplaren.

der dichter kolbe bringt monatlich in 20 bis 30 exemplaren die typoskripte »der kaiser ist nackt« heraus. hierin sammelt er gedichte von jüngeren dichtern. die exemplare kursieren. (ich hatte bereits welche zur verfügung gestellt).

der dichter [...] ist der auslöser eines der skurrilsten, aber sicher wirkungsvollsten projekte in der »untergrund«-literatur. eine zeitschrift, die immer mehr zum buch wird kursiert in einem exemplar, und jeder der es erhält schreibt einen beitrag dazu und gibt das exemplar weiter. mit welchem ziel am ende ist mir nicht klar. das wäre aber zu recherchieren. ich hoffe [...] anfang märz in leipzig zu treffen.

der kirchenmitarbeiter kulik und papenfuß und döring haben eine zeitung zum thema »politik« geplant, die in einer auflage von 50 bis 80 auf einem ormig-apparat vervielfältigt werden soll. ich habe darüber berichtet. es hat sich noch nichts entwickelt in der zeit.

nun noch einmal zu »sprachlos«. döring und papenfuß arbeiten auch weiterhin an der herausgabe des projektes. es sollen am ende 20 gedichte von 20 dichtern und 20 grafiken von 20 grafikern werden, und alles soll in form eines posters zum falten vervielfältigt werden. gedruckt wird es voraussichtlich in karl-marx-stadt bei obengenannter freundin von thomas günther. vorschnelles eingreifen wäre hier nicht ratsam, da in der druckerei, wo die freundin arbeitet noch nichts bekannt ist, die freundin über die druckereiinhaberin eine siebdruckanlage bestellt hat, nur dort könnte man vielleicht nachforschen, ob sich was verhindern lässt, die freundin von th. günther hat keine erlaubnis erhalten eine selbständige siebdruckerei aufzubauen. sie versucht es jetzt über annoncen, die ihr aufträge von firmen oder kunden dieser art vermitteln sollen.

[5. Veranstaltungen in den Kirchen]

zu 5. im allgemeinen bin ich nicht informiert, welche veranstaltungen in kirchen geplant sind. die veranstaltungsreihe in der kirche am bersarin-ring, in der kulik mit punkern therapeutische arbeit macht, habe ich noch nicht besucht, könnte mich aber informieren. diese abende finden wöchentlich statt und kulik macht jetzt auch lesungen und musikalische programme. papenfuß, döring. es spielen gruppen usw. über die bluesmessen bin ich nicht informiert, habe aber möglichkeit zum kontakt mit den organisatoren.

[6. Ziel und Inhalt der Kontakte zur Ständigen Vertretung]

zu 6. diese frage ist sehr kompliziert. um das ziel und den inhalt zu klären, müsste man die kontakte jedes einzelnen künstlers (ich denke dass sie, wenn sie die frage an mich stellen, direkt die jungen dichter der ddr meinen) orten und den charakter der beziehung feststellen, um dann am besten einen computer anzusetzen.

ich weiss von folgenden kontakten, die relativ unabhängig voneinander betrieben werden. richard pietraß, bernd wagner, elke erb [...], sascha anderson, ekkehard maaß [...], die im dezember 81 bei einem empfang anläßlich der beuys-ausstellung in der vertretung waren. die meisten einladungen sind von max dehmel ausgegangen. die kontakte von seiten der ddr-künstler werden meistens zu informationszwecken genutzt. welche motive seitens max dehmel und vertretung vorliegen kann man nur ahnen, sie werden nicht konkret ausgesprochen. die kontakte werden und wurden nicht im zusammenhang geknüpft und haben kein einheitliches ziel und keinen zusammenhängenden zweck. [...] die wohnung von maaß ist sicher ein zentrum, das von max dehmel für das herstellen von kontakten genutzt wird.

zum ende folgende gedanken: auf grund meiner intensiven beschäftigung in der szene der jungen literatur und kunst der ddr in den letzten drei jahren, mit dem zweck, dass es nicht zu einer erniedrigenden lösung unserer probleme in form einer nabelschau anonymer institutionen [kommt] und mit dem ziel nicht nur unsere kunst kreativ und produktiv zu halten, sondern die dazu gehörende und notwendige kulturpolitik zu beeinflussen, bitte ich nicht nur meine informationen ernst zu nehmen, sondern auch die damit zusammenhängenden schlussfolgerungen.

um fehler und erscheinungen der sechziger Jahre zu ändern, wurde die ddr-konkret bewegung ins leben gerufen. mit den ergebnissen, dass eine absolut schwachbrüstige und schwachköpfige spätpubertäre lyrik wie öl auf der oberfläche des wassers schwimmt, damit es keine wellen gibt, die den grund widerspiegeln könnten. eine zweite wirkung (natürlich) dieser kulturpolitik; es etabliert sich ein literarischer untergrund, der mit der zeit fähig wird, weil er in der folge der trägheit der institutionen zeit hat und unabhängig von der reaktion auf die entwicklung der offiziellen literatur, eine wirkliche entwicklung zu nehmen und produktiv, im sinne von wirksam, zu werden. selbst relativ wissenschaftliche und theoretische auseinandersetzungen werden inoffiziell aber produktiv ausgetragen. ende der siebziger überschreiten die jungen künstler verstärkt ihre mediengrenzen. (wirkung: verstärkter druck von offizieller seite auch auf die bildenden künstler. im allgemeinen wird schon ein wiederausbrechen der kulturpolitik der 50er jahre befürchtet. verschiedene zeitungsartikel: günter rücker in »film und fernsehen« oder ulitsch, leiter der kunstsammlungen dresden, in einem artikel der »sächsischen zeitung« zum thema IX. kunstausstellung, deuten darauf hin und werden wahrgenommen) der zweck dieser überschreitungen ist oben genannter zweck. was direkt nur internationale tendenzen spiegelt, auch in politische massenbewegungen, wie friedensbewegung und dergleichen, wird in der kulturlandschaft der ddr mit schrecken von den verantwortlichen instanzen wahrgenommen und unterdrückt. es werden gesetze geschaffen, die den strom in kanäle leiten sollen, von deren bumerangwirkung ich jedoch überzeugt bin. die jungen literaten der

271

ddr können aufgrund jahrelanger praxis und ihrer weitest-gehenden unabhängigkeit von konsum-ansprüchen und deren verführung sehr bescheiden aber wirklich produktiv leben. es gibt und das ist sicher im grossen und ganzen in-nerhalb der jungen generation, keine konkurrenzgefühle, da es keine vereinsamung, ja nicht einmal einen reaktions-willen auf die kulturpolitik der ddr gibt. auch einer soge-nannt etablierten generation, zu denen man [...] richard pietraß oder sagen wir, erb, endler, braun, kirsch zählt, wird keine art von hass oder neid gegenüber sichtbar. aus-einandersetzungen zwischen den gedruckten ([...] und an-deren nicht geschätzten autoren, die aus der fdj-bewegung kommen und kamen) und den beschriebenen autoren gibt es nicht. zu vielen geachteten literaten hat sich in den letz-ten jahren ein meist produktives verhältnis aufgebaut, das von deren seite mit finanzieller unterstützung und solidar-ität in verschiedensten fällen beantwortet wird. (fühmann, müller, braun, wolfs)

für das nützlichste und nötige halte ich, wenn ein gross-teil der hier beschriebenen autoren in den verband (und nicht in einen zu schaffenden ersatz oder wurmfortsatz) sondern als aktive gleichberechtigte mitglieder aufgenom-men werden, wenn sie gedruckt werden; damit würde neutralisierung der masse (der geschlossenen masse) in form von einzelentladungen in relativ, zumindest geogra-fisch getrennten räumen stattfinden. ausserdem glaube ich, würden aktivitäten, die bisher stattfinden und die nur mit viel aufwand in gesetzlichen gleisen und unter beob-achtung gehalten werden müssen, kanalisiert und nutzbar gemacht werden können.

die bezirksverbände von dresden, erfurt und vielleicht auch leipzig und halle (das beträfe unter umständen [...] anderson, häfner [...] opitz) müssten direktiven vom zen-tralverband erhalten. über den dresdener verband habe ich weiter oben im bericht geschrieben. die hauptlast träfe sicher den berliner verband. ich halte es aber für so drin-gend, dass ich meine, der berliner verband müsste diese

last tragen. vielleicht könnte man auch noch einiges bewirken (was jedoch ein langwieriger prozess wäre) ein paar
junge lyriker zu dezentralisieren.

Ich hoffe auf eine weitere und konstruktive zusammenarbeit.

15. 2. 82

David Menzer
(handschriftlich)

Anmerkung der Hg.: Auszüge aus einem 43 seitigen Bericht
von Sascha Anderson (29 Seiten) wurden im Archiv der
Stasi-Bezirksverwaltung Berlin gefunden. Der Titel und die
Kapitelüberschriften stammen von den Herausgebern.
Orthographische und syntaktische Eigenheiten des Verfassers wurden beibehalten, um den Charakter des Doku-
ments zu wahren; offensichtliche Fehler, speziell bei Ei-
gennamen, wurden stillschweigend verbessert.

LUTZ RATHENOW

Zeitverschiebung
Ein Aktenkommentar

Hier in Japan würde ein Geheimdienst keine Aktenberge anlegen. Hier rechnete er immer mit dem nächsten Erdbeben, das mit Sicherheit durch keine Sicherheit zu vermeiden ist.

Ich sitze im Gästezimmer des Goethe-Instituts und ärgere mich, daß ich den letzten Abend in Tokyo wieder mit der DDR verbringen soll, die ich ja irgendwie zurückrufen muß, wenn ich über das MfS schreiben will. Morgen geht es früh weiter, in den Süden dieses Landes. In eine Stadt, die alle zwanzig Sekunden von einem Vulkan bespuckt wird. Dampf und Asche meist, mitunter sollen kleine Steine dabei sein. Manche Einwohner gingen deshalb mit aufgespanntem Schirm umher. Sie seien noch liebevoller und gastfreundlicher als in Tokyo und die Stadt sei wunderschön.

Auch in den Tropen, wo Papier im Nu vergammelt, käme keiner auf den Gedanken, für die ewige Sicherheit Papiere anzuhäufen.

Ich sortiere die Dokumente und biete zum Druck an, was ich hier nicht brauche, um das zu erklären, was nicht zu erklären ist in einem kurzen Vortrag. Hier arbeiten sie gründlich. Hier werden bald die ersten Stilanalysen von Schedson und Anderlinski erscheinen. Ich halte mir den gelben Schutzhelm vor das Gesicht, der wegen Bebengefahr jedem Gast zusteht, und greife blind in den Stapel mit den kopierten MfS-Dokumenten:

Überlegungen zum weiteren Vorgehen gegen
Rathenow, Lutz

Mit der Zielstellung, die negativ feindlichen Aktivitäten
von Rathenow einzuschränken und weitere Voraussetzungen für eine Strafverfolgung zu einem geeigneten Zeitpunkt
zu schaffen, wird die politisch-operative Arbeit auf folgende Schwerpunkte konzentriert:

1. Weiterführung der staatsanwaltlichen Anordnung zur
   Dokumentierung von Telefongesprächen des Rathenow mit westlichen Verbindungspersonen zur Schaffung von Beweisen der landesverräterischen Nachrichtenübermittlung gemäß § 99 StGB.

2. Prüfung der Einleitung vorgeschlagener Maßnahmen
   gegen [...] mit dem Ziel der Herausarbeitung belasten-
   der Materialien gegen Rathenow entsprechend dem
   unterbreiteten Vorschlag vom 4. 1. 1984.

3. Einleitung verstärkter Kontrollmaßnahmen gegen ausgewählte Kontaktpartner des Rathenow innerhalb der
   DDR, denen die Begehung von Rechtsverletzungen unter Anleitung oder im Zusammenwirken mit Rathenow nachgewiesen werden kann.

4. Feststellung westlicher Kontaktpartner, die zu Rathenow einreisen und Einleitung von Sperrmaßnahmen
   zur zeitweiligen oder dauerhaften Unterbindung dieser
   Kontakte.

5. Dokumentierung von Zusammenkünften des Rathenow mit westlichen Korrespondenten oder Diplomaten in Zusammenarbeit mit der HA II zur Erarbeitung
   von Materialien, die politisch verwertbar sind.

6. Schaffung von Umständen für die Begehung krimineller Vergehen oder Straftaten durch Rathenow.

7. Operative Organisierung von Lesungen in geeigneten Personenkreisen mit dem Ziel der ideologischen Auseinandersetzung mit bzw. der fachlichen Herabwürdigung der literarischen Arbeiten Rathenows.

8. Prüfung von Möglichkeiten, die Eheverhältnisse von Rathenow zu stören, um vorhandene Spannungen weiter zu vertiefen.

9. Nutzung von Publikationen über oder durch den Rathenow in westlichen Einrichtungen, Presseorganen und Verlagen für ideologische Auseinandersetzungen mit ihm durch geeignete Funktionäre aus dem kulturellen Bereich.

10. Entscheidung über die Gewährung zeitweiliger Reisen des Rathenow in nichtsozialistische Staaten mit dem Ziel, der Verunsicherung seiner eigenen sowie seiner Verbindungspersonen (dem MfK liegt ein Reiseantrag nach Frankreich vor).

11. Vorbereitung von Maßnahmen, um Rathenow gemeinsam mit einer geeigneten Quelle über eine kurzzeitige Inhaftierung nach Westberlin oder in die BRD abzuschieben.

Der Plan zeigt, wie differenziert und verschieden die Informationen sein sollten, die das MfS brauchte. Ich verweise auf Punkt 9 und Punkt 10. Ein flexibles Repressionsangebot: Von der Verhaftung bis zum Reiseprivileg.

Vorschlag
zur Einleitung von Maßnahmen gegen Rathenow und Hauswald im Zusammenhang der
Buchveröffentlichung ››Ostberlin‹‹ – die andere Seite einer Stadt in Texten und Bildern
- -

Im Januar 1987 erschien im Piper-Verlag München das
Buch »Ostberlin – die andere Seite einer Stadt in Texten
und Bildern« als Beitrag zum 750. Jubiläum der Hauptstadt
der DDR, Berlin, von Rathenow und Hauswald.

Dieses Buch enthält zum Teil massive Angriffe gegen die
gesellschaftlichen Verhältnisse in der DDR und diskreditiert die Partei und den Staat.

Die Veröffentlichung erfolgte ohne Genehmigung des
Büros für Urheberrechte der DDR.

Entsprechend der getroffenen zentralen Entscheidung
wird vorgeschlagen, folgende Maßnahmen durchzuführen:

1. Einschätzung des Buches durch eine Kommission der
   HV Verlage und Buchhandel des Ministeriums für Kultur.

2. Erarbeitung einer Information über Aktivitäten von
   Rathenow und Hauswald im Zusammenhang mit der
   Herausgabe des Buches und deren Übergabe mit dem
   vorliegenden Buch an die HA IX zur strafrechtlichen
   Einschätzung und Bewertung.

3. Nach Vorlage des Gutachtens und der strafrechtlichen
   Einschätzung ist zu entscheiden, ob durch die Zollver-
   waltung der DDR ein Ermittlungsverfahren wegen Zoll-
   und Devisenvergehen oder durch den Direktor des
   Büros für Urheberrechte ein Ordnungsstrafverfahren
   eingeleitet wird.

4. Bei der Abteilung M sind Maßnahmen zur Unterbindung der Einfuhr des Buches in der DDR einzuleiten.

5. Über die HVA und das MfAA sind die Reaktionen auf dieses Buch in der BRD festzustellen.

6. Auf Reiseanträge von Rathenow und Hauswald in die BRD bzw. nach Berlin (West) zu Gesprächen, Ausstellungen und Interviews ist nicht zu reagieren.

Eine Kommission für ein Buch, hätten wir das damals zu hoffen gewagt? Irgendwo in den Akten las ich auch ihren Bericht: Fünf oder sechs Seiten. Dazu ein Gutachten. Ich zeigte es einem Bekannten. Der kannte eines der Kommissionsmitglieder flüchtig, dieser arbeitet heute bei einem großen bundesdeutschen Verlag. Die Lektüre des Buches schien einige Zeit auch die Regierungsgeschäfte unterbrochen zu haben, wie ein Briefwechsel zwischen Honecker, Hager und Mielke zeigt. Was für schriftstellerische Anstrengungen hätte es bedurft, den Staat gänzlich lahmzulegen?

SOZIALISTISCHE EINHEITSPARTEI DEUTSCHLANDS
Zentralkomitee

HAUS DES ZENTRALKOMITEES AM MARX-ENGELS-PLATZ · 1020 BERLIN · RUF 202-0

MITGLIED DES POLITBÜROS
- Kurt Hager -

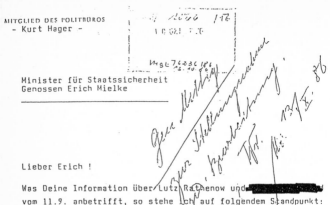

Minister für Staatssicherheit
Genossen Erich Mielke

Lieber Erich !

Was Deine Information über Lutz Rathenow und ▮▮▮▮▮▮▮▮▮▮
vom 11.9. anbetrifft, so stehe ich auf folgendem Standpunkt:

1. Ich halte es nicht für zweckmäßig, daß im Ministerium für
   Kultur mit beiden getrennte Aussprachen stattfinden, um
   ihnen mündlich mitzuteilen, daß sie keine staatliche Genehmigung zur Reise in die BRD erhalten. Besonders Rathenow,
   der seine feindlichen Aktivitäten gegen die DDR fortsetzt
   (siehe seinen Artikel in der letzten Nummer der Hamburger
   Wochenzeitung "Die Zeit"), würde jede Aussprache im Ministerium für Kultur zu einer über Westjournalisten gesteuerte Hetze gegen uns benutzen.

   Das Ministerium für Kultur sollte überhaupt keine Verbindung
   mit Rathenow halten, sondern alle Anträge zurückschicken.
   Rathenow müßte sich, wie jeder andere Bürger auch, an das
   für ihn zuständige Kreisamt der Volkspolizei wenden, wenn
   er eine Reisegenehmigung erhalten möchte. Diese Reisegenehmigung sollte nach meiner Meinung in jedem Fall auch weiterhin verweigert werden.

280

2. Die Zweckmäßigkeit der Einleitung des von Dir vorgeschlagenen
   Ordnungsstrafverfahrens durch den Direktor des Büros für Urheberrechte der DDR müßte noch einmal gründlich überlegt werd(
   Besser wäre, wenn nach dem Erscheinen des Buches die Zollver-
   waltung ein Ermittlungsverfahren wegen Zoll- und Devisenver-
   gehens einleiten würde. Aber natürlich wird Rathenow auch dies
   als ein Beispiel propagieren, wie er von den Behörden der DDR
   behandelt wird.

3. Der Vorschlag, daß das Ministerium für Auswärtige Angelegenhei
   ten in geeigneter Weise Bonner Stellen darauf hinweist, daß
   die Veröffentlichung des Buches von Rathenow und Hauswald im
   Piper-Verlag ein unfreundlicher Akt gegen den im Kulturabkom-
   men vereinbarten Kulturaustausch DDR-BRD ist, findet meine Zustimmung. Ich werde veranlassen, daß das Ministerium für Auswärtige Angelegenheiten den Genossen Moldt entsprechend beauftragt.

4. Wir müssen uns natürlich darüber klar sein, daß Rathenow ein
   Provokateur ist, der keine Ruhe geben, sondern jeden Anlaß
   nutzen wird, um gegen die DDR und den Sozialismus zu hetzen.
   Seine jüngste Veröffentlichung in der "Zeit" ist eine wüste
   Verleumdung unserer Republik und müßte eigentlich entsprechend
   geahndet werden (als Staatsverleumdung). Sollte dies nicht geschehen, so gibt es auf die Dauer nur zwei Möglichkeiten: entweder dem Treiben Rathenows keine Beachtung zu schenken oder
   ihn auszubürgern. Aber Letzteres würde ihm eine weltweite
   Aufmerksamkeit einbringen, die er auf keinen Fall verdient
   hat. Ich bin dafür, ihn nicht weiter zu beachten und auf keiner
   seiner Anträge einzugehen.

Anlage
Information über gegen die DDR ge-
richtete Aktivitäten der DDR-Bürger
Rathenow und Hauswald

Mit sozialistischem Gruß

Kurt Hager

Man kannte sich bereits aus der Friedensbewegung. Honecker hatte schließlich schon einmal Post bekommen, 1983, nach der Ausweisung von Roland Jahn:

Lutz Rathenow 1034 Berlin Thaerstr. 34   21. 6. 83

Sehr geehrter Herr Honecker,

je mehr Fakten ich zum ungewollten Überwechseln des DDR-Bürgers Roland Jahn in die Bundesrepublik höre, desto mehr festigt sich mein Eindruck, daß Jahn von Agenten eines westlichen Geheimdienstes entführt worden ist. Diese verkleideten sich möglicherweise als Mitarbeiter staatlicher Organe unseres Landes und wollten so den Eindruck erzeugen, die DDR rollt einen Bürger gegen seinen Willen außer Landes.

Oder sind dem CIA – oder einem seiner europäischen Ableger – die ungesteuerten Friedensaktivitäten in der DDR so unbequem geworden, daß sie einen ideenreichen Friedensstreiter lieber entfernen lassen? Um so die Friedensbewegung in der DDR zu schwächen, die den Befürwortern neuer amerikanischer Raketen das Argument der Bedrohung aus dem Osten zu entziehen droht.

Wir können diese Verschleppung nicht zulassen. Sind Mitarbeiter unserer Dienste nicht in der Lage, Roland Jahn einfach zurück zu entführen?

Hochachtungsvoll
Lutz Rathenow

Das Ministerium ließ sich in seiner Arbeit aber nicht weiter beirren:

Vorschlag
zur vorbeugenden Verhinderung von Aktivitäten
zur rechtswidrigen Sammlung von Unterschriften und Formierung feindlich-negativer Kräfte

----

[...]

Mit dem Ziel der vorbeugenden Verhinderung der auf die
weitere Formierung einer »staatlich unabhängigen Friedensbewegung« in der DDR gerichteten Unterschriftensammlung sowie der Sicherstellung der aus Westberlin zu
diesem Zweck rechtswidrig eingeführten Schriftstücke und
bereits erlangter Unterschriften wird die Durchführung fol-
gender Maßnahmen vorgeschlagen:

1. Auf der Grundlage der §§ 12 Absatz 2 und 20 Absatz 2
   VP-Gesetz [sind] RATHENOW und POPPE zur Klärung
   eines Sachverhaltes zuzuführen, zu befragen und von
   ihnen die Herausgabe der aus Westberlin eingeführten
   Schriftstücke sowie weiterer damit im Zusammenhang
   stehender Unterlagen zu verlangen. [...]

2. Verweigern RATHENOW und POPPE die Herausgabe der
   von Westberlin rechtswidrig eingeführten Schriften sowie damit im Zusammenhang stehender Unterlagen
   oder erklären sie sich dazu aus anderen Gründen außerstande, erfolgt ausgehend von der internen Feststellung,
   derzufolge sich [...] gegenüber RATHENOW als Mitarbeiter der »Arbeitsgruppe Internationale Dokumentation
   und Kontakte zur DDR« des bezeichneten »Arbeitskrei-
   ses« offenbarte, gegen RATHENOW die Einleitung eines
   Ermittlungsverfahrens wegen ungesetzlicher Verbindungsaufnahme gemäß § 219 Absatz 1 StGB sowie die
   Durchsuchung seiner Wohnung und gemäß § 108 Absatz 4 StPO der Wohnung des POPPE. Unabhängig von
   der Einleitung eines Ermittlungsverfahrens gegen
   RATHENOW besteht auf der Grundlage des § 108 Absatz 4
   StPO die gesetzliche Möglichkeit einer Durchsuchung
   der Wohnräume der Genannten in dem in Bearbeitung

befindlichen   Ermittlungsverfahren/Fahndung   gegen
Jürgen Fuchs.

3. Werden im Verlauf der Durchsuchung Gegenstände
   oder Unterlagen aufgefunden, die auf die Verübung von
   Straftaten durch Rathenow und Poppe hinweisen, erfolgt gemäß § 111 Absatz 2 StPO deren Beschlagnahme
   und die Prüfung der erforderlichen und gesetzlich zuläs-
   sigen strafprozessualen Maßnahmen.

4. Im Zusammenhang mit den durchzuführenden Prü-
   fungshandlungen werden Rathenow und Poppe unter
   intensive politisch-operative Kontrolle genommen, um
   insbesondere Kontakte zu Vertretern ausländischer Pu-
   blikationsorgane sowie Handlungen im Zusammenhang mit feindlichen Kräften in der BRD, in Westberlin
   und in der DDR frühzeitig festzustellen und zu verhindern. [...]

Es ging um die Verhinderung einer gesamtdeutschen Unterschriftensammlung. Interessant ist, daß gegen den
bereits 1977 nach Westberlin abgeschobenen Jürgen Fuchs
ein Ermittlungsverfahren lief. Die Pseudo-Korrektheit des
MfS brauchte Informationen von Spitzeln. Denn am Tele-
fon sprachen wir verschlüsselt oder bewußt über falsche
Dinge. Anderlinski und Schedson zerstörten immer wieder
diese Tarnung. Sie berichteten mitunter zwar nur das weiter, was mehrere Freunde wußten. Damit verliehen sie den
Tatsachen jedoch eine andere Qualität. Durch ihre Berichte
wurden Informationen zu Beweismitteln. Die beiden
Prenzlberger Berichterstatter waren über Monate mitunter
die einzig relevanten Fakten-Lieferer. Das verblüffte mich.
Nun, wir sind nicht verhaftet worden. Bei mir ging nicht
einmal eine Bombe hoch – wie vor dem Haus von Jürgen
Fuchs in Westberlin.

   Es geht auch mit weniger Dramatik. Jeder IM, der den
Kontakt von Jürgen Fuchs zu DDR-Andersdenkenden
bestätigte (die Summe der IM ergab die Summe der Kontakte), wurde z. B. für die nachfolgend zitierten Zersetzungsmaßnahmen gegen Fuchs mit verantwortlich.

Zwischenbericht der HA XX/5

[...]

Im Zeitraum von Ende August bis Ende September 1982 wurden in konzentrierter Form spezielle Maßnahmen realisiert, Fuchs zu verunsichern und in seinem Handlungsspielraum zu beeinträchtigen. Das betraf unter anderem:

– Fuchs wurde kontinuierlich, vor allem in den Nachtstunden, in seiner Wohnung angerufen, ohne daß sich der Anrufer meldete. Gleichzeitig wurde jeweils der Fernsprechanschluß zeitweilig blockiert.

– Im Namen von Fuchs wurde eine Vielzahl von Bestellungen von Zeitungen, Zeitschriften, Prospekten, Offerten u. dgl. aufgegeben, darunter Bestellungen, die zur Kompromittierung des Fuchs geeignet sind.

– Mehrfach wurden Taxis und Notdienste (Schlüsselnotdienst, Abflußnotdienst, Abschleppdienst) vorwiegend nachts zur Wohnung des Fuchs bestellt.

– Mit einer Vielzahl von Dienstleistungsunternehmen und anderen Einrichtungen wurden zu unterschiedlichen Tageszeiten, einschließlich der Wochenenden, Besuche bei Fuchs vereinbart (Beratung zur Wohnungs- und Kücheneinrichtung sowie zur Badausstattung; Polstermöbelaufarbeitung; Polstermöbelreinigung; Wohnungsreinigung; Fensterputzer; Abholung von Schmutzwäsche; Wohnungsauflösung; Abholung von Autowracks; Ungezieferbekämpfung; Bereitstellung von Mietautos mit Fahrer; Massage; Beratung von Versicherungsabschlüssen; Buchung von Reisen; Bestellung von Menüs).

Was an Beweisen nicht auf legalem Wege besorgt werden konnte, wurde illegal beschafft. Dazu noch ein Dokument:

Hauptabteilung XX

Bestätigt:
Generalleutnant

Vorschlag
zu konspirativen Wohnungsdurchsuchungen

Es wird vorgeschlagen, bei dem im Operativ-Vorgang
»Assistent« Reg.-Nr.: XV/6114/80 bearbeiteten

Rathenow, Lutz
[...]
wh.: 1034 Berlin, Thaerstr. 34
freischaffend schriftstellerisch tätig

sowie in einer nichtbewohnten, jedoch von ihm für illegale
Zusammenkünfte genutzten Wohnung in

1034 Berlin, Pillauer Str. 6

in der Zeit vom 20.5. bis 9.6.1984 konspirative Wohnungsdurchsuchungen durchzuführen.

Rathenow wird seit 1980 wegen des dringenden Ver-
dachtes gemäß §§ 100, 106 und 214 StGB im Operativ-Vorgang »Assistent« bearbeitet.

Inoffiziellen Hinweisen zufolge ist Rathenow im Besitz
eigener literarischer Arbeiten, die durch ihn u. a. bei illegalen Zusammenkünften vor seinem feindlich-negativen
Umgangs- und Bekanntenkreis verlesen und verbreitet
werden und einen Angriff auf die gesellschaftlichen Verhältnisse in der DDR darstellen.

Es besteht der begründete Verdacht, daß Rathenow derartige Schriften und Machwerke, wie durch ihn in der Vergangenheit bereits praktiziert, mit dem Ziel verfaßt werden, diese im Zusammenwirken mit Feindpersonen im
NSW und insbesondere in der BRD in westlichen Verlagen
und Massenmedien zu veröffentlichen.

Durch die konspirative Wohnungsdurchsuchung sollen

zielgerichtet weitere inoffizielle Beweise der Feindtätigkeit des Rathenow gesichert werden.

Rathenow und seine Familie beabsichtigen, in dem geplanten Zeitraum der Wohnungsdurchsuchung eine Urlaubsreise nach

Groß Zicker, Kr. Bergen
Bezirk Rostock
Haus 23 a

durchzuführen.

Die operative Kontrolle des Rathenow zur Sicherung der vorgeschlagenen operativen Maßnahme zum angegebenen Zeitraum ist gewährleistet.

Kienberg
Generalmajor

Wie viele Stunden, Tage, Monate haben die Dichter-Spitzel meiner Generation mit dem MfS versessen? Wieviel kleinen und großen Ärger bescherten sie damit ihren Kollegen? Wieviel Zeit verbrauchten wir zur Abwehr dieses Ärgers?

Tokyo, Oktober 1992

PETER BÖTHIG

Gedächtnisprotokoll mit Herrn K.

*Passagen eines Gesprächs mit einem Verbindungsmann zum
Prenzlauer Berg 1985 – 1989,
Offizier der Staatssicherheit; Berlin, August 1992*

Vorbemerkung:
   Nachdem ich den Kontakt zu Herrn »K.« hergestellt
hatte, führten wir ein längeres Gespräch, das dem Ziel
diente, sich kennenzulernen. Die Tonband-Gespräche zum
Thema sollten folgen, wir verabredeten uns für einige Tage
danach.
   Zwei Tage später rief er mich an, um die weiteren Gespräche abzusagen. Quintessenz: Er sei persönlich noch
nicht in der Lage, Bilanz zu ziehen, auch fürchte er die
Öffentlichkeit und die Macht des Mißtrauens. Daß er mit
»Öffentlichkeit« den Druck seitens seiner ehemaligen Genossen meinte, konnte ich nur spekulieren – natürlich
verbietet der Kodex aller Geheimdienste, auch eines aufge-
lösten, über ihre Arbeit Auskunft zu geben.

B.: *Herr K., vielleicht sollten Sie sich zunächst einmal vorstellen.*

K.: Mein Leben war eng an den Staat geknüpft. Vater war
Arbeiter, später Lehrmeister. Parteimitglied seit Gründung,
ein ehrlicher Genosse. Vater war sehr strikt, wortkarg,
klare Linien, sehr rational. Sich für »unsere Sache« einzu-
setzen, war selbstverständlich. »Unsere Sache« – das war
ein sehr emotionaler Bezug für mich von Kindheit an. Zehn
Jahre Schule, Lehre, dann drei Jahre Armee. Dort angesprochen worden: »Komm zu uns.« Dieses »Uns«, das Be-
teiligtsein, das war es, was ich wollte. Wollte dazugehören.
Dann zwei Jahre Bearbeitung zur Einstellung, Kraftfahrer
in Jena. Dann Dienststelle in Erfurt. 1985 kam eine Anfor-
derung der Zentrale aus Berlin. Ich hatte wie jeder die sogenannte »Versetzungsbereitschaft« unterschrieben. Verset-
zung zur Zentrale, also ausgewählt worden zu sein, das

288

war eine Beförderung. Frau und Kinder kamen nach. Mein »Ich« damals war fremdbestimmt. Es gab nur das alles beherrschende »Wir«.

Wie war der Verdienst?

Sehr gut. 2 300 Mark im Monat, einschließlich Kindergeld.

In Berlin waren Sie in der Abteilung für Literatur?

Ja, in der Hauptabteilung XX/9. Wir bearbeiteten die sogenannte Politische Untergrundtätigkeit, also »PUT«. Die Autoren, sie hießen »nichtorganisiert literarisch-tätige Personen«, wurden als sogenanntes Vorfeld der PUT bearbeitet.

Gab es da Pläne der Bearbeitung? Jahrespläne, Abrechnungen?

Ja, es gab die zentralen Strategiepapiere, oder auch DA, also Dienstanweisungen, die wurden jahresweise oder manchmal auch längerfristig erarbeitet und vom Minister unterzeichnet. Davon abgeleitet wurden die Jahresarbeitspläne der einzelnen Abteilungen. Diese wurden dann beim jeweiligen Leiter der Abteilung abgerechnet.* Die Abteilungen, auch die HA XX/9, arbeiteten personen- bzw. OV-bezogen. Wir konkretisierten also die Pläne zu Operativ- und Maßnahmeplänen, die bezogen waren auf die zu bearbeitenden Personen. Die Mitarbeiter hatten dann einzelne OV bzw. OKP zu bearbeiten, IM zu führen, ein Informationsaufkommen zu sichern.

Welche Zielvorstellungen waren in den Plänen formuliert?

Gehen Sie in die Gauck-Behörde. Dort finden Sie die Dienstanweisungen und Strategie-Papiere. Ich kann Ihnen nur meine persönliche Brechung anbieten.

Mit welchem Ziel wurden die Personen bearbeitet?

Die eine Seite war, möglichst eine äußere gegnerische Einflußnahme oder die Auswirkungen der PID, politisch-ideologische Diversion, nachzuweisen (damaliger Slogan:

---

* Leiter der Abteilung XX/9 war der Oberst Reuter. Er erscheint regelmäßig in den Protokollen der IMB »Fritz Müller« und »Gerhard«.

Ohne PID keine PUT). Andererseits die Arbeit mit den IM. Das war ein ganz persönlicher Bezug. Jeder Führungsoffizier hatte eine bestimmte Verhaltensweise, einen Umgang mit seinen IM entwickelt, die seiner persönlichen Entwicklung, seinen Fähigkeiten und seiner Empfindsamkeit entsprachen. Es gab durchaus unterschiedliche Auffassungen z. B. zur Steuerung solcher wichtiger IM wie »Fritz Müller« oder »Gerhard«. Aber das Problem sind nicht die einzelnen Figuren. Die interne Dienststruktur produzierte Feindbilder, und einige waren mit dieser Struktur vollkommen identisch.

Auch die IM wurden als »feindlich negative Kräfte« angesehen?

Differenziert. Manche IM wurden als unter gegnerischem Einfluß stehend angesehen. Entsprechend waren dann die Arbeitsmethoden: Druck und Erpressung. Wenn einer vorgeladen war, fing das Gespräch vielleicht so an: »Wir kennen Ihre feindlichen Aktivitäten. Sie wissen, es reicht für ein Verfahren wegen Paragraph 106 (Staatsfeindliche Hetze). Ein kooperatives Verhalten Ihrerseits könnte sich aber günstig auswirken ...« Das funktionierte oft. Natürlich unterschiedlich je nach Temperament und Charakter. »Gerhard« hat eher geweint, »Fritz Müller« gegrinst. Später mag bei manchen auch Gewöhnung eine Rolle gespielt haben, und Geld. Das war nicht mein Arbeitsstil. Im Gegenteil, es gab darüber schon damals schlimme Auseinandersetzungen.

Den IM zerstörte man und zerstört jetzt wieder die Existenz, während Sie und Ihre Kollegen sich weigern, eine Verantwortung zu übernehmen!

Ich kann nur Verantwortung für mich übernehmen, für das, was ich getan habe, für meine Kontakte, nicht aber für die Leute, die ja namentlich auch bekannt sind, und für deren Schäbigkeit.* Als »Fritz Müller« und »Gerhard«, oder

---

* Zum Beispiel Major Heimann. Er war, das besagen die Akten, der Führungsoffizier von Anderson und Schedlinski. Er war als Waisenkind aufgewachsen und hatte in der Biermann-Affäre seine

andere, in die Schlagzeilen kamen, ist keiner der Führungsoffiziere an die Öffentlichkeit gegangen, um für sie einzu-
stehen.

*Kannte man in der Abteilung die Texte, die im Prenzlauer Berg
geschrieben wurden?*

Von Literatur hatten die meisten keine Ahnung. Es reichte,
daß das nicht genehmigte Druckerzeugnisse waren. Das war
ja das Problem. Bearbeitet wurden Personen. Die haben eben
zufällig Literatur geschrieben. Dienstlich gesehen war nicht
deren Schreiben wichtig, sondern eine mögliche Gefährdung
durch äußere Feindtätigkeit oder eben die sogenannte PID.

*Es stand also keinerlei literarisches Urteil hinter der Bearbei-
tung?*

Man konnte Gutachten einholen. Es gab ja die IME, also
Experten-IM. Wir ließen uns diese Gutachten z. B. vom
Leipziger Literatur-Institut anfertigen, oder vom Berliner
Schriftstellerverband.

Und die haben das als »feindlich« eingestuft?

Das war unterschiedlich. Einige haben Gutachten geschrieben, die hätte man in »Sinn & Form« abdrucken können.
Andere, die wußten, was von ihnen verlangt wurde, haben sich da gnadenlos profiliert. Und Geld verdient. Und
vor allem die Gutachten mit den gängigen Feindbild-
klischees zählten. Da stand dann über Papenfuß: »avant-
gardistischer Sprachgebrauch«, und Avantgarde war gleich
westlich gleich feindlich gleich zu bekämpfen.

Ich und andere haben versucht, dagegen zu argumentie-
ren, d. h., ich habe gesagt, was ich sehe. In meinen Berichten habe ich z. B. von »spielerischem Umgang mit Sprache«
geschrieben. Ich wußte zunehmend, daß es besser gewesen wäre, das nicht als »gegnerisch« zu bekämpfen, son-

»Feuertaufe« erhalten. Er war einer der unermüdlichen Handwerker, ein Pflichtmensch und Punktesammler. Ein knappes Jahr vor
Ende der DDR wurde er befördert und weggelobt. Als Referats-
leiter ersetzte ihn Herr K.

dern statt dessen in unserer Gesellschaft die Konfliktfähigkeit zu erhöhen. Den Begriff hatte ich von Christa Wolf aufgenommen. Ich bin damit aber nicht durchgekommen. Ich will mich nicht im nachhinein als Widerständler profilieren, der war ich nicht, aber ich habe mich zunehmend um Dialog bemüht.

Ich hatte an der Hochschule in Potsdam-Eiche einen juristischen Abschluß gemacht, der heute nichts mehr zählt. In der Diplom-Arbeit habe ich auch Tannert und Sie zitiert, Ihre Texte zu der »Wort & Werk«-Ausstellung 1986 in der Samariterkirche. Ich fand das angemessen, was Sie geschrieben haben, aber es wurde mir alles verdreht und umgedeutet. In die Richtung, wie es dann stimmen sollte: eben »feindlich-negativ«, und »Außensteuerung«.

Wie sah denn Ihre Arbeit konkret aus?

Ich habe versucht, viel »draußen« zu sein, meine Kontakte waren das Wichtige. »Drinnen«, im Ministerium, fehlte die Luft zum Atmen. Da wurde man unentwegt »auf Linie gehalten«, z. B. wurde ständig »Wachsamkeit« angemahnt. Oder es wurde einem unterstellt, daß man auf die Linie seiner Kontakte abdrifte. Ich habe z. B. später erfahren, daß man bei einem meiner IM, den ich über den Kontakt zu kontrollieren hatte, zusätzlich noch Abhörtechnik installiert hatte, vermutlich, um auch mich zu kontrollieren.

Lassen Sie uns einen konkreten Kontakt durchsprechen, Frank Lanzendörfer, er hat sich 1988 umgebracht. Wie sind Sie denn überhaupt auf einen Autor aufmerksam geworden?

Es gab seine Eigeneditionen, und er hatte im »Schaden« veröffentlicht.

Den haben Sie gelesen?

Ja. Alles, was vervielfältigt war, kam auf unsere Tische. Ich habe das gelesen und bin zu ihm, um ihn um ein Gespräch zu bitten.

Mit welchem Ziel?

Einen »IM-Vorlauf« anzulegen. Außerdem wollten wir wissen, was passiert, wollten informiert sein über die Personen. Ich besuchte ihn also in seiner Wohnung. Ich wußte ja, in welchen Verhältnissen er lebte. Einmal habe ich ihm etwas zu essen mitgebracht, oder eine Tüte Tee. Beim ersten Mal stand er in seinem Zimmer und sagte, »Was bleibt mir denn anderes übrig, als mit Ihnen zu reden?« Später sind wir auch aus der Stadt rausgefahren, sind um einen See gelaufen. Er wollte aber nicht wieder zurückgebracht, sondern lieber am Stadtrand bei der S-Bahn abgesetzt werden. Nach drei oder vier Gesprächen habe ich gemerkt, daß man nicht mit ihm arbeiten konnte. Ich habe ihn nicht erreicht, er war viel zu sehr mit sich beschäftigt. Wir hätten ihn zerstört. Da habe ich einen Abschlußbericht geschrieben, begründet, daß der Kontakt mit ihm keine Perspektive hat, und ihn in Ruhe gelassen.

Hatten Sie nie Probleme damit, so aggressiv in das Leben anderer einzugreifen?

Später ja, zunehmend. Aber es war ja unser Dienst, unsere Aufgabe, und ich glaubte vor allem in den ersten Dienstjahren, daß es einem guten Zweck diente. Wir haben auch, um uns vorzubereiten und ein Bild zu bekommen, Briefe und Mitschnitte von Telefonaten genutzt. Das war eben geheimdienstliches Handwerk. Außerdem habe ich natürlich die Texte gelesen.

Und war das nicht eine Niederlage, wenn Sie jemanden nicht »gekriegt« haben? Schadete das nicht Ihrem dienstlichen Ruf?

Das war in der Regel kein großes innerdienstliches Problem. Das konnte vorkommen. Wir haben oft nur weniger als die Hälfte der von uns Angesprochenen auch gewinnen können. Ablehnungen sind auch den Routiniers und »Alten Hasen« passiert.

Was war Ihr Konzept für die Arbeit mit denen, die Sie angespro-
chen haben? Wie sahen Ihre Kontakte aus?

Ich habe immer versucht, ein Gespräch anzubieten. Ich
wollte gegenseitiges Vertrauen, habe das den »kleinen Umgang« genannt. Das war meine Utopie. Ich wollte mit den
Autoren ins Gespräch kommen, also habe ich mich informiert, bin z. B. zu den Auftritten von »Zinnober« gegangen.
Oder '88, die lange Lyrik-Nacht im Kino Babylon. Ich fand,
wir müssen genauer zuhören, dürfen sie nicht von vornherein ausgrenzen und abstempeln.

Manche akzeptierten das, manche nicht. Ich bin z. B. zu
Lorek gegangen, um ihn zu bitten, Jansen nicht zu beeinflussen. »Lassen Sie ihn doch seine eigenen Erfahrungen
machen«, sagte ich zu ihm. Lorek starrte mich ungläubig
an, sagte: »Bildstörung« und warf mich raus.

Oder Ekkehard Maaß. Wir hatten einige Gespräche, ich
habe für ihn ein Visum durchgesetzt, damit er seine kranken Eltern besuchen konnte. Aber er war kein IM, obwohl
er wichtig gewesen wäre durch seine Lese-Wohnung.
Manchmal haben wir einfach nur Tee getrunken. Ich hatte
in Berlin auch einige Gespräche mit Eberhard Häfner. Bei
ihm bin ich regelrecht in die Schule gegangen, hab mir erklären lassen, wie er mit Sprache arbeitet.

Mit dem Ergebnis, daß auch gegen ihn der IM-Vorwurf
(IM »Bendel«) kursiert.

Das ist schwierig. Die Berichte habe ich geschrieben, das ist
allein meine Sache. Häfner war nie IM, er wußte nicht, unter welchen Namen ich ihn führte. In Erfurt war er jahrelang ein Spitzen-OV (OV »Deuter«) gewesen. Ich mußte aber
meine Kontakte teilweise nach innen legendieren, z. B.
über das Schreiben von Berichten. Und ich mußte Schablo-
nen anbieten. Wenn z. B. das Informationsaufkommen gering war, habe ich das nach innen so angeboten, daß ich
ihn über den Kontakt unter Kontrolle halte. Aber dieser
polizeiliche Gesichtspunkt auf Literatur ist ihr nie gerecht
geworden. Heute will ich das loswerden. Aber es ist noch
zu früh für eine Bilanz. Es ist noch zu nahe, und zu fern.

Wer waren denn Ihre IM?

Für mich gab es immer die Regel, meine Quellen zu schützen. Ich habe, als ich ausstieg, nur leere Ordner ohne Namen übergeben.

Wann sind Sie ausgestiegen?

Im Dezember 1989. Ich sollte ins Amt für Nationale Sicherheit übernommen werden, als Perspektivkader, aber das ging für mich nicht mehr.

Warum nicht eher?

Angst, Geld, Familie, soziale Abgesichertheit.

Was machen Sie jetzt?

Habe zwei Jahre Wäsche gefahren im Krankenhaus, jetzt mache ich eine Umschulung.
[...]

Nachbemerkung:
   Die von Herrn K. erwähnten Episoden und Geschehnisse wurden von den Beteiligten beglaubigt. Dies bestätigte den Wahrheitsgehalt der Darstellungen insgesamt.
   Herr K. fragte mich, nachdem er im Oktober 1992 (!) wegen unseres Gesprächs mit einem anonymen Anruf bedroht wurde, ob ich absichern könne, daß niemand in meiner Wohnung gewesen sei. Das Gewalt- und Angstpotential ist offensichtlich nach wie vor existent, die alten Methoden und Verbindungen arbeiten noch.

IV

DEBATTE IM FEUILLETON

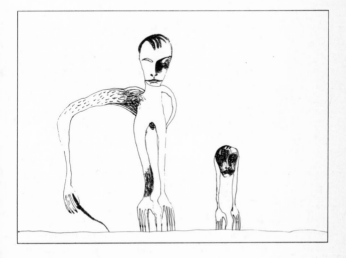

Christine Schlegel: Mutanten, Tusche/Papier, 1992

WOLF BIERMANN

Der Lichtblick im gräßlichen Fatalismus der Geschichte
Rede zur Verleihung des Georg-Büchner-Preises

[...] Gräßlicher Fatalismus der Geschichte? Büchner war da anders.

Ich sah dieser Tage im Fernsehn Dokumentaraufnahmen von einem Aufmarsch in Dresden. Ein Nazilied wurde gebrüllt Sieg Heil! Sieg Heil! und immer wieder der Hitlergruß. Vorneweg frisch bundesrepublikanisierte VP- und Stasi-Bullen mit ihren nagelneuen Westhelmen und Plastikschilden und Knüppeln, sie eskortierten die johlenden Heil-Hitler-Sachsen. Warum bloß schreiten Sie nicht ein, fragte verzweifelt der Fernsehreporter aus Köln den Einsatzleiter der Polizei. Wieso, widersprach der Beamte und Ritter des Knüppelkampfes in seinem gemütlichsten Sächsisch: Die Demonstration dieser Bürger ist ordentlich angemeldet und wir schützen sie. – Aber die rufen doch faschistische Losungen und machen den Hitlergruß! – So? sagte der Oberbulle – ich sehe nischt. Gräßlicher Fatalismus der Geschichte. Meine lieben Ossis, ich mag sie nicht mehr. Sie wurden mir vor sechzehn Jahren gestohlen, und sie können mir gestohlen bleiben. Einzelne tapfere und kluge Menschen gab es immer, auch in den finstersten Zeiten, und ich werde sie immer achten und immer lieben.

Das weiß ja jeder: in finsteren Zeiten sieht es so aus, als hätten die Mächtigen für ewig die Sonne ausgeknipst. Solche menschengemachte Nacht dauert oft länger, als mancher von uns dauert. Aber helle Sterne gibt es trotz alledem, auch wenn ich sie durch die Wolken aus Regen und aus Rauch nicht seh. Es waren immer einzelne gute und mutige Menschen, die stehn für die Menschheit. Sie sind Stern am Himmel und ein Schluck Wahrheit in den Wüsten der Lüge. In den Zeiten des »Hessischen Landboten« waren es Namen wie Weidig, Minningerode, Schütz und

298

Zeuner. In den Zeiten der Unterdrückung unter Ulbricht und Honecker gab es genau solche Menschen auch, und ich könnte die dreißig Minuten, die ich hier rede, einfach verbrauchen für die Aufzählung der Namen. Ihnen verdanke ich, daß ich heute hier stehe, und für sie stehe ich: Volker Böricke, Bernhard Theilmann, Max Hoyer, Ingeborg und Otto Manigk, Pofi Pofahl, Emmchen Liebig, Reimar Gilsenbach, Jürgen Böttcher, Ilja und Vera Moser, Peter Graf, Peter Herrmann, Ralf Winkler, Sabine Grzimmek, Susanne Frost, Ekke Maaß, Doktor Tsouloukidse, Rolf Schälike, Siegmar Faust, Matthias und Tine Storck, Horst Mölke, Horst Hussel, Lothar Reher, Erhard Frommhold, ach und die furchtlose Eva-Maria Hagen – und so viele viele, die ich nicht kennen kann, ich hör schon auf. Ja, viele, nicht wahr? Aber doch nur ein Häuflein mehr oder weniger Aufrechter, einzelne kleine Menschen, die es immer wieder gab und überall gibt. Sie sind die menschlichen Menschen, die 36 Gerechten, ohne die es keine Götter mehr gäbe und keine Menschheit.

Aber das massenhafte, das breitärschige Selbstmitleid dieser wohlgenährten Untertanen in der ehemaligen DDR widert mich an. Es ging ihnen zu lange zu schlecht, und es ging ihnen dabei offenbar nicht schlecht genug. Ihr Glück, daß nebenan steinreiche Verwandte leben, wird zum Pech. Den ruinierten Tschechen und den verarmten Polen geht es da besser, denn sie wissen, daß sie sich selbst helfen müssen, und sie tun es mit großem Elan. Die meisten Deutschen in der Ex-DDR aber glotzen gelähmt über die geschleifte Mauer auf den wohlsituierten Bruder. Sein Geiz ärgert sie, seine Großzügigkeit kränkt sie. Die Besserwisserei der Wessis beleidigt, sogar ihre Hilfsbereitschaft macht mißtrauisch. Die Cleverneß der Westler treibt die entlassenen Heimkinder des Ostens in eine neue Unmündigkeit. Wie es im Liedchen heißt: »Der Schwejk im Goldenen Prag, er vergleicht / Sein Heute vergnügt mit dem Gestern / In Halle Herr Schultz ist verzweifelt, der Mann / Vergleicht immer nur mit den Schwestern / Und Brüdern im Goldenen Wessiland / Die Einzigen, die fröhlich klotzen / Sind

Stasischweine im Manager-Rausch / – ach, ich finde den Osten zum – Küssen.«

Sie haben sich halt viel zuwenig in ihre eigenen Angelegenheiten eingemischt. Sie wollten billig davonkommen, und so was kommt eben teuer. Es gab keine Charta 77 in der DDR, zu einer Gewerkschaftsbewegung wie in Polen gab es nicht mal Ansätze, im Gegenteil. Als Jaruzelski seinem frechen Volk mit Panzern statt mit Schinken das Maul stopfte, da waren die meisten DDR-Menschen der Meinung: Diese dreckigen faulen Polen sollten erst mal das Arbeiten lernen.

Ach, und der permanente Aderlaß. Die unruhigen Geister der DDR, die potentiellen Rebellen wurden vierzig Jahre lang in den Westen getrieben oder vom Vogel verkauft. Allzu viele der übriggebliebenen hellen Köpfe, auch so manche Dichter, lagen bis zuletzt mit der Partei im Bett. Es bildeten sich kleine Nester des Widerstands. Es gab beseelte Kristallisationsmenschen wie Robert Havemann und Bärbel Bohley und Katja Havemann und Reinhard Schult und Jens Reich und Wolfgang Templin, Roland Jahn, die Pastoren Schorlemmer und Walter Schilling, es gab den Waldschrat Mathias Büchner in Erfurt, Hans-Jürgen Fischbeck, Ralf Hirsch, Old Popow und seine Ulrike Poppe in Berlin, Roland Geipel in Gera, Michael Beleites mit seinem Pechblende-Pamphlet über den Uranbergbau in der Wismut. Aber alle Oppositionsgruppen waren von Stasimetastasen zerfressen. Rechtsanwalt Schnur, Waisenkind Böhme, Jutta Braband, Heimkind Monika Haeger, der hochbegabte Poet Heinz Kahlau, der sich nun entblößt und beknirscht hat, der unbegabte Schwätzer Sascha Arschloch, ein Stasispitzel, der immer noch cool den Musensohn spielt und hofft, daß seine Akten nie auftauchen. Das MfS setzte seine Kreaturen überall an die Spitze der Opposition, um sie besser abbrechen zu können.

Nichts wird vergessen, aber alles wird verziehen. Es tut noch weh, aber der Stachel ist aus dem Fleisch. Genug geweint und geflucht. Ich lerne grad ein Verzeihen, das sich ausschüttet vor Lachen. Ich laß euch los, ihr Trauergestal-

300

ten: Ruhet sanft, kratzt euch den Sand aus der Hirnschale und werft ihn euch selber mit dem Schäufelchen hinterher ins Grab! Ketschup über das zertretene Herz der Revolution. Die Kilobytes aus Glanz und Elend sind längst auf einer Diskette im Computer gelandet, gespeichert in Millarden Jas und Neins. Die Festplatte surrt. Ein Leichentuch aus Gelächter liegt über den finsteren Zeiten.

Die Revolution in der DDR war wohl doch keine Revolution, sondern mehr ein günstiger Notverkauf der Russen, ein welthistorisches Abfallprodukt der Perestrojka. Ohne Gorbatschow würden manche heldenmütigen DDR-Schriftsteller heute noch den Stiefel küssen, der sie tritt. Und die Ausländer-Raus-Faschos in Hoyerswerda würden noch immer brav ihre FDJ-Lieder brüllen. Brave Bürger, die ihnen in Hoyerswerda beim Pogrom zuschauten und Beifall klatschten, würden immer noch ins Wahllokal trotten und mit 99 Prozent die Kandidaten der Nationalen Front wählen. Viele der jungen Faschisten im Osten kommen aus einstmals staatstragenden Familien. Papa war kleiner Funktionär, jetzt isser arbeitslos und säuft sich vor der Glotze die alten Märchen aus der Birne. Gestern noch trugen sie das Blauhemd der FDJ und grölten »Schbanjens Himml« oder schlichen im typischen Anorak der Stasispitzel durch die Straßen, nun marschieren sie glatzköpfig in der glänzenden amerikanischen Bomberjacke und reißen den rechten Arm hoch zum Führergruß – es ist das gleiche brutale, stumpfsinnige Pack.

Wenig Eigenes. Sogar die berühmt gewordene Wortschöpfung des Jahres 1989 »Wir sind das Volk!« ist ja ein Plagiat, schlecht abgeschrieben aus Georg Büchners Stück. Das schöne Zitat aus »Dantons Tod« haben sich diese ewig Verkürzten zurechtgestutzt. Beim Originalautor schreit ein lynchlustiger Bürger auf der Straße dem Robespierre zu: »Wir sind das Volk, und wir wollen, daß kein Gesetz sei; ergo ist dieser Wille das Gesetz, ergo im Namen des Gesetzes gibt's kein Gesetz mehr, ergo totgeschlagen!«

Totgeschlagen wurde kein einziger Folterknecht, kein Schießbefehler, kein Menschengroßhändler, kein Denunziant, kein Milliardendieb. Das, was sie sich an Aggressionen gegen ihre Unterdrücker nicht trauten, lassen diese Feiglinge jetzt an den Schwächsten aus, an Vietnamesen, die ihnen jahrelang in den verfaulten Chemiefabriken die gefährliche Dreckarbeit machten. Sie stürzen sich nicht in die Aufbauarbeit, sondern auf kubanische Mohren, die in den VEB Castros Schuldigkeiten taten, ich meine die sozialistisch ausgeliehenen Arbeitssklaven. Die Meute wagt sich an elende Zigeuner aus Rumänien, auf wehrlose Kinder machen die angesoffenen Schwächlinge Jagd.

Jorge Gomondai wurde in Dresden von jungen Deutschen umgebracht. Sie schlugen ihn zusammen und warfen ihn aus der fahrenden Straßenbahn. Das passierte grad zu Ostern. Eine schöne Auferstehung: Der eine kommt, der andre geht, das eiskalte Bett ist noch warm. Christus steigt lebendig hoch aus dem Grab, und dieser Schwarze aus Mosambik fällt hinab in die frei gemachte Gruft. Er hatte jahrelang im VEB-Schlachthof als Fleischhauer gearbeitet, er hatte diesen mordsgemütlichen Jungs so manches Schnitzel aus den LPG-Schweinen rausgehackt. Egon Krenz aber und andere feudalsozialistische Mumien auferstehn derweil in Talk-Shows, sie schmieren verlogene Memoiren zusammen und lachen sich eins. Die passionierten Großwild- und Menschenjäger zogen sich als Rentner auf ihre ergaunerten Datschen zurück und stutzen nun ihre Hecke wie früher die Gesellschaft. Der Liquidator Erich Mielke mimt den Doofen. Der elegante Lump General Markus Wolf spielt den Geheimdienst-Lord und plündert das Moralkonto seines berühmten Vaters und seines toten Bruders Konrad.

Was einer wie Büchner in diesen Tagen wohl sagen und tun würde. Die Neonazis, der Fremdenhaß, die flott gewendete SED-Mafia. Ach, und im Westen die Selbstgerechtigkeit, mit der Kohl und seine geschichtslosen Sieger ihren geschenkten Triumph über einen kranken Kettenhund feiern, als hätten sie einen Drachen erschlagen. Ich denke, Büchner würde die Unbelehrbarkeit der Neofaschisten als schicksalhaftes Verhängnis beklagen, ja als einen weiteren Beweis für den gräßlichen Fatalismus der Geschichte. Aber er würde wohl gleichzeitig zu den wenigen gehören, die gegen den Strom schwimmen. Wo die Kristallnacht mangels Juden wieder an Ausländerwohnheimen geübt wird, wo halbe Kinder Feuer legen und »Sieg Heil« brülln, da würde einer wie Büchner praktische Nächstenliebe predigen und sich mit seinem schwachen Körper gegen den Mob stellen. Und, das versteht sich, ohne große Hoffnung auf Erfolg. Wir kommen alle nicht davon. Manès Sperber schrieb den verblüffenden Satz: »Auch wer gegen den Strom schwimmt, schwimmt im Strome.« Ob Büchner das damals schon wußte? Der ja.

Und weil ich ohne dieses heillose Hoffen nicht leben kann, suche ich, wie andere auch, nach ein paar Fünkchen Fortschritt, lechze nach Beispielen, die jenen gräßlichen Fatalismus der Geschichte doch durchbrechen.

Einen Lichtblick hab' ich immerhin entdeckt: Das Ministerium für Staatssicherheit in der DDR hatte einen Personalstand, der doppelt so hoch war wie der der Gestapo. Es gab also doppelt so viele Herz- und Hirnbewacher für nur siebzehn Millionen Menschen. Das bedeutet, Honecker hatte, auf Großdeutschland umgerechnet, sogar sechs- bis siebenmal so viele Spitzel wie Hitler. Und wenn man noch einrechnet, daß es vor fünfzig Jahren keine Computer gab, keine vergleichbar leistungsfähigen Nachrichtenwege, keine Abhörwanzen, dann war der Apparat zur Bewachung des Volkes in der DDR im Vergleich zur Nazizeit mindestens zwanzigmal so groß.

Diese gräßliche Statistik ist vielleicht das Beste, was man über die DDR sagen kann. An der Größe des Unterdrückungsapparates erkennt man nicht nur die Angst der Herrschenden, sondern auch die Widerspenstigkeit ihrer Untertanen. Ich könnte es auch andersrum und weniger erbaulich darstellen: Die Gestapo konnte so klein gehalten werden, weil die Liebe des Volkes im Tausendjährigen Reich so groß war. Die Masse der Deutschen liebte halt den Führer. Die Masse begehrte treu ergeben, feige, beutegeil, mordbereit und sterbebereit und mit allen lächerlichen

Symptomen einer sexuellen Hörigkeit. In der DDR war das nicht so. Das ist ein Beweis für historischen Fortschritt, ein aufmunterndes Argument gegen Büchners gräßlichen Fatalismus der Geschichte. [...]

(*Die Zeit vom 25. 10. 1991*)

FRANK SCHIRRMACHER

Verdacht und Verrat
Die Stasi-Vergangenheit verändert die literarische Szene

Die literarische Szene ist in Bewegung. Wolf Biermanns Vorwürfe gegen Sascha Anderson haben allen die Explosivität der Lage bewußt gemacht. Die Wirklichkeit, von der man redet, wenn man von der ehemaligen DDR redet, hat die Darstellung George Orwells übertroffen. Die Staatssicherheit entpuppt sich immer mehr als das monströse Hirn eines Staates, dessen innerste Motivation Angst, Bosheit und ungeheure Anmaßung waren. Irgendwo in diesem Lande lagern unzählige Bücher und Akten über Millionen von Menschen. Hier ist fast jedes Detail ihres Lebens notiert. Hier wurde aber auch, wie wir jetzt wissen, das Leben dieser Menschen gelebt. In diesen Akten steht, wer wann und wie wem begegnen sollte; sie sind in einer gar nicht mehr faßbaren Faktizität Textbücher für das Leben. Allein im Berliner Zentralarchiv befinden sich 18 Kilometer Personendossiers, 11 Kilometer »Operative Vorgänge« (also Überwachung von einzelnen Personen). »Allein die F16-Kartei«, berichtet Joachim Gauck, »die die Klarnamen aller erfaßten Bürger enthält, ist anderthalb Kilometer lang.« Noch einmal anders: 180 000 Meter Akten hat das MfS hinterlassen. Ein Meter Akten enthalten 10 000 Blatt Papier, auf denen bis zu 70 Vorgänge erfaßt sind. Die Dunkelziffer des vernichteten oder nicht erfaßten Materials liegt weit höher. Das in den Außenarchiven verwahrte Material ist dabei überhaupt nicht berücksichtigt.

Niemand kann ermessen, was es bedeutet, wenn fast vierzig Jahre lang mit steigender Intensität ein Land und seine Bürger überwacht werden. Einen vergleichbaren Fall kennt die Geschichte nicht. Seit Wolf Biermanns Anschuldigung gegen Sascha Anderson hat die Debatte um die Stasi-Verwicklungen auch das kulturelle Millieu erreicht. Erstmals richtet sich der Vorwurf nicht gegen Politiker, deren Verstrickung anscheinend weniger überrascht.

Biermanns Auftritt irritierte deshalb, weil er einige liebgewonnene Verhaltensmuster des kulturellen Betriebs zerstörte. Entscheidend blieb, daß Biermann zum Zeitpunkt seiner Anklage keine Beweise vorlegen konnte und damit eine Atmosphäre des bloßen Verdachts erzeugte. Erstmals aber auch war hier die Auseinandersetzung zwischen Emigranten und Dagebliebenen aufs Äußerste kulminiert. Die Vorstellung, daß der in mancher Hinsicht sich als Biermann-Erbe verstehende Sascha Anderson für die geheime Staatssicherheit gearbeitet hat, zerstört den letzten Glauben an eine genuine, intakte DDR-Kunst. Auch die subversive Literatur war eine Literatur der Staatssicherheit – so wie die einhundert Kilometer Akten in Berlin.

Anderson hat unterdessen in einem Interview bestätigt, seit 1972 ständig Kontakt mit dem Ministerium für Staatssicherheit gehabt zu haben. Er habe aber niemals eine Erklärung unterschrieben noch Vorteile angenommen. Die entscheidende Frage, ob er auch nach seiner Übersiedlung in den Westen weiter die Stasi mit Informationen versorgte, hat er bislang nicht beantwortet. Im Augenblick weiß niemand, woran er ist: unklar ist weiterhin, ob Anderson seine Mitarbeit nun »gestanden« oder nur jene Kontakte eingeräumt hat, die er bislang ohnehin nie bestritt. Doch diese Verwirrung ist bereits ein Kennzeichen. Sie benennt eine erste Erbschaft dieses unseligen Staates:

eine Sprache, die alles im Unklaren läßt, deren Bezüge sich nicht zuordnen lassen.

Gesprächsweise bestätigt Anderson, der Stasi alles gesagt zu haben, was sie wissen wollte. »Denn die Stasi interessierte nicht.« An diesem Nachsatz sind Zweifel angebracht. Jene bewußte Politik der Nichtpolitik, die Anderson und der »Prenzlauer Berg« vertraten, gerät aufgrund dieses Bekenntnisses ins Zwielicht. Völlig absurd ist die jetzt in einer Zeitung geäußerte Vermutung, daß ein »Hauptakteur der Prenzlauer Szene nicht verraten konnte«, weil ohnehin alles offen zutage lag. Natürlich hat er verraten können: Menschen, Meinungen, Bekenntnisse. »Nach den Recherchen, die ich gemacht habe«, sagt Jürgen Fuchs, »ist die Situation für Sascha Anderson sehr ernst. Ich würde ihm dringlichst raten, sehr offen und genau zu sprechen über die vergangenen Jahre, besonders über diesen Bereich Literatur und Staatssicherheit.«

Jürgen Fuchs, der wie kaum ein anderer die Akten kennt, hat sich jetzt noch einmal in der »Welt« zu Wort gemeldet. Mit großer Eindringlichkeit hat er vor einer Verharmlosung der Stasi-Vergangenheit gewarnt. »Ich habe tatsächlich brisantes Material gesehen. Und mit diesem Wissen sage ich: Auf uns kommt etwas zu mit einer unglaublichen Gewalttätigkeit – Aktenberge, Auschwitz in den Seelen; eine Gewalttätigkeit, die wir noch einmal aushalten müssen.« Allein in Berlin, so berichtet Fuchs, haben in Bereich Kultur und Literatur 350 inoffizielle Mitarbeiter gearbeitet – »davon mindestens die Hälfte Prominente. Umgerechnet auf die Bezirke sind das dann schon 3 000 ... Von diesen, die ich jetzt genannt habe, sind viele gereist. Wir sind in einer tiefen und ernsten Situation. Und auch Gefährdung. Denn wenn wir diese Art von Verrat und Vergiftung nicht ans Licht bringen, ist diese deutsche Demokratie erneut gefährdet.«

Ein so besonnener Mann wie Fuchs sagt dergleichen nicht, um Panik zu erzeugen. Im Gespräch weist er darauf hin, daß die Machenschaften der Stasi in ihrer Strategie weitaus perfider waren als bisher angenommen. »Das Ausmaß der Kollaboration ist groß. Und immer an die wirklichen Opfer denken, bitte! Die sind so zahlreich, sitzen nicht in Talk-Shows, füllen nicht das Feuilleton – sie leben nach wie vor im Unglück.«

Die Staatssicherheit, soviel ist jetzt deutlich, war keineswegs nur ein Spitzel- und Überwachungsdienst. Längst hatte sie sich ein Spiel ersonnen, um die Wirklichkeit zur Simulation zu machen. Sie hat bewußt Schriftsteller und Künstler aufgebaut, die in vorher genau verabredeten Konstellationen, in Gruppen aufeinandertreffen sollten. Die Agenten sollten »Gefühlsmuster« und »Denkschemata« erzeugen. Daher auch die sonderbare Redeweise der Überführten – beispielsweise von Ibrahim Böhme, der jahrelang den Lyriker Reiner Kunze als vorgeblich bester Freund bespitzelte. Es ist die Redeweise des puren Spiels, gerade so, als gebe es keine Wirklichkeit mehr. Dies, so hat Jürgen Fuchs geäußert, sei eine der zentralen Strukturen der Stasi-Täter: »Es gibt etwas Spielerisches im Umgang mit der Gewalt ... Menschen, die einen spielerischen Umgang finden und glauben, so diese Wirklichkeit außer Kraft zu setzen.«

Ohne Zweifel wird es nach der Verabschiedung des Stasi-Gesetzes zu neuen Namensnennungen kommen. Schon jetzt hat sich die Schriftstellerin Helga Novak in einem offenen Brief an Jürgen Fuchs, Wolf Biermann und Sarah Kirsch selbst der Stasi-Mitarbeit bezichtigt. Ihr Schreiben ist der vorläufige Höhepunkt einer rhetorischen Figur, mit der die Täter sich zu Opfern stilisieren. Fast scheint es, als ob sie ihre Stasi-Mitarbeit als Spiel begreife. Jedenfalls hält sie es für moralisch vertretbarer, für die Stasi gearbeitet zu haben, als jetzt über die Stasi-Mitarbeit anderer zu richten.

Jürgen Fuchs spricht vom »Verrat« – und gewiß sind »Verrat« und »Verdacht« Schlüsselworte für die intellektuelle Befindlichkeit der neuen Bundesrepublik. »Das ist jetzt ein großartiger Anschauungsunterricht für uns alle noch einmal, eine Wiederholung. Ein Wiederholungszwang, weil die Wahrheit fehlt. Somit die Erlösung und auch die

Chance des Verzeihens. Die Täter, so scheint es, haben sich längst selbst verziehen.« Nach der Aufarbeitung, die Fuchs fordert, wird die literarische Kultur der DDR vielleicht nicht mehr wiederzuerkennen sein.

(*Frankfurter Allgemeine Zeitung vom 5. 11.1991*)

GÜNTER KUNERT

Zur Staatssicherheit
Poesie und Verbrechen

Es wäre berechtigt, von der fortschreitenden Intoxikation der Gesellschaft zu sprechen, vom »Leichengift« der DDR, dessen Wirksamkeit mit dem Abstand zum Gestern zuzunehmen scheint. Aber, so meine ich, wir vergäßen bei Nennung der Symptome die Ursachen. Und wenn gegenwärtig das, was man den »Fall Sascha Anderson« zu nennen sich angewöhnt hat, derartigen Wirbel macht, dann setzt sich dieser aus den unterschiedlichsten Emotionen zusammen. Vernunft ist kaum erkennbar. Alle Beteiligten erwecken den Eindruck, sie hielten sich nur mühsam im Zaum. Man ahnt bereits die anstehenden Beleidigungsprozesse, die Anklagen und Klagen wegen Rufschädigung. Das künftige Ergebnis ist heute schon absehbar: Man wird sich nach dem Clinch vorkommen, als hätte man an einem Schlammringkampf teilgenommen.

Zur Sache: Sascha Anderson, ein offenkundig labiler Zeitgenosse, wurde bereits im Alter von zwanzig Jahren von der Staatssicherheit »zur Brust genommen«. Er hat sich dem Machtapparat nicht entziehen können, ein namenloser, in der Provinz lebender Bursche ohne mitmenschliche Stütze, ohne den möglichen Halt durch eine Gruppe. Ihm ist Angst eingejagt woren, physisch und psychisch. Er wurde verprügelt und in Panik versetzt. Er wurde in einen psychopathologischen Zustand getrieben. Das alles war in jenem linksseits gelobten Land leicht möglich. Denn der Kitt des Systems war die Angst. Und wie diese Angstfülle erzeugt worden ist, zählt zu den Ursachen, welche im Falle Anderson kaum Erwähnung finden. Das kriminelle System nämlich hat jeden seiner Untertanen zu potentiellen Mittätern gemacht, indem es ihn in einen potentiellen Kriminellen verwandelte. Dem Ausspruch Laotses zufolge, daß es um so mehr Verbrecher gäbe, je mehr Gesetze existieren, installierte die DDR-Führung über die ihr erreichbaren Köpfe ein Damoklesschwert. Die unüberschaubare Vielzahl der Verordnungen vermittelte das Gefühl, permanent gegen sie zu verstoßen.

Ein unsichtbarer Wald von Verboten, ausgesprochenen wie unausgesprochenen, umgab das Individuum. Freilich: Der beabsichtigte Effekt schlug in sein Gegenteil um. Da kein gesichertes Rechtsbewußtsein staatlicherseits kenntlich war, sondern nur die Willkür der Macht spürbar, verringerte sich infolgedessen das allgemeine Unrechtsbewußtsein. Der Diebstahl auf Baustellen wurde so normal wie die Korruption der Ämter. Der illegale Handel galt als Selbstverständlichkeit, und die Arbeitsmoral sackte ständig weiter ab. Die Grenze zwischen Recht und Unrecht wurde hemmungslos verwischt, und das führte zwangsläufig zur Indolenz, zumindest zu einer Unschärfe zwischen Moral und Amoral: In diesem Unschärfebereich ist Sascha Anderson aufgewachsen, in dieser Grauzone hat er gelebt und sich entsprechend verhalten. Wenn es schon in bezug auf Eigentum »nicht so drauf ankam«, wie sollten andere, eher immaterielle Bereiche davon ausgespart bleiben?

Wie gesagt: ein orientierungsloser junger Mann, dem nicht die Gnade einer früheren Geburt zuteil geworden war, die ihn vor Pressionen graduell geschützt hätte. Die Rede ist von jenen Biographien, die in der Nazizeit einen politischen oder »rassischen« Knick bekamen und die ihrem Besitzer größere Freiheit gestatteten. Nichts fürchte-

ten die »verdorbenen Greise« (Wolf Biermann) so sehr wie
die Gleichsetzung mit den Nazis, und deshalb waren sie
gegenüber den einstigen Opfern oder deren Nachkommen
vorsichtiger als gegenüber unbekannten und »geschichtslosen« Leuten, zu denen Anderson zählt.

Die Angst wurde »instrumentalisiert«: Altbundesländler,
die einstmals den zweiten deutschen Staat besuchten, sollten sich an ihre eigenen Empfindungen beim Grenzüber-
tritt erinnern, beim Gefilztwerden im Kontrollpunkt, an
das Kämmerlein ohne Innenklinke, in das man sie zu sper-
ren vermochte – dann müßten sie begreifen können, wie
einem zumute gewesen ist, der vor den Vertretern einer nahezu unbegrenzten Gewalt saß und ihnen ausgeliefert war.

Aber Angst macht auch erfinderisch. Sie beflügelt die
Phantasie, meist in negativer Hinsicht. Sie führt zu Illusionen, Einbildungen, irrealen Hoffnungen. Anderson war
sehr wahrscheinlich davon überzeugt, daß er, falls er den
»Organen« nur klarmachen könne, daß im Grunde die
Schar apolitischer junger Dichter und Intellektueller im
Berliner Stadtteil Prenzlauer Berg nicht den Sturz des Regi-
mes vorhabe, vielmehr durch einen oppositionell unge-
nutzten künstlerischen Freiraum »klimaverbessernd« wir-
ke, die Vertreter des Systems seinen Argumenten folgen
müßten. Und möglicherweise haben sie das sogar getan.

Doch bereits die »Szene«, mit Recht als abseits der real
existierenden DDR verstanden, war ja ein Ergebnis der
Angst, der Befürchtungen, mit dem politisch zu verstehenden Wort auch die alptraumhaften Folgen tragen zu müssen. Diese jungen Menschen waren keine Avantgarde in
der DDR, sie waren Flüchtlinge in die Ästhetik, in die Form
und in das Spiel: Eine Nachhut dessen, was in Europa
sechzig, siebzig Jahre zuvor revolutionär gewesen ist. Darum die Duldung durch das System, aber darum auch das
amtliche Mißtrauen, darum die Überwachung.

Vorstellbar ebenso, daß Anderson wie andere seines In-
tellekts glaubten, die »dumme« Stasi austricksen zu können, deren leere Gesichter man an vielen Ecken mit Verachtung wahrnehmen konnte. Alles sagen, aussagen, er-

klären, darlegen, was die sowie wußten – mußte solch Verhalten nicht zu einem Nachlassen der Wachsamkeit auf der anderen Seite führen und von der Unschuld der eigenen Absichten, nämlich »nur« Kunst zu produzieren, überzeugen? Und war nicht die Existenz der Stasi gar ein Stimulans für Autoren, zumindest für einige? Wurde einem auf diese Weise nicht ein Selbstverständnis, ein Gefühl der eigenen Wichtigkeit vermittelt, das sich unter normaleren Verhältnissen kaum eingestellt hätte? Die Aufhellung des Syndroms eines in die Stasi-Machenschaften Verstrickten bedürfen weiß Gott psychiatrischer Mühen. Mit moralischem Rigorismus kommt man hierbei nicht weit, jedenfalls nie zum Kern.

Aus den Polemiken um Sascha Anderson spricht Hilflosigkeit: Wie soll man sich gegenüber Personen verhalten, die nun in einem Boot mit Mielke sitzen, aus dem hingegen Figuren wie Schalck-Golodkowski oder Markus Wolf längst lächelnd ausgestiegen sind? Wenden wir uns von den juristisch nicht belangbaren Schurken ab, um unser Mütchen an jenen zu kühlen, die unschuldig schuldig geworden sind? Ich fürchte sogar, die Stärke der moralischen Entrüstung beziehungsweise die gierige Aufnahme des Themas »Sascha Anderson« verweist auf unsere Unzufriedenheit mit der Aufarbeitung der DDR-Vergangenheit. Statt der Platzhirsche erlegen die Jäger eine Feldmaus. Ersatzbefriedigung nennt man das. Aber, und das ist wohl die Frage bei der ganzen Affäre, wie soll nun tatsächlich mit all den gewesenen Ungeheuerlichkeiten und ihren Betreibern umgegangen werden?

Sowohl Pastor Schorlemmer wie Wolfgang Thierse fordern ein Tribunal, vor dem ich mich, wie ich gestehen muß, zu fürchten anfange. Die wirklichen Untäter werden vor keiner moralische Urteile fällenden Instanz erscheinen und die Urteile selber gelassen hinnehmen, wie wir das ja bereits televisionär erleben durften. Und die kleinen Fische? Was wird mit denen? Wie träfe und beträfe sie der Bannstrahl solchen Tribunals? Hat denn nicht bereits das öffentliche Tribunal seine Arbeit mittels der Presse aufgenommen? Sollen fernerhin die Namen von Informanten genannt werden und die Beweise publiziert? Wäre ein derartiges Tribunal, das keinerlei exekutive Macht besäße, nicht ein Unternehmen, das auf ziemlich unchristliche Art den Hochmut der Gerechten massenhaft herstellte und dadurch die Einsicht in die eigene, menschliche Fehlbarkeit blockierte? Würde dieses Tribunal nicht gar zum Gespött der Bürger, die statt der moralischen Urteile juristisch konkrete erwartet haben?

Wir wollen und müssen differenzieren: Ein Sascha Anderson ist anders zu betrachten als einer, der für Geld oder Karriere »tätig« wurde. Es gilt zu unterscheiden zwischen den armen Schweinen und den Schweinehunden. Und es gilt ebenso, die Kluft zu erkennen, die zwischen denen besteht, die im Dritten Reich mehr oder weniger begeistert mitmarschiert sind, um anschließend auf andere Art ihren Irrtum zu wiederholen – und denen, deren »Biotop« die DDR gewesen ist. Mitleid, Verständnis, Einsicht in die ihnen anerzogene Schwäche kann nur den Generationen zuteil werden, die »es nicht besser wußten«. Wer aber schon einmal den Führerbefehlen gehorcht hat, kann keinen Pardon erwarten. Ich verkenne dabei keineswegs die Gefahren: Der moralische Freispruch für die Jüngeren würde von den Älteren, von den faktischen Schuften eingeklagt werden. Entgegen einem Sascha Anderson profilierten sie sich geschwind zum Opfer, zumindest als wackere Kumpane, die das Beste wollten. Und überhaupt: Wer will wem Absolution erteilen unter welchen Auflagen? Erwarten wir Zerknirschung oder das mannhafte Geständnis des Beteiligtgewesenseins? Entschuldigen wir eher den Überzeugungstäter, sobald er uns von seinem Überzeugtsein überzeugen kann, oder den durch Zwang und Druck in sein Unglück gestoßenen? Wem es Erleichterung verschafft, der werfe den zweiten, dritten und vierten Stein. Er sei sich eines Faktums aber gewiß: Solch Stein fällt schmerzhaft auf ihn selber zurück.

(*Frankfurter Allgemeine Zeitung vom 6. 11.1991*)

Vergewaltigung des Themas
Das Beispiel Biermann und das Beispiel Anderson

Der Osten versucht, den Weg aus der organisierten Verantwortungslosigkeit in die Freiheit zu finden. Wir sind an
einem Punkt angekommen, an dem uns viele weismachen
wollen, alles ist falsch und alles ist richtig, alles ist gut und
alles ist schlecht, alles ist weiß und gleichzeitig schwarz.
In diesem Rechtsstaat wollen sie uns klarmachen – alles
ist recht. Parteivermögen, im Unrechtsstaat von den Block-
flöten als Judaslohn kassiert, ist rechtmäßig erworbenes
Eigentum, wenn die Westpartei das Geld braucht.

Wer heute einen Denunzianten benennt, wird selbst als
Denunziant diffamiert. Wolf Biermann, den die Stasi nicht
mehr ins Land ließ, wird vorgeworfen, in den letzten
15 Jahren nicht da gewesen zu sein.

In den Medien wird ein Krieg geführt. Wer lauter schreit
– und vor allem, wer im Chor derer mitschreit, die die Per-
sönlichkeitsrechte höher als die Wahrheit hängen, hat
recht. In diesem Geschrei soll untergehen, wer schuldig ist
oder unschuldig. Die Unschuldigen werden in das Schweigen zurückgedrängt, bevor sie gesprochen haben und die
Mitläufer, Mittäter und Gleichgültigen werden zu denjenigen, die sich »normal« verhalten haben: Es war doch fast
jeder bei der Stasi, wir haben die Stasi nicht ernst genommen, deshalb haben wir ihr alles über unsere Freunde erzählt. Nichts haben wir verbrochen, denn sie wußten ja
sowieso schon alles.

Ich bin nicht sehr überrascht von dem riesigen offiziellen
und inoffiziellen Mitarbeiterstamm des Unterdrückungsapparates. Wir wollten aber wenigstens aus diesem absurden Kapitel unserer Geschichte lernen und haben geglaubt,
es gäbe eine andere Art von Vergangenheitsbewältigung
als: Gefängnisstrafen oder Kopf ab. Anscheinend aber
würden allein diese Methoden das Nachdenken über Gut

und Böse, über Schuld und Unschuld vertiefen und Zynikern wie Torsten Preuß etwas mehr Vorsicht in die Feder fließen lassen. Wie aber schreibt er in der »taz« vom 1.11.91? Ob Sascha Anderson ein Spitzel war oder nicht, die Antwort sei unerheblich: »Solche Spitzel lob' ich mir.« Wer etwas gegen ihn vorzubringen habe, der möge Anderson anzeigen. Aber wer kann das ohne Beweise?

Nur die Täter kennen die Verstrickungen – solange bis die Opfer in ihre Akten sehen können.

Die verzweifelt nach etwas festem Boden in diesem Schlamm suchen, finden ihn nicht. Ihnen bleibt die Provokation. Ohne sich aktenkundig machen zu können, sprechen sie ihr Mißtrauen aus. Seit Wochen kursiert das Gerücht, Anderson sei ein Spitzel. Als Biermann es ausspricht, erhebt sich ein Geschrei: Haltet den Dieb! – Der Dieb ist Wolf Biermann. In das Schweigen der Schriftsteller und Künstler, die 1976 das Wort für Biermann ergriffen haben, hinein, versucht Sascha Anderson, in der »Zeit« vom 31.10.91 zu beweisen, wie simpel Biermann ist, für den es noch immer schwarz und weiß gibt und nicht nur die komplizierten Denkstrukturen der Spitzel. Die wollen so lange mit uns reden, bis wir glauben, selber die Schuldigen zu sein und sie die Unschuldigen. In Wirklichkeit aber gehören sie zu den giftigen Früchten des alten Systems.

In den heutigen Lesungen sitzen auch die früheren Täter und stellen uns ihre neuen Bücher vor. Die Intellektuellen spielen geschlossene Gesellschaft und arbeiten das Unvermögen des Volkes auf, an einen dritten Weg zu glauben. Sie bedauern sich. Und die Kritiker dieser geschlossenen Gesellschaft werden heute von ihnen als kunstfeindlich diffamiert – so wie der alte Staat seine Kritiker als Staatsfeinde diffamiert hat.

Ganz schnell sind die Intellektuellen von der politischen Bühne verschwunden und lecken ihre Wunden. Da will niemand zu dem verwirrten Volk sprechen, bietet ihm niemand einen Diskurs an, schreit niemand seine Sehnsucht nach Gerechtigkeit in den Wind, riskiert niemand das Nichtverstandenwerden, die Fragen und die Schelte von ganz unten. Warum habt ihr so lange nicht den Mund aufgetan? Warum habt ihr nicht genau hingesehen, wie wir gelebt haben? Warum habt ihr geschwiegen, gelobt und eure Privilegien genossen? Waren euch nicht die Reisen in den Westen wichtiger als die Wahrheit im eigenen Land zu suchen? Und auch heute laßt ihr es schweigend zu, daß der Spitzel Anderson seine Gleichgültigkeit und Geschwätzigkeit der Stasi gegenüber mit seiner Vorliebe für französische Strukturalisten begründet. Deshalb hat er sich der Stasi gegenüber nicht verschlossen und war eine »phantastische Quelle« für sie. Wer daran etwas auszusetzen hat, gehört auf den Müllhaufen der Geschichte.

Der Spitzel zählte die Zuckerstückchen, die Herr Pleitgen in seinen Kaffee tat oder die Leute, die auf eine Dichterlesung kamen, aber die Opfer zählte er nicht. Da existieren nur noch der Spitzel und die Macht. Und in dieser Beziehung werden die Opfer zerrieben.

Gäbe es die Opfer nicht, würde die Darstellung der Spitzel stimmen, daß sie niemandem geschadet haben. So aber blenden sie die Opfer nur aus, genauso wie ihre eigenen Taten. Wozu wären sie wohl noch bereit gewesen, wenn die Staatsmacht der DDR nicht zusammengebrochen wäre? Wozu werden sie im nächsten Staat bereit sein? Die geistige Haltung, die Opfer auszuradieren, ist der erste Schritt in den Faschismus.

Alle, die schweigend zusehen, die dies ohne Kommentar zur Kenntnis nehmen und zur Tagesordnung übergehen, werden zu Mitschuldigen. Damit beginnt ihre Mitverantwortung für die Gleichgültigkeit der Zuschauer vor dem Asylantenheim in Hoyerswerda.

Als Entschuldigung nennen die Täter ihr Gespaltensein. Das macht sich gut in der Kunstgeschichte. Da liebt man sie besonders – die Schizophrenen und die Paranoiden. Aber die sind krank geworden, weil sie den Riß zwischen sich und der Wahrheit nicht mehr ausgehalten haben. Wer aber nicht verzweifelt an der Tatsache, daß friedliche Familienväter für Auschwitz verantwortlich waren und Dichter Spitzel werden können, der verzweifelt gar nicht.

Der zitiert die Gespaltenheit nur als Entschuldigung für sein mangelndes Verantwortungsbewußtsein.

Schuldig werden nicht nur die, die sich als politische Menschen begreifen. Schuldig werden auch Künstler, Intellektuelle. Schuldig wird man auch, wenn man nicht über Gut und Böse nachdenkt, wenn man sich der Entscheidung zwischen dem einen oder dem anderen zu wählen, verweigert. Trotz Gewaltapparat und Unterdrückung in der DDR war die Freiheit der Entscheidung gegeben. Im Gegensatz zum Dritten Reich konnte man wählen, ob man Jude sein wollte oder nicht. Und wenn man sich entschied, ein »operativer Vorgang« zu werden, bedeutete das nicht den Tod, sondern nur Ausgrenzung aus dem gesellschaftlichen Leben der DDR. Man lebte zwar ohne die Solidarität der Kollegen, aber man lebte.

Kann man niemanden verantwortlich machen, wenn niemand begreift, daß er verantwortlich ist? Jeder, auch die Künstler und Intellektuellen konnten wählen, zwischen oben und unten, zwischen der Wahrhaftigkeit gegenüber den Gesprächspartnern von der Staatssicherheit oder der gegenüber den Freunden, gegenüber der Staatsmacht oder gegenüber sich selbst.

Aber aus der Angst vor der Macht im Nachhinein eine Ästhetik des Widerstandes zu machen, heißt, die entpolitisierte Kulturelite der DDR der Nachwelt als politische Opposition zu verkaufen. Da sollen die eigenen Schwächen herhalten, um Helden vorzuspielen. Das ist leicht zu durchschauen – auch von dem arbeitslosen Kohlenträger in Merseburg, der spucken wird auf die falsche Moral und die Lügen der wortgewandten Intellektuellen. Er durchschaut diese Theorien als in Worte gefaßte Verantwortungslosigkeit. Ekel vor dem Staat haben nicht nur die Künstler, Intellektuellen und die Szene des Prenzlauer Berges empfunden. Aber wenn sie so verdorben sind, sich mit dem Spitzel Sascha Anderson zu schmücken, anstatt ihn in die zweite Reihe zu schicken, wird der Ekel auch sie mit einschließen.

Wie wenig die Mehrheit des Volkes bereits mit seiner Kulturelite rechnet, ist im letzten Jahr deutlich geworden.

316

Niemand vermißt sie – vom Nationalpreisträger bis zur Szene des Prenzlauer Berges. Bald wird sie wohl lediglich die schweigende Mehrheit vergrößern, denn ein Impuls zum Blick nach vorn geht nicht von ihr aus. Dazu müßte sie erst einmal den Blick zurück wagen. Und den verstellt sie sich selbst mit ihren faden Entschuldigungen: Wir haben alles gewußt, wir waren dagegen, wir haben nur das Beste für die Kunst gewollt, wir wollten arbeiten. Oder liegen auch in diesem Keller ein paar Leichen?

Da kann man so viel philosophieren wie man will, aus dem Ministerium für Staatssicherheit wird kein Kunstverein – und ein Spitzel bleibt ein Spitzel.

Die Vergewaltigung des Themas – das doch eigentlich heißt: Wie verteidigt der Mensch sein Menschsein? Wie verteidigt er seine Würde gegenüber der Macht? – paßt offenbar auch zu dem gegenwärtigen Seelenzustand der entpolitisierten Kunstszene des Westens. Vielleicht hat die Bedeutungslosigkeit der Kultur für das wirkliche Leben die Grenze zwischen Ost und West schon lange vor dem Mauerfall überschritten. Doch das wirkliche Leben fordert trotzdem sein Recht. Ort und Arbeit der Sprachfindung haben sich verändert. Die Sprachlosigkeit will überwunden sein, wenn nicht mit, dann ohne die Intellektuellen.

Meine Freundin Ingeborg, deren Mutter in Ausschwitz umgebracht wurde, hat nach 1945 in jedem Straßenbahnfahrer den Mörder ihrer Mutter gesehen. Sie selbst war damals zu erschöpft, um für die Gerechtigkeit zu kämpfen. Später hat sie sich deshalb große Vorwürfe gemacht, denn kein Verbrecher hat sein Verbrechen freiwillig zugegeben. Für die Schwachen und Schweigenden, für die Mißhandelten und Beleidigten war es schwer, ihre Würde wiederzufinden – und ein bißchen Gerechtigkeit.

Auch wenn Beate Klarsfeld nichts weiter tun konnte, als dem Kanzler Kiesinger ihre Verachtung ins Gesicht zu schlagen – nicht nach rechtsstaatlichen Grundsätzen – bedeutete das damals ein Aufatmen für die Opfer. Für mich ist das heute Wolf Biermann – auch wenn er etwas zu laut schreit. So bestätigt er mir doch, daß es schwarz und weiß und grau gibt; und daß ich nicht blind bin.

Nach den Jahren der doppelten Moral in unserem Leben, in der Politik, der Kunst und Kultur, kann nur eine gnadenlose Härte gegen uns selbst den verkommenen Geist aus unseren Köpfen vertreiben. Wir müssen Seichtheit und Lüge aus unseren Gefühlen und Beziehungen austreiben.

»Die Zeit der verantwortungslosen Künstler ist vorbei. Unserer kleinen Annehmlichkeiten wegen tut uns das leid. Aber wir werden anzuerkennen wissen, daß diese Prüfung gleichzeitig unserer Aussicht auf Echtheit zugute kommt, und werden die Herausforderung annehmen. Die Freiheit der Kunst ist nicht viel wert, wenn sie keinen anderen Sinn hat, als die Behaglichkeit der Künstler zu sichern. Soll ein Wert oder eine Tugend in einer Gesellschaft Wurzel fassen, gehört es sich, sie nicht mit Lügen zu umgeben, das heißt jedesmal, da man es kann, dafür zu zahlen.« (Albert Camus)

(*die andere vom 6. 11. 1991*)

UWE KOLBE

Offener Brief an Sascha Anderson

Hamburg, den 14. November 1991

Lieber Sascha, es ist soweit.
Du hast das Tabu gekannt. Jeder DDR-Prolet hat es gekannt, jede Hausfrau, kam das Gespräch oder der Witz darauf. Künstler, Schauspieler, Autoren, Akademiker in allen Institutionen, in jeglichem Büro der verwalteten Langeweile kannten es.

Es war kein moralisches Tabu, der allgegenwärtigen

318

Polizei gegenüber zu kuschen, kein Tabu, es an Courage gegen die Zumutungen des sozialistischen Wettbewerbs mangeln zu lassen, die Mauer nicht die Mauer zu nennen, das Maul lieber nicht aufzumachen, wann immer es vielleicht doch gegangen wäre. Die moralische Grenze, die nach weitestem Konsens nicht überschritten werden durfte, sie bestand nicht darin, seinen Wehrdienst regulär anzutreten, statt zumindest die Waffe zu verweigern und Bausoldat zu werden. Man mußte sogar nicht einmal der unabhängigen Friedensbewegung oder den Umweltgruppen seine Mitarbeit verweigern, um gleich Dreck am Stecken zu haben, nein und abermals nein.

Man konnte sogar zu Kreuze kriechen, ob nun als Intellektueller in einem Berufsverband oder als dazu genötigter Handwerker, wenn es etwa hieß, Wolf Biermanns Ausbürgerung 1976 gutzuheißen. Alle Formen der Feigheit, alle Arten, sich im Alltag und darüber hinaus einfach einzurichten, ja wegzuschauen, das Inakzeptable zu akzeptieren, und sei's mit einer gehörigen Dosis »blauen Würgers«, um das Gewissen abzutöten, sie waren nicht wirklich verwerflich im allgemeinen Bewußtsein. Dazu waren sie ja auch viel zu verbreitet. Dieses allgemeine Bewußtsein, das der billig meckernden Mehrheit nämlich, das mit erstaunlicher Selbstverständlichkeit der herrschenden Ideologie, der offiziellen Gleichschaltung widerstand, kannte nur ein Tabu: sich mit der Stasi einzulassen.

Und da kommst du daher wie all die anderen – Biermann hat recht – Arschlöcher, die zu feige und gleichzeitig zu verschlagen sind, auf ihre Landrats- oder Berater- oder weiß der Henker was für Karrieren freiwillig zu verzichten. Und Du tust es mit den gleichen Worten! Du berufst Dich obendrein auf Dein schlechtes Gedächtnis! (Mit Jürgen Fuchs bin ich optimistisch, daß die Akten in ihrer mehrfachen Ausfertigung Dir und uns da aufhelfen werden.)

Sascha, mein alter Schlemihl, wie kennen uns jetzt mindestens zwölf, dreizehn Jahre. Wir sind nie Freunde geworden, haben allerdings loyal nebeneinander, mitunter auch zusammen gearbeitet, literarisch gearbeitet, versteht sich. Hast Du es nicht selbst geschrieben: »geh über die grenze auf der anderen seite steht ein mann und sagt: geh über die grenze usw. usf.«? Nun war es dieser ganz bestimmte, dieser allbekannte Dunkelmann, der da stand, bereit mit Dir zu reden, wie Du bereit warst, mit ihm zu reden, und Du bist über diese Grenze hin- wie hergegangen, als sei dies bloß kriminelle Halbwelt gewesen. Nein, nicht einmal kriminell zu sein war tabu in der DDR, nicht einmal das. Das konnte ja passieren: klauen oder Schecks fälschen (wofür Du eingesessen hast), krumme Geschäfte hinter dem Rücken von Freunden machen; das war doch alles nicht so schlimm, verzeihlich, weil menschlich. Aber über siebzehn Jahre mit der Stasi zu plaudern, bis zum Zusammenbruch der DDR, womöglich noch in Westberlin oder von Westberlin aus, drei Jahre über die Ausreise hinaus – damit hast Du die Grenze überschritten.

Als die Herrschaften mich mit siebzehn Jahren anwerben und vielleicht auf Bettina Wegner, Frank-Wolf Matthies und andere ansetzen wollten (ich werd's in der Akte lesen, wie und was es wirklich war), da habe ich, mutig-feige, drei Gespräche hindurch gedacht, ich schaffte das doppelte Spiel. Ich hatte zum Glück gute Freunde, die mir's sofort ausgeredet haben, weil ich es ihnen selbstverständlich gesagt hatte. Feige, wie ich war, hab' ich beim dritten Mal den Herren von der Stasi nicht mitgeteilt, sie sollten mir gefälligst mit ihrem widerlichen Ansinnen gestohlen bleiben, sondern hab' mich auf psychische Mängel hinausgeredet, die mir sowas unmöglich machten. Was aber hattest Du für Freunde, Sascha? Oder anders: Warum hast Du es niemandem gesagt, bis zuletzt nicht? Was hätte Dich Schlimmeres erwartet als die Ausreise, die Du später selbst vorgezogen hast? Autoren liefen in den achtziger Jahren längst nicht mehr Gefahr wie Loest oder später Bahro, allzulange einsitzen zu müssen – im Gegensatz zu Leuten, die mitunter nur den Ausreiseantrag gestellt hatten, die niemand kannte ...

Nun haben wir per Zufall uns beide um das Stipendium

in der Villa Massimo in Rom beworben – und die Jury hat
es uns beiden zuerkannt. Ich zweifle im Unterschied zu
Biermann nicht an allen Deinen Texten, aber ich schlage
Dir dennoch vor, das Stipendium zurückzugeben.

Dein

Uwe Kolbe

(*Die Zeit vom 22. 11. 1991*)

VOLKER BRAUN

Monströse Banalität

1

Die Literatur hat in unklaren Verhältnissen, »gleich« der
Staatssicherheit, Ermittlungen zu führen, Erkundungen
zu machen, sie muß das im Ausnahmefall, in Wallraffs
Manier, im Geheimen tun und notfalls die Manuskripte in
der Schublade verstecken (in meinem Fall war es eine Pan-
zerkiste). Sie kann zu einer konspirativen Existenz gezwungen sein. »Gestorben für die öffentliche Ordnung, die
Arbeit im Untergrund, im Gedicht.« (»Definition«, 1975)
Aber es gibt einen grundsätzlichen Unterschied: Sie will
öffentlich werden, sie verlangt nach Öffentlichkeit, sie will
ja eine durchsichtige, zugängliche Welt. Es ist ihre Natur,
gleichsam von Angesicht zu Angesicht zu reden. »Öffentlich arbeiten«, ein Buchtitel von Christoph Hein, das ist die
Absage an alles Geheimdienstwesen.

2

Ich schrieb für Sascha Anderson (vor vielen Jahren) eine
Bürgschaft für den Schriftstellerverband der DDR. Sie bestand nur aus einem Satz: Sascha Anderson ist ein großer

Dichter. Sie wurde zurückgewiesen, zu Unrecht. Wir hatten lange auf eine neue Generation von Dichtern gewartet, und ich wußte: Wenn sie auftritt, dann anders als erwartet. Ihr gehörte unser kritischer Zuspruch, gerade weil sie uns Verfangene distanzierte und über unsern Streit mit der Macht bloß lachte. Übrigens waren ihre Texte nicht »unpolitisch«, in der experimentellen Matrix waren Reize und Anstöße in Fülle deponiert. Ihr Desinteresse am politischen Konflikt machte die Szene am Prenzlauer Berg aber unwillentlich für die Stasi interessant, sozusagen ansprechbar, sozusagen kompatibel. (Und bruchlos, vermerkt die Berliner Zeitung eben anerkennend, finde sie jetzt, da die kritische Literatur wiederum verdammt scheint, Anschluß an den bürgerlichen Markt.) Biermann und Rathenow vermuten, der Prenzlauer Berg sei regelrecht von der Stasi aufgeschaufelt, um die kritische Literatur als verfehlt und veraltet zu desavouieren. Wie falsch und richtig ist das? Und schippte die Stasi den Dreck im Feuilleton der FAZ?

3

Es gibt den andern Fall des Dichters Siegmar Faust. In härterer Bedrängnis als Anderson, nach Monaten U-Haft, in der Schreibverbot galt, wurde ihm nahegelegt, sich der Stasi nützlich zu machen, und er fragte mich um Rat. Ich sagte ihm, daß er dergleichen nie und unter keinen Umständen tun dürfe. Er blieb standhaft, wurde wieder eingesperrt und mißhandelt und war, wie sich versteht, für die Republik verloren, aber lange auch für die Literatur. – Es gibt immer Biographien, die divergieren, wie die von Goethe und von Lenz. Es gibt besudelte Siege, und es gibt die reine Niederlage. Zusammen sind sie ein Gutteil der deutschen Literatur.

Als ich Faust 1975 in der Haft besuchen wollte, wurde ich zur Bezirksleitung der Partei bestellt, und Roland Bauer teilte mir mit, daß man mich »erschießen« müsse. Es hängt vom Selbstgefühl ab, wie man auf derartige Versprechungen reagiert. Ich dachte: Was habt ihr für Macht über mich. Aber das ist ein trügerisches Gefühl. Auch die Macht herausfordern bedeutet, sich mit ihr einzulassen; man konnte die Mechanismen kennen, und doch hat das herrschende Bewußtsein die Reflexe gebunden. Es hat sie aber auch geschärft.

4

Und es gibt, nebenbei gesagt, Scharfmacher unter den Opfern, die blindlings urteilen, von einem hohen aber blinden Roß herab. Nach einem Schema: Weggehen war Widerstand, Hierbleiben Anpassung. Das gleicht dem »glänzenden Einfall der Stasi«, von dem Jürgen Fuchs spricht, oppositionelle Autoren gegeneinander auszuspielen. Es ist jedenfalls die letzte Zuarbeit für das Konzept. Sie würden auch den Verfasser von »Dantons Tod«, der unter den Augen des Militärs in der Darmstadter Stube schrieb, einen Kollaborateur nennen. Sie sollten sich davor bewahren, aus den Opfern von gestern zu den Tätern von heute zu werden.

5

Der Fall »Anderson & der Prenzlauer Berg«, angeritzt durch eine Behauptung Biermanns, ist der Rand der Wunde, aus deren Öffnungen jetzt der Eiter tritt. Der triumphierende, unflätige Ton Biermanns ließ uns ein paar Tage mit dem Angeschuldigten fühlen, seine Bekenntnisse dann zerfaserten die Anteilnahme bis zur Verachtung. Wir sehen: Angst wie Angstlosigkeit konnten zum Leichtsinn mutieren, zur fahrlässigen, lässigen Kumpanei. Das ist ein gewöhlicher Zusammenhang, ein Verhängnis: das nicht nur die Dienste von Autoren, das auch die Dienste der Literatur erklärt. Das vertrauliche Verhältnis zur Macht ist der Herd der Wunde, die unter einem neuen Verband weiterschwärt, und eine neue Macht leckt sie mit ihrem Anspruch.

Andersons Fall ist verworren. War Erpressung im Spiel, war es Spiel, war das Spiel ein Verbrechen? Und durfte der Erpreßte selbst dann nicht, als er das Spielfeld verließ, die

Regeln verlernen? Sein Verhalten scheint monströs; es ist vielleicht von monströser Banalität. Saschas Freunde haben ein Recht, über ihn klarzusehen – das Blendlicht der Stasi löscht seine Züge. Er kann nicht heraustreten, ohne den Raum des Geheimnisses ganz zu verlassen, vielleicht mit anderen, bestimmt mit unseren Schatten, den Schatten der andersartigen Kumpaneien.

Nachsatz: Der Text wurde als Einleitung eines Gesprächs am 11. November 1991 in der Literaturwerkstatt Berlin gelesen, zu dem Sascha Anderson, Wolf Biermann und Werner Fischer eingeladen waren; Wolf Biermann nahm nicht teil.

Jetzt sagt er, ich habe ihn und andere Freunde damit fallengelassen. Was für ein Denken ist das.

Mit den Scharfmachern meine ich – wie ich in der Diskussion betonte – nicht Biermann oder Jürgen Fuchs, deren Reagieren ich wichtig finde. Die Stasi, sagte ich, war die eigentliche Staatsunsicherheit, das Zerstörerische in der Gesellschaft; aber sie war keine Allmacht, mit deren Wirken jetzt die gesamte Literaturentwicklung zu beschreiben wäre; sie hat nicht das Entstehen widerständiger Literatur verhindern können, die den Zusammenhang, die Kumpanei der ganzen Produktions- und Lebensweise untersuchte.

Scharfmacher nenne ich, die diese Wahrheit leugnen.

(*Die Zeit vom 22. 11. 1991*)

DURS GRÜNBEIN

Im Namen der Füchse

Gibt es eine neue literarische Zensur?

Es gibt Worte, die sollten dort bleiben, wo sie entstanden sind in der Kälte. Ein Wort wie Staatssicherheit erwärmt sich enorm in seiner lieblichen Kurzform: als Stasi ist es klebrigster Euphemismus, fast Brüderlichkeit. Bleiben wir also kühl.

Die Dichtung sei, so ist kürzlich wieder behauptet worden, nur ein Nebenschauplatz der laufenden Prozesse. Daß dies ihr Armutszeugnis wäre, versteht sich von selbst. Man muß nicht mondsüchtig sein, um zu wissen, daß sie im Gegenteil den einzigen Raum eröffnet, in dem das Sprechen noch volle Brisanz hat. Das weiß Wolf Biermann, und die angegriffenen Dichter wissen es offenbar nicht. Deshalb die Lust am symbolischen Himmel-und-Hölle-Spiel bei dem einen, das ungläubige Schulterzucken bei den anderen. Fragt sich, wer dümmer ist, die Ungläubigen oder der Prediger.

Wer bin ich, daß ich so spreche, daß ich mich überhaupt zum Fall äußere? Genügt plötzlich nicht mehr die alte Devise »Laßt doch die Toten die Toten begraben«? Sind es nicht Geisterkämpfe, die hier gefochten werden. Nachhutgefechte einer verflossenen Literatur? Wenn es stimmt, daß hinter der wildernden, rachegeilen Strategie des wortreichen Moralismus sich immer schon Furcht vor echter Gewalt verbarg, warum nicht schweigen? Wer Gewalt einmal als Triebgewißheit im politischen Streit ausgemacht hat, kann solche Rhetorik getrost mit Sarkasmus und Indifferenz empfangen. Mich erschrecken die teils berechtigten, teils absurden Theaterausbrüche des Politseelsorgers also nicht. Verstrickt in Selbsthaß, gehorchen sie rührenderweise einer bloßen Effektlogik. Doch der poetische Rang wird nicht von Ressentiments bestimmt.

Was mich stört, ist die Manipulation literarischer Werturteile. Hier, aus dem demagogischen Arsenal der Lukács, Fadejew und Kurella, kommt die Gefahr, die mich zum Sprechen bringt. Mein neuester Albtraum ist eine Bibliothek, von Wolf Biermann zusammengestellt. Wohlgemerkt, ich spreche für mich und aus unterbrochener Langeweile. Die Linie, an der meine Sehnsucht nach Gelassenheit an die Unlust auf Feindschaft grenzt, ist überschritten.

Natürlich widert mich die Larmoyanz vergeßlicher Kollaborateure genauso an wie den einsamen Rächer. Wenn sie sich hinter der Maske französischer Theorien verbirgt, um so schlimmer. Die Theorie wird es überleben, die Poesie auch, und wer falsch gepokert hat, scheidet aus. Übrigens setzte ich voraus, daß wache Zeitgenossen dem Lebensrückblick der Markus Wolf & Co. in Talk-Shows und im Feuilleton mit derselben Neugier, demselben analytischen Ekel zuhören wie den Sprachregelungen der Tagespolitiker. Nur aus diesem Grund kommt für mich die Enthüllung, die Verweigerung vom Prenzlauer Berg sei in Wirklichkeit Kooperation gewesen, enttäuschend. Nehmen wir an, sie bestätigt sich, es wäre nur Anlaß zur Bitterkeit, nicht zum Triumph. Gescheitert wäre dann ein Konzept, das schon gestern mehr Aufmerksamkeit verdient hätte als die politrealistischen Tricks, die heineschen Kalauer und brechtschen Mißverständnisse Wolf Biermanns. In Verruf gebracht wäre so eine List, die in Deutschland immer schon anrüchig war. Keiner politischen Kraft, weder rechts noch links, war je an reflexiver Intelligenz, erkennendem Spiel mit den Elementen ihrer autoritären Diskurse gelegen. Entartet, zersetzend, dekadent – in solchem Verdikt über intellektuelle Klarheit trafen sich bisher noch sämtliche Ideologien.

Es fällt schwer, beim bloßen Wort Bolschewismus nicht kotzen zu müssen, denkt man an das Schicksal Ossip Mandelstams. Das nervöse Stieglitzlied, eine Folge der frühen Blendung, hat die sowjetische Utopie für immer in Eisregionen plaziert. Jetzt die uralte Lenin-Trotzki-Stalin-Parade aggressiver Gefühlslogik ins Gebiet poetischer Imagination zu schleusen kommt einem postumen Verrat gleich. Was außer Verheerung – der Bildwelten und des Denkens – kann sie dort anrichten? Gewiß, es gibt einen Unterschied zwischen Gestapo und Rilke. Die feine Trennungslinie zwischen Machtopportunismus und Kunstautonomie herauszufinden ist eine, nur eine der Hausaufgaben des artistischen Eigensinns, in jeder Gesellschaft, in unendlich vielen Zwangslagen. Haltung sei immer vorausgesetzt, auch wenn es, Ironie der Geschichte, die falsche ist wie im Fall Ezra Pound oder Celine. Wenn aber der Realismus mutwillig so massiv Politikhörigkeit fordert wie in Wolf Biermanns Tiraden, sei daran erinnert, daß es im sozialistischen Osten spätestens nach vollendetem Mauerbau die wirksamere Haltung auf seiten der Idiotie gab. Das Zeitalter Solschenizyns war endgültig vorbei. Ich will erklären, wie dies gemeint ist.

Aristoteles klassifiziert zwei Arten von Bürgern, das *zoon politikon* und die *idiotes*. Hier das Gesellschaftstier mit seiner berechtigten Sorge um die Stadt, dort den ebenso selbstbewußten Idioten – der Familie, der Ferne, des Berufs, seiner Begierden, was immer. Letzterer Typ gehört seit Gustave Flaubert und Franz Kafka so selbstverständlich zum Jahrhundert wie das rastlos in seinem Staatskäfig auf und ab laufende Gesellschaftstier. In der Sowjetunion mit ihrer revolutionären Zoologie hieß der Idiot Parasit, wie Josef Brodski am eigenen Leibe erfuhr. Nur in der Zivilcourage, die sich entweder überall oder nirgends zeigt, finden beide für Augenblicke zueinander. Fehlt sie, verliert der Idiot seinen tierhaften Charme, wird das politische Tier schnell zur allzu menschlichen Bestie.

Das verbale Maschinengewehrrattern Wolf Biermanns fährt in die Gesänge wie die Dekrete der einstigen Stalinisten. In beherrschter Raserei sollen, nachdem nun glücklich wieder Boden gewonnen wurde, gewisse Ästhetiken sogleich terminiert werden. Weh denen, die nur die bloßen Hände zu heben haben vor der Übermacht des Begleitgeheuls! Plötzlich, beim Anblick des streunenden Wolfs, versteht man die anthropologische Einsamkeit Hölderlins, die

Verlassenheit Mandelstams (»Ich bin ein Chinese«), die Verächtlichkeiten Büchners. Das *No one to talk to* ist das Fazit jeder feinhörigen Poesie.

Wo ihre subtilere Wahrnehmung geholfen hätte, senkt sich der dumpfe moralistische Schatten Luthers herab und erstickt alles sinnliche *l'art pour l'art*. Wieder wird, als hätte es nie ein Drittes gegeben, das »Kunst ist Waffe« der Dissidenz gegen die Fuchslist in den Gängen eines ausweglos politisierenden Systems ausgespielt. Dabei bestand ja die Verschwörung der Funktionäre gerade in der völligen Kolonisierung durch Politik. Das System brauchte seine Feinde im Inneren wie den Gegner im Ausland zum Überleben. Konfrontation war die einzige Sprache, die es verstand, die jede Paranoia und alle Kontrolle begründete. Woran es zugrunde ging, war die Verweigerung, der wunderbar egoistische Massenauszug aus dem mit Stacheldraht umzäunten Labyrinth. Was es zerstörte, war die banale Vernunft der Spielverderber, die Kündigung des Gesellschaftsvertrages durch eine leidensmüde Bevölkerung.

Um zur Kunst zurückzukehren: Weit wirksamer, als eine schlichte Opposition heute glaubt, war das Prinzip Subversion durch Affirmation. Die verächtliche Parole der sowjetischen Konzeptkunst trifft den Zustand der Verwirrung, in der alle sozialistischen Zeichen heillos vermischt sind. Dicht neben der leeren Parteitagsrede das Pathos des Liedermachers, neben der Lust am Bösen im Spitzelbereich das anarchistische Mantra, neben dem stillen Protestgebet in den Kirchen der plebejische Lärm in den Fußballstadien, neben dem Flugblatt mit Gedichten in Geheimschrift die vertrauliche Studie zum Thema kommunistische Tarnfirmen im Westen – alles das mußte der wache Blick schnell durchdringen, jeder voreilige Halt hätte den Horror des Stellungsspiels, eine Domäne der Staatsmacht, nur noch verlängert.

In der Sowjetunion, wo die »ganze alte Scheiße« (Karl Marx) von Anfang an ausgebadet wurde, nicht im geopolitisch und technologisch begünstigten Ostdeutschland, war man sich früh über das Ausmaß des Gesamtschadens im klaren. Mutanten können über Biermanns Unverstand nur

noch lachen. Seine Propagandaillusion paßt in den post-
sozialistischen Zirkus wie jede andere Darbietung auch.
Ernst gemacht würde nur, wenn in der Tiernummer der
Clown diesmal wirklich gefressen würde. Wer bin ich, daß
ich so spreche? 1962 in Dresden geboren und von keiner
Staatssicherheit in die Eier getreten, bin ich bestenfalls ein
ästhetischer Idiot, ein politischer Mutant und ein geogra-
phischer Alien. Im Streit zwischen Wolf Biermann und
Sascha Anderson verneige ich mich voll Respekt vor der
göttlichen Nina Hagen.

(*Frankfurter Allgemeine Zeitung vom 26. 11. 1991*)

HAJO STEINERT

Die Szene und die Stasi
*Muß man die literarischen Texte der Dichter
vom Prenzlauer Berg jetzt anders lesen?*

[..] Zumindest eines können wir hier festhalten: Wir müssen Sascha Andersons Bücher neu lesen. Dann stoßen wir
auch auf Selbstaussagen wie diese in der Anthologie »Sprache & Antwort. Stimmen und Texte einer anderen Literatur aus der DDR« (1988): »man hat es gelernt, mit der schizophrenie produktiv umzugehen. ich bin nicht schizophren, sondern ich bin der, der schizophrenie als mittel zur
verfügung hat. d. h., ich brauche nicht die zwei welten, in
denen ich existiere und mich ausdrücke, und ich kann eine
immer sterben lassen. welchen sinn das hat, interessiert
dabei erstmal weniger als die möglichkeit. ich verfüge über
die mittel der schizophrenie, ohne selbst betroffen zu sein
[..] die erfindung dieser psychobombe, die bewußte spaltung, um den einen sterben zu lassen, um mit dem anderen
alles zu machen.«

So raunt er dahin. Ohne eindeutig zu sagen, was denn eigentlich die zwei Welten sind. Wäre es nicht prima, wenn jetzt Anderson sich meldete: Ja, ich meinte eigentlich meine schizophrene Existenz zwischen Stasi und Szene!?

Ach im »Freitag« vergangener Woche war es der Kritiker Michael Braun, der einen Text aus Sascha Andersons jüngstem Buch »Jewish Jetset« (Druckhaus Galrev) haarklein analysiert. »Rechnungen« handelt unzweideutig von einer Verhörsituation. Das lyrische Ich sagt als »zeuge in eigner sache« aus, um sich dann ganz in die ästhetische Scheinwelt zurückzuziehen. Michael Braun kommt zu folgendem Schluß: »Zusammen mit seinem Double taucht der Autor ab in eine hermetische Kunstsphäre, wo nur wenige Eingeweihte Zutritt erhalten.« Damit wäre die These unterstützt, daß Sascha Andersons Texte, die im Verlauf seiner literarischen Karriere in der Tat immer dunkler, immer verschlüsselter, immer schwerer zugänglich wurden, als subtile Tarnung für seine Komplizenschaft mit der Stasi dienten [..]

Zugegeben, die dreidimensionale Stasi-Lesebrille ist ein verführerisches Werkzeug. Sie läßt tief blicken, doch führt sie leicht auch zu Erblindung. Dann nämlich, wenn man die Texte allzu leichtfertig *ad personam* interpretiert. Literarische Texte sind kein juristisches Beweismaterial. Eines machen die bislang aufgeführten Beispiele allerdings schon klar: Motive wie Staatssicherheit, das Verhältnis des einzelnen zur Macht, Opportunismus et cetera waren den angeblich so unpolitischen Schriftstellern der Szene keineswegs fremd. Und je länger man sich mit ihrer Dichtung beschäftigt, um so unhaltbarer kommt einem der Rundumschlag Wolf Biermanns in der Rede zum Eduard-Mörike-Preis vor: »Spätdadaistische Gartenzwerge mit Bleistift und Pinsel. Die angestrengt unpolitische Pose am Prenzlberg war eine Flucht vor der Wirklichkeit, sie war eine Stasi-Züchtung aus den Gewächshäusern der Hauptabteilungen HA-XX/9 und HA-XX/7.«

Wenn sie doch nur alle »Gartenzwerge« waren, warum dann so riesige Worte? Hätte der Liedermacher nur ein

330

Buch von Bert Papenfuß-Gorek, Jan Faktor, Stefan Döring, Andreas Koziol, Detlev Opitz, Durs Grünbein oder Johannes Jansen gelesen, so hätte ihm auffallen müssen, daß deren Texte keineswegs »angestrengt unpolitisch« sind, sondern verspielt politisch.

Die Stasi als Züchter einer ganzen Literaturszene? Was für ein Kompliment. Ich wußte gar nicht, daß in diesem Ministerium so literaturkundige Herren saßen ... Biermanns Haß auf Anderson ist eine Sache. Aber warum gleich die ganze Szene in die Pfanne hauen?

Es stimmt zwar, daß sich viele dort in einer unpolitischen Pose gefielen. Doch gottlob setzten sie diese nicht, oder nur selten, in ihre Dichtung um. Genausowenig übrigens ihre poststrukturalistischen Lippenbekenntnisse. Man schwärmte bisweilen zwar heftig für Baudrillard und die neuesten Philosophen, doch in der Lyrik selbst finden sich keine oder nur ganz undeutliche Fußspuren der weltfernen Götter. Die Prenzlpoeten machten sich zwar alle irgendwelche sprachexperimentellen, sprachreflektorischen Gedanken. Doch sind ihre Bücher im einzelnen so unterschiedlich, daß man die Autoren kaum über einen Kamm scheren kann.

Ein höchst interessanter Fall in diesem Zusammenhang ist Rainer Schedlinski, dreidimensional interessant. Zum einen war er es, der sich mit hochkomplizierten, indes kaum lesbaren Essays an die Spitze poststrukturalistischer Abstraktionen setzte. Im Nachwort zur DDR-Ausgabe seines Lyrikbandes »die rationen des ja und des nein« stehen Sätze wie dieser: »jeder diskurs ist von einer option, einem endpunkt, einem idealzustand her geschrieben, der die brüche überspringt, damit kontinuität entsteht, der die widersprüche von einer hypothetischen einheit her denkt [..]« und so weiter und so fort.

Dann aber ist Rainer Schedlinski der Verfasser politischer Essays, in denen er sich mit gleichsam jungsozialistischem Elan ernsthafte Gedanken zum Ende der DDR und zur deutschen Einheit macht. Drittens indes ist Schedlinski schlicht und einfach ein beachtlicher Lyriker, der konventionelle Motive liebt. Ein sympathischer Nachfahre einer literarischen Stimmung im Westen, die man einmal »Neue Subjektivität« nannte. [..]

Monolithisch, neunmalklug oder auratisch gab sich der harte Kern der Szene bisweilen ganz gerne. Ich erinnere mich noch an einen Auftritt Sascha Andersons und Papenfuß-Goreks in Köln vor über drei Jahren. Die beiden lasen jeweils eine Viertelstunde, schoben dem eingeschüchterten Publikum, das keinerlei Fragen stellen durfte, ein krächzendes Video von sich in den Rekorder und verschwanden dann wieder. Was nichts daran änderte, daß die sowohl von Jandl als auch von Johann Fischart, sowohl von Arno Holz als auch vom Rotwelsch inspirierten Gedichte des Bert Papenfuß-Gorek ganz ausgezeichnet waren.

Arroganz und Muffigkeit dann auch bei der vorletzten Buchmesse in Frankfurt. Man gluckte in der Messehalle oder im »Café Rowohlt« zusammen und demonstrierte vor allem Langeweile und Nichtzugehörigkeit. Man mußte mit dieser übrigens exklusiv männlichen Dichterszene schon mehrmals zusammengekommen sein, um Verständnis für deren kratzbürstiges Verhalten aufzubringen. Es dauerte eine Zeit, ehe man erkannte, daß dieses Sicheinigeln aus der Defensive, wenn nicht aus Not heraus geschah. Eine Schutz- und Trutzgemeinschaft. Eine vaterlose Gesellschaft, von den älteren Schriftstellern (bis auf die Ausnahmen Elke Erb, Adolf Endler und Gerhard Wolf) isoliert, von den staatlichen Verlagen und von der staatlichen Literaturkritik lange nicht wahrgenommen, von den westdeutschen Feuilletons nur in Grenzen beachtet, weil die Szene keine ausgesprochenen politischen Themen artikulierte. Nur wenn einer übersiedelte (wie Anderson 1986), war man sofort zur Stelle. Mit einem »Spiegel«-Gespräch.

Die eigene DDR-spezifische literarische Tradition von Brecht bis Volker Braun, von Peter Huchel bis Heinz Czechowski lehnte man ab. Die geistigen Ersatzväter holte man sich aus der Ferne (aus Frankreich eben) und aus (längst) vergangenen Zeiten: Barock – Surrealismus – Dadaismus – Konkrete Poesie – Beat-Generation. Dazu kam noch, daß bis auf wenige Ausnahmen (Uwe Kolbe zum Beispiel) die Vertreter dieser Berliner Szene gar nicht aus Berlin kamen, sondern aus Sachsen, Thüringen und anderswo. Zugereiste also, als einzelne gekommen, auf der Suche nach einer neuen Heimat, nach Identität. Nur nichts mit der DDR zu tun haben, weder für sie noch gegen sie sein, nur außerhalb von ihr arbeiten, das war das Ziel, eine Illusion. Die »Prenzlauer-Berg-Connection« (Endler) war tatsächlich immer auch eine Notgemeinschaft auf fremdem Terrain. [...]

Anderson hatte mit der Stasi zu tun, keine Frage. Doch sowenig dies Anlaß zu Schadenfreude geben darf, sowenig kann das jetzt heißen, daß auch die ganze Szene stasiverseucht gewesen sein muß. Die Gleichsetzung Andersons mit der Szene ist fatal. Pauschalurteile, wie sie in diesen Tagen immer wieder anklingen, hätten verheerende Folgen für all jene, die mit der Stasi überhaupt nichts zu tun hatten und in gutem Glauben ihre Literatur geschrieben haben.

Ich denke da zum Beispiel an Detlev Opitz, der in seinen gesammelten Erzählungen in »Idyll« (Mitteldeutscher Verlag, 1990) zeigt, wie man sich an Arno Schmidt orientieren konnte und doch die korrupte DDR-Wirklichkeit nicht aus den Augen verlor. Die angehängte Dokumentation eines Briefwechsels des Autors mit verschiedenen Genossen bei den Behörden zeigt auf sehr amüsante Weise, wie man im realen Sozialismus auch seinen Schabernack treiben konnte.

Und auch den ganz jungen Autoren (Durs Grünbein und Johannes Jansen etwa), Autoren, die sozusagen in die Prenzlauer Szene hineingewachsen sind, täte man unrecht, wenn man jetzt alles, was irgendwie avantgardistisch auftritt, in einen Topf wirft. Die Gleichung: Wer verschlüsselt schreibt, der hat auch etwas zu verbergen, seine politische Vergangenheit womöglich, ist absurd.

Die Arbeit des Lesens könnte jetzt endlich beginnen, die Besteigung des Prenzlauer Berges. Dies wäre nicht die schlechteste Folge aus einer Affäre, die zu den traurigsten der deutschen Literaturgeschichte nach dem Krieg gehört.

(*Die Zeit vom 29. 11. 1991*)

Die Vergangenheit beginnt gerade erst

Die Geschichte der Literatur in der DDR muß wohl ohnehin erst geschrieben werden, besonders die der 70er und 80er Jahre. Der Einfluß der Staatssicherheit als spezieller Teil des Machtapparates dürfte ein eigenes Kapitel ergeben. Vier Aspekte in Kurzform:

1. Das MfS (Ministerium für Staatssicherheit) wurde (ungewollt) zum Archivar beschlagnahmter Literatur. Die Aktenberge also auch als Möglichkeit der Spurensuche von Vergessenem. Zum Beispiel: dem auch zur Prenzelberger Szene zugehörigen Matthias Holst beschlagnahmten Beamte im Herbst '88 auf dem Bahnhof Lichtenberg alle mitgeführten Manuskripte. Beschwerden nützten nichts, er bekam sie nie wieder. Heute kann er sich nicht mehr beschweren, da er am 1. 7. 1990 verunglückte.

2. Die Akten beschreiben die persönlichkeitsbegleitenden Maßnahmen des MfS. Von der literarischen Wiege bis zur Bahre – immer dabei. Irgendwie wußten wir es immer, aber so intensiv hätten wir es uns nicht vorgestellt. »Zersetzungsmaßnahmen«, um Freundschaften auseinanderzubringen. Und Pläne, die Bekanntheit fördern oder verhindern sollen.

Beim Werbungsversuch für eine Mitarbeit beim Sicherheitsdienst schieden sich allerdings dann die Gemüter vom Prenzlauer Berg – längst nicht alle betrachteten es als normal, alles zu sagen, um in Ruhe gelassen zu werden.

3. Die Stasi-Akten sind in gewisser Weise auch ein sprachliches Werk für sich, eine entschlüsselbare Chronik des zivilen Ungehorsams. Natürlich auch eine der organisierten Repressionen. Mit sprachlichen Eigenheiten, oftmals auch mit ungewollter Komik.

4. Der direkte und indirekte Versuch, Literatur zu beeinflussen – über den einzelnen Autor hinaus. Hier wird es kompliziert und subtil. Wie heißt es in einem von Jürgen

Fuchs im »Spiegel« zitierten Material: »Verunsicherung [...] der Gruppierung und ihrer Mitglieder durch politisch-operative Maßnahmen, die [...] zur ständigen Beschäftigung mit sich selbst veranlassen.« Das trifft auf Sascha Anderson nicht zu. Er beschäftigte sich immer mit anderen. Im April '84 zum Beispiel mit der Kamera Katja Havemanns. Die Frau des verstorbenen Systemkritikers wollte damit heimlich gedrehte Filme ermöglichen. Ende der achtziger Jahre flimmerte so etwas über den Westbildschirm, Mitte der achtziger Jahre verhinderte Sascha Anderson das Entstehen einer unkontrollierten Video-Reportage.

Ich kann den am 24. 4. 84 abgegebenen und im »Spiegel« zitierten Bericht zufällig bestätigen. Wir waren zusammen zur Wohnung Katjas spaziert, die dann der IM Fritz Müller (sein damaliger Deckname) ausspitzelte. Mißverständnisse sind nicht mehr möglich. Sascha Schnur oder Ibrahim Anderson gehören in die erste Reihe der Stasi-Spitzel. Mit diesen Doppelrollen werden sich Psychologen oder Historiker noch ausführlich befassen. So hat eben die Vergangenheit in der DDR erst begonnen.

(*Hamburger Morgenpost vom 9. 12. 1991*)

UWE WITTSTOCK

Wenn Dichter Wechsel fälschen
Versuch, einen verwirrenden Literatur-Skandal zu ordnen

Kurz vor der Frankfurter Buchmese wurde ruchbar, der ehemalige DDR-Autor Sascha Anderson sei Informant der Stasi gewesen. Jetzt endlich hat der »Spiegel« – der wochenlang die Sensationsgier der Öffentlichkeit durch Andeutungen aufstachelte – Dokumente veröffentlicht, die Andersons Verstrickung belegen.

Zwei weitere ehemalige DDR-Schriftsteller, Helga M. Novak und Heinz Kahlau, haben inzwischen eingestanden, sie seien von der Stasi zur Mitarbeit gepreßt worden. Zudem sind Gerüchte in Umlauf, die besagen, noch andere jüngere Autoren – die wie Anderson zur Ost-Berliner Künstlerszene vom Prenzlauer Berg gezählt werden – hätten enge Kontakte zum Ministerium für Staatssicherheit (MfS) gepflegt; ja sie hätten ihre literarischen Karrieren nach Anweisung ihrer Führungsoffiziere betrieben. Der Stasi sei es so gelungen, die Literatur der DDR und ihr Erscheinungsbild im Westen direkt zu manipulieren. Diese Gerüchte sind bislang nicht belegt.

Unmut erregt bei manchen, auf welche Weise die Vergangenheit Andersons aufgedeckt wurde. Wolf Biermann erhob effektvolle Anschuldigungen, die er dann nicht belegen konnte. Jürgen Fuchs, der offenbar die Beweise gegen Anderson und andere in Händen hält, breitet in einer Artikelserie nur punktuelle Einblicke und dunkle Drohungen aus: »Es wird einige Überraschungen geben.« Was er damit bezweckt, ist unklar, daß er das Publikum ermüdet, ist sicher. Wie man einen Informanten anhand von Stasi-Akten überführen kann, hat Reiner Kunze mit seinem Buch »Deckname Lyrik« gezeigt: Mit dem Tag der Publikation endete die politische Laufbahn des Ibrahim Böhme.

Karl Corino klagt, nicht die Stasi, sondern Biermann und Fuchs stünden mittlerweile »am Pranger«. In der Tat werden die beiden kritisiert – aber nicht, weil sie gegen Schuldige vorgehen. Jeder rechtlich Denkende tritt für eine gründliche Aufklärung der traurigen Vergangenheit ein. Sie werden kritisiert, weil sie ein quälendes Medienspektakel entfesseln und eine Atmosphäre des Verdachts erzeugen anstatt ihre Beweise offenzulegen.

Worüber gestritten wird

Behauptung: Anderson ist ein Spitzel und also kein Dichter.

Gegenrede: Ob jemand Wechsel fälscht, sagt nichts über sein Geigenspiel (Oscar Wilde). Sascha Anderson galt nie als ein genialer, wohl aber als ein beachtlicher Lyriker. An diesem Urteil ändern die erschreckenden Erkenntnisse über seine Biographie nichts. In ihrem Licht kann man seine Gedichte vielleicht genauer verstehen, besser oder schlechter werden sie deshalb nicht.

Die Ansicht, ein Spitzel könne kein Schriftsteller sein, rührt offenbar her aus der naiven Vorstellung, Literatur sei eine hehre Sphäre, die keine Sünde dulde – doch Dichter sind, wie alle Künstler, oft labile, gefährdete Menschen. Jean Genet wurde als Gewohnheitsverbrecher zu lebenslanger Haft verurteilt; Paul Verlaine versuchte Rimbaud zu erschießen; François Villon war ein Mörder. Dennoch ist der poetische Rang dieser Autoren in unserem westlichen Nachbarland unumstritten. Glückliches Frankreich. Hierzulande antwortet man auf die Tatsache, daß auch Verbrecher Literaturgeschichte gemacht haben, immer wieder gern mit Verdrängung.

Behauptung: Oscar Wilde macht es sich zu leicht: Die Kunst seines wechselfälschenden Geigers beschränkt sich auf Klänge und Stimmungen. Schriftsteller dagegen verbreiten auch Gedanken und Ideen – für die sind sie verantwortlich.

Gegenrede: Der Einwand ist richtig. Sollte sich herausstellen, daß Anderson in seinen Büchern für die Stasi und das Bespitzeln enger Freunde wirbt, müßte er sich dafür verantworten. Doch das Gegenteil ist der Fall: Andersons Gedichte werben nicht um den Leser, sondern wenden sich von ihm ab. Seine schwachen Verse verschließen sich, flüchten in privatistische Chiffren, die guten benennen in zarten, irritierend schönen Zeilen zumeist Traumata aus der Kindheit. Diesen frühen Verletzungen nachzuspüren, dürfte heute besonders lehrreich sein.

Aber: Die Verantwortung, die ein Autor für sein Werk übernehmen muß, ist eine intellektuelle, keine juristische. Die Kunst ist nach dem Willen des Grundgesetzes frei – Literatur muß nicht Zeile für Zeile auf dem Boden der FdGO stehen. Ein Beispiel: Die sozialen Utopien von kommunistischen Schriftstellern wie Louis Aragon, Pablo Neruda und Majakowski, von Brecht und Anna Seghers entsprechen nicht den heutigen Vorstellungen von Demokratie und Liberalität. Sie verfochten Ideen, die im Verbrechen endeten. Niemand muß sie deshalb lieben, aber man kann ihrem Werk den literarischen Respekt nicht verwehren.

Für seine Handlungen dagegen muß ein Schriftsteller wie jeder juristisch einstehen. Das ist selbstverständlich. Wenn sich bestätigt, daß Anderson anderen geschadet hat, wenn die Mord- und Selbstmordkomplotte, von denen Karl Corino schreibt, nachweisbar sind, dann sollte das nicht nur publizistische, sondern strafrechtliche Konsequenzen haben.

Behauptung: Die Poesie vom Prenzlauer Berg war eine Erfindung der Stasi. Die Literaturgeschichte der DDR muß revidiert werden.

Gegenrede: Solche Pauschalurteile sind stets ein Eingeständnis der Unfähigkeit zu differenzieren. Die wenigen Anhaltspunkte, die bislang vorliegen, rechtfertigen den gigantischen Verdacht in keiner Weise. Was heuer unter dem Etikett »Prenzlauer Berg« zusammengefaßt wird, war keine zentral kommandierte Mannschaft. Es war ein höchst amorpher, lockerer Zusammenschluß von jüngeren Autoren, Malern, Musikern und anderen Lebenskünstlern, die sich nur in einem einig waren: in dem Versuch, sich und ihre Arbeit der allgegenwärtigen DDR zu verweigern. Sie flohen, wie schon andere Künstlergenerationen vor ihnen, aus einer schwer erträglichen Diktatur in die Welt der Glasperlenspiele.

Die Vermutung, die Stasi habe diese zufällige und allein dem Lustprinzip verpflichtete Ansammlung von Individualisten über Inoffizielle Mitarbeiter gesteuert, scheint mir das MfS über jedes vernünftige Maß hinaus zu dämonisieren. Sicher gab es Spitzel in der Szene und sicher wird sich die Stasi bemüht haben, ihnen auch Vorteile zu verschaffen. Doch daß sie so die Richtung der ganzen Bewegung bestimmt haben soll, ist bis zum Beweis des Gegenteils nicht glaubhaft.

Nebenbei: Die Kirche hat über Jahrhunderte hinweg die bildende Kunst mit ziemlich drakonischen Mitteln beeinflußt – was unsere Verehrung für die alten Meister und ihre Werke nicht schmälert.

Behauptung: Die Literatur der DDR hat insgesamt an Glaubwürdigkeit verloren, da sie die fatalen Folgen der Stasi-Arbeit fast konsequent ausspart.

Gegenrede: Hier trägt es Karl Corino, von dem diese These stammt und der ein verdienter Kenner der DDR-Literatur ist, im Eifer des publizistischen Gefechts weit aus der Kurve.

Wird die italienische Literatur daran gemessen, wie häufig sie die Mafia und deren Methoden zum Thema wählt? Verlangt jemand den südamerikanischen Autoren regelmäßig Romane über die Todesschwadronen ab? Hinter solchen Erwartungen steht ein krachledernes Verständnis von literarischem Realismus.

Außerdem trifft Corinos Behauptung nicht zu. Die Stasi und ihre Machenschaften würden nur, so schreibt er, in »Gedichten und kurzen Prosastücken von Biermann und Kunze« zum Thema gemacht, in Volker Brauns »Unvollendeter Geschichte« und Heyms Roman »Collin«. Im journalistischen Kampfgetümmel übersieht er Bücher, die er gewiß kennt: Die Romane »Der Tangospieler« von Christoph Hein und »Tallhover« von Hans Joachim Schädlich zum Beispiel, Christa Wolfs Bändchen »Was bleibt«, Heiner Müllers Greueldrama »Kentauren« und dazu einschlägige Gedichte von Peter Huchel und Günter Kunert. Er übersieht die Verhör- und Verfolgungsszenen in Erzählungen von Wolfgang Hilbig oder Thomas Brasch, in Romanen von Monika Maron oder Jurek Becker. Der verstörte einzelne, der vorgeladen, überprüft und von Dunkelmännern bedroht wird, ist ein Standardmotiv der DDR-Literatur. Sie hat ihr Pflichtsoll Realismus wacker erfüllt. Wollte man den Autoren verwerfen, daß viele dieser Texte in der DDR nicht erscheinen durften, machte man sie für ihre Zensoren verantwortlich.

Die Intellektuellen der Bundesrepublik sprachen im politischen Geschäft der sechziger und siebziger Jahre ein gewichtiges Wort mit. Ob nun einzelne in Kommentaren oder Pamphleten sich äußerten oder ob Autorengruppen und -verbände in Resolutionen ihr Votum abgaben – sie wurden von der Öffentlichkeit gehört.

Seit der Wiedervereinigung haben die Schriftsteller hierzulande eine schlechte Presse: Christa Wolf und mit ihr viele bekannte ältere DDR-Autoren wurden beschuldigt, sozialistischer Illusionen wegen mit den Diktatoren gegen die Bevölkerung paktiert zu haben. Das gleiche Verdikt traf, mutatis mutandis, einige »linke« westdeutsche Schriftsteller wie Günter Grass und Walter Jens. Nun wird der jüngeren Künstlergeneration der DDR pauschal ein ungeklärtes Verhältnis zur Stasi vorgeworfen.

Worüber nicht gestritten wird

Der gute Ruf ist hin. Das politische Renommee der deutschen Intellektuellen hat einen Tiefpunkt erreicht. Und das ausgerechnet jetzt, da das große, souveräne Deutschland wieder große, souveräne Politik macht. Natürlich haben die Autoren nach Kräften zu dieser Entwicklung beigetragen: Die dubiose Ostpolitik des (westlichen) Schriftstellerverbandes Anfang der achtziger Jahre und die wortgewaltigen Weltuntergangsmahnungen während der Nachrüstungsdebatte (der dann nicht die Katastrophe, sondern die Auflösung der Blöcke folgte) haben das Publikum mißtrauisch gemacht. Hinzu kommen regelmäßig Einzelleistungen, die Zweifel am Sachverstand der Schreibenden nähren: so zum Beispiel Enzensbergers an den Schnurrbarthaaren herbeigezogener Vergleich zwischen Saddam Hussein und Hitler, oder Biermanns Ausfälle gegen das russische Volk, das angeblich nicht Mumm genug habe, nach dem Putsch in Moskau aufzubegehren.

Vorläufig wird wohl kein Schriftsteller mehr zum Gewis-

sen der deutschen Nation gekürt werden – und es wäre
wohl auch keiner der Rolle gewachsen. Das mag bejam-
mern wer will. Ich habe keine Lust dazu. Erstens weil das
Kind im Brunnen ist, zweitens weil gerade in den stabilen
angelsächsischen Demokratien, in den USA und in Groß-
britannien, Dichter nie als moralische Schiedsrichter der
täglichen Debatten betrachtet wurden. Es geht also auch
ohne sie.

(*Süddeutsche Zeitung vom 11. 12. 1991*)

KARL CORINO

Absolution vor der Beichte?

Selige Zeiten, da Schriftsteller Wechsel fälschen konnten,
ohne daß ihre künstlerische Arbeit davon tangiert wurde.
Es waren die Zeiten Oscar Wildes, vor dem totalitären Sündenfall der Menschheit – und der Literatur.

Der Unterschied zwischen damals und heute ist der, daß
eine Wechselfälschung seinerzeit ein schlichtes kriminelles
Delikt war, das *einen* Betroffenen materiell schädigte. Die
Differenz zwischen dermaleinst und den Zeiten von KGB,
Stasi etc. ist die, daß ein politisches System vom Zuschnitt
der Sowjetunion oder der DDR auch kleine Verbrechen,
Vergehen eines einzelnen gnadenlos auszubeuten vermochte. Die Spitzellaufbahn des Sascha Anderson soll mit
kleinen Betrügereien, Kaufhausdiebstählen etc. in Dresden
begonnen haben. Die Stasi hatte damit einen Hebel in der
Hand, mit dem sie den Straftäter zur Erstverpflichtung
pressen und mit dem sie einen Abgrund von Verrat öffnen
konnte: Ausspähung und Bekämpfung von politischen
Gegnern.

Und mochte ein einzelnes finanzielles Delikt, ob gesühnt

oder nicht, für die Psyche eines Autors relativ folgenlos bleiben – die Jahre während Existenz als spitzelnder Schriftsteller kann nicht gleichgültig bleiben für die Substanz seiner Literatur. »The whole man must move together« heißt eine schöne Maxime aus der angelsächsischen Literatur. Ich meine, daß die praktische Arbeitsteilung in Schriftsteller hie, Spitzel dort nicht funktioniert, nicht die Aufspaltung in einen ästhetisch-wertfrei agierenden Mr. Jekyll und einen schurkisch-wölfischen Mr. Hyde, nicht die Trennung in einen, der für sich und einen, der für »die« geschrieben hat.

Andersons Lyrik ist das typische Beispiel dafür, wie man mit der Wahrheit lügt. Er machte in seinen Texten offenbar öfters Geständnisse, die aber als solche nicht erkennbar waren, weil sie die (bis vor kurzem nicht bekannte) Tatsache seiner inoffiziellen Mitarbeiterschaft beim Ministerium für Staatssicherheit voraussetzen. Er spielt mit Decknamen und beschreibt seine konspirative Sammelarbeit (»ich bin mary westmacott / & außerdem dass / ich unter dem namen s. anderson / worte für den rosenkranz / der generationen / jage in die doppelherzalben / daraus die söhne- / das orakel des achten januar lesen«), ohne daß sich dafür bisher der Schlüssel bot. Erst wenn man weiß, daß die Spitzelprosa der Böhmes, Andersons häufig durch Bandabschriften der Stasi entstand und daß ein fleißiger Spitzel in fremde Hand quasi ein Tagebuch lieferte, versteht man chiffrierte (und im nachhinein prophetische) Sätze der folgenden Art: »euro / pa produziert die patina des deu / tschen terrors in einem der verö / ffentlichten tagebücher vom band.« Ich meine, Andersons zerrissene Psyche reproduziert die eigene Spaltung noch in den willkürlich zerrissenen Vokabeln.

Aber so leben wir, daß wir uns zu diesem Zeitpunkt auf solche Subtilitäten einlassen, zu einem Zeitpunkt, da der Täter – einer von vielen – zwar überführt, aber nicht geständig ist. Seit kurzem wissen wir, daß es nicht nur »Metaphern« waren, die Sascha Anderson alias David Menzer nach eigener Formulierung in seinem lyrischen Erstling

342

»verraten« hat, sondern daß er sich von der Stasi sogar gegen jene Maler einsetzen ließ, mit denen er mehrere Bücher zusammen machte, z. B. mit Ralf Kerbach.

Anderson sorgte durch seine Recherchen dafür, daß sein Freund und Schriftstellerkollege Rüdiger Rosenthal »brutalste Erfahrung mit der Stasi« machte, »Tritte, nachts schier endlose Verhöre«. Jahrelang watete Anderson durch moralischen Schmutz, kroch wie ein Schlieferl uneingeladen auf Geburtstagsfeiern, um seine Objekte, die der DDR feindlich gesonnenen Subjekte auszuhorchen, verabredete sich mit ihnen zum Wein und lieferte, kaum wieder nüchtern, seine Berichte. Und da sollen seine Texte nicht »Spottgeburten aus Dreck und Feuer« sein?

Beispiele sind immer prekär, weil trotz mancher übereinstimmender Bedingungen zu anderen Zeiten bestimmte Komponenten anders wirkten. Gesetzt denn, Wandlitz war kein »Vorort von Auschwitz«, wie H. Kant formulierte. Gesetzt, die DDR war trotz Mauer und Stacheldraht kein Konzentrationslager (auch wenn solche vorbereitet waren). Zugegeben, die DDR begann keinen Krieg, beging keinen Holocaust – als totalitärer Staat ist sie in manchen Hinsichten dem III. Reich vergleichbar, auch im Hinblick auf ihren Sicherheitsapparat, der den der Gestapo um vieles übertraf. Die Intellektuellen, die dem »real existierenden Sozialismus« lobhudelten oder ihn konspirativ unterstützten, sind prinzipiell nicht über einen Vergleich mit jenen erhaben, die Hitler auf den Leim krochen.

Die evangelische Kirche in den fünf neuen Bundesländern hat inzwischen ein Schuldbekenntnis abgelegt, das bis in einzelne Formulierungen hinein dem der Westkirchen nach 1945 entspricht. Die Vorzeige-Intellektuellen der DDR sind bis zum heutigen Tag nicht bereit, sich dem anzuschließen. Wenn es hoch kommt, läßt sich ein H. Kant zu dem Bekenntnis herab: »... ein zerfallendes Greifswald, das bedrohliche (Atomkraftwerk) Lubmin und die Äcker um Wolgast, die in der Gülle ersoffen, hätten mehr als meinen sanften Lobbyismus nötig gemacht.« Solange weitergehende Einsicht fehlt, bleibt die literarhistorische Diskussion vertagt.

Wir können uns heute einigermaßen objektiv (und vielleicht dennoch kontrovers) mit der Frage beschäftigen, ob der politische Sündenfall Gottfried Benns im Jahre 1933 mit seiner Schrift über den »neuen Staat und die Intellektuellen« wieder gutgemacht wurde durch seine Selbstbestrafung als Armeearzt; ob so wunderbare Gebilde wie »Einsamer nie als im August« durch seine vorausgehende Antwort an die literarischen Emigranten beschädigt sind. Wir sind vielleicht in der Lage, einigermaßen gerecht mit Josef Weinhebers braunen Verstrickungen umzugehen. Die Delikte, die Irrtümer – in Weinhebers Fall mit dem Freitod gesühnt – liegen heute rund 50 Jahre zurück, aber noch heute kann die Zustimmung zu den ästhetischen Produkten nur auf einem Trotzdem beruhen.

Die Diskussion, die gegenwärtig über die jüngste Vergangenheit stattfindet und die sich mehr um die »Traumata aus der Kindheit« der Spitzel kümmert als um die seelischen und körperlichen, womöglich letalen Verletzungen der Opfer, hat etwas Groteskes: Man stelle sich einmal vor, 1947, zwei Jahre nach dem Ende des Dritten Reichs, hätte sich herausgestellt, daß eine Reihe von NS-Literaten wie die Schumanns, Vespers usw. Kollegen bei der Gestapo denunziert und sie »bearbeitet« hätten. Was hätte man dazu gesagt, was hätten die Opfer gedacht und gesagt, wenn feinsinnige Ästheten sich sogleich darauf kapriziert hätten, die außerordentlichen poetischen Feinheiten in den Versen von Handlangern des Terrors zu rühmen.

Es ist nicht sehr sinnvoll, mit Beispielen wie Villon, Verlaine oder Genet zu arbeiten, um zu beweisen, daß man u. U. mit dem Gesetz auf Kriegsfuß stehen und doch ein bedeutender Autor sein kann. Sie blieben auf dem (heißen) Boden einer sozusagen privaten Kriminalität. Die Beispiele, die hier interessieren, sind eher die eines Robert Brasillach oder Ezra Pound. Sie wurden von der französischen bzw. amerikanischen Öffentlichkeit für ihre Kollaboration mit dem Nationalsozialismus oder dem Faschismus zur Rechenschaft gezogen, Brasillach gar hingerichtet, Pound jahrelang interniert, und hätte sich Céline nicht versteckt, wäre es ihm wohl nicht viel besser gegangen. Er, den man im Gegensatz zu den »spät-dadaistischen Gartenzwergen« des Prenzlauer Bergs (Biermann) einen »verkrüppelten Riesen« genannt hat, wurde 1950 in absentia verurteilt und konnte 1951 nur aufgrund einer Amnestie nach Frankreich zurückkehren. Die Frage nach dem Zusammenhang seiner antisemitischen Pamphlete und dem Abtransport der Juden aus Frankreich in die Konzentrationslager drängt sich noch heute auf, und ebenso die Frage, ob selbst frühe Bücher wie die »Reise ans Ende der Nacht« von seiner Rassenhetze beschädigt wurden. Will sagen, die ästhetische Diskussion kann wieder einsetzen, wenn die juristische abgeschlossen ist. Gegenwärtig, so hat man den Eindruck, soll die erstgenannte die zweite verdrängen, noch ehe die Akten richtig geöffnet sind. Das beweist die Debatte über die Literatur des Prenzlauer Bergs hinlänglich, und überblickt man den Fall »Heiner« alias Heinrich Fink samt den Äußerungen von Schriftstellern wie Grass, Christa Wolf, Stefan Heym oder Christoph Hein, dann ist es noch deprimierender.

Die Reinwaschung so sündiger Theologen wie dieses heimlich singenden Fink durch etliche Großliteraten des Ostens wirft ein bezeichnendes Licht auf ihre nach wie vor bestehende Rückbindung an die DDR. Eben sie, eine fatale Gruppensolidarität, hinderte Christa Wolf seinerzeit, das Büchlein über ihre Beobachtung durch die Stasi gleich nach seiner Entstehung zu veröffentlichen. Daß sie es erst nach dem Zusammenbruch der DDR – in einer undurchsichtig kontaminierten Fassung – vorlegte, beweist ja gerade, wie die DDR-Literatur in Gestalt ihrer einzigen, eine Zeitlang nobelpreisverdächtigen Schriftstellerin die Stasi-Thematik ausschloß. Hans Joachim Schädlichs Roman einer über Jahrhunderte währenden Spitzelkarriere (»Tallhover«) ist lange nach seiner Wanderung von Ost nach West entstanden; es ist kein Werk der DDR-Literatur, und die Texte Huchels, Kunerts, Hilbigs, Monika Marons über das hier behandelte Thema, die westlich des eisernen

Vorhangs geschrieben und publiziert wurden, sind es ebensowenig.

Wollte man es kraß formulieren, könnte man frei nach Musil sagen, die DDR sei an einem Sprachfehler zugrunde gegangen, genauer gesagt: an der Unaussprechlichkeit der zentralen Themen, der ökonomischen, ökologischen, der allgemein politischen, nicht nur der sicherheitspolitischen. Warum denn das allgemeine, schier unermeßliche Erstaunen darüber, als wie kaputt sich die DDR bei ihrem Ende auf allen Ebenen erwies? Deshalb, weil die Literatur zuvor allzuviel verschwiegen hatte. Wo kam der Schießbefehl, wo kamen die Urnen vor, die die Angehörigen der Erschossenen überreicht bekamen? Bei Reiner Kunze in den »Wunderbaren Jahren«, und Hermann Kant bezichtigte ihn deswegen der »infamen Lüge«! Wo kamen die völlig devastierten Tagebau-Landschaften um Leipzig vor? Bei Wolfgang Hilbig. Wo die lungenlästerliche Verschmutzung der Luft? Bei Monika Maron in »Flugasche«. Wo, in aller Vorsicht, die atomare Gefährdung der DDR? In Hanns Cibulkas »Swantow«. Es gibt fast immer ein paar Gegenbeispiele gegen die Verschwörung des beredten, gedruckten Schweigens, das sich die offizielle DDR-Literatur nannte. Aber man darf dann regelmäßig fragen, ob der betreffende Text in der DDR erschien und wie lange sein Autor noch im Land geblieben ist.

In der Tat hat das Renommee der deutschen Intellektuellen inzwischen einen Tiefpunkt erreicht. Ihre Gipfeltreffen auf Akademie-Ebene gleichen mitunter einem Weißwäscher-Kongreß, und Schriftsteller aus dem Westen Deutschlands entblöden sich nicht, sich mit den politischen Zuchtmeistern und Schuriglern von gestern – Hermann Kant! – in ein und dieselbe Sektion wählen zu lassen. Sie fraternisieren hier mit den Funktionären von einst, dort mit den Spitzeln von gestern und ernennen den, der den ersten Stein auf das Glashaus der Konspiration warf und ein wenig von ihrem pestilenzialischen Gestank entweichen ließ, zum »Großinquisitor«. So Grass in Sachen Biermann.

Dichter eignen sich nicht zu moralischen Schiedsrichtern? Seit Bölls Tod gibt es tatsächlich wenige, die dafür taugen. Immerhin sollte man denen, die Dekaden ihres Lebens unter der Kuratel der Stasi verbracht haben, auf Schritt und Tritt verfolgt, abgehört, verleumdet, vielleicht inhaftiert und außer Landes geworfen wurden, ein Prä einräumen, wenn es um die Enttarnung und Anklage ihrer ehemaligen Peiniger geht.

Mancher, der heute großzügig Persil-Scheine ausstellt, wird irgendwann feststellen, auf welchen Laken er gelegen und welche Bastarde er mit der Stasi gezeugt hat, im Kopf und anderswo.

(Die Welt vom 2. 1. 1992)

ULRICH GREINER

Der Ursprung der Lüge
Die Auseinandersetzung
über die Stasi-Vergangenheit läuft falsch

Das alte Jahr ist zu Ende, aber die alte Schuld ist es nicht. Im Gegenteil: Mit wachsender Gewalt besetzt sie die literarische Debatte. Literaturkritiker werden zu Stasi-Spezialisten, Dichter zu Geheimarchivaren, Schöngeister lernen die Kunst, aus Schlamm Wurfgeschosse zu formen. Der Fall des Lyrikers Anderson, der Fall des Humboldt-Rektors Fink: sie sind nur der Anfang. Zum zweitenmal geht es um die Bewältigung einer deutschen Vergangenheit.

Erste Frontverläufe werden sichtbar. Auf der einen Seite stehen die Opfer der Stasi-Geschichte. Sie verlangen, daß sie erzählt werde, und sie hoffen, je nach Mentalität, auf Vergeltung, auf Rache, auf Gerechtigkeit. Auf dieser Seite sind vor allem die Dissidenten der DDR, Schriftsteller wie

347

Wolf Biermann, Jürgen Fuchs, Sarah Kirsch. Auf der anderen Seite stehen jene, die in der Aufdeckung von Stasi-Komplizenschaft nur ein weiteres Beispiel sehen für die Demontage aller Reste der DDR und selbst noch der letzten Spuren von Identität und Selbstbewußtsein.

Die versprengten Haufen auf beiden Seiten der Front bilden oft seltsame, ungewollte Koalitionen. Altlinke sehen sich mit CSU-Kreisen in dem Wunsch verbündet, die Vergangenheit ruhen zu lassen. Abwicklungstechnokraten kämpfen Seite an Seite mit Wahrheitsfanatikern. Die Lage ist derart verworren, daß man schon den »Spiegel« lesen muß, der alles auf sich selber reimt. In seiner jüngsten Hausmitteilung erklärt er sich zum verfolgten Einzelkämpfer der »gesellschaftlichen Aufarbeitung der deutsch-deutschen Vergangenheit«.

Die Debatte läuft falsch. Das betrifft nicht so sehr die Stilfrage. Entgleisungen wie Biermanns »Arschloch« oder das monströse »Auschwitz in den Seelen« von Jürgen Fuchs sind angesichts dessen, was auf dem Spiel steht, unvermeidlich. Nein, die derzeitige Debatte zielt am Kern der Sache vorbei. Warum fällt es niemandem auf, daß der ehemalige Zensurminister der DDR, Klaus Höpcke, seelenruhig als Abgeordneter der PDS in Thüringen sitzt? Höpcke hat, wie er nicht müde wird zu erzählen, unter den seinerzeit herrschenden Umständen das Beste getan, was er konnte.

Exakt so hört man es von Hermann Kant, dem langjährigen Vorsitzenden des Schriftstellerverbandes der DDR. Und ähnlich hört man es von prominenten Autoren wie Stefan Heym und Stephan Hermlin. Die Frage, ob Höpcke oder Kant inoffizielle Mitarbeiter der Stasi gewesen seien, ist absurd. Leute dieses gesellschaftlichen Ranges belästigte man nicht mit der Tätigkeit von Domestiken. Leute dieses Ranges waren mit Wichtigerem betraut: das Ding namens DDR durch eine abgewogene Mischung aus Kritik und Zuspruch, aus Distanz und Identifikation am Laufen zu halten.

Darüber wäre zu streiten. Man kann nicht Anderson an

den Pranger und die Mauerschützen vor Gericht stellen und darüber schweigen, daß der Kommunismus in großem Ausmaß die Erfindung und das Werk von Intellektuellen gewesen ist. Unter ihnen gibt es eine große Zahl, die noch immer behauptet, wie kürzlich Heym in der »Zeit«, eigentlich sei der Sozialismus eine gute Sache, es hätten ihn nur die falschen Leute in die Hand genommen (was, einer neuen Umfrage zufolge, 56 Prozent der Ostdeutschen ebenfalls glauben).

Die Legende, es hätten die Intellektuellen der DDR, und an ihrer Seite die aufrechten Freunde im Westen, einen tapferen und am Ende aussichtslosen Kampf für den wirklichen Sozialismus gefochten, ist unzerstörbar. Diese Legende kommt nicht aus der Utopie, sondern aus der geschichtsphilosophischen Vermessenheit, die Utopie auf die Erde zu holen, und sei es mit Gewalt. Die »Landschaften der Lüge«, von denen Jürgen Fuchs spricht, haben ihren Ursprung in der Theorie des Kommunismus. Das zu begreifen heißt nicht, wie Heym fürchtet, das eigene Leben wegzuwerfen. Es heißt, von einem Irrtum Abschied zu nehmen, der viel gekostet hat. Manche das Leben.

Solange das nicht geschieht, solange die alte Angst vor Verrat und Renegatentum die Reihen geschlossen hält, ist der Streit um Anderson et al. das pure Scheingefecht.

(Die Zeit vom 3. 1. 1992)

FRANK-WOLF MATTHIES

Einer, der tatsächlich etwas getan hat
Zorniger Widerspruch zur Sascha-Anderson-Kampagne

Sehr geehrter Herr Roloff-Momin,

obzwar ich nun von einem Menschen, der sich seinen Lebensunterhalt in einem der drei P-Bereiche des Minderwertigen verdient (Presse, Politik, Prostitution), ohnehin keine moralischen Höchstleistungen erwarten würde, war ich doch etwas überrascht, als mir von Freunden vor einigen Tagen in einer Zeitung eine Art Notiz gezeigt wurde, derzufolge Sie dem Dichter Anderson den Villa-Massimo-Preis – »vorerst« – wieder entzogen haben.

Viel Dummes, viel Niederträchtiges, viel Selbstgerechtes ist in den letzten Wochen öffentlich entäußert worden – darunter kaum etwas, das den Dichter Anderson treffen sollte, dafür aber um so mehr von dem, was erkennen läßt, welch kleinen Geistes Kind deutsche Intellektuelle in der Regel sind. Wobei es offensichtlich keine Rolle spielt, ob es sich um Vertreter der Kleingeisterei von den Ausläufern des Thüringer Waldes oder um Hamburger Großstadtpflanzen handelt. Obendrein zumeist noch von der Art humorloser Spießigkeit, daß es mir peinlich wäre, einem Fremden gegenüber zuzugeben, daß ich dies überhaupt zur Kenntnis genommen habe. Wobei ich speziell an Uwe Kolbe denke. Oder um es mit Kurt Schwitters zu sagen: »Was man kaut wird Brei.«

Sie allerdings, denke ich, haben sich in diesem »Sängerwettstreit«, in dem es anscheinend einzig darum geht, die Steigerungsmöglichkeiten solcher Adjektive wie »niederträchtig«, »schäbig«, »spießig«, »dumm« oder »heuchlerisch« (nunmehr noch um das Attribut »töricht« bereichert) aufzuzeigen, dadurch hervorgetan, daß Sie deutlich gemacht haben, daß es keine absolute Obergrenze gibt, daß selbst »am schäbigsten« noch zu steigern geht. Denn zum einen haben Sie mit Ihrer Entscheidung deutlich gemacht, daß auch der Villa-Massimo-Preis nichts anderes ist als eine Anerkennungsprämie für Opportunismus und politische Anpassungsfähigkeit (sehr schmeichelhaft nebenbei bemerkt für alle ehemaligen und zukünftigen Preisträger, die sich wie ich tatsächlich in dem naiven Wahn befanden, wenigstens dieser Preis würde ausschließlich für ein künstlerisches Gesamtwerk vergeben).

Zum anderen begünstigen Sie mit dieser Entscheidung die Bemühungen, den Verhaltenskodex kleinkarierter Pantoffeldespoten à la DDR-Bonzokratie auch in den hiesigen Landschaften der Auseinandersetzung salonfähig zu machen. (Meine Kinder pflegen in solchen Situationen zu sagen: »Geschenkt ist geschenkt, wieder holen ist gestohlen.«)

Selbst *wenn* (was ich erst zu glauben bereit wäre, wenn Sascha Anderson mir dies von Angesicht zu Angesicht zugeben würde!) all die infam-diffusen Beschuldigungen der Illustrierten »Spiegel« gegen den Dichter Anderson zutreffen würden, selbst wenn – selbst dann hätte Sascha Anderson ebenso wie jeder andere Mensch einen Anspruch darauf, nicht mit kleinbürgerlicher Kurzsichtigkeit angegafft und abgeschätzt zu werden, sondern sein Leben quasi als »Gesamtkunstwerk« betrachten zu lassen. Dann aber fielen ganz andere Facetten in die Aufmerksamkeit des wachen und unvoreingenommenen Betrachters – Facetten, die allerdings aus der Radieschenbeetperspektive politischer wie geistiger Gartenzwerge kaum zu erkennen sind. Beispielsweise etwas, was hier und heute feuilletonistisch »Gegenkultur« und »Samisdat« genannt wird.

Niemand von all denen, die sich auch bei dieser Gelegenheit wieder einmal mit einem eitlen Geschwätz in Rathenow'scher Mundart über die Ränder öffentlicher Aufmerksamkeit drängen, *niemand* von denen hat es fertiggebracht, etwas für die Bewässerung dieser geistigen Wüste DDR zu tun (selbst Wolf Biermann hatte stets und vor allem seine eigenen Interessen und seinen eigenen sozialistisch verkitschten Horizont vor Augen!). Sascha Anderson war dort der einzige, zumindest in dieser »Generation«, der nicht bereit war, diesen brettchenvernagelten Kaninchenstall-lebensraum der angeblichen Opposition zu akzeptieren. Der Erste zumindest, der, anstatt im Zustande zunehmender Betrunkenheit seine Revolutionsabsichten zunehmend enthemmter mitzuteilen, tatsächlich etwas getan hat. Etwas, das obendrein und zuerst einmal anderen nützte, das sie ermutigte, sich aus dem sinnleeren, weil von absurden Prämissen ausgehenden Argumentationspingpong – »Wer hat denn nun den Marxengelslismus richtig verstanden« – zu verabschieden, ihr Denken und Handeln nicht länger von den Vorgaben anderer bestimmen zu lassen.

Das, was heutige Parlamentsabgeordnete und ehemalige Malerinnen nicht einmal im Ansatz versucht haben – vielen von den jüngeren Dichtern und Malern ist es tatsächlich gelungen! Nicht wenige von ihnen verdanken es in erster Linie dem Dichter Anderson, daß eine wenn auch begrenzte Öffentlichkeit zu einem für sie so lebensnotwendigen Dialog inspiriert werden konnte. All die zahllosen Underground-Zeitschriften und -Bücher (und nun die Bücher und Schallplatten des Verlagshauses GALREV) gab und gibt es doch tatsächlich. Ohne Sascha Anderson hätten wir höchstwahrscheinlich bis zum heutigen Tage nichts als die tristen Wunschphantasien exhibitionistischer Gewohnheitstrinker bzw. faden Dörrfrüchte nostalgisch-wendeverzückter Landpfarrer, deren einzige Höchstleistung – wenn überhaupt – darin bestand, einige Staatssicherheitspinsel an die DDR-Macht gebracht zu haben, die dann ihrerseits dieses schäbige Ganze als Konkursmasse erfolgreich ihrem ebenso gutwilligen wie reichen Nachbarn aufschwatzten.

Selbst wenn also all die Beschuldigungen eitel-geschwätziger Möchtegernjournalisten stimmen sollten – welchen Einfluß hätte dies auf Wert oder Nichtwert der Bücher Sascha Andersons, mit denen er sich doch wohl um diesen Preis beworben hat? Oder ist es statt dessen neuerdings üblich, sich mit einem polizeilichen Führungszeugnis plus einer Unbedenklichkeitsbescheinigung der Gauck-Behörde um derartige Stipendien zu bewerben? Sollte die Jury für diesen Preis gar aus Polizeidienern bestehen? [. . .]

Nebulöse Diffamierungen werden ordentliche Untersuchungen und Schulderweisungen ersetzen. Presse und Kulturbürokratie werden über Wahr und Unwahr, Recht und Unrecht entscheiden. Man wird die Hunde treten, wo man zu feige ist, die Herren zur Verantwortung zu ziehen. In diesem Falle moralisch verwahrlosten DDR-Bonzen im Ruhestand nebst ihren nicht minder skrupellosen Vollstreckern, welche gänzlich unangefochten ein Dasein als Memoirenrentner führen und ihre Rowohlt-Honorare verzehren. Von einer Untertanenbevölkerung, die jahrzehntelang die Gesäße dieser Leute hündisch beleckt hat, ganz zu schweigen. Desgleichen von den schamfreien Verwaltern eines (westdeutschen) Wahlvolkes, die ihrerseits jahrelang mit jenen Nun-Ruheständlern die besten Geschäfte getätigt hat.

Was aber, frage ich Sie, hat all dies mit Poesie zu tun, um die der Dichter Anderson sich zweifelsohne verdient gemacht hat?

Nichts!

Wer also berechtigt Sie, einem Dichter, der von einer unabhängigen Jury einen Preis zuerkannt bekommen hat, diesen wieder abzuerkennen?

In diesem Sinne

Frank-Wolf Matthies,
freier Schriftsteller

(Frankfurter Rundschau vom 3. 1. 1992)

Begreifen, nicht glauben
Anmerkungen zum Streit über Literatur und Moral

Die Akten des Staatssicherheitsdienstes der DDR sind jetzt einsehbar. Nun wissen wir, daß auch der Poet Rainer Schedlinski für diesen Dienst arbeitete, und daß ein Mensch, der über Sarah Kirsch berichtete, »Milan« benannt wurde – der Milan (»Ein wüster Vogel ...«) fliegt durch ein sehr schönes Gedicht dieser Autorin. Was wissen wir noch? Daß dieser Sicherheitsdienst kein gemütlicher Laden war – aber welcher Staatssicherheitsdienst ist das schon? Daß eine Literatur, »die das Krebsgeschwür jenes dahingeschiedenen Arbeiter- und Bauern-Staates so konsequent aus ihren Texten aussparte, ... insgesamt an Glaubwürdigkeit verloren« hat.

Davon abgesehen, daß die Literatur der DDR den Staatssicherheitsdienst, wie auch Karl Corino in der SZ einräumen muß, nicht völlig ausgespart hat (die halbe DDR rätselte 1965, was Quasi Riek aus Hermann Kants »Aula« in Hamburg wirklich zu tun hatte) – was sagte es, wenn sie ihn ausgespart hätte? Was nicht alles hat die Literatur der alten Bundesrepublik ausgespart? Hat dieses oft beklagte Aussparen Folgen für ihre Glaubwürdigkeit gehabt? Muß Literatur überhaupt geglaubt werden, will sie nicht vielmehr gelesen und, nach Kräften, begriffen werden?

Ulrich Greiner fragt in der *Zeit* ob es sein könnte, »daß unsere geistige Kultur zynisch, relativistisch, verspielt und selbstgerecht ist«. Aber ja. So ist es. Die Zeiten sind so. Und die Zeiten, in denen Menschen glaubten, sie könnten mit Hilfe der Kultur die Zeitgenossen bessern – die sind vorbei. An Besserung durch Kultur haben in Deutschland zuletzt die Kulturfunktionäre der DDR, viele ihrer Autoren und Künstler, vielleicht sogar ein paar kluge Stasi-Mitarbeiter geglaubt – mit unliebsamen, der Qualität der künstlerischen Produkte nicht dienlichen Folgen.

An allem ist schuld, wissen wir nun auch: Goethe. Benjamin Korn schreibt ebenfalls in der *Zeit* (20.12.91): Goethe »schrieb seine Stücke mit einem politischen Präservativ am Finger«. Das versuche sich vorzustellen, wer will. Auf eine rührende Weise falsch bleibt aber die Behauptung, daß Korns Goethe die Trennung von Talent und Charakter in der deutschen Literatur hoffähig gemacht habe. Das ist fahrlässiger Umgang mit Kategorien, mit der deutschen Literaturgeschichte.

Korn widerlegt sich denn auch gleich selbst, wenn er Schiller und Lessing als »Vorbilder für den Widerstand« nennt. Nein, Schiller war nicht »Widerstand« und Goethe war nicht »Fürstenknecht« und, Abstand, Abstand, Hermann Kant war nicht »DDR-Inquisitor«. Nicht jeder alte Hut – »Das Talent ist im Charakter verankert« – taugt für jeden Kopf. Leider hat George Tabori (*Die Zeit*, 10.1.92), zynisch, relativistisch, verspielt und selbstgerecht, wie er, zu unserem Nutzen, nun einmal ist, ein wenig zu nett gegen die Gleichsetzung von »Immoralität und Schweinsein« durch Benjamin Korn protestiert.

Goethe ist nicht, wie von Korn behauptet, Deutschland. Und ein guter Autor muß auch fürderhin kein guter Mensch sein – mit welchem Recht könnten wir das verlangen? Da schwappt jetzt nur die Ethik-Diskussion, im Wirtschaftsteil schon länger und dort gelegentlich mit Gewinn gepflogen, ins Feuilleton. Aber dort verlautbart sich nun zugleich auch Henryk M. Broder (*Die Zeit*, 10.1.92), der kluge Mensch, der immerfort alles ganz anders wissen muß. Diesmal weiß er, daß die »Wende« das »opus magnum« des DDR-Staatssicherheitsdienstes gewesen ist.

Da hätten wir nun endlich auch die Idee für den fälligen DDR-Polit-Krimi. Läßt man beiseite, daß der Sicherheitsdienst dann doch gewiß auch alle seine Akten vernichtet hätte – waren deutsche »Wenden« nicht immer versuchsweise anders als die anderer Staaten? Die Art und Weise, wie 1848, wie 1918, wie wohl auch 1933 in Deutschland Revolution gemacht wurde – unterschied die sich nicht sehr erheblich von den gewaltsamen Umbrüchen in den

übrigen europäischen Ländern? Weshalb sollte die
»Wende« von 1989, verglichen mit den Ereignissen in den
übrigen Staaten des Warschauer Pakts, nicht »deutsch«
sein? In Deutschland macht man vorsichtig und gewalt-
arm Revolution. Da zittern in uns noch die Schrecken des
verlorenen Bauernkriegs, der einzigen gewalttätigen Revolution unserer Geschichte. Den Rest übernahm, immer
schon, übernimmt auch jetzt: die Justiz. Deshalb sind
Akten für uns so wichtig.

Trauer und Lähmung

Einige Kilometer Text (von 202 insgesamt) werden nun gelesen, einige Männer und Frauen, auch dichtende, werden
enttarnt, einige von ihnen angeklagt werden. Dann ist für
Ankläger und Angeklagte möglich: das »Experiment der
Selbstfindung«, wie Joachim Gauck den Prozeß genannt
hat.
    Viele werden nach der Lektüre traurig sein, gelähmt. Das
ist aber ihre Trauer, ihre Lähmung, nicht unsere. Wir können zusehen und Literatur-Skandale basteln. Aber besser
sollten wir den Blick für eine Zeit abwenden. Die Älteren
können sich unterdessen an die ersten Jahre nach dem
letzten deutschen Krieg erinnern – wie man da mit Spitzeln, mit Verbrechern, mit Akten, mit Unrecht umging. Die
Jüngeren könnten überlegen, wie sie, im schlimmsten Fall
über vier Jahrzehnte hin, in der DDR gelebt hätten, zu welchen Kniefällen sie aus Feigheit fähig wären. Nur Wolf
Biermann, Adolf Endler, Elke Erb, Peter Hacks und einige
wenige andere hatten sich, als junge Menschen, diesen
Staat für ihr Leben ausgesucht, die anderen wurden »hineingeboren«, wie Uwe Kolbe schrieb.
    Das Nachdenken über einen Staat, über sein Ende kann
verstören, wenn man ihn und seine Bewohner jahrelang
nicht wirklich zur Kenntnis genommen hat. Wenn einem
dann plötzlich die Augen geöffnet werden – da kommt
einem vieles ungewohnt, gespenstisch, mysteriös vor, da
erkennt man alles, was dieser Staat war, leicht verzerrt,

in einer schon blasser werdenden Momentaufnahme, »Schnappschuß« heißt so etwas ganz richtig. Da kann man dann schon, wie Büchners König Peter, die Kategorien »in der schändlichsten Verwirrung« sehen. Man muß nur zuhören bei den Gesprächen, im Warteraum des Flughafens von Dresden-Klotzsche, freitags vor dem letzten Flug aus dem »Busch« ... Jeder dritte Ost-Deutsche will jetzt seine Akten sehen. Das ist erst einmal, so sagen sie, »Fakt«. Von Literatur, von Literaturgeschichte reden sie, reden wir: später.

(Süddeutsche Zeitung vom 13. 1. 1992)

IRIS RADISCH

Die Krankheit Lüge
Die Stasi als sicherer Ort:
Sascha Anderson und die Staatssicherheit

Er lügt. Er belügt seine Freunde, er belügt seine Lebensgefährtin, er hat mich belogen, als er mir gestand (im *ZEIT*-Interview vom 1. November 1991), der Stasi zwar alles gesagt, aber nie für die Stasi gearbeitet zu haben. Nach der *Kontraste*-Sendung von Roland Jahn und Peter Wensierski sind alle Zweifel ausgeräumt: Sascha Anderson ist nicht das verwirrte Kind und nicht der betrogene Dichter, den man mit Keksen malträtierte oder mit klappernden Schlüsseln und gezielten Schlägen dazu trieb, Hunderte von Spitzelberichten in die Mikrophone seiner Führungsoffiziere zu sprechen. Er war nicht das Opfer einer perfiden Verhörmethode. Er hat mit der Stasi nicht nur über sich und seine Arbeit gesprochen. Er ist nicht abgezockt worden. Im Gegenteil. Er hat genau und im Auftrag gearbeitet. Er hat ausführlich über seine Freunde und über Oppositionelle berichtet. Und er wußte, was er tat.

357

Jetzt wissen wir es. Es hat nur zu lange gedauert, bis wir es wissen durften. Die Wahrheit wurde nicht großzügig und ohne Vorbehalt, sondern geheimbündlerisch und zögernd aufgedeckt. Jeder, der sich weigerte, über Anderson ein Urteil ohne Beweise zu fällen, wurde gerichtet. Die Aktenschränke haben sich kaum geöffnet, da sind die Reihen der Stasi-Debattanten anscheinend schon wieder geschlossen. Und Sascha Anderson lügt noch immer.

IM ruft an

Die vielen Protokolle mit dem Vermerk »Tonbandabschrift Quelle IMB ›David Menzer‹, entgegengenommen Oberst Reuter, Major Heimann«, die Lutz Rathenow und das Ehepaar Poppe in den vergangenen Wochen in ihren Akten gefunden haben, bezeichnet er als »echte Fälschungen«. Die Stasi-Offiziere hätten andere Quellen verarbeitet oder verschiedene Informationen unter einem Decknamen zusammengefaßt. Seine Verteidigung schwankt zwischen glatten Lügen (»Ich war nie im Operncafé«), ungeschickten Verharmlosungen (»Diese Berichte sagen doch über Menschen gar nichts aus«) und verlogenen Geständnissen (»Ich habe das alles unter Druck gesagt«). Aus West-Berlin als Agent gearbeitet zu haben, was in der vergangenen Woche zur Einleitung eines Ermittlungsverfahrens gegen ihn geführt hat, streitet er ab – so wie Rainer Schedlinski seine Stasi-Dienste noch fünf Minuten vor der *Kontraste*-Sendung abgestritten hat, in der seine schriftliche Verpflichtungserklärung gezeigt wurde.

Anderson schreibt seine Biographie. An 110 statt zunächst nur 60 Besuche bei der Stasi will er sich inzwischen erinnern. Die Wahrheit ist das noch nicht, nur eine kleinere Lüge.

Im Stasi-Zentralarchiv in der Normannenstraße liegen seine sieben gelben Pappordner im Tresor. Drei Bände »Personalakten« und vier »Arbeits- und Berichtsbände«. In jedem Pappband waren 300 Blatt. Das sind rund 1200

Blätter mit Spitzelberichten allein aus der Berliner Zeit. Aber die Ordner sind leer, die Akten sind vernichtet. Nur letzte Spuren wurden in der Eile vergessen: ein grauer Umschlag mit der Aufschrift »Beschluß«. Er enthält zwei Formblätter, auf denen die Staatssicherheit beschließt, Alexander (»Sascha«) Anderson, den Menschen mit der Personenkennzahl 240853422712 und dem Decknamen »David Menzer«, im Jahr 1981 zum »Inoffiziellen Mitarbeiter zur unmittelbaren Bearbeitung von Feindpersonen« (IMB) und schließlich, im Jahr 1986, zum »IMB Peters« zu ernennen. Und ein loser Merkzettel, den jemand mit Klebestreifen auf der Innenseite eines Pappbandes befestigt hat. »Verbindungsaufnahme zu David Menzer, in Dresden: unter den Geldeinwurf bei Gummischutzautomaten in Gaststätte ›Mokkaperle‹ kleben«, ist darauf notiert. Daneben klebt das Muster eines Papierschnipsels, die Randbegrenzung eines Briefmarkenbogens, den der Führungsoffizier am Kondomautomaten des Andersonschen Stammcafés in Dresden hinterließ. Auch was dann passierte, ist vermerkt: »IM ruft an.«

Die Kontaktaufnahme in Berlin ist weniger pfadfinderhaft: »Telegramm an Wilfriede Maaß, Schönfließerstr. 21. Lieber Sascha, Probe: Trefftag. Ort: Kleines Haus. Gruß David.« Wilfriede Maaß, die ehemalige Lebensgefährtin Andersons, hat oft Telegramme für ihn bekommen, aber bei dem Betrieb, der in ihrer Keramikwerkstatt herrschte, nicht darauf geachtet. Für die Sachbearbeiter in der Gauck-Behörde steht fest: Anderson war ein IM. Das ist so klar, daß eine schriftliche Einverständniserklärung zur Beweisführung gar nicht mehr vonnöten ist: »Anderson hat alles gemacht, was man als IM nur machen konnte – und zwar nicht auf dem Streckbett.« Der kleine Aktenrest auf dem Tisch des Referatsleiters Klaus Richter enthält noch »Sachstandberichte«, »Absprachprotokolle« und sogenannte Informationsbedarfs-Papiere, in denen das »Wirken des IMB Peters« beschrieben und seine »bisherigen Berichte« ausgewertet wurden. Ein besonderer Vertrauensbeweis der Staatssicherheit gegenüber Anderson war die »einseitige

Dekonspiration« vor seiner Ausreise 1986. Er durfte erfahren, wer in seinem Umfeld sonst noch für die Staatssicherheit spitzelte.

Dichter, Träumer, Denunziant

Am 22. September 1982 schreibt Oberstleutnant Tzscheutschler aus Dresden an die Stasi-Hauptabteilung in Berlin: »Auftragsgemäß nutzte der IMB ›David Menzer‹ unserer Diensteinheit seine Kontakte zu Literaten aus Berlin, um Informationen zum negativen Kreis um Poppe zu erarbeiten.« Anderson hält diese Papiere für Dokumente eines sich selbst bestätigenden Wahnsystems. Seine Akten hätte die Stasi, so träumt er, nur vernichtet, um ihre eigenen Lügen zu tarnen. Dieser Rettungsanker zerbricht, wenn man die Akten von Lutz Rathenow und Gerd Poppe liest.

Am 13. Januar 1984 erstattet Anderson Oberstleutnant Reuter und Major Heimann Bericht darüber, daß es Ulrike Poppe besonders schwerfallen würde, in der Haft ihre Kinder nicht zu sehen. Er spricht auf das Tonband: »Zu den Meldungen über den Hungerstreik von Ulrike Poppe und Bärbel Bohley sagt Poppe, daß es keine erfundene Information von Korrespondenten war. Er spricht nur andeutungsweise davon, daß Bärbel Bohley von vornherein die Absicht gehabt hätte, in Hungerstreik zu treten. Sie hat auch einen Termin angegeben, wann nach einer voraussichtlichen Verhaftung sie in Hungerstreik treten würde. Die Absprachen zwischen den Frauen müssen so ungenau sein, daß es zu dieser Aktion nicht kam. [...] Ich glaube herausgehört zu haben, daß die Meldung über einen Hungerstreik von Dietrich Bohley kam.« Gerd Poppe hat für derartige Informationen des Spitzels Anderson nur ein Wort: simple Denunziation, die andere Menschen in größte Gefahr brachte. Dank Anderson wußte die Stasi, wie sie Ulrike Poppe im Gefängnis zu behandeln habe. Dietrich Bohley hätte aufgrund eines solchen Berichts sofort inhaftiert werden können.

Im Dezember 1983 stellt Anderson vor dem Stasi-Mikro-

phon Vermutungen darüber an, wie sich das Ehepaar
Poppe verhalten wird, sollte man Ulrike Poppe verurteilen: »Wenn es zu einer Verurteilung von Ulrike Poppe
käme, haben er und sie ausgemacht, daß sich keiner von
ihnen unabhängig vom anderen dazu äußert, ob sie in den
Westen gehen würden. Es ist für beide wichtig, dieses gemeinsam abzusprechen. Er sagt, bei einer Verurteilung
läge es am nächsten, die DDR zu verlassen, denn mehrere
Jahre Gefängnis für Ulrike Poppe wären nicht akzeptabel.
Man bekam im Gespräch den Eindruck, daß Gerd Poppe
sich mit dem Gedanken vertraut gemacht hat, in den Westen zu gehen, falls Ulrike Poppe zu einer mehrjährigen
Haftstrafe verurteilt wird. Bei einer geringen Strafe oder gar
bei einer Freilassung wird das auf keinen Fall geschehen.«

Wenn Gerd Poppe das heute liest, fragt er sich, ob ihm
seine eigene Biographie überhaupt noch gehört und welcher Teil ihm nicht mehr gehört. Anderson ist für ihn keine
andere Art Opfer, sondern ein Mitverantwortlicher, ein
Mittäter: »Er kann sich nicht auf diese laxe Weise heraus-
reden, daß ihn das alles gar nicht interessiert habe, dazu
sind seine Berichte viel zu entgegenkommend. Auch trivial, peinlich für einen Literaten.« Anderson gibt sich
Mühe, etwas zu finden, was die Stasi interessieren könnte.
Er bewertet und interpretiert, was er berichtet. Auffällig ist
die häufige Erwähnung von Robert und Katja Havemann.
Selbst wenn Havemann bei einem Treffen nicht dabei war,
wird dies eigens vermerkt. Der Liedermacher Ekkehard
Maaß, in dessen Ostberliner Wohnung Anderson Anfang
der achtziger Jahre lebte, erinnert sich, daß Anderson den
sterbenden Havemann besuchte und auch zu dessen Be-
erdigung gegangen sei, obwohl er sich immer nur abfällig
über Havemann geäußert habe. Lutz Rathenow erinnert
sich, daß Anderson ihn unter vier Männeraugen darüber
befragte, »wie man denn an die Katja rankäme«, als diese
verwitwet war. Auch wenn die entsprechenden »Maß-
nahme- und Zersetzungspläne« hierüber noch nicht gefunden sind, steht fest, daß Anderson nicht nur zufällig Erfah-
renes berichtet hat, sondern aktiv zur Beschaffung wichti-

ger Informationen beigetragen und sein Leben danach ausgerichtet haben muß. Er hat der Stasi Informationen gegeben, die es ihr ermöglichte, andere Menschen zu quälen
(»Frank Rub würde die DDR wahrscheinlich nur verlassen,
wenn seine Frau Ev Rub und die Familie unter existentiel-
len Druck gerät«, Fritz Müller, 1983), zu inhaftieren
(»Rathenow hat ihm [gemeint ist ein Redakteur des SFB] . . .
ein Tonband gegeben mit einem Gespräch zwischen Busik
und Rathenow«, Fritz Müller, 1984) oder Beweismittel gegen sie bereitzustellen (»Der IMB hat auftragsgemäß von
dieser Veranstaltung einen Tonbandmitschnitt angefertigt«).

Die Folgen seiner Handlungen finden sich wieder in den
»Vorschlägen zur Durchführung von Maßnahmen«, zum
Beispiel gegen Lutz Rathenow im Oktober 1984: »Im Ver-
laufe der bisherigen Bearbeitung konnten mehrfach Beweise für die Begehung von Straftaten durch Rathenow sowie umfangreiche Materialien über strafrechtlich nicht
faßbare politisch-negative Aktivitäten . . . erarbeitet werden . . . Am 4. 1. 1984 wurde ausgehend von den getroffenen Feststellungen eingeschätzt, daß die Voraussetzungen
zur Einleitung eines Ermittlungsverfahrens mit Haft wegen
landesverräterischer Nachrichtenübermittlung gemäß Paragraph 99 Absatz 1 StGB bestehen.« Die Ausrede Andersons, die Stasi hätte ohnehin alles gewußt, wird angesichts
solcher Dokumente gegenstandslos. Denn sie brauchte Beweise. Und die Beweise, zum Beispiel für die Einleitung
eines Ermittlungsverfahrens, waren seine Tonbandproto-
kolle.

Der dreifache Anderson

[...] David Menzer, Fritz Müller und Peters sind keine
Kopfgeburten der Stasi. Die drei Decknamen Andersons
tauchen immer in Verbindung mit Veranstaltungen und
Treffen auf, bei denen er tatsächlich anwesend war, und es
hätte einer nicht ausdenkbaren, sinnlosen Simulationsan-
strengung bedurft, diese Berichte ohne ihn zu verfassen.

Außerdem hat die hierarchische Struktur der Stasi solche Simulationen verhindert. Die Berichte der IM wurden überprüft. Häufig waren drei bis vier IM verpflichtet, dieselbe Veranstaltung zu bespitzeln. Obwohl Anderson anders als Rainer Schedlinski kühl, sachlich und wie Rathenow behauptet »äußerst effizient« berichtet hat, schließen seine pesönlichen Einschätzungen und äußeren Beschreibungen den Traum von der Wanze aus. [...]

Es gibt keinen Zweifel: Sascha Anderson war ein Spitzel ohne Skrupel. Man mag ihm das Leben als Siebzehnjähriger, im Jahr 1970, als seine Kontakte zur Stasi begannen, sehr schwer gemacht haben – seine beinahe zwanzigjährige Spitzel-Karriere läßt sich damit nicht erklären und erst recht nicht entschuldigen. Dasselbe gilt für sein fortgesetztes Lügen und Leugnen. »Angeblich«, gab er in der letzten Woche in einer Erklärung im Radio DT 64 bekannt, läge es an dem »selbstherrlichen, dümmlichen und der Erledigungspraxis von Kommunisten und Stalinisten« ähnelnden Vorgehen seiner Kritiker, daß »solche wie er« nicht reden könnten. Auch das ist eine Lüge. Denn selbst vor seinen Freunden leugnet er weiter. Bei einem großen Treffen der alten Prenzlauer-Berg-Szene vor ein paar Wochen in der Küche des Ekkehard Maaß, in der bei Nudelsalat und Cabernet-Rotwein in den »guten, finstren« DDR-Zeiten viele Lesungen und Treffen stattfanden, gab Anderson allen sein großes und letztes Ehrenwort, nie ein Inoffizieller Mitarbeiter der Stasi gewesen zu sein. Besonders energisch bestritt er wieder jeden Kontakt mit der Staatssicherheit nach seiner Übersiedlung in den Westen 1986. Doch auch für diese Zeit sind nicht alle Spuren getilgt.

Am 21. Mai 1987 schreibt die Hauptabteilung XX/5 an die Hauptabteilung XX/9: »Ergänzend zum Informationsbedarf der HA XX/5 zur langfristigen Aufklärung und Bearbeitung der ZOV ›Weinberg‹ – Jahn, Roland – und ZOV ›Opponent‹ – Fuchs, Jürgen – sind in Auswertung der bisherigen Berichte des IMB ›Peters‹ folgende Probleme bedeutsam.« Und nicht nur über Fuchs und Jahn hat Anderson nach Ost-Berlin berichtet. Auch Lutz Rathenow hat einen Bericht des IMB Peters aus Westberlin in seinen Akten entdeckt: »Quelle: IMB ›Peters‹, entgegengenommen: Oberst Reuter, Major Heimann am 16. 2. 1987. Information zur Ausstellungseröffnung von Fotographien von Harald Hauswald in der Galerie ›Pommersfelde‹ Westberlin, Knesebeckstr. am 8. 2. 1987, 11 Uhr.« Anderson beschreibt penibel, daß »zur Eröffnung in diesem kleinen Galerieraum von ca. 150 m² ca. 200 Personen anwesend waren«, und nennt alle, die er kannte (»Fuchs, Jahn, Rub, Blumhagen und viele aus dem Jenenser Kreis«). Er beschreibt den Verlauf der Veranstaltung, den Inhalt der Reden und fügt eigene Überlegungen an: »Es war auffällig, daß die zum diplomatischen Personal in der DDR gehörenden Vertreter der anwesenden Botschaften davon sprachen, von Lutz Rathenow persönlich eingeladen worden zu sein. Von ihnen wurden jeweils auch mehrere Exemplare der zum Verkauf angebotenen Bücher gekauft, während sich die anderen anwesenden Personen kaum am Kauf der Bücher beteiligten. Es liegt also auf der Hand, daß die Diplomaten diese Bücher in die DDR mitnehmen, um sie dort zu verteilen. Ich kann keine konkreten Aussagen treffen, ob die vorgenannten Diplomaten über persönliche Kontakte zu Rathenow verfügen und für ihn Post verbringen. Ich glaube aber, daß Matanowitsch, der eine sehr volkstümliche Art hat, im Gegensatz zu Giradet mit Rathenow sehr gut auskommt.« »Präzise«, sagt Rathenow. »Alles richtig beobachtet. Mehr konnte man aus so einer läppischen Ausstellungseröffnung nicht rausholen.«

Vieles daran klingt banal. Und der Feuilletonist in der Rolle des Stasi-Detektivs ist eine lächerliche Figur. Trotzdem ist es unmöglich, über die verworrene Melange aus Banalität und Kriminalität, Schuld und Verantwortung, Simulation und Manipulation zu sinnieren, ohne sich durch das hindurchzuquälen, worauf es einzig ankommt: die Fakten in den Akten. [...]

Im Bauch des Feindes

Niemand hat das Lügen damals gestört, erzählt Helge Leiberg, dessen Atelier in der Stasi-Aktion »Totenhaus« zer-
schlagen wurde. »Die Elbe floß so schön, und das Bewußtsein, welches Verhältnis man zur übrigen Welt hat, ist uns
völlig abhanden gekommen.« Moral spielte keine Rolle.
Etwas wie »Rechtssicherheit« gab es ohnehin nicht. »Wenn
die einen zehn Jahre ins Gefängnis stecken wollten, konnten sie das machen«, sagt Leiberg.

Auch Anderson hatte keine Moral. Das hat er jedem
erzählt. Rathenow hält das immerhin für einen mildern-
den Umstand. Niemand hat ihm vertraut. Jeder wußte,
daß er lügt und man ihm nichts glauben kann. Einzig bei
der Stasi muß er die Wahrheit gesagt haben. Im Dresdener
Lügenfluß war sie vielleicht die einzige trockene Stelle. »Die
Spitzel«, vermutet Anderson in unserem Gespräch, »hatten
eine erarbeitete Familie, die Freunde, und eine Urfamilie,
die Stasi.« Die Stasi war ein Ort, an dem sich der Nebel im
Kopf lichtete und die Angst aufhörte, weil man an ihrer
Quelle war. Im Bauch des Feindes, da, wo man ihn nicht
mehr sieht.

Den Stasi-Führungsoffizier Heimann kann man sich als
Andersons Urvater nicht vorstellen. Im sechzehnten Stock
eines Ostberliner Hochhauses öffnet ein sportlicher blonder
Herr in makelloser Trainingshose am Vormittag die Tür
mit dem großen Messingschild: Heimann. »Die DDR«,
platzt es aus dem Herrn sofort heraus, sei doch nur von
Feinden umgeben gewesen. Das mache sich jetzt niemand
mehr klar. Wir sollten erst einmal unser Geschichtsbild
ändern. Dann würde er vielleicht mit mir reden. Auch
über Anderson. Vorerst müsse er sich eine neue Arbeit suchen. 140 Mark Arbeitslosengeld in der Woche. Ob ich das
etwa gerecht fände? Er jedenfalls habe sich nichts zuschul-
den kommen lassen. Und sich auch nicht bereichert. Im
Gegenteil. Er habe nur dazugelernt. Von der Kultur habe er
ja vorher nicht viel verstanden. Aber da arbeitet man sich
eben ein. Die Tür schließt sich wieder.

Ein hochmoderner Mensch

»Moral gibt es doch heute auch nicht«, sagt Helge Leiberg in seinem Maleratelier im Westberliner Wedding. »Die Spitzel werden an den Pranger gestellt, die Offiziere kriegen weiter Arbeitslosengeld, und die Kaderleitung ist quietschvergnügt.« Leiberg ist der einzige, den der Anderson-Schock noch nicht erreicht hat. Für Adolf Endler, der seine »Ehrenerklärung« für Anderson längst zurückgenommen hat, ist Andersons Vertrauensbruch der schlimmste in seinem Leben. Für den Freund Ralf Kerbach ist er »eine Begegnung mit einer anderen Welt«. Die Freundin und Malerin Cornelia Schleime hat in ihrer Wohnung an der Steglitzer Stadtautobahn Gedichte an die Wand gehängt, in denen sie Anderson den Tod wünscht. Kerbach, der seinen Freund schon 1986 mit einem Koffer und einem diabolischen Klumpfuß auf der Flucht vor bedrohlichen Raben gemalt hat, findet, daß »da schon immer 'ne komische Luft drunter war«. Im Grunde, sagen alle übereinstimmend, ist Anderson »ein hochmoderner Mensch«.

Denn ein Spitzel ohne Überzeugung ist der erste sozialistische Geschäftsmann. Ein Mann, der jede Chance nutzt, die sich ihm bietet. Ein Neutrum, ein Lebensdarsteller, der sein Spiel nach den Regeln der größtmöglichen Effizienz betreibt. Er hilft seinen Freunden in der Untergrund-Szene und verlängert gleichzeitig den Arm der Staatssicherheit. Was den einen nutzt, nutzt auch den anderen. Als Sascha Anderson zu Beginn der achtziger Jahre von Dresden nach Ost-Berlin zog, erinnert sich Wilfriede Maaß, organisierte er sofort die zuvor nur improvisierten Lesungen, druckte Einladungskarten, lud viel mehr Leute ein. In der Werkstatt im Hinterhof der Schönfließerstraße waren sie bald keine Minute mehr allein. Anderson, sagen die Freunde, ist viel moderner als manche Westleute. Er hat immer dieselben Sachen an. Wenn er Geld hat, steckt er es sofort irgendwo rein, statt sich auszustaffieren und die Wohnung hübsch zu machen. Jetzt könne er sich eine Kugel in den Kopf schießen. Aber das sei ja kein modernes Modell.

Die Anmutung, ein klassisches Doppelleben als Dichter und Geheimagent geführt zu haben, weist Anderson mannhaft zurück. Ihm sei es immer nur darum gegangen, seine »Identität produktiv zu verlieren«. Der Mensch lebe zwischen vielen Koordinaten, das sei eine rein funktionale Angelegenheit. Menschen, die immer darauf bestehen, frei sein zu wollen, hält er für pathologisch: »Der Mensch ist nie frei.«

Dabei macht er den Eindruck, als holten ihn durch den Zusammenbruch der DDR lange verdrängte Moralprinzipien ein. Prinzipien, die allerdings auch im Westen jeder Geschäftsmann, der bei Sinnen ist, gelegentlich ignoriert. »Das zumindest«, sagt Adolf Endler in seiner Ostberliner Wohnung, »kann diese Stasi-Aufarbeitung leisten: Der DDR-Mensch wird für die Geschäftswelt präpariert.« [. . .]

(Die Zeit vom 24. 1. 1992)

ANDRZEJ SZCZYPIORSKI

Die Deutschen quälen sich mit der Vergangenheit
Gespräch über die Stasi und die Pflichten der geistigen Elite

Gibt es in Polen im Hinblick auf die ehemalige Bespitzelung ähnliche Ängste wie in Deutschland?

Es gibt vielleicht einige Ängste, aber sie sind nicht so verbreitet. Das liegt am polnischen Charakter. Die Deutschen sind Perfektionisten. Sie haben in der ehemaligen DDR das perfekteste sowjetische System gebaut – besser als in der Sowjetunion. Die Polen aber sind Pfuscher. Unser Realsozialismus war eine Pfuscherei. Unsere Sicherheitsdienstler arbeiteten von acht bis vier Uhr. Zehn Minuten nach vier wollten sie nicht mehr mit den imperialistischen Spionen beschäftigt sein. Ein CIA-Spion mußte bis morgen warten. Ein Sicherheitsdienstler hatte seine Frau, seine Kinder, und er betrachtete diesen Staat als eine unangenehme Notwendigkeit – ohne Engagement. Natürlich gab es auch einige Ausnahmen. Wir erlebten den Mord von Priester Popieluszko, aber das Netz der Spitzel war winzig im Vergleich zur DDR oder Tschechoslowakei.

Kann sich Polen also die Vergangenheitsbewältigung ersparen?

Natürlich gibt es auch hier Leute, die meinen, wir müßten dasselbe machen wie in Deutschland. Aber glücklicherweise ist das eine winzige Minderheit. Die übergroße Mehrheit jedoch sieht in der deutschen Art der Vergangenheitsbewältigung einen großen Fehler. Das ist auch meine Meinung. Die Deutschen haben eine riesige Dummheit begangen.

Worin besteht diese Dummheit?

In diesen Akten. Die Deutschen sollten eine politische und moralische Abrechnung mit der DDR-Zeit herbeiführen. Aber das bedeutet nicht, die Stasi-Akten zu publizieren. Das ist idiotisch. Das ist für mich ein Zeichen des deutschen Masochismus. Das ist eine geistige Krankheit. Was erreicht man damit? Doch nur, daß Tausende Menschen verletzt und zerstört werden bis zum bitteren Ende des Lebens.

Zum Beispiel: Angenommen, meine Frau hat mich bespitzelt – aber ich weiß das nicht. Das ist hundertmal besser. Denn ich habe ja schon durch die von ihr verursachte Bespitzelung eine erste Niederlage meines Lebens erlebt. Jetzt kommt aber die zweite, noch tiefere Niederlage. Ich erfahre, daß meine Frau ein Spitzel war. Jetzt kommt die Zerstörung meines Lebens.

Aber kann man sich diese bitteren Erkenntnisse ersparen?

Die Stasi entwickelt sich jetzt zur höchsten politischen und moralischen Instanz für die deutsche Gesellschaft.

Was die Stasi sagt, ist wahr. Die Stasi behauptet zum Beispiel, daß meine Frau ein Spitzel war. Woher stammt aber
die Gewißheit, daß das die Wahrheit ist? Wir wissen
schließlich, daß die Stasi ein Apparat der totalen Lüge war.
Plötzlich soll sie zur Quelle der totalen Wahrheit geworden
sein: Diese Ansicht ist dumm und schizophren.

Sagen Sie das als Pole?

Wissen Sie, in diesem Land gab es viele Oppositionelle,
hundertmal mehr als in der DDR. Es gab sehr viele Leute,
die im Gefängnis saßen – einmal, zweimal, zehnmal. Nun
stellen Sie sich einmal folgendes vor: Ein Oppositioneller
war vor zehn oder fünfzehn Jahren schon zum x-ten Mal
im Gefängnis, und als er schon zum hundertsten Mal
verhört wurde, und das Verhör schon zwanzig Stunden
dauerte, hat er im Schein der Glühbirne etwas Unangeneh-
mes gesagt. Weil er müde war, weil er sich wehrlos fühlte,
weil er plötzlich eine Stunde der Schwäche erlebte. Das
steckt nun in diesen Akten. Seitdem hat er weiter gelitten,
im Gefängnis gesessen, sich engagiert und ist zu einer
wichtigen Person in der öffentlichen Meinung geworden.
Plötzlich kommt so eine kleine Ratte von der politischen
Polizei und sagt: »Moment, er war mein Spitzel, denn vor
fünfzehn Jahren hat er das und das gesagt.« Und jetzt muß
sich der arme Kerl verteidigen. Jetzt muß er sagen, daß das
eine Stunde seiner Schwäche gewesen sei, und was er sonst
noch alles vorbringen mag. Aber warum sollte der ehemalige politische Bandit, der ihn verhört hat, jetzt eine Art
Richterrolle bekommen?

*Das mag ja moralisch fragwürdig sein, aber die Akten der politi-
schen Polizei können doch trotzdem Wahrheiten enthalten, auch
wenn sie bitter sind.*

Es gibt sehr viele falsche Dokumente. Deswegen verzichten
wir in Polen weitgehend auf Nachforschungen, wie sie
jetzt in Deutschland betrieben werden. Es gibt zum Beispiel
Akten gegen die katholischen Priester. Von denen dürften
fünfzig Prozent gefälscht sein. Das haben die Polizisten

getan, um sich bei ihren Vorgesetzten wichtig zu machen. Zum Beispiel sagt der Vorgesetzte zu seinem Untergebenen: »Warum haben Sie so wenige Spitzel? Sie arbeiten schlecht.« Der geht daraufhin los und spricht mit zwei oder drei Priestern. Vielleicht baut einer von denen gerade eine Kirche, und der Polizist behauptet nun, daß er rechtswidrig irgendeine Maschine benutze, die einem Staatsbetrieb gehört. Er setzt den Priester damit unter Druck. Der sagt nun etwas – oder auch nicht. Jedenfalls steht irgend etwas in den Akten, und der Polizist beweist damit seinen Vorgesetzten, daß er schon besser arbeitet. So entstanden die Lügen in den Akten.

Wie aber kann es zu einer moralischen Erneuerung kommen?

Nicht, indem man diese Akten studiert. Dieser Weg ist falsch, ist ein polizeilicher Weg. Auf ihm wird das geistige Leben des Volkes zerstört.

Was aber dann? Wir können doch nicht so tun, als wäre nichts geschehen, als hätte niemand Schuld auf sich geladen.

Es gibt eine Alternative. Die ist eine Verpflichtung für die geistigen Eliten des deutschen Volkes, nicht für das ganze Volk, weil nie ein ganzes Volk eine Abrechnung mit der Geschichte führt – es hat nie solche Situationen gegeben. Abrechnung ist eine Pflicht der gebildeten Schicht der Gesellschaft. Die politischen und intellektuellen Eliten sollten in einer riesigen Auseinandersetzung über die Sünden und Tugenden des deutschen Volkes nach dem Zweiten Weltkrieg diskutieren. Die Stasi-Akten haben keinen Wert für die geistige Landschaft Deutschlands in der Zukunft. Aber ein großer Roman über die geistige Niederlage des Volkes in der DDR-Zeit hat einen riesigen Wert für die ganze deutsche und ganze europäische Kultur. Mein Vorwurf gegen die deutschen Eliten ist ganz präzis: Sie haben die Stasi-Akten geöffnet, sie führen heute eine riesige Diskussion über Sascha Anderson, aber bis heute haben sie keine große Literatur über die Schuldfrage des deutschen Volkes während der Zeit des Dritten Reiches und während der Zeit der DDR hervorgebracht. Die Hauptfrage ist doch: Wie hat sich das deutsche Volk gegenüber der totalitären Herausforderung benommen?

Wissen wir das nicht schon längst, und ist daher ihre Forderung gegenüber der konkreten Schuld nicht etwas zu abstrakt?

Im Oktober 1991 sah ich im Zweiten Deutschen Fernsehen einen Film aus Anlaß des zweiten Jahrestages der Maueröffnung. Da wurde gezeigt, wie noch einen Monat vorher, also im Oktober, Tausende junger Mädchen und Knaben mit Fahnen zum 40. Jahrestag der DDR aufmarschierten und »Erich, Erich, Erich« schrien. Einen Monat später schrien sie: »Wir sind das Volk.« Das waren dieselben Leute! Das ist ein Problem. Was ist in der Mentalität dieser Generation geschehen? Wie sehen die geistigen Landschaften dieses Volkes aus? Das ist die Herausforderung durch die Geschichte, der Stoff für die deutsche Kultur. Nicht aber die Stasi-Akten. Die ausschließliche Beschäftigung damit ist nur Flucht. Es ist doch nicht so, daß derjenige, der bespitzelt wurde, damit automatisch schon ein tugendhafter Mensch ist. Die Sünden meiner Nächsten sind nicht schon meine Tugenden. Was habe ich für meine Würde und für die Kultur getan? Bespitzelt worden zu sein, ist darauf keine ausreichende Antwort.

Häufig wird argumentiert, daß sich die Subjektivität des Schriftstellers nicht mit der Korruption des Spitzels vertrüge, also das öffentliche Wort des Dichters durch das heimliche des Denunzianten dementiert würde.

Natürlich. Wir fordern von einem Sascha Anderson mehr als von einem Schreiner. Denn Anderson gehört zur geistigen Elite des Volkes. Aber schauen Sie Stefan Heym an: Der verteidigte die Mauer bis 1990. Ist er aber allein deswegen schon ein schlechter Schriftsteller? Oder ist ein Knut Hamsun allein deswegen schlecht, weil er Nazi und Verräter an seinem Volk war, oder Ezra Pound wegen seiner moralischen Schwächen? Die Qualität der Werke ist eine Frage, die die Literaturkritik beantworten muß. Aber die

371

Kriterien für die Bewertung des Handelns müssen bei den geistigen Eliten schärfer sein als bei den Schustern und Schreinern.

(Süddeutsche Zeitung vom 17. 2. 1992)

ULRICH SCHRÖTER

Wie wurde man ein IM?

*Viele Gesprächspartner der Stasi waren Spitzel –
aber nicht alle*

Bei der Aufarbeitung unserer Vergangenheit bleibt das Thema Staatssicherheit nach wie vor emotionsgeladen. Das ist kein Zufall. Vertrauensmißbrauch rührt an den Nerv menschlichen Zusammenlebens. Zu Vertrauensmißbrauch leitete auch die Staatssicherheit ihre Inoffiziellen Mitarbeiter planmäßig an. Das wird besonders an den Akten deutlich, die Oppositionelle wie Ulrike und Gerd Poppe oder Jürgen Fuchs betreffen. Dennoch ist es erforderlich, auch andere Aspekte des Ministeriums für Staatssicherheit im Bewußtsein zu behalten.

Völlig eindeutig ist dies: Die Sozialistische Einheitspartei Deutschlands (SED) war dem Ministerium für Staatssicherheit (MfS) vorgeordnet. Das MfS hatte die Macht der SED zu sichern. Ebenso deutlich ist freilich: Das Ministerium für Staatssicherheit hat seine Einflußnahme auf Entscheidungen der Partei und Regierung im Laufe der Zeit Schritt für Schritt ausgedehnt.

Zum einen war das schon in der umfangreichen Aufgabenstellung angelegt. Das MfS war nicht nur ein Geheimdienst nach innen und nach außen. Darüber hinaus oblagen ihm der Betrieb und die Sicherung der Nachrichtenverbindungen der Regierung. Es stellte den Personenschutz, versah die Paßkontrolle, hatte schwere Kriminalität und Verbrechen der nationalsozialistischen Zeit aufzuklären, leitete die Terrorbekämpfung.

Zum anderen aber entwickelte der Auftrag, die Macht der Partei zu sichern, eine eigene Dynamik. Das starke Sicherheitsbedürfnis verführte dazu, alles und jeden zu überprüfen. Keinem war zu trauen. Schließlich erwarb das MfS eine besondere Informationsdichte: Abgehörte Gespräche und Sitzungen, die Postkontrolle sowie ein dichtes Netz von Inoffiziellen Mitarbeitern legten die Basis. Die Berichte über die wirtschaftliche Lage sowie über die Stimmung in der Bevölkerung ergaben eine zuverlässige Situationsanalyse. Infolgedessen wurde das MfS von der Partei mehr und mehr für innenpolitische Aufgaben herangezogen, die eigentlich durch die Partei selbst oder die Regierung hätten gelöst werden müssen. [...]

Man wird also diese besondere Seite des DDR-Geheimdienstes im Blick haben müssen, um einiges von den Strukturen der DDR zu verstehen und auch die Beziehungen vieler Menschen zum MfS richtig einordnen zu können. [...]

Unter diesen Umständen ist es notwendig, auch die Bezeichnung Inoffizieller Mitarbeiter genauer zu begreifen.

Schon die Bezeichnung muß immer wieder richtiggestellt werden. Es heißt: Inoffizieller (und nicht etwa Informeller) Mitarbeiter. Dieser Mitarbeiter wird von dem offiziellen, dem hauptamtlichen Mitarbeiter unterschieden.

Die Bezeichnung ist vom MfS geprägt worden. Das MfS legt also fest, wer ein IM ist und wer nicht [...] Zunächst gilt es zu erkennen, welche Kriterien das MfS der Bezeichnung »Inoffizieller Mitarbeiter« zugrunde legte.

Folgendes ist bekannt: Die Tätigkeit als Inoffizieller Mitarbeiter wurde in der Regel durch die eigene Unterschrift unter eine Verpflichtungserklärung besiegelt. Damit wurde ein Abhängigkeitsverhältnis eingegangen. Aufträge wurden erteilt, ihre Erfüllung eingefordert. Der Führungsoffizier hatte eindeutig das Sagen.

Es gibt aber auch andere Verfahren. Diese sind nach Aussagen von ehemaligen Mitarbeitern des MfS mehrmals bei höheren Persönlichkeiten im Kirchenbereich (wie auch bei der Auslandsspionage, der Hauptabteilung Aufklärung = HVA) angewandt worden. Eine genaue Zahl für diese Fälle läßt sich noch nicht nennen. Sie ist jedoch eher kleiner als größer. Bei diesen Personen reichte es aus, daß sie zu Gesprächen mit dem MfS bereit waren, oder Gespräche selbst suchten, und daß sie über die Gespräche nicht in der großen Öffentlichkeit sprachen. Noch ungeklärt ist heute, welcher Grad der Geheimhaltung vom MfS gefordert wurde. Manche berichten, daß sie über ihre Gespräche auch inhaltlich in kleinstem Kreise (unter vier oder sechs Augen?) gesprochen, andere, daß sie nur die Tatsache der Gespräche angedeutet hätten. Andere werden keinem von diesen Gesprächen erzählt haben. Der Verzicht des MfS auf absolute Verschwiegenheit war bei diesen Persönlichkeiten wohl in dem Informationsgewinn als dem entscheidenden Kriterium für einen Geheimdienst sowie in der versuchten Einflußnahme auf Entscheidungen im Umfeld des Gesprächspartners begründet. Und eher verzichtete man auf eine feste Verpflichtung durch Unterschrift oder Handschlag und auf eine absolute Geheimhaltung, als daß man einen wertvollen Gesprächspartner aufgab.

Was also ist ein Inoffizieller Mitarbeiter in gehobener Stellung? Er trifft mit dem MfS unter weitgehender Geheimhaltung zu Gesprächen zusammen. Alles andere ist demgegenüber sekundär: die Art der Kontaktaufnahme (kam das MfS auf einen zu, oder hatte man selbst ein Anliegen?), die Frage der Verpflichtung (unterschrieb man, oder unterschrieb man nicht; fühlte man sich dem MfS gegenüber ungebunden und angstfrei, oder fühlte man sich zur Zusammenarbeit genötigt?), die eigenen Motive (verhandelte man zum Beispiel im Auftrag der Kirche, oder berichtete man aufgrund einer eingegangenen Verpflichtung, wollte man dem anderen nutzen oder schaden?). Auch die politische Haltung (war man für die DDR und ihren Sozialismus, oder war man dagegen?) oder die Vergütung (nahm man Geld, oder nahm man es nicht?) spielte nicht die Hauptrolle.

Offen ist bisher noch die Frage des Treffortes. Man konnte auf konspirative Wohnungen verzichten, wenngleich ein dort durchgeführtes Treffen eine weitere Bindung des Gesprächspartners an das MfS signalisierte und deshalb bevorzugt wurde. Aber auch Treffen in Gaststätten oder im Freien konnten den konspirativen Charakter hinreichend signalisieren. Merkwürdig ist, daß auch die eigene Wohnung in Berichten von Führungsoffizieren als konspirative Wohnung aufgetaucht ist.

Entscheidend aber sind der Informationsgehalt und die Vertraulichkeit der Gespräche. Nach dem Informationsgehalt wird der Gesprächspartner durch das MfS als IMS (für Sicherheit), als IMV (»die unmittelbar an der Bearbeitung und Entlarvung im Verdacht der Feindtätigkeit stehender Personen mitarbeiten«), IMF (»mit Feindverbindung zum Operationsgebiet«, vor allem BRD) oder deren Zusammenfassung ab 1979 als IMB (»mit Feindverbindung bzw. unmittelbaren Bearbeitung im Verdacht der Feindtätigkeit stehender Personen«)

Von dieser MfS-internen Einstufung und dem Selbstverständnis des MfS her sind einige gängige Aussagen zu relativieren, die einem im Gespräch mit geworbenen und nicht ausdrücklich geworbenen Inoffiziellen Mitarbeitern begegnen:

»Ich habe keine neuen Informationen weitergeleitet.«

Hiergegen ist zu betonen, daß jedes Gespräch Informationen enthält. Wird Bekanntes bestätigt, so erhält das MfS die Information, daß die bisherigen Erkenntnisse zutreffend waren. Damit läßt sich zugleich ein anderer IM überprüfen: offensichtlich berichtet er »zuverlässig«. Aber in der Regel wird mindestens ein bisher nicht bekannter Mosaikstein zusätzlich übermittelt. Oft ist es jedoch mehr. Gespräche leben von einem Geben und Nehmen.

»Ich habe niemandem geschadet.«

Das MfS selbst wertete die Gespräche aus. Es ließ sich dabei nicht von den Intentionen des Gesprächspartners bestimmen. Es hatte ja in der Regel die »Gesprächskonzeption« entworfen! [...]

»Ich habe keine eigenen Aktivitäten entwickelt.«

Da das MfS eigene Gesprächskonzeptionen entwarf und somit auch seinerseits Erwartungen an den Gesprächspartner herantrug, wird sich der einzelne fragen lassen müssen, ob er vielleicht schon durch das Unterlassen unerwünschter Reaktionen dem MfS entgegengekommen ist.

»Ich habe keine Vorteile gehabt.«

Hier wird oft übersehen, daß schon das Beibehalten des Status quo ein wesentlicher Gewinn war. Das MfS konnte ja berufliche Mißerfolge herbeiführen – für einen selbst, für Familienangehörige. Ebenso wird übersehen, daß ein Gesprächspartner des MfS im personalpolitischen Bereich durchaus Vorteile besaß. Bei zwei gleich gut qualifizierten Bewerbern versuchte das MfS, den ihm verbundenen zu fördern. [...]

Die Pflicht zur Sorgfalt betrifft auch den Umgang mit den MfS- und SED-Dokumenten. Sie sind wichtig und als Originalzeugnisse für die geschichtliche Aufarbeitung unersetzlich. Sie sind in manchen Fällen nur unvollständig erhalten. Auf jeden Fall sind sie kritisch zu lesen. Ihre Entstehungsgeschichte muß berücksichtigt werden. Außerdem ist zu klären, wer sie zu welchem Zweck angefertigt hat. Die Dokumente sind nicht gefälscht, erfassen aber möglicherweise nur Teilbereiche der Wirklichkeit, weil das Menschenbild des MfS eingeengt ist und nur von der Unterscheidung zwischen feindlich-negativen und loyalen Bürgern ausgeht.

Daher muß unbedingt auch der angehört werden, über den die Akten angelegt worden sind. – Andererseits ist der Wert der MfS-Akten keineswegs zu unterschätzen. Die Berichte wurden in aller Regel überprüft und gegenrecherchiert. Sie waren ja die Arbeitsgrundlage für verschiedene Abteilungen innerhalb des MfS. Schon deshalb mußte man sich dort auf sie verlassen können.

Die betroffenen Personen haben ein Recht darauf, daß ihre eigenen Motive zur Kenntnis genommen werden. Und hier ist es von erheblicher Bedeutung, ob sie sich aus einem klar erkennbaren Willen und Auftrag heraus, für andere einzutreten, mit dem MfS eingelassen haben. Sie können ferner mit Recht darauf hinweisen, daß das MfS keineswegs nur ein Spitzelsystem gewesen ist. Auch haben sie einen Anspruch darauf, betonen zu dürfen, daß die heutigen Erkenntnisse erst durch die Auflösung des Ministeriums für Staatssicherheit gewonnen wurden und keinesfalls schon zur Zeit der DDR allgemein bekannt waren. Nur in diesem Zusammenhang ist dann auch die häufige Äußerung berechtigt:

»Ich habe nichts davon gewußt, daß ich als IM geführt wurde.«

Das alles ändert jedoch nichts an dem Verfahren des MfS, auch diese Gesprächspartner als IM zu klassifizieren und den Gesprächspartner des MfS als Führungsoffizier zu bezeichnen, womit noch einmal der Anspruch des MfS unterstrichen wird, den Inhalt der Gespräche selbst anzugeben oder zumindest mitzubestimmen.

Es ist also festzuhalten: Ein Inoffizieller Mitarbeiter ist nicht sofort mit einem Spitzel gleichzusetzen, dessen einziges Sinnen darauf gerichtet war, einem Bekannten oder Verwandten zu schaden. Das MfS hatte auch andere Aufgaben, als nur die Bevölkerung zu bespitzeln. Es hatte – das muß noch einmal betont werden – zum Beispiel auch für den reibungslosen Ablauf innerhalb der Wirtschaft zu sorgen und Gefahrenquellen frühzeitig zu erkennen. Es hatte die wissenschaftliche Forschung abzusichern, meinte den gesamten kulturellen Bereich unter Kontrolle stellen zu müssen. Es hatte politische Entscheidungen vorzubereiten. [...]

Es widerspricht der historischen Wirklichkeit, wenn das MfS nur mit Unterdrückung der eigenen Bevölkerung gleichgesetzt und ein IM nur als Spitzel gegenüber einem Vertrauten oder Bekannten gewertet wird. Gespräche mit einem Geheimdienst, um gesellschaftliche Verbesserungen zu erlangen, sind innerhalb einer echten Demokratie zum Glück nicht notwendig. Derartige Gespräche mit dem MfS waren auch innerhalb der DDR ein ungewöhnlicher, jedoch nicht selten weiterführender Weg. Und viele haben

sich gern der Hilfe derer bedient, die diese Gespräche wagten, ohne davon laut zu reden. Sie sollten das heute nicht
vergessen.

(Die Zeit vom 6. 3. 1992)

PÉTER NÁDAS

Armer Sascha Anderson
*Was die Politik der friedlichen Koexistenz
für die Intellektuellen des Ostblocks bedeutete*

Wir stellen uns eine Welt vor, in der man das Gute vom
Bösen nach bestimmten Kriterien trennen kann. Diesen
Anspruch verstehe ich, weil auch ich mir eine solche Welt
vorstelle. Aber aus irgendeinem Grund, und vielleicht ist
das eine unheilbare Berufskrankheit, sehe ich die Dinge lieber in Zusammenhängen, und dann ist es schon ziemlich
schwierig, die Spreu vom Weizen zu trennen.

   Rudolf Ungváry hat Kriterien entwickelt, über die man
sich streiten kann, die aber ziemlich eindeutig sind und mit
denen man zumindest eine Unterscheidung zwischen den
Systemen erreichen kann. Er sagt, daß das kommunistische System deshalb schlechter sei als das faschistische,
weil die kommunistische Ideologie das allgemeine Wohl,
die faschistische Ideologie aber lediglich den Angehörigen
einer einzigen Nation Gutes und allen übrigen Schlechtes
verspreche. Im Falle der kommunistischen Ideologie kommen wir in Verlegenheit, denn was könnten wir entgeg-
nen, wenn jemand jedem Gutes wünscht. Bei der faschistischen Ideologie wissen wir alle, was wir zu tun haben.
Es ist leicht einzusehen, daß jeder, der den Faschismus
akzeptiert oder auch nur mit ihm kollaboriert, ein Agent
des Bösen ist.

Die kommunistische Ideologie ist weniger leicht zu durchschauen. Es ist schwer, gegen etwas zu kämpfen, das als Repräsentant des Allgemeinwohls auftritt und behauptet, daß jetzt zwar noch nicht alles gut sei, doch wenn auch du dich dem Bund derer anschließt, die nach dem Guten streben, wird es gut werden und nicht nur für dich, sondern für jeden. Die kommunistische Ideologie hat einen der empfindlichsten Nerven der europäischen Kultur getroffen. Gegen eine solche Auffassung kann man bestenfalls sagen, daß man keinem Bund angehören will, weil man die Entscheidung darüber, was man für gut oder böse hält, der Kirche überläßt, niemandem überläßt oder lieber der Lebenskraft von real existierenden kulturellen Traditionen und Institutionen vertraut als der Verwüstung, die durch eine Zerstörung von Strukturen und Institutionen entsteht. Eine demokratische Auffassung bedeutet eigentlich nur, daß man derart gefährliche Wege nicht betreten darf, aber solange jemand meine Institutionen und Strukturen nicht gefährdet, kann er tun, was er will: mit sich selbst.

Um unsere mädchenhafte Verwirrung zu kaschieren, pflegen wir heutzutage diese Unterschiede zu vergessen, und im Rahmen einer statistischen Betrachtungsweise gilt es inzwischen fast als schick, die faschistische mit der kommunistischen Ideologie gleichzusetzen und zu sagen, daß dort soundso viele, hier soundso viele Menschen vernichtet wurden. Anhand solcher statistischen Vergleiche wird derjenige, der sich von nationalen Egoismen leiten läßt, behaupten, daß der Kommunismus das höchste Übel bedeute, während derjenige, für den die Idee der Gleichheit aller Menschen maßgebend ist, sagen wird, daß der Faschismus dies bedeute. Auf beiden Seiten gibt es grauenhafte Zahlen, und sie stehen jedermann reichlich zur Verfügung. Für mich aber ist die Gleichsetzung dieser beiden Systeme nicht nur aus einer logischen oder geschichtlichen Sicht unhaltbar, ich halte sie auch moralisch für sehr gefährlich.

Schließlich halte ich den Versuch einer Gleichsetzung auch historisch für unhaltbar. Die antifaschistische Koalition konnte in kürzester Zeit auf klar begreifliche und sehr wirkungsvolle Art zustande gebracht werden, während es Versuche, eine antikommunistische Koalition zu bilden, zwar gegeben hat, aber eine solche Koalition immer unbeständig und letztlich wirkungslos war. Den Faschismus, der auf die Ideologie des nationalen Egoismus setzte, konnte man in dem blutigsten Krieg der Weltgeschichte besiegen, während man einen Sieg über den Kommunismus, der sich auf die Idee der menschlichen Gleichheit berief, zwar anstreben konnte, aber als man merkte, daß diese Bestrebungen fehlschlugen, mußte man die friedliche Koexistenz zwischen Demokratie und Sozialismus zustande bringen.

Darum, weil wir das eine besiegt haben, das andere aber lediglich zusammengestürzt ist, sind auch unsere Erschütterungen und Verstörungen begründet. Und wie wunderbar wäre es nun, angesichts solch gefühlsmäßiger Begründungen den bewährten Begriff der Kollaboration als den Maßstab persönlicher Verantwortung hervorzuholen. Entsetzt über den Anblick der Hinterhöfe tun das auch viele. Die Frage ist nur, wer wessen Kopf kahlscheren sollte, da wir die letzten drei Jahrzehnte des gemeinsamen Lebens doch im Zustand der friedlichen Koexistenz verbracht und uns längst nicht mehr auf kämpferische, sondern nur noch auf pragmatische Gedankengänge berufen haben. Es hat doch nicht nur unser armer Sascha Anderson in zwei Richtungen gearbeitet; als der Papst János Kádár empfing, hat auch er seine moralischen Bedenken eingefroren, die englische Königin hat dem kaum salonfähig zu nennenden Ceausescu ein Abendessen gegeben, und Helmut Schmidt hat mit Honecker am Güstrower Kamin zwar mit düsterer Miene gesprochen, doch unter viel freundlicheren Umständen als die Mitarbeiter der Stasi mit Sascha Anderson.

Wäre im Zeitalter der friedlichen Koexistenz die Rede davon gewesen, daß Leute auf niederträchtige Weise mit dem Bösen zusammenarbeiten, während sich andere mit todesverachtendem Mut in die Höhle des Löwen wagten, um das wütende Wild zu beruhigen, hätten wir es auch nachträglich leichter. Aber nicht davon war die Rede. Der Gute und der Böse ließen sich ihre Anzüge bei demselben englischen Schneider anfertigen, und um das Schlimmste zu vermeiden, haben sie sich in ihren Höhlen gegenseitig aufgesucht. Zwar verkehrte natürlich nicht jeder mit irgendwem, aber jeder verkehrte mit jedem, und während sie die nach örtlichen Gepflogenheiten gefertigten Einrichtungen ihrer Höhlen betrachteten, versicherten sie sich gegenseitig ihrer jeweiligen Gutwilligkeit. Ich will nicht behaupten, daß diese vielseitigen, gesitteten Kontakte unvernünftig gewesen seien, aber jetzt müßten wir uns die Frage stellen, inwiefern sie moralisch gerechtfertigt waren.

Sascha Anderson hat seine Freunde verraten. Nie würde mir einfallen, ihn zu entschuldigen. Das kann mir nicht einfallen, weil man fast im selben Jahr auch mir eine vergleichbare Position angeboten hat und ich nicht einen Augenblick daran gedacht habe, sie anzunehmen. Man darf seine Freunde und in einer solchen Lage sogar seine Feinde nicht verraten. Man darf niemanden verraten, niemanden anzeigen, wer so etwas tut, ist ehrlos. Nur sind das in meinen Augen lediglich moralische Grundsätze. Und wenn ich bei ihnen stehenbleibe, habe ich von der Logik jener Epoche, die mich dazu erziehen wollte, für kleine Begünstigungen ehrlos zu werden, herzlich wenig verstanden.

Auch von mir wußten sie, mit wem und wie ich schlafe, wen ich mit wem und wie betrüge. Dinge, die im Prinzip nur zwei Menschen voneinander wissen sollten beziehungsweise niemand außer mir. Auf dem Schreibtisch lagen in einem dickleibigen Aktenordner trotzdem ausgewählte Blätter mit Auskünften über mein geheimes Leben. Ich war mit zwei Fremden in ein Zimmer eingeschlossen. Selbstverständlich wollten sie mich mit diesen Angaben

erpressen. Auch Zuckerbrot haben sie mir vor die Nase gehalten. Aber nur weil ich die mir angebotene Rolle aus
simplen ästhetischen Gründen nicht übernehmen wollte,
fühle ich mich noch lange nicht dazu berechtigt, mich auf
das hohe moralische Roß zu schwingen. Selbst wenn ich
geahnt haben sollte, durch wen oder mit wessen Hilfe die
Auskünfte in den Besitz dieser Leute gelangten, möchte ich
auch von ihnen keine Genugtuung, oder gerade von ihnen
nicht. Und die Rolle des Urteilenden möchte ich nicht nur
deshalb nicht übernehmen, weil man mich nicht geschla-
gen hat, ich also die magische Schwelle der Demütigung
nicht überschreiten mußte, was andere vielleicht mußten,
sondern weil ich die für die Ewigkeit formulierten allge-
meingültigen Lebensgesetze der friedlichen Koexistenz mit
all dem dazugehörenden Pragmatismus akzeptieren mußte
oder akzeptiert habe, auch wenn ich die mir angebotene
Position nicht annahm.

Ich akzeptierte eine Vorladung, die unter dem Vorwand
erfolgte, man wolle meine Daten ergänzen, obwohl das
nicht den Gesetzen entsprach. Ich protestierte nicht, als sie
hinter mir die Tür zusperrten, obwohl das überhaupt nicht
meinem Geschmack entsprach und es keinerlei Grund dafür gab, in einem Büroraum mit zwei fremden Männern
eingesperrt zu sein, wenn angeblich sie es waren, die
irgendwelche ergänzenden Daten von mir wollten. Ehrlos
bin ich zwar nicht geworden, doch wurde ich dadurch weder ein Held noch ein Revolutionär. Eine Ohrfeige habe ich
nicht zurückgegeben, und auch das aufreizende Grinsen
tauchte in meiner Miene nicht auf. Ich wußte, was sie
wollten. Ich hatte keine Angst vor ihnen, weil ich vor mir
keine Angst hatte. Ich wußte, daß mich das Reisen, falls
das zu ihren Bedingungen gehörte, um diesen Preis nie
mehr interessieren würde. Ich habe mir aber durchaus
überlegt, wie ich ein Nein aussprechen könnte, das keinerlei Herausforderung enthielte und nicht gleich mit sich
brächte, daß ich nirgendwo mehr hinfahren könnte. Und
damit steckte ich bereits bis zum Hals in der Logik jener
Epoche der friedlichen Koexistenz.

Denn mag es auch zweckdienlich sein, sich dümmer zu stellen, als man ist, das Verhalten wird durch die Zweck-dienlichkeit noch lange nicht moralisch einwandfrei. Auch wenn ich noch so taktisch argumentiere, um den großen Schaden zu umgehen und dabei sogar ein bißchen Gutes herauszuschinden: ich spreche trotzdem in einem ver-schlossenen Zimmer mit Menschen, die mich in dieses Zimmer eingeschlossen haben. Somit ist der Sieg, den ich erreiche, weil ich taktisch vorgegangen bin, zugleich eine moralische Niederlage. Ich habe das kleine Zimmer mit nicht geringer Selbstzufriedenheit verlassen, und bis zum heutigen Tag erinnere ich mich daran, wie schön draußen die Frühlingssonne schien. Aber ich habe auch nicht ver-gessen, daß ich Mühe hatte, mich bei dem wunderbaren Sonnenschein über meine Vernunft zu freuen, um meine moralische Schlappe nicht eingestehen zu müssen.

Das also war die Praxis in einer dreißig Jahre währenden friedlichen Koexistenz der Systeme. Das war mein auf die Ewigkeit ausgerichtetes Leben als Erwachsener. Diese Pra-xis wurde durch den Vertrag von Helsinki abgesegnet, mit dem ein schöner, großer Stempel auf die Jalta-Konferenz gedrückt und im Gegenzug Menschenrechte in einem Korb voller verlockender Inhalte angeboten wurden. Diese Logik war es, die der Papst, die englische Königin und Helmut Schmidt befolgten. In kleinen Widerstandsnestern konnte man die Logik dieses Zustandes zwar umdrehen, indem man statt kleiner praktischer Vergünstigungen ein unvernünftiges moralisches Minimum forderte, doch mußten auch die demokratische Opposition in Ungarn, die Charta 77 oder Solidarność zur Kenntnis nehmen, daß sie das nur innherhalb gewisser Grenzen tun durften.

Ich bin in einem Zimmer eingeschlossen. Ich darf nicht zu weit gehen, weil ich sonst nie wieder herauskomme. Verhandle, solange du verhandeln kannst, weil du, wenn du nicht verhandelst, deine eigene Hoffnung aufgibst. Bes-ser abwarten als unvernünftig handeln. Wenn du dich der Schutzlosigkeit anheimgibst, kann ich dich nicht länger beschützen. Schwinge keine Reden im Namen der Gerechtigkeit, predige nicht von Gut und Böse, sondern versuche herauszufinden, was heute vernünftig ist.

Und wer sich nach alldem immer noch nach so etwas wie den Nürnberger Prozessen sehnen sollte, wer den Begriff der Kollaboration hervorholt und hofft, um den Preis der Gleichstellung von Kommunismus und Faschismus könne man einen eigenen moralischen und ästhetischen Anspruch umgehen, der muß nicht nur die gesamte Epoche und sein ganzes Erwachsenenleben ganz schnell vergessen, sondern auch eine grundsätzliche Misere der europäischen Kultur zudecken, die wir gerade mit Hilfe unserer persönlichen Verantwortung vernünftig lösen müßten. Es gibt nämlich einige Dinge, die ein denkender und fühlender Mensch anständigerweise nicht vergessen sollte.

Das System schien für die Ewigkeit gebaut

Dazu gehört vor allem, daß der Mensch physisch und seelisch, existentiell und moralisch ein überaus gebrechliches Wesen ist. Und solch gebrechliche Wesen haben in einem System gelebt, das sich auf die Ewigkeit eingerichtet hatte. Und die großen Demokratien des Westens haben das weltpolitische Gewicht dieses für die Ewigkeit eingerichteten Systems zwar nicht hingenommen, aber es drei Jahrzehnte lang akzeptiert, und mit dieser keinesfalls zu beanstandenden Geste haben sie die wenigen, die weder die von Ewigkeiten handelnden Träume noch die Realität einer solchen gesellschaftlichen Einrichtung hinnehmen wollten, jeder Hoffnung beraubt, weil diese wenigen darauf beharrten, daß dieses System aus der Sicht eines menschlichen Lebens unhaltbar genannt werden mußte. Und da von ihnen kaum einer übrigblieb: Was hätte die Mehrheit schon tun können, da doch ein solcher Standpunkt nicht nur von der Stasi verfolgt, sondern auch von der auf Realität bauenden Politik der großen westlichen Demokratien als ein Hirngespinst eingestuft wurde. All den physisch und seelisch, existentiell und moralisch gebrechlichen Wesen, die, jeder realen Hoffnung beraubt, in den auf Ewigkeit und Bewegungslosigkeit ausgerichteten Systemen lebten, blieben zwei Möglichkeiten: das System hinzunehmen und es damit in dem gegebenen Rahmen zu stärken oder es zu reformieren und damit den gegebenen Rahmen als etwas tatsächlich Ewiges zu akzeptieren.

Jahrelang habe auch ich mich zwischen den beiden Unmöglichkeiten umherwerfen lassen. Moralisch war das Hinnehmen nicht zu begründen, wer aber die eigenen Reformgedanken ernst nahm, kam schon beim zweiten Schritt an die Grenze, die er hätte sprengen müssen, bei nüchternem Verstand hätte er also Revolutionär und nicht Reformer sein sollen. Eine solche Revolution haben sich viele gewünscht, also hätte man theoretisch bei deren Vorbereitung mitmachen können, praktisch konnte man das aber nicht, da eine militärische Konfrontation zwischen den beiden Systemen tatsächlich nicht vernünftig gewesen wäre, und dergleichen konnte Europa, durch die Niederschlagung der ungarischen Revolution ernüchtert, nicht riskieren. Und spätestens vom 21. August 1968 an mußte jedem klar sein, daß die großen westlichen Demokratien entsprechend ihrer pragmatischen Denkweise auch Reformen nur so weit unterstützen würden, wie sie schön brav innerhalb der gegebenen Rahmen blieben. Und aufgrund ihrer sehr nüchternen Denkweise haben die westlichen Demokratien sich, wenn auch mit wehem Herzen, eher für das Hinnehmen als für die Reformen entschieden. Und dank der westlichen Demokratien ist vom moralischen Gesichtspunkt aus nicht die erste Epoche dieser Systeme die dunkelste gewesen, sondern die zweite; die aber unser aller gemeinsames Leben als Erwachsene umfaßt.

Man mußte ein sehr souveräner Mensch sein, um weder in die Sackgasse des Hinnehmens noch in die der Reformen zu geraten und um dabei nicht wahnsinnig zu werden, sich nicht das Leben zu nehmen oder sich nicht in den Tod zu trinken. Ich zumindest kenne sehr wenige solche Menschen. Auf diese Weise entstand Anfang der achtziger Jahre die merkwürdige Situation, daß die großen west-

lichen Demokratien an der Aufrechterhaltung der gegebenen Rahmen viel mehr interessiert waren als die, die innerhalb dieser Rahmen lebten. Für erstere war die friedliche
Koexistenz nichts anderes als eine Folge der praktischen
Überlegung, daß politische Systeme zwar nicht ewig wäh-
ren, daß aber, wenn sie offen aussprächen, wie sie sich das
Ende eines so unmenschlichen Systems vorstellten, ihre
Wähler das überhaupt nicht billigen würden, weil sie das
einerseits nicht wirklich etwas angehe und weil sie andererseits an einem friedlichen Handel sehr wohl interessiert
seien; weil das System einerseits gar nicht so unmenschlich
sei, und was ist andererseits schon soziale Gleichheit, und
für die Idee eines sozialen Gleichgewichtes setzten wir uns
doch immerhin ein, vor allem aber könnten wir uns im Interesse von irgendwelchen moralischen Ideen nicht auf ein
aussichtsloses Abenteuer einlassen. Besser sei es, abzuwar-
ten, zu diskutieren und zu verhandeln.

Für uns, die wir unser gemeinsames Leben hier verbracht haben, war der einzige Haken an diesen vernünfti-
gen Überlegungen der, daß man das Ende der Ewigkeit nur
dann mit erhobenem Kopf abwarten oder mit Verhandlungen überbrücken könnte, wenn man die Garantie hätte,
daß es sich in Wirklichkeit nur um einen Anschein von
Ewigkeit handelte, oder wenn man die Möglichkeit hätte,
verhandeln zu können. Für die erste Version gab es keine
Garantie, die zweite existierte nur für jene Herren, die sich
über meinen Kopf hinweg gegenseitig in ihren Höhlen besuchten. Erich Honecker hat den Befehl geben müssen, auf
jeden, der über die Mauer zu klettern versuchte, zu schießen, weil sonst das Land innerhalb eines Tages leer gewesen wäre. Angesichts dieser verzweifelten Schwäche sagte
sich Helmut Schmidt: Nun, dann gehe ich mal rüber und
versuche zumindest für jene Menschen kleine Erleichterungen zu erreichen, die nicht hinüberzuklettern versuchen. Am Kamin sprachen sie davon, wie human es wäre,
wenn wenigstens die Rentner hinübergehen könnten und
die auseinandergerissenen Familien vereint würden. Erich
Honecker mußte sich nicht nur deshalb einverstanden er-

klären, um sein System human nennen zu dürfen, sondern vor allem, weil er für das Schießen so viel Geld ausgegeben hatte, daß für anderes nichts mehr übrigblieb.

Die zwei Geheimdienste der Deutschen

Die illegalen Tätigkeiten des Sascha Anderson haben Erich Honeckers Position zwar geschwächt, da solche Tätigkeiten einmal mehr bestätigten, wie menschlich unerträglich und unhaltbar ein solches System ist. Er hat aber Sascha Anderson nicht vom Erdboden verschwinden lassen, denn auf diese Weise konnte Honecker versichern, daß das System gar nicht so unhaltbar sei, daß Helmut Schmidt also ruhig zu einem Gespräch zu ihm herüberkommen könne, und dann könne er im Namen von Erleichterungen das Geld aus ihm herauspressen, das ihm die Ewigkeit seines Systems wenigstens bis zum nächsten Tag sichern hülfe. Und Sascha Anderson war bei einer so pragmatischen Lösung nicht deshalb kein Hindernis, weil es immer einen Sascha Anderson gibt, sondern weil auch er einsehen mußte, daß Helmut Schmidt, falls man ihn, Sascha Anderson, einfach verschwinden ließe, höchstens protestieren würde, falls dieses Verschwinden überhaupt jemandem auffallen sollte; denn so weit, Sascha Anderson öffentlich oder heimlich zu unterstützen, konnte auch Helmut Schmidt nicht gehen, einerseits, weil seine Wähler diesen Schritt nicht gebilligt hätten, andererseits, weil er sich dann mit Erich Honecker nicht zu diesen Verhandlungen hätte setzen und die augenscheinliche Schwäche des anderen nicht hätte ausnützen können, um für einiges Geld wenigstens ein paar menschliche Erleichterungen herauszuschlagen. Sascha Anderson konnte sich wiederum damit trösten, daß er seine Freunde zwar angezeigt hatte und keinen Schritt tun konnte, den nicht Erich Honecker bestimmt hätte, daß er andererseits jedoch das System, das Erich Honecker ohne die Unterstützung von Helmut Schmidt nicht mehr aufrechterhalten konnte, gemeinsam mit Erich Honecker untergrub und dadurch wenigstens in jenen

Freunden die Hoffnung auf Widerstand aufrechterhielt, die er verraten hatte.

Eine Niederlage hat das Böse nicht deshalb erlitten, weil das Gute gesiegt hatte. Ein und dieselbe Sache kann man nicht nach Belieben einmal mit der Vernunft und einmal mit der Moral messen. Bestenfalls kann man sagen, daß diese unsere kleine friedliche Koexistenz zwar keine hohen moralischen Ansprüche hatte, daß aber die alltäglichen Probleme mit dem geringstmöglichen Opfer an Blut zu lösen waren. Und dann schauen wir uns jetzt einmal an, ob meine gestrigen Taten meine heutigen moralischen Ansprüche noch immer befriedigen. Einer der bezeichnendsten Wesenszüge der Gesellschaft, in der wir im Rahmen der friedlichen Koexistenz lebten, war ja gerade, daß wir über die Welt nicht mit den Begriffen von Gut und Böse nachdachten. Man hatte einen bestimmten Rahmen, einen bestimmten Spielraum, man war von bestimmten Wirkungen und Zwängen abhängig, und im Hinblick darauf mußte jeder entscheiden, was er zu tun oder zu unterlassen habe, was zu den ausführbaren und was zu den unausführbaren Taten gehörte. Eine ganze Generation ist so aufgewachsen, und die nächste wurde in diese Situation schon hineingeboren. Durch die Bedingungen der friedlichen Koexistenz haben wir uns jene Grundsätze des pragmatischen Denkens zu eigen gemacht, mit denen wir jetzt moralisch klarkommen müssen. Und wenn es etwas gab, was zu dem Zusammenbruch dieser auf Ewigkeit ausgerichteten Systeme beigetragen hat, und zwar unabhängig von ihrer eigenen Lebensunfähigkeit, dann ebendies, daß man Systeme, die auf Ideologien gebaut sind, mit pragmatischem Denken nicht aufrechterhalten kann.

Jetzt stehen wir auf einem Schutthaufen, und die Frage nach dem moralischen Anspruch unseres pragmatischen Denkens ergibt sich wirklich von selbst. Auf diese Frage muß die Antwort jeder für sich geben. Setzen wir uns schön hin, die Asche aber sollten wir uns nicht gegenseitig aufs Haupt streuen, streuen wir sie auf das eigene Haupt. Wer das nicht tut, wer nach weltlichen Instanzen Ausschau hält, die ihm die Fragen beantworten könnten, klammert sich entweder an eine der ausgelutschten Ideologien, oder er sagt sich ranzige Moralsätze vor, oder er wünscht sich eine süße kleine neue Ideologie nach altem Muster, um einmal mehr diese erbärmliche Welt erlösen zu können, anstatt bei sich selbst anzufangen.

Sicher möchte jeder einen dicken roten Strich ziehen und verlangen, daß sich die Guten hierher, die Schlechten dorthin stellen. Die Deutschen haben in dieser Richtung einen verzweifelten Versuch unternommen, und sicherlich ist es kein Zufall, daß weder die Tschechen noch die Slowaken, weder die Ungarn noch die Polen sich so weit vorgewagt haben, die schmutzige Wäsche ihrer Geheimdienste schamlos in der Öffentlichkeit zu waschen. Es ist meine ehrlich gemeinte Hoffnung, daß sie das auch in Zukunft nicht tun werden.

Selbst der demokratischste Staat muß über die Tätigkeiten seines Geheimdienstes in aller Keuschheit schweigen. Die demokratischen Parlamente haben zwar Kontrollgremien, doch unterliegen auch sie der Schweigepflicht. Vorgesetzte und Agenten eines Geheimdienstes sind Menschen, die der Staat in seinem eigenen wohlverstandenen Interesse nicht vom Turnen, sondern von der Moral befreit. Und wenn der Staat im eigenen wohlverstandenen Interesse morgen vielleicht jemanden von der Moral befreien muß, kann er heute nicht einen anderen entlarven.

Ein solches Kunststück konnten die Deutschen nur durchführen, weil sie davon, wovon andere immer nur eins besitzen, plötzlich zwei hatten. Und wahrscheinlich wollten sie bloß sagen, daß sie das schlechtere von diesen beiden wegwerfen und das andere, notwendige, behalten müßten. Das hätten sie auch ganz leise tun können. Vielleicht ist ihnen, als sie das ruinierte Leben der Mitmenschen in ihrem Lande sahen, schwer ums Herz geworden. Vielleicht ist ihr Moralempfinden in den Zeiten der friedlichen Koexistenz zu lasch geworden. Vielleicht schleppen sie eine moralische Belastung aus früherer Zeit mit sich herum. Jedenfalls haben sie der Welt jetzt laut verkündet, daß

sie ihren guten Geheimdienst gewählt haben. Daher mußten sie zeigen, wie ihr schlechter Geheimdienst ausgesehen
hat, und wenn sie das schon gezeigt haben, konnten sie
auch gleich die Agenten des Bösen beim Namen nennen.
Und damit scheinen sie zu behaupten, daß man in einem
guten Staat die Aktivitäten des Geheimdienstes geheimhal-
ten muß, doch im Dienste eines schlechten Staates darf
man die eigenen Freunde nicht verraten. Aber als ein
moralischer Lehrsatz ist das zu mager.

So weit konnten sie ja nicht gehen, alle Agenten des
Bösen vor den Richter zu stellen, weil es zwar Gesetze gibt,
daß niemand im Dienste eines fremden Staates als Agent
tätig sein darf, doch gibt es weder in einem guten noch in
einem schlechten Land ein Gesetz, nach dem jemand für
seinen eigenen Staat kein Agent sein und seine Freunde
nicht aus Pflichtgefühl verraten darf. Jemand, der über ein
gesundes Moralempfinden verfügt, wird nicht behaupten
können, daß das gut sei, da ein solcher aus Pflichtgefühl er-
folgter Verrat, der das Leben eines anderen zugrunde richtet oder sogar auslöscht, doch nicht als Kavaliersdelikt betrachtet werden kann. Aber ein Gesetz, demzufolge man
nicht einmal im Interesse des eigenen Staates die Freunde
verraten darf, weil man nicht einmal im Interesse des eigenen Staates das Leben eines anderen zugrunde richten darf,
werden wir erst haben können, wenn die Nationen gemeinsam beschließen, ihre Geheimdienste aufzulösen.

Bis zu jenem fernen Tag bleibt diese Angelegenheit ver-
hängnisvoll mir selbst überlassen, ganz gleich, ob ich in
einem faschistischen oder kommunistischen oder demokratischen System lebe. Von moralischen und rechtlichen
Zweifeln umgetrieben, sind die Deutschen leider so weit
gegangen, für das öffentliche moralische Urteil einen Geset-
zeshintergrund zu schaffen. In einem solchen Prozeß ist es
nicht die Polizei, die ermittelt, sondern der durch die
öffentliche Meinung als untadelig hingestellte Geschädigte
oder das Opfer. In einem Prozeß mit solch moralischer
Thematik ist es nicht der Staatsanwalt, es sind die Zeitungen, die die Anklage erheben. In einem solchen Prozeß gibt

es keinen Rechtsanwalt, der dem Angeklagten beistehen könnte, und das Urteil wird, wie das bei moralischen Urteilen immer der Fall ist, bei der Pediküre, in den Treppenhäusern, im Fernsehen, in den Kneipen und in literarischen Salons von der sich für untadelig haltenden Öffentlichkeit gefällt.

Warum es Ungarn und Polen leichter haben

In Anbetracht dessen müßte ich, wenn ich es zurückhaltend formulieren wollte, sagen, daß es sich hier wirklich um eine Notsituation handelt. Meine deutschen Kollegen mit ihren feinen Federn hingegen berichten von einer Notwendigkeit der Selbstprüfung. Dann aber muß ich mit meiner Feder etwas dicker auftragen, weil ich mir eine Selbstprüfung, die mit der Überprüfung eines anderen Menschen beginnt, nicht leicht vorstellen kann.

Nachteilige Situationen haben manchmal Vorteile. Die Polen, Tschechen, Slowaken und Ungarn sind nicht in der angenehmen Lage, daß sie bestimmen könnten, welcher ihrer Geheimdienste gut und welcher schlecht gewesen ist. Material zum Vorzeigen haben auch sie; aber ein Material, mit dem sie die Tätigkeit des Bösen vor dem Hintergrund der eigenen Untadeligkeit darstellen können, ist ihnen nicht in den Schoß gefallen. Nicht einmal auf dieser Ebene können sie mit einem bereitliegenden Material arbeiten. Und da der Anspruch auf moralische Selbstprüfung nun einmal aufgetaucht ist, ist dies zu ihrem Glück die angenehmere Situation. Warum es gerade für die Deutschen so brennend notwendig ist, im Schutze des Guten das Böse zu benennen? Auf diese Frage müssen sie selbst antworten.

(Frankfurter Allgemeine Zeitung vom 4. 6. 1992)

Auswahl-Bibliographie

Oktober 1991

Kulturnik 7432/91. War der DDR-Literat Sascha Anderson, Held der Prenzlauer-Berg-Szene, ein Stasi-Spitzel? Kollegen belasten ihn
Der Spiegel Nr. 43, 21. 10. 1991

Jens Jessen: Ein Notverkauf der Russen, Wolf Biermanns Büchnerpreisrede über das Ende der DDR
FAZ 21. 10. 1991

Wolf Biermann: Der Lichtblick im gräßlichen Fatalismus der Geschichte. Rede zur Verleihung des Georg-Büchner-Preises
Die Zeit Nr. 44, 25. 10. 1991

Frank Schirrmacher: Ein grausames Spiel. Der Fall Sascha Anderson und die Stasi-Akten
FAZ 25. 10. 1991

Holger Kulick: Denunziantentum. Wolf Biermann und die Stasi-Spitzel in der Künstlerszene
taz 25. 10. 1991

Manfred Jäger: Stasi, kulturschaffend. Gerüchte um Sascha Anderson – die Szene als Spitzelopfer
Deutsches Allgemeines Sonntagsblatt 25. 10. 1991

Biermann äußert seine Meinung ... und Sascha Anderson versucht sich zu wehren
Süddeutsche Zeitung 25. 10. 1991

Martin Ahrends: Verlorene Nähe
Freitag 25. 10. 1991

Peter Schneider: Weil er keinen Anwalt hatte, blendete sich Ödipus. Wie soll es mit den Stasi-Verdächtigungen weitergehen?
FAZ 26. 10. 1991

Wolfgang Höbel: »Auch ich habe Verhörprotokolle unterschrieben«. Ein Porträt des Berliner Autors und Denunziantenopfers Rainer Schedlinski
Süddeutsche Zeitung 28. 10. 1991

Helga M. Novak: Offener Brief an Wolf Biermann, Sarah Kirsch und Jürgen Fuchs
Der Spiegel Nr. 44, 28. 10. 1991

Reinhard Tschapke: Ende in Mord und Totschlag?
Die Welt 29. 10. 1991

Sascha Anderson: Ein hoffentlich schöner und lang anhaltender
Amoklauf
FAZ 30. 10. 1991

Cornelia Geißler: Gerüchte, Mutmaßungen, Verdächtigungen ...
Der »Fall« Sascha Anderson: Mit der Frage seiner Stasi-Mitarbeit
wird eine ganze literarische Generation in Mißkredit gebracht
Badische Zeitung 30. 10. 1991

Christian Pixis: Biermann, Richter
Mattino dell' Alto Adige (deutsche Beilage Extra) 30. 10. 1991

Lutz Rathenow: Offener Brief an Gauck
Tagesspiegel 31. 10. 1991

November 1991

Das ist nicht so einfach. Gespräch von Iris Radisch mit Sascha
Anderson
Die Zeit Nr. 45, 1. 11. 1991

Lutz Rathenow: Das Ghetto Prenzlauer Berg. Über den Mythos,
nicht beteiligt zu sein
taz 1. 11. 1991

Wolfram Schütte: Zwischenruf. Zum Eingeständnis Andersons
Frankfurter Rundschau 2. 11. 1991

Monika Zimmermann: Teuflische Provokateure oder Die Un-
schuldslämmer vom Prenzlauer Berg. Hat die Stasi den Staat aus-
gehöhlt? Waren heimliche Spitzel die eigentlichen Revolutionäre?
Neue Zeit 2. 11. 1991

»Die Opfer der Diktatur sitzen nicht in Talk-Shows«. Gespräch von
Jürgen Serke mit Jürgen Fuchs
Die Welt 4. 11. 1991

Uwe Wittstock: Die Nische Prenzlauer Berg
Süddeutsche Zeitung 4. 11. 1991

Hans Herzog: Griff ins Wespennest
Die Welt 5. 11. 1991

Frank Schirrmacher: Verdacht und Verrat. Die Stasi-Vergangenheit verändert die literarische Szene
FAZ 5. 11. 1991

Günter Kunert: Zur Staatssicherheit. Poesie und Verbrechen
FAZ 6. 11. 1991

Klaus Michael: Man muß die alten Fehler im Umgang mit der Vergangenheit nicht wiederholen
Berliner Zeitung 6. 11. 1991

Bärbel Bohley: Vergewaltigung des Themas. Das Beispiel Biermann und das Beispiel Anderson
die andere Nr. 45, 6. 11. 1991

Fritz-Jochen Kopka: Tribunal läuft
Wochenpost Nr. 46, 7. 11. 1991

Elisabeth Eleonore Bauer: Ein Scharmützel auf dem Prenzelberg. Kein Fall nur für zwei: Wolf Biermann, Sascha Anderson & die Firma Staatssicherheit
Die Weltwoche 7. 11. 1991

Ulrich Greiner: Durch den Sumpf
Die Zeit Nr. 46, 8. 11. 1991

Klaus Hartung: Den Stein umgedreht
Die Zeit Nr. 46, 8. 11. 1991

Jens Albert Möller: Die teuflische Feuerwehr. Lerne leugnen, ohne zu lügen: Diskursregeln für den Umgang mit der Stasi-Vergangenheit
FAZ 8. 11. 1991

Matthias Rüb: Mehr wissen. Vierte Gewalt und Stasi-Gesetz
FAZ 9. 11. 1991

Stefan Heym: Die Wahrheit, und nichts als die Wahrheit. Ein Plädoyer für die Gerechtigkeit im Umgang mit den Stasi-Akten
Berliner Zeitung 9./10. 11. 1991

Jan Ross: Ein Nebelfeld. Volker Braun und Sascha Anderson denken nach
FAZ 13. 11. 1991

Wolf Biermann: Stasi-Akten explodieren. Eine kleine Ansprache
FAZ 14. 11. 1991

Mathias Greffrath: Die Altlasten von morgen
Wochenpost Nr. 47, 14. 11. 1991

Detlef Kuhlbrodt, André Meier: »Kunstbums in aller Staatssicherheit«. Die Szene am Berliner Prenzlauer Berg
Wochenpost Nr. 47, 14. 11. 1991

Meinhard Michael: Schwieriger Umgang mit schizophrenem Erbe. War auch die subversive Literatur in der DDR eine Literatur der Staatssicherheit?
Leipziger Volkszeitung 14. 11. 1991

Horst Teltschick: Biermanns Aufschrei
Die Zeit Nr. 47, 15. 11. 1991

Wolf Biermann: Laß o Welt o laß mich sein! Rede zum Eduard-Mörike-Preis
Die Zeit Nr. 47, 15. 11. 1991

Jürgen Engert: Ein Held sein im Stasi-Staat
Rheinischer Merkur Nr. 46, 15. 11. 1991

Stefan Eggert: Der schwankende Mythos vom tapferen Partisanen. Das Druckhaus ›Galrev‹ und die Affäre Anderson
Frankfurter Rundschau 16. 11. 1991

Jürgen Fuchs: Landschaften der Lüge (I). Der › Operative Vorgang‹ Fuchs
Der Spiegel Nr. 47, 18. 11. 1991

Thomas Günther: Opposition und Identität
Weltbühne Nr. 48, 19. 11. 1991

Wolf Biermann: Brief an Ekkehard Maaß
die andere Nr. 47, 20. 11. 1991

Heinz Kahlau: Ist das ein Angebot, Bruder in der Gosse? Brief an Wolf Biermann
Wochenpost Nr. 18, 21. 11. 1991

Uwe Kolbe: Offener Brief an Sascha Anderson
Die Zeit Nr. 48, 22. 11. 1991

Volker Braun: Monströse Banalität
Die Zeit Nr. 48, 22. 11. 1991

Jan Faktor: hinten unten oben auf. Eine Szene demontiert sich
Freitag Nr. 48, 22. 11. 1991

Michael Braun: Ende eines Mythos?
Freitag Nr. 48, 22. 11. 1991

Frank Schirrmacher: Der große Verdacht. Am Beispiel der Akten: Literatur und Stasi
FAZ 23. 11. 1991

Gabriele Dietze: ›Zur Klärung eines Sachverhalts‹. Versuch, den Germanistik-Studenten der Universität Chicago die ›Affäre Anderson‹ zu erklären
Frankfurter Rundschau 23. 11. 1991

Jürgen Fuchs: Landschaften der Lüge (II)
Der Spiegel Nr. 48, 25. 11. 1991

Durs Grünbein: Im Namen der Füchse. Gibt es eine neue literarische Zensur?
FAZ 26. 11. 1991

Regine Möbius: »Keiner von ihnen hat nichts gewußt, aber alle haben fast alles gewußt«
Börsenblatt 94, 26. 11. 1991

Lutz Rathenow: »Schreiben Sie doch für uns!« Was sich die Staatssicherheit einfallen ließ, um die Literatur zu bändigen
FAZ 27. 11. 1991

Hajo Steinert: Die Szene und die Stasi. Muß man die literarischen Texte der Dichter vom Prenzlauer Berg jetzt anders lesen?
Die Zeit Nr. 49, 29. 11. 1991

Irma Weinreich: ... solche Stories erst gar nicht lesen. Stasi-Verdächtigungen spalten die Szene am Berliner Prenzlauer Berg
Neues Deutschland, 29. 11. 1991

Dezember 1991

Jürgen Fuchs: Landschaften der Lüge (III)
Der Spiegel Nr. 49, 2. 12. 1991

Konrad Franke: Fuchteln gilt nicht. Anmerkung zur absurden These, die DDR-Literaturgeschichte müsse umgeschrieben werden
Süddeutsche Zeitung 2. 12. 1991

Wolfgang Höbel: Gewitterwolken über der Oase. Die Vorwürfe gegen Sascha Anderson: Zerfällt der Mythos vom Prenzlauer Berg?
Süddeutsche Zeitung 2. 12. 1991

Die ganze Szene von der Stasi gesteuert? – Quatsch! Ein Gespräch mit Lutz Rathenow über den Fall Anderson und die DDR-Literatur
Süddeutsche Zeitung 3. 12. 1991

Karl Corino: Vom Leichengift der Stasi. Die DDR-Literatur hat an Glaubwürdigkeit verloren. Eine Entgegnung
Süddeutsche Zeitung 6. 12. 1991

Stefan Richter: Gesinnungsterror in Form von Kalauern
Stuttgarter Zeitung 6. 12. 1991

Jürgen Fuchs: Landschaften der Lüge (IV)
Der Spiegel Nr. 50, 9. 12. 1991

Lutz Rathenow: Die Vergangenheit beginnt gerade erst
Hamburger Morgenpost 9. 12. 1991

Uwe Wittstock: Wenn Dichter Wechsel fälschen. Versuch, einen verwirrenden Literatur-Skandal zu ordnen
Süddeutsche Zeitung 11. 12. 1991

Günther Zehm: Saubermänner mit bekleckerten Westen. Über Wolf Biermann, Jürgen Fuchs und den mißglückten Versuch, den Giftmüll der Stasi zu entsorgen
Rheinischer Merkur Nr. 50, 13. 12. 1991
»Wir haben die DDR als Irrenanstalt erlebt«. Gespräch von Jürgen Serke mit Sarah Kirsch und Ulrich Zieger
Die Welt 16. 12. 1991

Jürgen Fuchs: Landschaften der Lüge (V)
Der Spiegel Nr. 51, 16. 12. 1991

Jürgen Fuchs, Klaus Hensel: Heraus aus der Lüge und Ehrlichkeit herstellen. Der Schriftsteller und die Stasi-Spitzel
Frankfurter Rundschau 21. 12. 1991

Stefan Richter: Die Stasi war ein Phänomen, kein Gegner
Frankfurter Rundschau 21. 12. 1991

Ulrich Hausmann: Die Welt als Hirngespinst. Eine Entgegnung zu Stefan Richters Selbstreflexion
Frankfurter Rundschau 23. 12. 1991

Jürgen Fuchs: Maßnahme Totenhaus. Zwei neu aufgetauchte Karteikarten liefern weitere Beweise: Der Lyriker Alexander (»Sascha«) Anderson war ein wichtiger Stasi-Mitarbeiter
Der Spiegel Nr. 52, 23. 12. 1991

Sascha Anderson und kein Ende. Weimarer Schriftsteller Wulf Kirsten gegen pauschale Angriffe
Thüringer Allgemeine 23. 12. 1991

Anderson nach Rom (Eine Erklärung von Eberhart Bosslet, Hannelore Deubzer, Stephan Kern, Anton Kokl, Thomas Lehnerer, Herta Müller, Astrid Tiemann-Petri und Michael Witlatschil
Süddeutsche Zeitung 24./25./26. 12. 1991

Elke Erb: Gib zu, was wir wissen!
Construktiv 12/1991

Gert Neumann: Sprechen in Deutschland. Eröffnungstext einer Lesung in der Huss'schen Buchhandlung Frankfurt am Main
2. 12. 1991
mid Nr. 68, Dezember/Januar 1991/1992

Lutz Rathenow: »Ich untersage Ihnen, doppeldeutige Gedichte zu schreiben«. Zwischen Überlegenheit und Hilflosigkeit – der Schriftsteller Lutz Rathenow hat Stasi-Akten eingesehen
Berliner Zeitung 28./29. 12. 1991

Jörg Drews: Oj, oj, Biermann!
Merkur. Deutsche Zeitschrift für europäisches Denken. Stuttgart, Heft 12, Dezember 1991

Januar 1992

DDR-Aufarbeitung: Letzter Sieg der Stasi?
Interview mit Lutz Rathenow
taz 2. 1. 1992

Karl Corino: Absolution vor der Beichte?
Die Welt 2. 1. 1992

Ulrich Greiner: Der Ursprung der Lüge. Die Auseinandersetzung über die Stasi-Vergangenheit läuft falsch
Die Zeit Nr. 2, 3. 1. 1992

Denn wir haben uns doch nur bekämpft und verletzt. Gespräch mit der Erfurter Schriftstellerin Gabriele Stötzer-Kachold über den Fall Sascha Anderson
Freitag Nr.2, 3. 1. 1992

Frank-Wolf Matthies: Einer, der tatsächlich etwas getan hat
Frankfurter Rundschau, 3. 1. 1992

Dorothea von Törne: Jeder Killer hat einen Killersatelliten. Der Fall Sascha Anderson oder Wie Gespaltenheit zur Überlebensstrategie wird
Neue Zeit 4. 1. 1992

Ach, Gottchen, der Rainer also auch. Erfolg für den emsigen Aktenwühler Lutz Rathenow: Stasi-Mitarbeit von Lyriker Schedlinski aufgedeckt
Junge Welt 7. 1. 1992

Frank Schirrmacher: Aufgeklärt. Der Fall Anderson
FAZ 8. 1. 1992

Prenzlauer Berg und was dann? Sascha Anderson und die Folgen
Frankfurter Rundschau 9. 1. 1992

Matthias Ehlert: Unkraut als Züchtungsobjekt im Gewächshaus? Wie die Stasi im Prenzlauer Berg literarische Opposition simulierte
Berliner Zeitung, 9. 1. 1992

Lutz Rathenow: »Operativer Vorgang Assistent«
Stern Nr. 3, 9. 1. 1992

Henrik M. Broder: Eine schöne Revolution
Die Zeit Nr. 3, 10. 1. 1992

Detlef Kuhlbrodt: Das ist mir ein völliges Rätsel. Gespräch mit Sascha Anderson
Freitag Nr. 3, 10. 1. 1992

Martin Ahrends: Über die Stasi reden lernen
Freitag Nr. 3, 10. 1. 1992

B. Mika, U. Scheub: Untergrundhelden und Stasi-Spitzel am Prenzlberg
taz 11. 1. 1992

Kurt Drawert: »Es gibt keine Entschuldigung«. Offener Brief an Rainer Schedlinski
Süddeutsche Zeitung 11./12. 1. 1992

Ein öffentliches Geschwür. Wolf Biermann antwortet seinen Kritikern in einem offenen Brief an Lew Kopolew
Der Spiegel Nr. 3, 13. 1. 1992

Sieglinde Geisel: »Was ein IM ist, weiß ich erst heute«. Gespräch mit Rainer Schedlinski
NZZ 13. 1. 1992

Konrad Franke: Begreifen, nicht glauben. Anmerkungen zum Streit über Literatur und Moral
Süddeutsche Zeitung 13. 1. 1992

Rainer Schedlinski: Dem Druck, immer mehr sagen zu müssen, hielt ich nicht stand. Literatur, Staatssicherheit und der Prenzlauer Berg: Ein inoffizieller Mitarbeiter schildert seine Verstrickung und versucht aufzuschreiben, wie es dazu kam
FAZ 14. 1. 1992

Jürgen Serke: Lawinen mit Lügen bekämpft
Die Welt 15. 1. 1992

Lutz Rathenow: Tatsächlich: er hat was getan. Eine Replik
Frankfurter Rundschau 15. 1. 1992

Neugier und Ekel. Wolf Biermann nach seiner Einsichtnahme in die Stasi-Akten
Basler Zeitung 16. 1. 1992

»Anderson ist reif für die Therapie«. Gespräch mit Karl Corino
Hamburger Morgenpost 16. 1. 1992

Die Akten und die Freiheit. Interview mit Reiner Kunze
Wochenpost Nr. 4, 16. 1. 1992

Wolfgang Ullmann: Spitzelstaat und Staatsspitzel
Freitag Nr. 4, 17. 1. 1992

Siegfried Stadler: Die Stasi war eine Wechselstube des Schicksals. Eine Firma auch für Autos, Wohnungen und Telefone. Anmerkungen zur Psychologie des gewöhnlichen Spitzels
FAZ 17. 1. 1992

»Nach vier Wochen hatten die mich klein«. Gespräch mit dem Berliner Autor Rainer Schedlinski
Berliner Zeitung 18./19. 1. 1992

Rudolf Augstein: ... und nicht mal im Gefängnis
Der Spiegel Nr. 4, 20. 1. 1992

Log Anderson auch Stasi an? Interview mit dem Schriftsteller Adolf Endler
Hamburger Abendblatt 20. 1. 1992

Tessa Szyszkowitz: Quasi Stasi. Rainer Schedlinski, Ostberliner Schriftsteller und Spitzel, stellt sich seiner Vergangenheit
Profil Nr. 4, 20. 1. 1992

Ekkehart Baumgartner: Streit zwischen Opfern. Eine Schriftstellerkontroverse über die Prenzlauer-Berg-Literatur im Schatten der Stasi
Süddeutsche Zeitung 21. 1. 1992

400

Jan Ross: Die Spielfiguren regen sich. Innenansichten aus dem Geheimdienst der DDR
21. 1. 1992

Jan Faktor: Neun Punkte zur Prenzlauer-Berg-Szene
die andere Nr. 4, 22. 1. 1992

Lutz Rathenow: Einer, der tatsächlich etwas getan hat. Frank-Wolf Matthies verteidigte Sascha Anderson. Eine Entgegnung
die andere Nr. 4, 22. 1. 1992

Peter Böthig: Stasi-Rechnungen und Risse im Hinterhaus
Die Welt 22. 1. 1992

Thomas Assheuer: Den Versen den Verrat verraten. Den Spitzel und Lyriker Sascha Anderson beim Wort seiner Gedichte genommen
Frankfurter Rundschau 23. 1. 1992

Begreifen, was gewesen ist: Plädoyer für ein Tribunal. Von Joachim Gauck, Friedrich Schorlemmer, Wolfgang Thierse, Wolfgang Ullmann, Reinhard Höppner und anderen
FAZ 23. 1. 1992

Ulrich Baron: Literatur im Schatten der Vergangenheit
Rheinischer Merkur Nr. 4, 24. 1. 1992

Ulrich Greiner: Die Falle des Entweder-Oder. In der Stasi-Debatte wird altes Unrecht durch neues Unrecht ersetzt
Die Zeit Nr. 5, 24. 1. 1992

Iris Radisch: Die Krankheit Lüge. Die Stasi als sicherer Ort: Sascha Anderson und die Staatssicherheit
Die Zeit Nr. 5, 24. 1. 1992

Thomas Günther: Wo auf Trümmern die Buchstaben tanzen
Rheinischer Merkur 24. 1. 1992

Michael Braun: Literatur und Staatssicherheit
Freitag Nr. 5, 24. 1. 1992

Bärbel Bohley: Die Täter waren Täter. Wozu dienten Stasi-Kontakte?
FAZ 25. 1. 1992

»Ich weiß, wie zehn Stunden Verhör bei der Stasi sind«. Wer ist Opfer, wer ist Täter? – Ein Gespräch mit dem Ostberliner Schriftsteller Detlef Opitz
Süddeutsche Zeitung 25./26. 1. 1992

Tiefer als unter die Haut. Wolf Biermann über Schweinehunde, halbe Helden, Intimitäten und andere Funde aus seinen Stasi-Akten
Der Spiegel Nr. 5, 27. 1. 1992

Mathias Schreiber: Poet als Stasi-Knecht
Der Spiegel Nr. 5, 27. 1. 1992

Sascha Andersons letzter Freund. Bert Papenfuß-Gorek, Dichter vom Prenzlauer Berg, zu Sascha Anderson, Rainer Schedlinski und der »Ortsbestimmung« von Literatur zwischen Häresie und Staatssicherheit. Von Ute Scheub und Bascha Mika
taz 29. 1. 1992

Stefan Wolle: Die Wende im Untergrund. War die Herbstrevolution 1989 vom MfS gesteuert?
FAZ 30. 1. 1992

Michael Braun: Nerven aus Draht
Freitag Nr. 6, 31. 1. 1992

Ekkehard Maaß: Brief an Wolf Biermann vom 17. 12. 1991
Constructiv 1/1992

Februar 1992

Brigitte Seebacher-Brandt: Das Leben ein Aktenberg? Was sie, die aus der Geschichte lernen wollen, vergessen
FAZ 1. 2. 1992

Michael Braun, Hajo Steinert: Kann Spitzel-Literatur gut sein? Ein Briefwechsel
Basler Zeitung 1. 2. 1992

Franz Gansrigler: Die Schuld hat viele Gesichter. Lutz Rathenow – Der Mensch als Staatsfeind in den Stasi-Akten
Die Furche Nr. 6, 6. 2. 1992

Sieglinde Geisel: Im zwielichtigen Niemandsland. Konzepte poetischen Widerstands in der jüngeren DDR-Literatur
NZZ 7. 2. 1992

Detlef Opitz: Literatur in diesen Zeiten. Staatssicherheit und Prenzlauer Berg
Freitag Nr. 7, 7. 2. 1992

Es gibt sie längst, die neue Mauer. Ein Zeit-Gespräch mit Günter Grass und Christoph Hein
Die Zeit Nr. 7, 7. 2. 1992

Christa Fenzl: Mit dem Wind drehen sich die Mühlen? In Verruf: Die dichtenden Feuerschlucker Sascha Anderson und Rainer Schedlinski
Main-Echo 13. 2. 1992

Antje Volmer: Vergangenheit ist nicht zu verbessern. Die Entspannung und ihr Preis. Ein Brief an Bärbel Bohley
FAZ 13. 2. 1992

Klaus Schlesinger: Ich gestehe! Ich verlange! Ein Lehrstück über die Macht des Gerüchts, oder: Etwas bleibt immer hängen
Die Zeit Nr. 8, 14. 2. 1992

Sieglinde Geisel: Die Moral des Grenzhundes. Müssen Dichter gute Menschen sein?
Freitag Nr. 8, 14. 2. 1992

Andrzej Szczypiorski: Die Deutschen quälen sich mit der Vergangenheit. Gespräch über die Stasi und die Pflichten der geistigen Elite
Süddeutsche Zeitung 17. 2. 1992

Christoph Hein: Der Name der Anpassung. Die Staatssicherheit und die Fremdheit der Deutschen
Wochenpost Nr. 9, 20. 2. 1992

Detlef Kuhlbrodt: Café Kiryl am Prenzlberg. Jagdszenen und Alltagsnotizen aus Ost-Berlin
Frankfurter Rundschau 22. 2. 1992

SZ-Interview mit Wolfgang Ullmann und Rainer Eppelmann. »Kein Tribunal des Hasses und der gegenseitigen Diskriminierung«. Forum oder Bundestagskommission? Die beiden Ost-Politiker zum jeweils favorisierten Aufarbeitungsgremium für DDR-Vergangenheit
Süddeutsche Zeitung 26. 2. 1992

Der Teufel schläft nie. Gespräch mit Andrzej Szczypiorski über die Schwierigkeiten der Deutschen beim Umgang mit ihrer Geschichte
Wochenpost Nr. 10, 27. 2. 1992

Robert Leicht: Im Aktengestrüpp. Vom Umgang mit den Stasi-Archiven
Die Zeit Nr. 10, 28. 2. 1992

Klaus Hartung: Deutsche Akten
Die Zeit Nr. 10, 28. 2. 1992

Ralf Hirsch: Reden, nicht jagen. Vom Überdruß an den Stasi-Akten
FAZ 28. 2. 1992

Joachim Walther: Vom Blöken der Wölfe
Freitag Nr. 10, 28. 2. 1992

Ulrich Baron: Und die Moral von der Geschicht? Dichter, Denunzianten und die Wahrhaftigkeit der Literatur
Rheinischer Merkur 28. 2. 1992

Geht es am Ende nur um Mielkes Hut? Eine Umfrage mit Wulf Kirsten, Jürgen Schmude, Walter Janka, Harald Wessel, Freya Klier, Siegmar Faust, Günter Kunert, Heinz Czechowski, Wolfgang Mattheuer, Reiner Kunze, Wolfgang Hilbig, Hans Stahl, Eberhard Haufe
FAZ 29. 2. 1992

Adolf Endler: Zitate & Zackendullst. Aus den Kladden eines Supernormalos (5)
Litfaß 53, Februar 1992

März 1992

Wolf Biermann: Das Kaninchen frißt die Schlange
Der Spiegel Nr. 10, 2. 3. 1992

Auf der Stasi-Schiene gegen die kritische Kultur. Gespräch mit dem PEN-Präsidenten Gert Heidenreich
Süddeutsche Zeitung 2. 3. 1992

Ulrich Schröter: Wie wurde man ein IM? Viele Gesprächspartner der Stasi waren Spitzel – aber nicht alle
Die Zeit Nr. 11, 6. 3. 1992

Widerstand war möglich. 10 Thesen zum Umgang mit den Stasi-Akten. Von J. Fuchs, G. Poppe, K. Havemann u. a.
Der Spiegel Nr. 11, 9. 3. 1992

Cornelia Geißler: Die Stasi als Literaturbehörde. Der Berliner Schriftsteller Hans Joachim Schädlich hat seine Akten gelesen
Berliner Zeitung 12. 3. 1992

Abschied von der Diktatur. Gespräch mit Jürgen Fuchs über Täter, Opfer und die Stasi-Akten
Wochenpost Nr. 12, 12. 3. 1992

Dieter E. Zimmer: Nichts bereuen / alles Bedauern. Stichwort »Aufarbeitung der DDR-Vergangenheit«: Was wir von unseren Brüdern und Schwestern alles zugleich erwarten
Die Zeit Nr. 12, 13. 3. 1992

Bärbel Bohley: Der fatale Opportunismus des Westens. Deutsche Lebenslügen: Eine Antwort auf Antje Vollmers offenen Brief
FAZ 14. 3. 1992

Robin Detje: Wir müssen etwas tun. Noch ein Kommentar zur Stasi-Debatte
Die Zeit Nr. 13, 20. 3. 1992

Peter Böthig: leib eigen & fremd. Der junge Dichter Frank Lanzendörfer hat die DDR nicht überlebt. Ein Porträt
Die Zeit Nr. 13, 20. 3. 1992

Kurt Drawert: Wenn Dichter mit der Urne spielen. Zusammenhang von Ästhetik und Moral – Eine Erwiderung auf den Artikel: »Die Moral des Grenzhundes« von S. Geisel
Freitag Nr. 13, 20. 3. 1992

Joseph Singldinger: Sich einlassen auf ein Stück möglicher Selbsterkenntnis. Anmerkungen zum Umgang der Medien mit der Staatssicherheit der DDR
Publizistik & Kunst. Zeitschrift der IG Medien Nr. 3, März 1992

April 1992

Paul Gratzik: Müller und Maiglöckchen
Wochenpost Nr. 15, 2. 4. 1992

Lutz Rathenow: Die Geschichten zur Geschichte. Aus meiner Erfahrung in dem verblichenen deutschen Staat
Tagesspiegel 4. 4. 1992

Stephen Kinzer: East Germans Face Their Accusers
New York Times Magazin 12. 4. 1992

»Wolltest du nie bei der Stasi aussteigen?« Gespräch von Detlef Opitz mit Rainer Schedlinski
Süddeutsche Zeitung Magazin 16. 4. 1992

Iris Radisch: Stasi olé
Die Zeit Nr. 18, 24. 4. 1992

Michael Gratz: Was sollte sich daran ändern? Anmerkungen zur
Debatte um DDR-Literatur und »Underground«-Kultur
Neue Deutsche Literatur 472, Heft 4/1992

Mai 1992

Horst Domdey: Duftmarken
Freitag Nr. 20, 8. 5. 1992

Kurt Drawert: Dieses Jahr, dachte ich, müßte das Schweigen der
Text sein. Über den Verfall der DDR und den Doppelcharakter der
Macht
Freitag Nr. 21, 15. 5. 1992

Joseph Singldinger: Literatur, Politik, die Dichter und ein Verlag.
Der Prenzlauer Berg und seine mehrdimensionalen Geschichten
Publizistik & Kunst. Zeitschrift der IG Medien, 5/1992

Jane Kramer: Letter from Europe
The New Yorker May 1992

Juni 1992

Péter Nádas: Armer Sascha Anderson. Was die Politik der friedlichen Koexistenz für die Intellektuellen des Ostblocks bedeutete
(wieder in: Kursbuch 108)
FAZ 4. 6. 1992

Rainer Schedlinski: Die Unzuständigkeit der Macht
Neue Deutsche Literatur 474, Heft 6/1992

»Für mich war die Stasi nicht nur negativ«. Gespräch mit A. R.
Penck
Die Weltwoche Nr. 24, 11. 6. 1992

Joachim Gauck: Über die Würde der Unterdrückten. Die Stasi-
Akten-Debatte: Von Konspiration, Machtversessenheit und Vor-
entschuldigungen. Wie Politiker und Publizisten Selbstkritik verweigern
FAZ 27. 6. 1992

Adolf Endler: Zitate & Zackendullst / Aus den Kladden eines Supernormalos (6)
Litfass 54, Juni 1992

Lutz Rathenow: Die blockierte Erinnerung
Kommune. Forum für Politik, Ökonomie und Kultur, 6/1992

Juli bis Dezember 1992

Michael Braun: Die Subversion der Gartenzwerge. Literatur als Partner der Macht – eine Zeitschriftenrundschau
Freitag Nr. 31, 24. 7. 1992

Widerspruch ohne Wahrheitsanspruch. Ein Gespräch mit Rainer Schedlinski
Zündschrift. Forum für Schreibende, Nr. 16, August 1992

Berlin im Februar 1992. Ein Brief von Klaus Michael
Zündschrift. Forum für Schreibende, Nr. 16, August 1992

Peter Böthig: Wie man mit der Wahrheit lügt. Eine Entgegnung auf Rainer Schedlinski »Die Unzuständigkeit der Macht«
Neue Deutsche Literatur 10/1992

Andreas Koziol: Erwiderung zu Rainer Schedlinski
Neue Deutsche Literatur 10/1992

Hans Joachim Schädlich: Der Fall B.
Kursbuch 109

Wolfgang Hilbig: ich
Sprache im technischen Zeitalter, 3/1992

1993

Jan Faktor: Das Polster um uns war künstlich. Was inoffizielle Mitarbeiter zur Entstehung des Freiraums im Prenzlauer Berg beigetragen haben und was dabei zerstört wurde.
FAZ 5. 1. 1993

Cornelia Geißler: Nachrichten aus der Gerüchteküche. Stasi-Vorwürfe nun auch gegen Heiner Müller.
Berliner Zeitung 12. 1. 1993

Thomas Groß: Heiner Müller und die Staatssicherheit.
taz 12. 1. 1993

Elke Schmitter: Ein Mann für gewisse Stunden. Heiner Müllers Stasi-Gespräche: Ein Anarchist paktiert.
taz 12. 1. 1993

Robin Detje, Iris Radisch, Christian Wernicke: Des Müllers falsche Kleider. Der Dramatiker Heiner Müller ist in Verdacht geraten, für die Staatssicherheit gearbeitet zu haben.
Die Zeit Nr. 3, 15. 1. 1993

Robin Detje: XV 3470/78. Heiner Müller und die Stasi: Der große Dichter schrumpft.
Die Zeit Nr. 3, 15. 1. 1993

Frank Schirrmacher: Verdacht. Gerüchte um Heiner Müller.
FAZ 15. 1. 1993

Thomas Assheuer: Zwischen Ich und Ich ist der Zwischenraum riesig. Schlacht (noch) ohne Beweise oder: Heiner Müller und das Interesse an erledigten Fällen.
Frankfurter Rundschau 16. 1. 1993

René Althammer: Ein bißchen dagegen.
Berliner Zeitung 16./17. 1. 1993

Rechtfertigungsreden sind überflüssig. B.K. Tragelehn und Lothar Trolle über die Stasi-Vorwürfe gegenüber Heiner Müller.
Berliner Zeitung 20. 1. 1993

Jutta Voigt, Fritz-Jochen Kopka: Der Schrei des Sowieso. Reden Sie mit Schulze, sagte Heiner Müller. Begegnung mit dem namenlosen Dichter, der einen Stein ins Rollen brachte.
Wochenpost Nr. 4, 21. 1. 1993

Christa Wolf: Eine Auskunft.
Berliner Zeitung, 21. 1. 1993

Iris Radisch: Krieg der Köpfe. Heiner Müller und die Stasi. Die Westdeutschen zählen Quittungen, die Ostdeutschen verteidigen ihre Geschichte. Der Dichter liest Kafka, und die Akten schweigen.
Die Zeit Nr. 4, 22. 1. 1993

Frank Schirrmacher: Fälle. Wolf und Müller.
FAZ 22. 1. 1993

Wolfram Schütte: Doppelzüngler. Jagdszenen um Christa Wolf.
Frankfurter Rundschau 22. 1. 1993

Thomas Rietzschel: Mit einer gewissen intellektuellen Ängstlich-keit. Beschreibung einer Akte: Wie Christa Wolf als IM für die Sta-si gearbeitet hat.
FAZ 22. 1. 1993

Die ängstliche Magarete. [Über die Schriftstellerin Christa Wolf]
Der Spiegel Nr. 4, 25. 1. 1993

Klaus Michael: Einige junge Lyriker dezentralisieren. Sascha An-derson: Machtspiele und Freundesverrat in der Ostberliner Litera-tenszene.
Focus Nr. 4, 25. 1. 1993

Joachim Walther: Wider die eilfertigen Rechercheure. Ein paar Beispiele und einige Grundsätze zur gegenwärtigen Debatte um Schriftsteller und Staatssicherheit.
FAZ 27. 1. 1993

Frank Schirrmacher: Literatur und Staatssicherheit.
FAZ 28. 1. 1993

Helmut Böttiger: Stasi, Treuhand, Letscho. Impressionen eines Li-teraturkritikers aus Berlin-Mitte.
Frankfurter Rundschau 28. 1. 1993

Margarete in Santa Monica. F. J. Kopka sprach in Kalifornien mit Christa Wolf.
Wochenpost Nr. 5, 28. 1. 1993

Klaus Schlesinger: Alle meine Spitzel.
Wochenpost Nr. 5, 28. 1. 1993

Fritz J. Raddatz: Von der Beschädigung der Literatur durch ihre Urheber. Bemerkungen zu Heiner Müller und Christa Wolf.
Die Zeit Nr. 5, 29. 1. 1993

Der Waschzwang ist da, also muß gewaschen werden, Gespräch mit Christoph Hein über Christa Wolf und die Wirkung der Stasiakten.
Freitag Nr. 5, 29. 1. 1993

Christa Wolf: »Ich war nicht Dichterin dieses Staates«. Ein Brief-wechsel über Observation, Lüge, Angst und andere Erbschaften der DDR.
FAZ 3. 2. 1993

Klaus Kreimeier: Geisterschlachten. Moralapostel, Racheengel, Selbstdarsteller – Das Feuilleton streitet sich über Christa Wolf und Heiner Müller.
Freitag Nr. 6, 5. 2. 1993

Ulrich Greiner: Plädoyer für den Schluß der Stasi-Debatte.
Die Zeit Nr. 6, 5. 2. 1993

Antje Vollmer: Der Zeitgeist ist Anarchist.
taz 6. 2. 1993

Volker Hage: »Wir müssen uns dem Schicksal stellen«. Über den Fall Christa Wolf.
Der Spiegel Nr. 6, 8. 2. 1993

Harro Zimmermann: Für einen anderen Schluß der Debatte. Zum Streit um Literatur und Stasi-Verstrickung.
Süddeutsche Zeitung 9. 2. 1993

Friedrich Schorlemmer: Eine Statue fällt, ein Mensch bleibt. Zur Diskussion um Christa Wolf.
Wochenpost Nr. 7, 11. 2. 1993

»Dieser Mann müßte einmal zum Psychator«. Auszüge aus einem Spitzelprotokoll nach der Premiere von »Die umsiedlerin«, November 1961 in Karlshorst. Gefunden von Heiner Müller in seiner Akte.
Wochenpost Nr. 7, 11. 2. 1993

Bücher zur Staatssicherheit:

Karl Wilhelm Fricke: Die DDR-Staatssicherheit. Entwicklung Strukturen Aktionsfelder. Verlag Wissenschaft und Politik Köln 1989

Arnim Mitter und Stefan Wolle (Hg.): Ich liebe euch doch alle! Befehle und Lageberichte des MfS, Januar-November 1989. Basis-Druck Berlin 1990

Ariane Riecker, Annett Schwarz, Dirk Schneider (Hg.): Stasi intim. Gespräche mit ehemaligen MfS-Mitarbeitern. Forum Verlag Leipzig 1990

Irena Kukutz und Katja Havemann: Geschützte Quelle. Gespräche mit Monika H. alias Karin Lenz. BasisDruck Berlin 1990

Reiner Kunze. (Hg.): Deckname Lyrik. Eine Dokumentation. Fischer Taschenbuch Verlag Frankfurt a. M. 1990

Lienhard Wawrzyn: Der Blaue. Das Spitzelsystem der DDR. Wagenbach Berlin 1990

Justus Werdin (Hg.): Unter uns: Die Stasi. Berichte des Bürgerkomitees zur Auflösung der Staatssicherheit im Bezirk Frankfurt/O. BasisDruck Berlin 1990

Mit tschekistischem Gruß. Berichte der Bezirksverwaltung für Staatssicherheit Potsdam 1989. Edition Babelturm Potsdam 1990

Stephan Wolf: Einblicke. Geschichte und Verflechtung des MfS in der ehemaligen DDR. Berlin 1990

Christina Wilkening: Staat im Staate. Auskünfte ehemaliger Stasi-Mitarbeiter. Aufbau-Verlag Berlin und Weimar 1990

Ulrich von Saß, Harriet von Suchodoletz: »feindlich-negativ«. Zur politisch-operativen Arbeit einer Stasi-Zentrale. Evangelische Verlagsanstalt Berlin 1990

Jürgen Fuchs: »... und wann kommt der Hammer?« Psychologie, Opposition und Staatssicherheit. BasisDruck Berlin 1991

Manfred Schell, Werner Kalinka: Stasi und kein Ende. Die Personen und Fakten. Ullstein Verlag Frankfurt/M., Berlin 1991

Jürgen Vogel: Magdeburg-Kroatenweg. Chronik des Bürgerkomitees. Steinweg und Impuls Verlag Magdeburg 1991

Anne Worst: Das Ende eines Geheimdienstes. Oder: Wie lebendig ist die Stasi? LinksDruck Berlin 1991

Erich Loest: Die Stasi war mein Eckermann oder: mein Leben mit der Wanze. Steidl Verlag Göttingen 1991

Joachim Gauck: Die Stasi-Akten. Reinbek bei Hamburg 1991

David Gill, Ulrich Schröter: Das Ministerium für Staatssicherheit. Anatomie des Mielke-Imperiums. Rowohlt Berlin 1991

Andreas Sinakowski: Das Verhör. BasisDruck Berlin 1991

Stasi intern. Macht und Banalität. Hg. vom Bürgerkomitee Leipzig. Forum Verlag Leipzig 1991

Karl Wilhelm Fricke: MfS intern. Macht, Strukturen, Auflösung der DDR-Staatssicherheit. Verlag Wissenschaft und Politik, Köln 1991

Rita Sélitrenny, Thilo Weichert: Das unheimliche Erbe. Die Spionageabteilung der Stasi. Forum Verlag Leipzig 1991

Gerhard Besier, Stephan Wolf (Hg.): Pfarrer, Christen und Katholiken. Das Ministerium für Staatssicherheit der ehemaligen DDR und die Kirchen. Neukirchener Verlag des Erziehungsvereins, Neukirchen-Vluyn 1991

Hans Joachim Schädlich (Hg.): Aktenkundig. Rowohlt Berlin 1992

Wolfgang Rüddenklau (Hg.): Störenfried. DDR-Opposition 1986–1989. Mit Texten aus den »Umweltblättern«. BasisDruck Berlin 1992

Roland Pechmann, Jürgen Vogel (Hg.): Abgesang der Stasi. Das Jahr 1989 in Presseartikeln und Stasi-Dokumenten. Steinwegverlag Magdeburg 1992

Birgit Lahan: Genosse Judas. Die zwei Leben des Ibrahim Böhme. Rowohlt Berlin 1992

Peter Richter, Klaus Rösler: Wolfs West-Spione. Ein Insider-Report. Elefanten Press Berlin 1992

Egmont R. Koch: Das geheime Kartell. BND, Schalck, Stasi & Co. Hoffmann & Campe Hamburg 1992

Gisela Karau: Stasiprotokolle. Gespräche mit ehemaligen Mitarbeitern des »Ministeriums für Staatssicherheit«. Frankfurt a. M. 1992

Vera Wollenberger: Virus der Heuchler. Innensicht aus Stasi-Akten. Elefanten Press, Berlin 1992

Tina Krone, Reinhard Schult (Hg.): Seid Untertan der Obrigkeit. Originaldokumente der Stasi-Kirchenabteilung XX/4. Neues Forum Berlin 1992

Michael Müller, Andreas Kronenberg: Die RAF-Stasi-Connection. Rowohlt Berlin 1992

Alexander Reichenbach: Chef der Spione. Die Markus-Wolf-Story. Deutsche Verlagsanstalt Stuttgart 1992

Ralf Georg Reuth: IM »Sekretär«. Die »Gauck-Recherche« und die Dokumente zum »Fall Stolpe«. Ullstein Berlin 1992

Günter Bohnsack, Herbert Brehmer: Auftrag: Irreführung. Wie die Stasi Politik im Westen machte. Carlsen Verlag, Hamburg 1992

Stasi-Akte »Verräter«. Bürgerrechtler Templin: Dokumente einer Verfolgung. Spiegel Spezial Nr. 1/1993

Literatur zur alternativen Kunst und Literatur

Berührung ist nur eine Randerscheinung. Neue Literatur aus der DDR. Hg. Elke Erb, Sascha Anderson, Kiepenheuer & Witsch Köln 1985

Sprache und Antwort. Stimmen und Texte einer anderen Literatur aus der DDR. Hg. Egmont Hesse, S. Fischer Frankfurt a. M. 1988

Mikado oder der Kaiser ist nackt. Selbstverlegte Literatur in der DDR. Hg. Uwe Kolbe, Lothar Trolle und Bernd Wagner. Luchterhand Darmstadt 1988

Stationen eines Weges. Dokumentationen zur Kunst und Kunstpolitik der DDR 1945 – 1988. Hg. Günter Feist und Eckhart Gillen. Westberlin 1988

Kunst in der DDR. Künstler, Galerien, Museen, Kulturpolitik, Adressen. Hg. Eckhart Gillen und Rainer Haarmann. Kiepenheuer & Witsch Köln 1990

Die andere Sprache. Neue DDR-Literatur der 80er Jahre. Hg. Heinz Ludwig Arnold und Gerhard Wolf. Sonderband Text + Kritik, München 1990

Abriß der Ariadnefabrik. Hg. Andreas Koziol und Rainer Schedlinski. Druckhaus Galrev, Berlin 1990

D1980D1989R. Künstlerbücher und originalgrafische Zeitschriften im Eigenverlag. Bibliographie. Hg. Jens Henkel und Sabine Russ. Merlin Verlag, Gifkendorf 1991

Vogel oder Käfig sein. Kunst und Literatur aus unabhängigen Zeitschriften der DDR 1979 – 1989. Hg. Klaus Michael und Thomas Wohlfahrt. Druckhaus Galrev, Berlin 1992

Jenseits der Staatskultur. Traditionen autonomer Kunst in der DDR. Hg. Gabriele Muschter und Rüdiger Thomas. Carl Hanser München 1992

Zu den Texten und Autoren

Die Herausgeber:

Peter Böthig, geb. 1958, Literaturwissenschaftler, Essayist. Beiträge in Zeitschriften und Anthologien, Mitherausgeber der nichtoffiziellen Zeitschrift »schaden«, 1988 Übersiedlung nach Westberlin, 1989/90 USA. Flanzendörfer: unmöglich es leben. texte bilder fotos. (Hg.) Berlin 1992.

Klaus Michael, geb. 1959, Literaturwissenschaftler und Autor, Beiträge in Zeitschriften und Anthologien (auch unter Ps. Michael Thulin), Hg. der nichtoffiziellen Zeitschrift »Liane«. 1990 bis 1992 Mitarbeit am Verlag Druckhaus Galrev. Vogel oder Käfig sein. Kunst und Literatur aus unabhängigen Zeitschriften der DDR 1979 bis 1989. (Hg) Berlin 1992.

Die Autoren

Sascha Anderson, geb. 1953, 1986 Übersiedlung nach Westberlin. Vielfältige Aktivitäten im Bereich der nichtoffiziellen Literatur, Hg. »Poe-sie-all-bum« und Siebdruckbücher, lebt in Berlin.
Das Copyright für den abgedruckten Brief liegt bei Peter Böthig.

Petra Boden, geb. 1954, Literaturwissenschaftlerin in Berlin, Mitarbeiterin am Zentralinstitut für Literaturgeschichte der ehemaligen Akademie der Wissenschaften.

Michael Braun, geb. 1958, Literaturwissenschaftler, lebt als Kritiker und Publizist in Heidelberg.

Mitch Cohen, geb. 1952 in Kalifornien, USA, Literaturstudium, seit 1975 in Deutschland, Übersetzer und Autor in Berlin.

Gabriele Dietze, geb. 1951, Lektorin im Rotbuch Verlag bis 1990, lebt als Publizistin in Berlin.
Der abgedruckte Text ist eine gekürzte Fassung eines Vortrags, gehalten in Chicago.

Kurt Drawert, geb. 1956, Schriftsteller, lebt in Leipzig und Niedersachsen, Beiträge in nichtoffiziellen Zeitschriften.

Elke Erb, geb. 1938, zahlreiche Publikationen und Beiträge in nichtoffiziellen Zeitschriften, lebt in Berlin. Der erste Teil ihres Beitrags war abgedruckt in: Constructiv 12/1991.

Jan Faktor, geb. 1951 in Prag, 1978 Übersiedlung in die DDR, Eigeneditionen und Beiträge in nichtoffiziellen Zeitschriften, lebt in Berlin.

Henryk Gericke, geb. 1964, Autor und Herausgeber der nichtoffiziellen Zeitschriften »braegen« und »caligo«, Mitarbeiter im Verlag Druckhaus Galrev, lebt in Berlin.

Manfred Jäger, geb. 1934, Studium der Germanistik und Publizistik in Leipzig und ab 1955 in Münster, lebt in Münster als Publizist und Kritiker.

Johannes Jansen, geb. 1966, zahlreiche Eigeneditionen und Beiträge in nichtoffiziellen Zeitschriften. Mitherausgeber der nichtoffiziellen Zeitschrift »schaden«, lebt in Berlin.

Uwe Kolbe, geb. 1957, lebt in Hamburg und Berlin. Eigeneditionen und Beiträge in nichtoffiziellen Zeitschriften. Mitherausgeber der nichtoffiziellen Zeitschriften »mikado« und »Der Kaiser ist nackt«.

Andreas Koziol, geb. 1957, Theologiestudium, lebt in Berlin. Eigeneditionen und Beiträge in nichtoffiziellen Zeitschriften. Mitherausgeber der Zeitschrift »ariadnefabrik«.

Holger Kulick, geb. 1960, Politikstudium in Mainz und Berlin, Fernsehjournalist beim ZDF (»aspekte« und »Kennzeichen D«).
Die Gesprächspassagen sind stark gekürzte Fassungen von Rundfunkinterviews.

Leonhard Lorek, geb. 1958 in Zabrze (Polen), Studium der Bibliothekswissenschaften in Berlin, 1988 Übersiedlung nach Westberlin. Eigeneditionen und Mitarbeit an nichtoffiziellen Zeitschriften, Initiator der Zeischrift »schaden«.

F. Hendrik Melle, geb. 1960, Studium der Theologie, 1985 Übersiedlung nach Westberlin, Mitarbeit an nichtoffiziellen Zeitschriften.
Der Text ist die stark gekürzte Fassung einer längeren Erzählung.

Bert Papenfuß-Gorek, geb. 1956, lebt als Autor in Berlin. Eigeneditionen und zahlreiche Beiträge in nichtoffiziellen Zeitschriften.
Das Gespräch enthält ungedruckte Passagen eines Interviews vom 29.1.1992.

Gerd Poppe, geb. 1941, Physiker, Mitbegründer der »Initiative für Frieden und Menschenrechte« 1985, Hg. der Zeitschrift »Ostkreuz«, Mitglied des Bundestages Bündnis 90 / Die Grünen, lebt in Berlin.

Lutz Rathenow, geb. 1952, Psychologiestudium, lebt in Berlin. Zahlreiche Publikationen und Beiträge in nichtoffiziellen Zeitschriften.

Stefan Rosinski, geb. 1961, Studium der Musiktheaterregie und Philosophie, Mitarbeiter am Literaturhaus Hamburg, Kritiker und Regisseur.

Patricia Anne Simpson, Assistant Professor am Department of Germanic Languages and Literatures an der University of Michigan, Ann Arbor, USA.

Gabriele Stötzer, geb. 1953, veröffentlichte in nichtoffiziellen Zeitschriften unter Gabriele Kachold, seit 1991 wieder unter ihrem Mädchennamen Stötzer, lebt in Erfurt.
Der abgedruckte Text ist die gekürzte Fassung eines längeren Vortrags.

Wolfgang Ullmann, geb. 1929, Theologe, Dozent am Sprachenkonvikt Berlin, 1988 bis 1990 im Redaktionsbeirat der Zeitschrift »Kontext«; Mitglied des Bundestages Bündnis 90 / Grüne, lebt in Berlin.

Zu den Abbildungen

Wir danken Karla Woisnitza, Helge Leiberg, Ralf Kerbach, C. M. P. Schleime und Christine Schlegel für die Genehmigung zur Abbildung ihrer Werke. Die Arbeiten wurden uns durch die Künstler bzw. die Galerie Eva Poll (Ralf Kerbach) zur Verfügung gestellt.